▲ 20 岁时的剪影，从 17 岁刘心武开始发表小小说

▲ 1963 年在故宫御花园

▲ 海边留影（2010 年）

楼前白玉兰

刘心武◎著

每一个最平凡的小人物，
只要以敬业精神点染出追求的火把，
都能使自己的人生闪耀出童话般的美丽光芒

刘心武最新小小说集

中国广播电视出版社

刘心武文存15

[1958—2010]

小小说卷

寻找地平线

刘心武◎著

江苏人民出版社

图书在版编目（CIP）数据

寻找地平线 / 刘心武著 . —南京：江苏人民出版
社，2012.11
　（刘心武文存；15. 小小说卷）
　ISBN 978-7-214-08082-0

　Ⅰ.①寻… Ⅱ.①刘… Ⅲ.①短篇小说－小说集－中
国－当代 Ⅳ.① I247.8

中国版本图书馆 CIP 数据核字（2012）第 064229 号

书　　　名	寻找地平线
著　　　者	刘心武
责 任 编 辑	刘　焱
统 筹 编 辑	李　丹
特 约 编 辑	朱　鸿
文 字 校 对	陈晓丹　郭慧红
装 帧 设 计	门乃婷工作室
出 版 发 行	凤凰出版传媒股份有限公司
	江苏人民出版社
出版社地址	南京湖南路1号A楼　邮编：210009
出版社网址	http://www.book-wind.com
经　　　销	凤凰出版传媒股份有限公司
印　　　刷	三河市金元印装有限公司
开　　　本	700毫米×1000毫米　1/16
印　　　张	32.5
字　　　数	491千字
彩　　　插	4
版　　　次	2012年11月第1版　2012年11月第1次印刷
标 准 书 号	ISBN 978-7-214-08082-0
定　　　价	68.00元

（江苏人民出版社图书凡印装错误可向本社调换）

《刘心武文存》出版说明

《刘心武文存》收录刘心武自 1958 年 16 岁至 2010 年 68 岁公开发表的文字约 900 万字。《文存》共 40 卷，按文章门类收录，计有长篇小说 5 卷、中篇小说 4 卷、短篇小说 5 卷、小小说 1 卷、儿童文学 1 卷、建筑评论 2 卷、《红楼梦》研究 4 卷、散文随笔 11 卷、杂文 1 卷、海外游记 1 卷、多品种（图文交融文本、报告文学、诗歌、剧本、足球评论、译述）1 卷、创作谈 1 卷、理论批评 1 卷、早期（1958 年至 1976 年）作品 1 卷、自述 1 卷。因跨越时间达半个世纪以上，收录定有遗漏，但其此期间的主要作品，相信均已收入。

《刘心武文存》各卷均附有《刘心武文学活动大事记》及《刘心武著作书目》，可备检索。

编辑出版《刘心武文存》的目的，意在供各方面人士阅读欣赏、分析研究、批评批判、收藏保存。

刘心武文存

15

目录

她是哪国人

我认识她好久了，50年代的时候，她去商店买东西，售货员对她格外热情，因为都判定她是苏联来的专家，或专家夫人；她那洋人的特征，确实非常突出——金发、碧眼、高鼻、白肤……她戴耳环、项链、手镯，抹唇膏、洒香水，不管天气多冷，哪怕是三九寒冬，她身上虽裹着毛皮大衣，下面露出的一双腿，在当时中国人的眼里，简直是光着；但人们都自觉地向她奉献友情——"苏联的今天，就是我们的明天"嘛，"苏联是老大哥"，那么，她该是当之无愧的"苏联老大姐"；结果有一回一个热情的售货员就当面叫了她"老大姐"，事后她向我提及此事，耸起眉毛问我："难道我老了吗？"

她当然免不了要老，而且渐渐地她也不戴耳环和手镯，只戴项链，香水也不洒了，只抹一点淡淡的唇膏，并且她不再"光腿"，但她还是免不了尴尬——她在街上常常被小孩们围随，拍着巴掌对她欢呼："阿尔巴尼亚！阿尔巴尼亚！"结果有一天一位小学老师就上前招呼她，热情地邀请她去他们学校"给孩子们讲一讲欧洲社会主义明灯的繁荣景象"，她不免微笑着问："同志，您也不调查一下，就邀请我吗？"那老师乐乐呵呵地说："您答应了，我们自然会开介绍信去您那单位的啦……"她便正色道："我不是阿尔巴尼亚人！"那老师并不失望，仍旧笑嘻嘻地说："那您一定是罗马尼亚外宾啦！我还能怀疑您是帝、修、反吗？您要是帝、修、反，那怎么能让您住在这条街，天天看见您从这儿过呢？"……

　　60年代后期，她尽量避免出门，不得不出门时，便扎上头巾，把头发全塞在头巾里面，戴上大口罩（那时戴口罩上街不稀奇），戴上平光镜（那时一般人戴墨镜会被认为不正经），项链自然绝不敢戴，口红不消说早已不抹，衣装是"全盘中化"，我就经常看见她穿着军绿棉大衣在商店买东西，因为她中国话说得非常地道，那时候售货员也懒得抬眼看人（虽然商店墙上有斗大的"为人民服务"字样），因此倒也很少露馅。

　　1972年以后，她又渐渐故态复萌，有一回我和她在一家饭馆吃饭，她的头发已然黄白夹杂，眼珠也不那么蓝而发灰，她也仍不敢戴项链什么的，只是她穿了一件色彩鲜艳的大花点子的连衣裙，于是就有一位邻桌的食客主动移到我们这桌，非常热情地招呼她，并且望着我说（是让我翻译的意思）："我们中国人民反对的只是一小撮最反动的反华分子……我们愿同美国人民友好……我欢迎您到中国来……"他还没说完，我们已经忍不住笑出声来……

　　80年代以后，她头发全成银白，但居然青春焕发，面部化妆好了以后，光彩照人，而且抓紧减肥，腰肢袅娜，耳饰、项链、手镯、领针、胸花……一应俱全，衣着净是昂贵的时装，冬天恢复了"光腿"，脚下永无平庸之鞋；她是我的亲戚，我们自然也还见面小聚，有一回我就问她："现在人家把您看成哪国人呢？"她呵呵地笑着说："哎呀呀，我现在的国籍太多了！最经常的是美国，其次是法国，有时候是加拿大，有时是澳大利亚，最近还有足球迷一定要我承认是德国人，有的还缠着我，非要我给一个叫施那普纳的人带话……哈哈哈哈……"

　　前几天有个相当有身份的人来找我，对我恳切地说："听说您一位伯母是美国人，您看能不能……"我没等他说完就赶紧解释说："她不是美国人……"他也不等我解释完便生怕我拒绝地说："英国、法国、德国、意大利、加拿大、澳大利亚……就是新西兰、荷兰、比利时、瑞典、丹麦、挪威……哪国都行，只要您通过她给我们拉来了投资，我们的提成能达到百分之三十……要不，百分之三十五！这也是支援……"我不禁生起气来，郑重地向他们宣布："我伯母跟我伯父马上要庆祝金婚了，伯母在中国定居都半个世纪了，而且她四十年前就入了中国籍了，她是一个地地道道的中国人呀！……"

来人先是目瞪口呆，后来就以疑惑的目光审视着我，他还是不信，或者他认为不管我伯母入没入中国籍那她的实质还是一个洋人，他斜睨着我，不满地说："……提成百分之三十五还不干？……也太那个了吧……"

唉！轮到我哑口无言。

长沙发

这栋居民楼里，家家起居室里全有长沙发，而且一定正对着电视机。

6楼3单元里住着程阿姨。程阿姨家的起居室好大，离墙摆放着意大利古典式布艺组合沙发，其中那个长沙发坐上四个人一点不会觉得挤。但是那个长沙发上总是只坐着程阿姨一个人。程阿姨最喜欢的作家是冰心，最喜欢的作品是冰心晚年写的一篇小说《空巢》。程阿姨住的那个装修得非常典雅的单元就是一个空巢。老伴去世好几年了。儿子儿媳妇孙子孙女定居美国。因为对猫狗身上的细毛先天过敏，所以也没养它们，唯一的宠物是一只茶盘大的乌龟，叫寿寿，可是寿寿爬到长沙发底下已经一个多月没再爬出来了，程阿姨唤不出它，也无力把它掏腾出来，只好只当它也跟儿孙一样漂洋定居去了。程阿姨最快乐的时光，是斜卧在长沙发上，接听儿子一家打过来的越洋电话，每到那时，她就觉得长沙发真的太好了，仿佛化成了一只船，能把她的魂儿渡到大洋那边去。程阿姨也曾两次去美国探亲，但是到了那里大部分时间也很寂寞，儿子儿媳妇周一到周五一大早就开车去公司上班，回来时总是天已墨黑；孙子孙女都上寄宿学校，也是只有周末才回来；星期六儿子儿媳妇和孙子孙女总要睡到中午才起床，下午全家出动驱车半小时到一个里面比足球场还大的超市里去为下一周采购日用品，真正能跟放松的家人交流一下的时间，也就是星期天，多半去开车能当日返回的地方旅游。在美国，因为不会开车，周一到周五程阿姨就只能困在家里，打开电视，英语又听不懂，到户外走走，又不敢走远，往往连个邻居的影子也见不着。还是回到北京自己家里觉得踏实些，起码打开电视你能知道荧屏上在说些什么，再臭的节目也比美国电视觉着亲切。

不愁吃穿，没后顾之忧，楼里羡慕程阿姨的人不少。但是程阿姨坐在长沙发上，靠着既柔软又有弹性的大腰枕，看电视没兴致，读书报也常常无端地停下来发愣。这天，她坐在长沙发上，望望身子两边的空当，用手摩挲摩挲那带凸花的高级布面，忽然忍不住了，于是起身出屋，进电梯，开电梯的姑娘又新换了，问她："老奶奶，您下去到绿地转转？"她笑笑："叫我阿姨吧。我要上 14 楼。"到了 14 楼，她按 1407 单元的门铃。门开了，这回叫得正确："程阿姨！"

1407 那个单元面积比程阿姨住的小一半，常住的人却是老少三辈。程阿姨前些时在乘电梯时跟这家人遇上，听他们唧唧喳喳地笑闹，内容大体是争电视频道的事儿，年轻的要看世界杯转播，老太太却只想看中央台 11 频道的"戏迷乐"，当妈的埋怨总看不上一出什么连续剧。如今同楼也不兴串门儿，程阿姨的出现令一家人惊讶。程阿姨道出心曲：欢迎他们家的人分流一部分去她家看电视，看哪个频道都行；她还招待茶水小点心。"不是为你们做好事，是盼着你们为我做好事呢！"人家也没听懂她的意思，招待她茶水零食，请她坐到长沙发旁的单人沙发上。程阿姨冷眼观察，这家的组合沙发是最便宜的那种，当中的长沙发倒也挺宽，看样子还能临时变成一张床，她去时沙发上已经坐了姥姥、妈妈、儿子、爸爸四位，她便再次发出邀请，说："你们一个电视，这么多人挤着看，何必不疏散疏散呢？我那儿的大背投，环绕立体声，闲着也是闲着……"那家主妇就笑着说："我们新添了这个二十九英寸的，原来那个二十一英寸的挪里屋了，孩子又把他那电脑增添了接收电视节目的功能，倒是不用跟以往那么抢频道了，也很疏散好些天，可是，哎，怎么说呢？你问他吧——"被指到的上高中的儿子就笑着说："合久必分，分久必合嘛！我现在觉得，家里人挤在一个长沙发上，哪怕看的是我不大喜欢的节目，也还是挺滋润的！我以后离开家，第一个要怀念的，恐怕就是这个让家里人挤得暖烘烘的长沙发啦！"

程阿姨回到自己那个宽敞幽雅的大单元，发出一声欢呼："寿寿！"她把寿寿托到长沙发上，坐到一处，低头蔼然地问它："寿寿乖乖，咱们挨在一起，随便看个节目，好吗？"

请遵医嘱

爱人感冒了，忙到家里装小药的抽屉里去为她找药，不对症的药薅出一大堆，偏找不出想找的药，好不容易终于从抽屉底儿上觅出了一板感冒灵，可是怎么也找不出原来的包装盒，无从判断它是否过期，于是决定赶紧上街去给她买药。都穿好外衣了，忽然想起来应该给汪大夫打个电话。汪大夫是我们原来的邻居。

拨通了电话，我说："汪大夫吗？您好！……"

那接电话的原来并非汪大夫，但声音乍一听，还真有点像。他问我："您哪位？"

我忙报家门，解释说："我们原是邻居……爱人又感冒了，我这就要给她买药去，可是现在感冒药也真多，光是电视上打广告的，就不下五六种……汪大夫一贯提醒我们，服药要遵医嘱……他自己就经常给我们必要的叮嘱……自从我们搬走以后，本该有病没病常问候……真不好意思……您是他的——？"

那边回答我说："啊，对不起，汪大夫退休以后就搬走啦，有俩月了吧……这电话他过户给了我们……"听那口气，本来大概接下来想跟我说："以后就别往这儿拨电话啦！"但临时把那话咽了回去，嗫嚅地说："……啊，是呀是呀，服药可得遵医嘱啊！……可惜我们都不是大夫……祝您爱人早日痊愈吧……"我忙道谢不止。

爱人在床上咳嗽起来，我急匆匆下楼，直奔最近的一家药房。

那药房离我家大约一站多路，我也不坐公共汽车，健步如飞地朝药房迈进。

那药房前些时不仅重新装修了门面，搞得金碧辉煌的，远望去仿佛一家金银首饰店，而且，里头的厅堂也大改其观，迎面的柜台尽摆些个高级营养品，还有种种大大小小电子、机械的治疗仪和健身器，一个月前我在它装修后头一回跨进去，是为了买一管青霉素眼药水，进门的瞬间竟以为自己走错了地方……

离药房还有几十米远，便有人迎面堵住了我，硬往我手里塞一种传单，我摆手，表示不需要——记得前些天也是在这一带地方，有推销员硬把什么购楼房赠花园的传单塞给我，我瞥了一眼，便顺手往停在商场前面的小轿车上放——我是想把它塞到前窗的划水器下，我觉得那样的车主也许需要这样的传单——结果发现一大溜小轿车前窗的划水器下，早都压着不止一张类似的传单……

我绕开那散传单的人，一边说："劳驾，别挡我路，我要去药房买药……"

散传单的是个外地口音的小媳妇，她竟一扭身又挡住我的路，满脸热情地说："对呀对呀，给您给您，您买这个药吧！买这个药吧！……"

她硬往我手里塞传单，我硬是不接，正色道："药能乱买吗？吃药是要遵医嘱的！"

见我板起了脸斥责，她也就放弃了我，赶紧去往别的路人手里塞那不知是什么灵丹妙药的传单了。

我疾步走到离药房十来米的地方，忽然一个衣着整齐的中年男子逼近我身前，仿佛跟我挺熟识，关怀地说："……哎呀，您这病来得挺快是吧？……"我迟疑地停煞住脚步，跟他说："我可没病！……我也不认识您呀！"他马上亲切地说："家里人病了吧？您来买药吧？不是我咒您，您身上的确潜伏着病毒呢……您全家都应该服药啊！发了病的要去病，还没发的要预防……其实都不是什么大病，是一种新型的感冒……您们只要服了这种新药，十二小时内保证又活蹦乱跳起来！……"他边说边往我手里塞传单，这回我竟接过了一张，并且瞥了几眼……但我很快便把那传单揉成了一团，厌恶地说："药怎么能这样推销？这可不是一般的商品！你们……为了拿一点推销费，就这么乱来，这可不行！吃药要遵医嘱，懂吗？……"我绕过他往药房里去，他却贴在我身边，蔼然地说："您说得对极啦！服药请遵医嘱！店堂里有大夫啊，当场接受咨询，当场给您听诊、号脉，当场给您指导，给您嘱咐，您跟我来……"

在我们一同进入药房厅堂后，我忍不住跟他争吵了起来，我高声说："这算怎么一回事儿？治病的药还有强买强卖的么？……"又朝柜台里的售货员说："你们经理呢？……不能因为有的人付了你们一些钱，你们就允许他们这么样地推销药啊！……"柜台里有个女售货员脆蹦地回应我说："经理不在！"而身边那一直纠缠我的中年人也立刻回应我说："我们向您介绍的，是一种最新型的有治疗作用的健康营养品，是绝对没有副作用，有病祛病，没病强身的——是呀，咱们遵医嘱，您无妨过去听听——"说着便把我往一位摆摊的穿白大褂、戴白帽的人那儿引，并且招唤着那人："赵大夫！……"

那赵大夫却扭身，把背对着我们……柜台里的那位女售货员又脆蹦地跟我说："您听听介绍能有什么坏处呀？信不过，您买别的药不就结啦！"

……那被唤作赵大夫的男士终于跟我打了照面，他下垂着眼皮，脸皮泛红……我一时张开嘴再也合不上——他分明是我们原来的邻居汪大夫呀！

长袖·短袖

三伏天妻子出差，去的是全国温度最高的城市，他下班回家的路上接到妻子电话，敦促他把家里那棵枯萎无救的小叶榕处理掉，他一边开车一边烦躁地说："这也值得现在来电话！前头路口有警察，没要紧事，晚上再说！"关掉手机，他打个哈欠。

他们是一对都会白领，这个族群的生存状态，有人概括为"一套房子一辆车，一个孩子一条狗，睡昨天的觉，花明天的钱"，他们的生活却缺了第二句的内容，对于双方父母盼抱孙辈的期望，持"那是我们自己的事，请勿干涉"的态度，四位老人眼下最怕听到别人提及"丁克家庭"这新概念。

回到家里，起居室窗边的那高及天花板的枯树，确实触目惊心地大破相。头年从花卉市场选中，是人家用卡车送来，一直搬运到指定位置放妥的，曾构成他家一大亮点。两口子总轮流地出差，要么忘了浇水，要么浇水过猛，等到某一天他们同时注视那小叶榕时，不由得一起"哇塞"大叫。

晚上临睡前两口子又通电话，妻子大发牢骚，说要不是舍不得这份工资待遇，她早就会微笑着跟总经理说句"您是个超级混蛋，真的，超级！"炒了他鱿鱼便优雅地转身回家，"沙发上一靠，榕树旁，灯光下，听盘莫扎特，读几行阿赫玛托娃"。他就说："榕树枯啦，我一个人可搬不到垃圾桶那儿。"妻子就说："那你可以找那第二垃圾桶呀！"

"第二垃圾桶"是他们小两口的私密称谓，也都知道这样说实在不厚道，更严重地说是不人道。那指的是他们那个楼盘院内收废品的点。楼盘物业管理颇为严格，不准许小贩及收废品的随便进入楼区，但那个点却是被物业批准的，据说条件是每年给物业四千元的管理费。那个设点收废品的是个男人，楼盘里的多数业主欢迎此人的存在，因为处理家中废品方便许多，或自己拿去卖给他，或把他找去让他收走。

第二天是星期六，那白领睡够懒觉，去"第二垃圾桶"那里，跟那收废品的说，要他帮忙把那盆枯树处理掉，那人就跟他去了，进门前问他要不要换鞋，他想了想说不用换啦，就指挥那人搬树，那人弯腰持盆，把那树横向前，没碰着任何东西，迤迤逦逦把树搬到了楼外垃圾桶边，他问："给你几块钱合适？"那人笑："帮这点忙，算得了什么？你还有什么要我出力气的，尽管说，帮人搬东西我不要钱！"他这才头一回正视了那收废品的，看上去是个同辈人，很可能同龄，艳阳下，穿着件长袖白衬衫。"怎么，你没短袖的吗？"他不经意地问。那人脸上的笑容更灿烂："净有业主这么问，有好几位好心的都说要送短袖衣服给我，我心领，可我一夏只穿长袖的，穿惯了，我这人一热就出汗……"他纳闷："爱出汗，那就更该穿短袖呀！"那人用长袖子揩揩脸上的汗，告诉他："长袖子擦汗，省去了买毛巾啊！"他听了发愣。

妻子出差回来,他把处理枯树的经过说了,从此他们口中再没有"第二垃圾桶"的"戏语",一个星期天他们还把家里所有该处理掉的瓶罐纸盒之类的给那人送去了一大堆,他们不收钱,那人却笑说:"是呀,你们不在乎这点钱,可我不想白要东西,为的是高高兴兴过日子!"那以后他们路过那收废品点,总禁不住要瞥一眼,对那人"长袖成癖"已经见怪不怪,但"他为什么总那么快活?"曾成为他们餐后讨论的题目之一。

那晚妻子开车从飞机场接他回家。天已黑,一轮明月高挂天际。两个人都很疲惫。"咱们都该找心理医生。""是的,我看都患了职业厌烦症。"他们有房有车有高工资有带薪休假已经游过了新马泰正酝酿欧洲游,但他们仍然不快活。他们路过楼盘外的村子,对面来了辆三轮车,车上捆扎着高高的一堆废品,是那长袖男人,忽然那三轮车停住了,村边岔道上飞跑出一对小姑娘来,汽车也就停住了,汽车里的两口子清楚地看到,明朗的月光下,两个小姑娘大声地叫着"爸爸",那长袖爸爸背对汽车,也听不见他的声音,但他的肢体语言却万分明显地书写着快乐幸福的字样……

"看见了吗?那一对姑娘的短袖裙衫?"不用妻子提醒,他脑子里已经在想:那高耸的短袖样式,跟菲律宾总统阿罗约的礼服一模一样啊……

这个圆月之夜以后,也许,这对白领双方的父母,有可能不再怕听到"丁克"二字。

花脸猫

楼里人有意见不过话,时兴在一楼电梯边贴张条子。这不又贴上了一张,行文亚赛《北京晚报》的《古城纵横》:"深夜何来哐当声,阳台铁门宜轻关——本人原有失眠症，自搬进本楼后不想更难安眠，不知上下谁家有人入夜后还常出入阳台，阳台门总发出哐当巨响，间隔又并无规律，令人神经绷得紧如丝弦，不堪其苦。恳请夜入阳台者为他人着想，将铁门轻开轻放。先致谢忱。本楼一居民。"

等电梯的都看，都不吱声。嘴里不吱声，心里有反应。

这家的主妇今儿个满脑门子心事。家里人纷纷问她："愁什么呢？谁把您得罪啦？"她说是因为看了那条子。"那跟咱们家有什么关系呀？""咱们谁大老晚的上阳台犯疯去呀？""怎见得那主儿就住咱们脑袋顶上脚丫底下呀？"主妇抱起家里的花脸猫，跟那猫脸贴着脸，摩擦着。"喵呜——"花脸猫娇滴滴地叫着。全家望着那情景儿，开头都不吱声，几分钟后，热烈地劝解起来："咱们这猫闹得不算厉害呀！""咱们阳台不是包起来了吗？两层玻璃窗，谁家还听得见呀？""那条子上没提猫叫嘛！"主妇只是更心疼地把猫搂在胸前，一手摩挲着，不吭声。

星期天下午，开电梯的姑娘看见那主妇搂着个不断变形的旅行包，笑嘻嘻地问："装的什么活玩意儿呀？猛不丁一看，就像你这包儿成精了，要伸出胳膊踹出腿似的！"说完仰脖咯咯咯地笑了个够。主妇却满脸潘虹式的悲剧表情，又想把旅行包搂得更紧又怕搂紧了对花脸猫不利，两只手哆嗦得好厉害。

傍晚时分，正是电梯上座率最高的时候，那主妇回来了。她手里的旅行包不再乱动，咧开的拉链中露出猫头。那猫脸儿圆圆的，脸上又白毛，又有黑毛和黄毛，两只眼睛瞳孔大得惊人，泛着绿光。

挤进电梯，一位花白头发的瘦高个男同志正好站在她身边，伸出一根手指轻轻刮着花脸猫的鼻子，问："怎么这样老实呀？"她告诉他："刚到犬猫诊所段大夫那儿动完手术，麻药劲儿还没过去呢。"

"骗啦？多可惜呀，多不人道呀——"听他说"人道"，挤在一块儿的人好几个都笑了。主妇老老实实地说："可要不骗，它闹起来多吵人呀！有那爱失眠的，不更睡不着了吗？"瘦高个儿依旧蔼然可亲，仿佛不经意地说："以往住平房院，猫儿叫声听惯了，倒不碍着睡觉，只是搬进楼后，那阳台铁门夜里头哐当响，怎么也适应不了……"

电梯停在了主妇住的那一层，她忘了下。开电梯的姑娘提醒她，她才歉然一笑地走出了电梯。电梯门合拢了，她把旅行包搁到地上，将四条腿儿还瘫软着的花脸猫抱起来，把自己的脸和花脸猫的脸紧紧地贴在一起。

"黑话"连篇

勤杂工老姜来找王馆长报告："……听着不对劲呀！那些个字眼儿，单拿住都能对付着听懂，连成串儿，可就成了'威虎厅'里的'切口'啦！……他们是伙子什么人呀？……"

王馆长不以为然："能是什么人呢？咱们这号地方，你说的那号人也不会来！"

老姜很伤心，他可是好心好意，其实那小会议室里是些什么人在开会，是白道的黑道的红道的还是黄道的，跟他一个灌开水抹桌椅扫地倒垃圾的有什么关系！可是他毕竟是"旧社会过来的人"，当年沾过黑道、红道的边儿，他懂，那些个爷们聚一块儿，不怕声大气粗，因为他们口里头呐出的字眼儿，外人听了只是发蒙，他们一伙的听着，却是榫儿对锁，那意思稳稳的扭动不了，那叫"黑话"呀，另是一路人的行业用语呢！

老姜把自个儿的发现，又跟锅炉房的彭师傅说了，彭师傅问："以前光听说有黑道，怎么你又凑出那么多的色儿来！什么叫红道、黄道呢？"老姜赌咒发誓地说："我敢瞎编排吗？原先旧社会，真有呢！红道就是专帮黑道收拾人的，'白刀子进，红刀子出'，敢玩命儿；黄道就是专给人起卦算命，还有就是在赌局里作弊使坏……如今有的旧社会的坏东西，它又冒出来了不是？有个文明词儿，怎么形容的来着？"彭师傅提醒："沉渣的泛起。"老姜拍着大腿说："可不是吗！你说说看，这叫什么事儿！咱们这儿，甭管怎么说，文化馆不是？他们开黑会，找这儿来了！你说有多吓人！"彭师傅就问他为什么不报告馆长，姜师傅一跺脚说：

"咳，别提了，他眼皮儿揉不进咱！我可不是去跟他说了吗？他没事儿人一样……那个麻痹劲儿啊！"

彭师傅就跟老姜去那小会议室门外，立着，耸起耳朵听。

小会议室里，稀稀落落坐着十来个人，迎面的几个，已经够奇形怪状的了，本是大老爷们，却有留着两尺长头发，还在脖子后扎个大马尾巴的；又有那本是光秃得赛灯泡，却偏围一条血红绸巾在脖子上的；还有胖得一篓油，却非穿那箍得一疙瘩一疙瘩的油乱桃荡的瘦 T 恤的……

"……连血带肉地切割……肌理泫然……在心尖上刺破……犹如无头蛙双腿的抽搐……挟带热腥血气……"

"……充满元生命密码的玄奥……戛然划破……绝望的张力……浸着血色的清晨……在失落的心灵废墟……拣拾世纪末拼贴画魑魅的骨骸……"
……

老姜与彭师傅面面相觑。

"哎呀，怕是'白刀子进，红刀子出'那一道的呢！"

这回是彭师傅与老姜一起找馆长。

"我们虽说是……干粗活的……可您说过……都得有主人翁精神……谁也不愿意咱馆里出事不是？……那些人，声气确实挺邪乎呢！"

馆长老王说："我查了，是小刘经手租出去的……这个小刘，又找不着他了……这些人还没交费呢……总这么赊欠，咱们馆可经不住啊……还有赖账的呢……成，我去听听，是什么道的在开什么色儿的会？必要的话，咱们给公安部门报案！……光天化日，我就不信那个邪！"

老王就往那小会议室去，路过餐厅，朝门里粗粗一望，倒不乏食客身影，卡拉 OK 歌厅里传出走调走得厉害的《恰似你的温柔》……路过阅览室，那可是免费的，却只见一些个空桌子空椅子……到了二楼小会议室，老王坐到门边的空椅子上，旁听，老姜和彭师傅站在门外，俨然保镖的架式。

那些奇形怪状的人却根本没注意到老王的到来，仍然很专注地继续着他们的话语。

"……在六维空间里,悲悯地搜寻潜情绪中的游丝……不幸被维克根思坦言中……只好在扭曲的形态网络里挣扎……"

"……纯粹意识的杂交优势……蒙昧的清醒……黄昏的朝霞……卡林内斯库所说的现代性的五副面孔……为什么一定要皈依拉康?!……不如从霍米巴巴那里汲取灵感!"

……

老王疲惫地走出门来,老姜和彭师傅都期待地望着他。

老王忍不住打了个哈欠,对他们说:"没事儿!……彭师傅你还是快回锅炉房吧……老姜,麻烦你……取三瓶矿泉水,再拿些个方便杯来,都算在我个人账上……"

两人都愣愣地,老姜尤其不解,一双老眉抖得厉害。

老王便告诉他们说:"是一拨子搞文艺理论的……他们那些个话语,确实邪兴,可他们都是些个好人,正经人,也是些个穷人……哎哎哎,让他们跟这儿过把子瘾吧!"

彭师傅和老姜离开了,老王还在门外小立一阵,他摇着头,轻轻地问自己:"他们……算是哪一道的啊?"

"上帝"结婚

进入这家商城,恍若到了西方强国的购物中心,起码犹如到了香港的 SOGO 百货公司,在这里,顾客确实是至尊至高的"上帝"。

在三层的男仕世界一隅,有家大名赫赫的专营店。一位男士携一位女士飘然而进,售货小姐立即趋前笑面相迎。

男士的嘴唇几乎贴在女士被发卷掩住的耳朵上,吐蜜般地说:"还是先去六楼给你买金链子吧……"虽是"悄悄"式,却也清晰地触及了售货小姐的耳膜。

女士粘在他身上,扭成一根天津大麻花,嘴里哼哼唧唧,眉毛都飞往额头,那形体语言遣词造句都很明快,就是:甭,甭,你先挑西服嘛,我偏要你先挑嘛……

男士就挑,他两眼只瞄准那标价卡,一边拨弄自选架上的套装一边问:"有再贵点的吗?……"

售货小姐脸上的芙蓉开得更艳了,她知道这回来的不是"业余上帝",属"业余"的是"过把瘾就走",这回的"上帝"算是"买你没商量"。

"上帝"很豪爽地挑了一套,还没进试衣间,就哗啦一声打开了密码箱,售货小姐一瞥之间,满眼成摞的大票子烫眼,忙笑说:"您先试衣,如果满意,请到收款台交款……"

"上帝"把密码箱递给随行女士,女士娇喘吁吁地用双手提着那沉甸甸的黑玩意儿,嗔了一声:"你可快点儿呵……"身子便又成了一根天津大麻花。

"上帝"快得出奇地走出了试衣间,他把那身价值几千元的穿在了身上,把自己原来的西服叠在了一起,容光焕发地问:"可以吗?"

"天津大麻花"哼哼唧唧地扭动,表示"好好好好嘛……"

售货小姐点头,把开好的票据递给"上帝",又把不远的收款台指给他,再用本是装新西服的漂亮提袋装起了男士脱下的西服。

男士去收款台交款,女士随去,售货小姐立正,双手叠放腹前,望着他们。

男士女士交完款,回来,男士把款清单递给售货小姐,小姐目验无误,笑眯眯将那装旧西服的提袋递给男士。

女士挽着男士的臂膊,粘在他身上,已走出几步,又回过身来对售货小姐,眉毛飞上额头地说:"拜拜……"

售货小姐已说过致谢的套话,又再对他们来了个日本式鞠躬。

后来那男士又和那女士去了六楼金饰部,男士给女士选定了一条水波纹样式的金链,开了票以后,男士怕女士一块等着收款台点钞累得慌,就先把她送到同一楼层的休息角,给她点了一客八喜冰激凌,自己再去为她效劳……女士吃完冰激凌,男士也就回来了,手里是一个小小的银制手饰匣……后来他把一条金光闪闪的项链亲自帮她锁到了她脖颈上，她的脖颈扭了几扭，仿佛一截细点儿的天津麻花……

大约过了一个多小时，那男士忽然又出现在三楼的那家专营店，他对售货小姐说："真对不起，我要退掉这套西服……"他已又穿上了原来的西服，他把提袋递给售货小姐。

售货小姐脸上的芙容几乎凋谢了一半，但意识到面前毕竟是个"上帝"，只好在风雨中坚持不再掉落花瓣，她一再柔声细语地说：这可是大名牌呀……您穿着很气派的呀……她不是也很欣赏的吗……

但"上帝"坚持要退，他的理由不大好反驳：是的，在这里他穿上很满意，可是一走出商城，阳光一照，那颜色给他和她的感觉就全变了，实在抱歉，他不想要一套"经不住阳光推敲"的西服……

只好让"上帝"退掉，当然，售货小姐检查了那套只穿了两三个小时的西服，没发现污迹、皱褶或异味，确是"完璧归赵"。

可是到商城打烊前，售货小姐忍不住又把那套西服细细地搜检了一遍，她有所发现：在衣兜里多出了一张纸条……

……那售货小姐到六楼金饰部，问那里的售货小姐："你们这儿也有人退货吗？"

"上帝"都走了，小姐们也就不再操"安琪儿"腔，那小姐甩着粗嗓门说："我们这儿就是'上帝'他祖奶奶，也概不退换！不过今儿个有俩'上帝'结婚，挑了条金链子，都开了票，等到下班，他们也没来取……也许是钱没带够，明儿再来吧！"

三楼专营店的那小姐就说："哼，那'上帝'，明儿个他才不会来你这儿呢！可我'方'他准得来我那儿……"

是的，八成那结婚的"上帝"——不是一对儿，而是那位新郎——第二天准会来专营店找她，因为，她从那退回的西服里发现的纸条，是一张照相部的婚纱照取相单！

"围脖太太"

那是四年前，某宿舍大院的传达室来了个妇人，中年以上，却也不算怎么老，值班的老太太问她找谁，她笑呵呵地说："就找您啊！"

她是个"见面熟"，当时传达室里很清静，她很快跟值班的退休老太太找到了共同话题，一边聊，一边拿出毛线，织围脖；虽言谈极欢，值班的老太太还是不得不终于问她："你来这儿，究竟有什么事啊？"她一听，停下编织直笑："你看，我倒差点儿给忘了……"她就有一搭没一搭地说："您这院里，有那想安厨房抽排油烟机，可还没安上的吧？……跟您说吧，那个排风扇管不了什么事儿，要想不挨油烟熏，还是得安抽排油烟机才行啊！……"

临走，她给传达室的老太太留下十块钱的"统计劳务费"。从那天傍晚，传达室里就出现了一张"本院安装抽排油烟机住户一览表"，老太太宣传说："人家代买、代装、代试，试妥了，您满意，再收钱；您不满意，人家拆了拿走，分文不取；装的时候，您免递烟茶；抽排油烟机按商场价，不多收；安装费是多一点——五十块，可给您省了多大的事啊！"

一周以后，织围脖的妇人又来了，坐在传达室里且织那花围脖，倒是值班的老太太主动取出那张统计表，向她汇报，登记状况不太理想，不少住户心里有疑虑，那时候抽排油烟机还比较新潮，厂家还不太多，不管上门安装，能这么便当地安上，能是真的吗？

织围脖的妇人乐呵呵的，有一搭没一搭地说："那也是！"又让值班的老太太告诉她这传达室还有谁轮流值班，又说些闲话，临走拿出二十五块钱，说："您是打头帮着统计的，十块钱给您；另外十五块，您代我交给那三位同志……您们再给宣传宣传吧……到时候，您们四家，我们只收机器钱，不收安装费！"

再过一周，她又来坐着织围脖，这回的统计表上，愿安抽排油烟机的住户达到了二十三家，她点点头说："行呀，值当来几趟啦……"于是约好时间，请代通知各家到时候留人。

安装那天，开来个小面包车，她从车里下来，还是坐在传达室织她的围脖，司机和一位老师傅，由已经熟识的传达室老太太领着，去给住户安装。一时还用不着的抽排油烟机，就暂留车上。她一边织围脖，一边和当天在传达室值班的一位老头闲聊。几个小时以后，好几家都安装完了，各家都满意，交的款都由传达室老太太帮她代收了，点过，不少，她顺手抻出两张，递给两位传达，两位都推让，她坚给，终于收下。

上到面包车上，她坐司机旁边，车一开，她也不怕颠簸，还是织围脖。后来她们到了一家个体饭馆，坐下后，她给了司机、老师傅各一百元，老师傅虽没开车，可安完了几家，再下楼从车里取抽排油烟机的事，是老师傅完成的。她点了菜，给司机和自己要了果茶，给老师傅要了啤酒。吃喝的时候没话。她先吃完，于是织围脖，等他们。后来，司机先开车把她送回家。

光那一天，她就赚了五百来块钱。她其实只不过是织了一天的围脖，车是司机他们单位的，老师傅是另一单位退休的，都是她邻居，知根底，属于最老实巴交的。司机他们单位没有停车场，所以每天下了班允许他把车开回家，停楼下。他们对跟着她干这个，一次得一百，还管一顿饭，挺知足，挺感谢。抽排油烟机她是一边织着围脖一边跟一家地点颇偏僻的商店，说好以极优惠的批发价批出来的，她是现取现用，要量递增，那家商店也很感谢她。

安上抽排油烟机的住户都满意，果然好，来安装果然不仅麻利，而且真的烟茶不扰。于是有那也想安的就跑传达室来问，管传达室的就互相埋怨：怎么也没让那织围脖的留张名片？有问那安装公司叫什么名儿的，就回答：你管叫什么名儿呢，服务好不就得啦！

但是没多久，她又露面了，还是坐在传达室里织围脖，原来她总是织着织着又拆了重织，花式也老变。后来，那个宿舍大院八成的住户都由她安排装上了抽排油烟机。

跟着她又向周围的宿舍大院发展，很快蚕食完所有那一地区，竟又向别的地区挺进；她依然是坐在传达室一类地方织围脖，有人叫她"围脖太太"，她就微笑；变化只是来安装时，除了原来的司机和老师傅，又添了两个外地的民工，当然那安装速度是越来越麻利了。

她织了不到四年围脖，已富逾百万。她没有执照，不称公司，并且她几乎没进入过任何安装抽排油烟机的人家，没有人对她进行过追究、投诉，相反，很多人认为她给自己家里带来了很大方便，如果真让厂家来上门安装，服务反不一定有"围脖太太"周到麻利；她也搞"售后服务"，一般安装三个月左右，她总会再来织一回围脖，让委托统计者再统计哪家安的有问题，机器有问题的，还真给换。

当然，细想起来，她逃税；不过，她是以"帮忙"的形式做这些事的，税务部门不知道她的存在，更没人向税务部门告发；还有，她指使那司机"公车私用"，不过，她后来给那司机买"议价油"的钱，司机说，单位的人，特别是大小头头常让他用这车办私事，既然反正不能"无私"，跟"围脖太太"合作有何不可？他这人特缺"公关"能力，自己揽不了这么多活嘛！再说，业余时间给人安安抽排油烟机，不沾群众一烟一茶，老听见人家说"谢谢"，还真有点"学雷锋，做好事"的感觉呢！当然，更可心的是，一月能从"围脖太太"那儿领个一两千的现钱，有时候还另给，也不叫"奖金"，连签字都不用……

四年里她究竟织了几条围脖？据说只有一条，她织了拆、拆了织，那围脖上不断变化的花纹，其实就是她的备忘录和账单，怪不得她赚了那么多钱，从来没用过笔记本、笔和计算器什么的。

ZC相册

小伙子假期跟几位"驴友"结伴下江南，一路上超快活。在苏州，逛完寒山寺，发现寺外过河还有个枫桥景区，就进去再寻个大快活。

发现那枫桥前方岸边，有个古人铜像，卧坐着，轻闭眼，搁在膝盖上的右手，被摸得变了颜色。见有的游人争着去摸铜像那只手，他和"驴友"岂甘落后，也纷纷去摸那手。想必摸了吉利。一路上，他们见到景点若干处所，塔形香炉呀，放生池呀，总有人往里头抛"钢蹦儿"，也都跟着抛；凡见别人去摸的，他们必摸。在道观里，他们随口念出阿弥陀佛；在佛市里，他们议论"万圣节"的南瓜扮怪。

一路照相。反正各自都有数码相机，相机电池耗尽，来不及回旅店充电，就权且用手机拍摄。在镜头前，他们的 Pose 一个比一个夸张，一个比一个搞怪。

那时一个旅游团过去，铜像那里游人不多了，他们可以尽兴拍照。小伙子一跃而上，跃到基座上那古人铜像的怀抱里，歪倚着，咧嘴笑，一只手还打出 V 形手势，那边几个闪光，把他拍了下来。跳下铜像，笑作一团。

这时踱过来一位老先生，跟他们打招呼，重点瞄上了他，望着他说："小伙子，高兴啊！"他就知道那老头会批评他不该跳上铜像，立马主动说："好啦好啦，不再上去就是啦！"老先生却笑吟吟地，开始跟他们聊天："喜欢这铜像啊？知道他是谁吗？""知道啦，古人啊，唐朝的，写诗的啦！"有个"驴友"就哼了几句歌星毛宁唱红的《涛声依旧》。小伙子高声说："我们都知道，他叫李白！"老先生笑了："李白的诗当然写得好，可是，这铜像塑的却不是李白。塑的这位唐朝诗人叫张继。为什么在这里塑他？你们刚才哼的歌，是把他当年写的那首诗，抻面条似的变化出来的。其实他写的只有四句，非常凝练。喏，那边的诗碑上，就有他的那首《枫桥夜泊》。"小伙子说："知道知道。能背能背。"他和几位"驴友"就试着背，结结巴巴，只有"夜半钟声到客船"一句全对。"这铜像塑得真不错。"老先生引领他们围绕那铜像，从几个侧面指点他们欣赏。小伙子心里爱听，面子上挂不住，插话说："我们是自由行。我最烦导游絮絮叨叨。游人有权利按自己喜欢的方式来游览啦！"可是有几位"驴友"表示愿意听老先生讲下去。老先生蔼然可亲的话语最后还是征服了小伙子。老先生说："你们应该在这里拍照。那个旅游团的成员，有的站在铜像一侧，摸着他右手拍照，大体还说得通。诗人用手拿笔写诗，摸着他手，沾点诗味儿……可是，还有更多的方式来拍照留念。比如——"

老先生拿出自己的数码相机，对小伙子说："我给你拍张试试。拍好拍坏我都会当你面删除的。不过，要是我拍出的这个画面你喜欢，那我就用你的相机，给你拍下来。"老先生建议小伙子站到铜像右侧，望着诗人，启发他跟诗人进行超时空的心灵对话："您为什么认为江枫和渔火是在'对愁眠'？那寒山寺的夜半种声，为什么让您那么忧郁？人生除了享受快乐，难道咀嚼忧郁也是一种精神生活吗？"不知不觉地，照片拍下来了，拿给小伙子看，众"驴友"也围上去看，小伙子不想说什么，只是心里有丝丝缕缕异样的情愫旋动起来，那是他之前生命不曾有过的体验。老先生把他那相机里的试照删了。"驴友"们纷纷按照老先生建议的路数用各自相机拍了照片。到最后，小伙子才把自己的相机递给老先生，说："您给我拍吧。"老先生拍完，在跟他们道别前又柔和地说："到这种名胜古迹里参观游览，谁也不可能把其中的历史、文化积淀一次性汲取完，但总归还是多少能让心灵悟到一点什么为好。另外，提个小意见。你们之前照相，总喜欢摆出个 V 形手势，V 是英文 Victory 的简写，表示胜利。可是，参观这样的地方，包括欣赏自然风光，并不是打仗、竞技，为什么非摆 V 形手势呢？我还注意到，你们原来几个人合影的时候，有的人是手背朝外打出 V 来，哎呀，在英国、澳大利亚、新西兰，那可是侮辱人的手势，形同骂人啊！年轻人，别生我气啊！萍水相逢，咱们今后可是要相忘于江湖了哇……"

小伙子旅游回京，这次在遇见老先生以前拍的若干照片，全删除了，但打印出了那张倚在铜像怀里摆 V 形手势的，又从以往相册里拣出了一些，合并到一个相册里，本来想用油性笔在扉页上写"知耻相册"四个字，想了想觉得这个隐私还是更稳妥地保存起来为好，最后就写成了"ZC 相册"，他想，自己有了时时翻看这个相册的勇气，标志着自己在走向成熟吧。

安灯泡的人

夜里九点半，她走进厨房，打算给自己煮些馄饨当夜宵。从冰箱里取出馄饨，把盛好水的小锅坐到火眼上，忽然，厨房天花板上的电灯泡憋了。她取来一个新灯泡，搬来一把餐椅，为了稳妥，再把一只小凳放在餐椅旁边，但厨房显得非常晦暗，她先踩小凳，再登上餐椅，小心翼翼地足用了好几分钟；她使劲伸臂，指尖才勉强够到那只憋了的灯泡，于是明白，靠她自己，是无论如何也不可能卸、安灯泡，解决厨房照明问题的。

她到灯光明亮的厅里，去给物业打电话，值班的告诉她：电工都下班回家了，他记录下了她的要求，明天 9 点电工一上班，就会来帮助她，她说，其实很简单，只不过她个子矮，希望值班的能来一下，举手之劳嘛，但对方的回答却很复杂，一是这不在他值班的职责分内，二是干电工活需要持电工本，他没有本不能去干，三是他是值管大事的，倘若恰他为这么件小事离开的时候有业主报告火情匪情……她没听完就挂断了电话。

她给同层隔壁的邻居小安和小香两口子打电话。他们对她十分友善。半年前老伴突发心梗歪倒在书桌上，她往老伴嘴里舌下塞硝酸甘油，怎么也塞不进去，而老伴似乎已经没了呼吸，急得她冲出家门，猛敲小安小香他们家的防盗门，大喊"救命"，小安小香闻讯冲进她家，一个抓起电话打 120，一个去把她老伴放平地下，按胸，口对口呼吸……直到老伴的后事料理完毕，小安小香看她平静下来，他们才又恢复到见面打招呼、隔墙各自过的状态。尽管她很久没有再麻烦过小安小香了，但这次打去电话求助来安厨房灯泡，觉得必无问题，谁知那边接电话很慢，拿起电话传过来小安一声显得很粗糙的"喂"，而且更传来小香的叫骂声："又是你的哪个心肝？你怕不接误了你们的好事儿对不对？……"她就本能地挂上电话，愣在那里。

人们各自生活。多数是在一个共同的屋顶底下，叫做"家"的地方。而"家"的核心呢，是两口子。她想到了鹅毛笔，这自然是个绰号，当年是个很优雅很浪漫的绰号，鹅毛笔堪称她大学时同舍的闺中密友，经历过那么多年的云烟世事，她们现在仍保持着相当密切的联系。老伴去世一个月后，鹅毛笔来她家，环顾一番后说："你哭不出来，别人不理解，我能不懂吗？你们早就貌合神离，他这么干脆利落地去了，对你反而是个解脱。"其实她和老伴谁也没有外遇，也说不上有什么矛盾，六十岁以后，他们的生活里甚至连拌嘴的浪花也鲜有，在她来说，内心里是嫌老伴太无情趣，尤其是退休以后，生活的主要内容，就是坐在书案前，修订补充他那本四十几年前出版过的学术专著，二十年前到美国留学，后来在那边嫁人定居的女儿，半年前回国奔丧，把父亲那部一再修订补充却难以再版的书稿带去做纪念，三个月前来电话跟她坦率地说："确实过时了，其意义只存在于私人纪念中。"夜深人静时，她也曾在失眠时苦苦思索：婚姻的意义究竟是什么？丈夫也者，对于妻子，意义何在？

胡思乱想了有多久，她也不知道，只是觉得饿，想吃热馄饨，想起厨房没有光明，堵心，她给鹅毛笔打去电话，鹅毛笔一听是她就笑，说必是想起我鹅毛笔的长处，想利用一下，对不？她也笑，说正是，我是墨水瓶的个子，够不着那灯泡，你鹅毛笔正好发挥特长，你浪漫一下，打个车过来，咱俩一起消夜……电话里鹅毛笔的笑声有搓麻将的声响伴奏，那边问看没看过《色·戒》？能辜负好不容易凑齐的"三缺一"吗？建议她打车过去，那边的消夜是从24小时营业的名馆子叫的外卖，比冷藏馄饨强太多了……

她失落地朝厨房移动，路过没开灯的书房，忽然，她恍惚觉得他还在里面伏案，许多细琐的往事倏地丛聚心头，啊，他，老伴，如果在，他就是那安灯泡的人啊……他会默默地修理马桶，为她从橱柜最高处取放物品，给她把似乎永不再启动的按摩器恢复功能……那次她大意地闻铃开门，门外是两个可疑的陌生男子，老伴适时地站到了她的身后，那两个人显然是因为这家有男人便舍难取易，第二天全社区都知道了那桩血案——作案者就是那两个人，时间就在离开她家约半小时后，地点在旁边那栋楼，受害者是一位孤身妇女……

婚姻的意义一定还很深奥，丈夫的价值一定还很繁多，但是，当她拐进黑魅魅的厨房时，她锥心镂骨地意识到，她生命中需要一个随时能帮她安灯泡的人……跌坐在那把餐椅上，她痛哭失声。

把免费进行到底

"免费！免费！"那叫喊声使他不由得停住脚步，接过了一张传单。啊，是免费培训。那正是他所想学习的科目。虽然快近不惑之年，上有老，下有小，负担已经很重，他还是一直怀有加码充电之心。回到家，把传单拿给爱人看，爱人不相信："真能免费？"但传单上印着一行行斩钉截铁的句子，绝不含糊，就是免费。

于是星期六一早他就骑车去那里。骑了一个多小时，才在郊区一个镇子里，曲里拐弯地，好不容易找见，原来是借的一个废弃仓库办的班。还有几个人跟他一样，按传单上的地址找到了那里。接待的人让他们登完记，就发给他们教材，要他们交三十元。"不是免费吗？"一位瘦高个先问，回答是："免学费，但是教材你们总得自己买呀。"一位矮个子女士一边翻着那教材一边问："呔，就这么薄一本，印得也糙，值三十吗？"回答是："这是我们专门请人翻译，自己印的！给您没翻译的原本儿，您看得懂吗？我们总得给翻译的人一点辛苦钱吧？这三十元也就是个工本费啊！"于是有人就交钱领教材，他想了想，也就交钱、拿书。

问哪天开始上课？说下周六下午两点上第一课。来之前自己先看教材预习，授课老师都是从大学里请来的，人家完全是当做公益事业，无私奉献，希望不要迟到，也希望带动别的人一起来学习。这么好的事儿，怎能不快乐开怀？骑车回家时，哼了一路的歌。

去上第一课。学员有四五十口子。教室虽然破旧，居然每个课桌上都事先摆放好了电脑。传单上写了是电脑教学嘛，真不是吹牛。可是所有的电脑都没插电，暂时不能用。还是上回那个瘦高个带头问："怎么光摆着不能使啊？"回答的口气蔼然可亲："我的好师傅，没法子啊，人家白借给我们地方，可不白让我们用电啊。"也还是那位矮个子女士接着问："电费能有多少？我们学员均摊嘛！不能开机我们怎么用它学习呢？"回答得更是耐心细致："也想过均摊电费，可毕竟难以计算啊！再说我们既然宣布免费，那就要把免费进行到底嘛！我们了解了一番，诸位都是属于低收入阶层人士，一般都难以置备电脑，尤其是新电脑，价值不菲，难以购买；可是没有电脑帮助，这科目是很难学好的，因此，我们打算把这些二手电脑提供给诸位，您们可以把它们运回家里使用。在这里，我们教给大家电脑的基本使用方法，以及如何利用电脑学习科目知识，大家回家以后，可以利用电脑复习，当然电脑还能给您提供更多方面的便利和乐趣……"有人高声问："电脑免费吗？"回答很干脆："当然免费！"有人问："那么，我就这么把它运回家里了？"回答时略带笑声："看您急的！等上完这一课么，您登记一下，交五百元押金，就可以抱走了；等您用完了，送回来，我们会把押金返还给您。"教室里声音杂沓起来，议论纷纷："这旧的电脑，能用吗？""五百块，太便宜了吧？便宜没好货啊！""人家免费给你使，还要人家供应你最先进的产品吗？""拿回家根本不能用呢？""人家说了嘛，完全不能用，你就再拿回来换嘛！""也好，我孩子老叨唠，同学家里都给置备了电脑，就我们家没有，这下岂不解决了问题？我们父子还能互相辅导……""我得在这儿先试，能用再交押金。""你是他们的'托儿'吧？我看这哪里是免费培训，分明是推销破旧电脑！""就真是好电脑，五百块我也交不起呀！""人家不是说了吗，今天你能交多少钱留下多少钱，下次再把钱补齐也行；还有就是今天不方便运走的，人家会统一派面包车给送到你家里去……""真遇上天大的好事了！""谁知道呢？我心里头总还是不踏实……"

来了个讲课的，大家安静下来。不大像是大学里的教授或者讲师，可也确实能说出一套一套的，这头一课主要是讲这科目有多么时兴，学会了能跳槽到哪些地方，能挣到多少钱……最后还是落实到使用电脑学习的必要性、迫切性、灵便性上，并允诺他和其他义务教师会逐家去帮助学员熟悉使用那二手电脑。

下课后是乱纷纷的局面。真有掏出五百块把电脑用小三轮车和自行车驮走的。有位学员掏空口袋只有三十块，暂交那么多，也驮走了电脑。有不交钱不拿电脑的，但人数不多。他犹豫了一阵，把身上所有的一百二十六块钱交了，说定第二天在家等面包车把电脑送来，他表示那时可以把剩下的押金补齐。

第二天从早晨等到傍晚，没有什么面包车到他家来送电脑。天快黑时往那免费培训班办公室打电话，一直是占线的忙音。家里人全都埋怨他。晚饭也没吃好。但天黑净时却忽然来了个人，汗津津的，说是来道歉，解释说，因为要送的家数太多，住处又东南西北哪儿全有，所以面包车今天赶不到这儿来了，明晚一准送到；

但是他带来了一套电脑软件，是必须安装的，其中包括与那本教材配套的学习软件，一共只收成本费五十元，也就是说性质也还是免费。他还在琢磨，爱人先心软了，让座让茶，当即交了五十元，收下那套免费软件。

再一天晚上，电脑真送来了。插上电，显示器还真出像。他补上了三百七十四块押金。

但是烦恼与疑惑接踵而来。三天以后电脑便罢了工。请来懂行的人查看，说是这哪儿是二手电脑，恐怕三手以外，根本是报废的，从电子垃圾堆里捞出来的；那些所谓软件，更是胡闹，全是破烂不堪的东西；那本教材是早几年的盗版书，不少内容已经过时。这么说，全是让免费给弄晕了，上了个大当！

愤怒地去那地方找那些骗子算账，已是人去屋空。回到城里，又听见"免费！免费！"的叫喊声，再接过那传单，细看，地址变了，电话号码变了，科目变了，但"把免费进行到底"的宣传口气如出一辙。还是那几个人在行骗吗？他捏着那张传单，下决心去报案。

斑马线

拨打 110 才几分钟，民警已然来到。

冯小杰的母亲哭天抹泪。原来，她的心肝宝贝，也就是冯小杰，忽然失踪了！民警一边安慰她，让她冷静，一边询问："他是怎么失踪的？"

"……我从厨房出来，往他那屋子一探头，他没了！……"

"他会不会是下楼玩去了？"

"我从来不许他下楼玩去！接他回来，我就安排他写作业……每天到这个时候，差不多五点半，他总是按我的嘱咐，老老实实地戴上耳机子，听儿童英语的教学带……"

"他多大？几年级了？"

"下月十周岁，四年级了……"

民警松了口气，心想都这么大的孩子了，现在离天黑也还早呢，只不过是暂时出了家门，没跟当妈的打招呼罢了，实在还作不出失踪不归的判断，便对冯小杰的母亲说："您别太着急，如果再过一个钟头，吃晚饭的时候，他还不回来，你再给我们来电话，咱们一起想办法找他……"

民警走后，冯小杰母亲越想越怕……从冯小杰上一年级起，不，打从冯小杰送幼儿园日托那天起，他们两口子便锲而不舍地坚持天天接送，风雨无阻，雷打不动，为了做到每天四次接送不空缺，她硬是放弃了福利较好的单位，把自己的工作换到了住家附近，爱人也曾为了坚持接送孩子上学、放学，多次迟到早退过，丧失全勤奖而在所不惜！这些天爱人出差在外，几乎每隔两三天便要晚上挂个长途回来，问小杰怎么样。又千叮咛万嘱咐："你可得跟他一起过马路啊！千万不能大意！不怕一万，就怕万一！"可是，现在，"万一"竟活现在了眼前，小杰失踪了！这可怎么了得啊！……要不要给电台、电视台挂电话，让他们给广播，给上荧屏！只要能找回心头肉，什么代价她都愿意付出！

民警临走时，建议她找找小杰的同学，打听打听，说是也许孩子们之间，倒能互知去向。她平时从不跟楼里的邻居来往，包括小杰同班同学华明他们家的人，她除了见面淡淡打个招呼，再无交流。不过她记得小杰把华明家的电话号码抄在了自己家电话机旁的小本子上，于是她寻出了那号码，试着拨了一个，华明母亲接的电话，挺客气，先是说小杰不在她家，后来叫过华明，让华明跟她通话，她便问华明："你知道小杰到哪儿去了吗？"华明说不知道。她又问："今天你们班上有什么特别的情况吗？"华明想了想说："没什么呀……唔，就是，就是，刚放学的时候，我们俩吵架来着……"她一听心上飘火苗儿，问："什么？你跟小杰吵架？"华明委屈地说："他先跟我吵的……他说秦老师说的那个人，是我，我说我才不是呢，我说秦老师说的是他！……"她再追问，问不出名堂，于是重重地搁下电话，立刻往学校跑去。

冯小杰他们的学校就在附近，只隔了一条马路。她一径跑到校长室，校长恰巧正与秦老师等在一起商量工作，她跨进门，未曾开口，先又急又气地哭了起来……

终于听明白了她的述说后，秦老师，一位年轻的女老师，坦诚地说："也许，真是我惹出来的事！是这么回事，今天，放学前的班会上，我跟班上的同学们说，你们都已经十岁，上到四年级了，有的事，你们应该学着自己做了，比如说，过马路。现在马路上有时候很乱，有的司机开车不怎么遵守交通规则，有的人骑自行车也很不规矩，所以过马路一定要注意安全！不过，我发现，我们有的同学，他似乎就从来没有独立地横穿过马路，从小，总是爸爸妈妈，或者家里别的大人，天天一回不漏地上学送，放学接，手牵手地过马路，这么着送来接去的，什么时候算完呢？会不会弄得，有那么个人，他从来都没一个人过过马路，结果有一天，他不得不独自过了，却只是站在马路边打颤，怎么着也过不去了，或者，更糟糕，他头一回独自过马路，竟出了事故！……"

秦老师没说完，冯小杰母亲脸已煞白，而校长已然作出决定："走！我们一起去！附近马路的人行横道，咱们分头去找！"

果然很快找到。在附近一个十字路口的斑马线上，冯小杰正认认真真地在先望左后望右地过马路……他过完一个方向，站定在另一个方向的斑马线前方，注视着对面的行人指示灯，当那指示灯亮出绿色信号，他才又迈上斑马线，并且又认真地先左顾，再右盼……

半秒钟

我想你们一定认识我的小表弟，因为当他登上国际大赛的冠军领奖台，让颁奖者把金牌挂到他脖颈上时，你们都从电视荧屏上看到了他的大特写，是的是的，不是我吹牛，那确实是我的小表弟；对于他，我当然知道得比你们多得多，你们知道他比赛时的雄姿，知道他获得了什么称号，甚至知道他一共得到了多少奖金，可你们知道他小时候最调皮的表现是什么吗？对了，好像有记者在一个什么报纸的周末版上提到过——可我不是从报上知道的，我当年亲眼瞧见过！还有，他在获得国际大赛冠军以后，到昨天为止，一共收到了多少封青春女性的求爱信？你们如何知道？我可是门儿清！小表弟他根本就看不过来，他全权交付给我，说我看了也许能从中发现出某些写作素材——那是一点也不错的，那些表示仰慕的信里，使用得最多的一个词儿，便是"阳刚"，这个词儿搁在我小表弟身上那是再贴切也没有了，难得一个运动员不仅成绩这么突出，形象也这么近于完美，当然啦，还有那决赛中令人难以忘怀的关键的一秒钟——严格地说，不是一秒，仅是半秒，大家都从电视转播中看到了，想必记忆犹新，当时他的对手那表情，简直惨不忍睹，那半秒钟一过，在那么多的镜头面前，沮丧的眼泪立马就流了出来，光冲这一点，你说他的境界和我小表弟差得有多远？你们当然都还记得我小表弟当时的表现，多潇洒，多帅！

昨天姑妈家为小表弟举行了一个"派对"，去的都是最亲近的人，带有浓厚的家族色彩，除了欢庆他的胜利，也同时提前给他过生日——你们都知道到他生日那天，他已经又在国外参加大赛了——不消说大家都是那么样地快活，小表弟不仅快活，而且极其放松，他说，太好了，这回没有教练，没有领导，也没有队友——别误会，小表弟对他们充满热爱，他只是觉得不能总和他们在一起——更好的是没有记者，没有人向他提出问题，没有人非得让他说点什么；那天的聚会整个儿像是一阕舒缓而悠雅的小夜曲。

大家直欢聚到零点以后才散——如今北京的出租车什么时候都有，所以人们不再为赶公共电汽车的末班车而慌张——那是名副其实的尽欢而散。

我最后一个告别，这时，小表弟忽然说："我跟你一起走！"

不仅姑妈姑爹和表妹吃了一惊，我也觉得奇怪。

表弟对姑妈他们说："我还想跟表哥聊聊！"

姑妈就说："你们聊呀！到你屋里聊去！你们聊到大天亮也行呀！"

姑爹也说:"是呀!我们这儿反正住得下,你表嫂正出差上海,你表哥不回去连假都用不着请,你又何必非去他那儿!"

表妹嘟囔说:"哥你是缺心眼儿吧?你去,他留,哪一个方案合理呀?学点运筹学吧!"

我也说:"是呀,我一点儿也不困,我就不走啦,我们到你屋聊个痛快吧!"

没想到小表弟很固执地说:"我想去表哥那儿嘛!我想活动活动!"

就依了他。

和小表弟到了我家,我们在我书房里坐下,我等着小表弟开聊,他却似乎又没什么话说,我很纳闷。

"嘿,你怎么啦?"我问他,"你要跟我聊什么呀?"

"你这单元,隔音吗?"他突然问了这么一个问题。

"别的位置不敢说,这书房就是我现在引吭高歌,相信上下左右的邻居也都完全听不见——你问这个干什么啊!"我简直摸不着头脑。

"那太好了!"表弟的表情,使我吃了一惊。

"你究竟怎么一回事儿?"我有点着急了。

"其实,也没什么……"表弟望着我,仿佛下了好大决心,把鲠在喉咙里的鱼刺终于吐出来似的对我说:"我只是想哭,想痛痛快快地大哭一场……我也不知道怎么搞的,那关键的半秒钟里,我好像不仅把我以前的日子压缩在一起,飞快地又过了一遍,而且,就好像把以后的日子,也预支了好多,压缩着过了一遍似的……心里头淤着一团什么东西,坠得慌……我知道,没什么,放开了哭哭,就会好的……可我从那半秒钟过去,到现在,总没哭成,开头,是我自己不打算哭,后来,我想哭,可我能当着谁哭呢?在哪儿哭呢?就是当着你,我也不是那么情愿的……可今天正好你这儿没别的人,而且,想来想去,你能理解我,不会误解我……"

我一下子理解了小表弟。我意识到,这痛哭一场,对于他来说,是神圣的,必要的,有益的……我便对他说:"你一个人在这里,愿意怎么哭就怎么哭吧!我下楼去,找个小酒馆喝我的酒去!"

我真的就把他一个人留在我书房里了，自己下楼去了。

我到天亮才回到我家，小表弟在我床上安睡着，是一种最优美也最卫生的姿式——就像我们在母亲的子宫里憩息一样。一缕朝阳从窗外射进，落到他身上，他那双闭着的眼睛无论睫毛还是周围的皮肤上都没有丝毫泪水的痕迹，他整个儿焕发出一种类似新胀圆的苹果那样的气息。我默默地站在床前良久，我心中有数，由于有了那深夜里无人看见听见的一场大哭，小表弟在即将来临的那场国际大赛中，夺魁的可能性，是更加接近于笃定了！

1993.7.4

北风怒号的夜晚

小院里那棵高大的古槐在北风中舞着全部枝丫，仿佛一只巨大的挣扎着的章鱼；风声像推大石磨般地从远而近，仿佛要碾碎大地上最后一股热气。

小东屋里，小两口听着窗外西北风的怒号，望着才三个月的小宝宝那通红发涨的小脸，急得乱了五脏六腑，一贯甜甜蜜蜜的他俩，惶恐中竟不由得争吵起来。

她把宝宝搂在怀中，埋怨他连鱼竿都买了两杆，却一直不知道给孩子买支体温表，现在烧得怕有四十度了！他伸手摸摸孩子脑门，烫得吓人，他催她快动身去儿童医院看急诊，她却害怕这么大风天往外跑反给孩子添症候。他说去找公用电话叫急救车。她说最好能请个大夫出诊。他说她想入非非。她说叫急救车不吉利，该去找"出租"。他埋怨她怎给孩子捂那么严实。她责怪他下班以后瞎抱着孩子逗弄，也不知道裹好棉毯。他说先灌点退烧药试试，她哭着嚷："大人吃的，能拿来瞎喂吗？"……

小两口的吵闹声惊动了隔壁的霍大妈，霍大妈敲门来问究竟。霍大妈望了望、摸了摸，安慰他们说："不碍事。看他没哭没闹，就知道症候不大。大人吃的药，掰一半再掰一半喂给他，到天亮兴许就退烧了——那时候要还不放心再往医院送，不就方便了吗？"

霍大妈说的也是。这深巷小院离医院很远，出租车又哪儿容易叫到。小爸爸掰药片时霍大妈又说："公用电话也得到巷子外头修车铺去打——可人家值班的准睡下了；叫急救车嘛我看也犯不上——这小人儿要真坏事了，他就会抽起筋来……"小妈妈本来正点着头，宝宝突然咧开嘴哭了起来，腿脚蹬了几下，这下她可心肝全碎了，她哆哆嗦嗦地说："这是不是抽筋啦？哎哟这可怎么办啦？"

当爸爸的披上大衣就往外头跑，心里咚咚敲着大鼓——他擂着设有公用电话的修车铺的大门，也真跟擂大鼓一样，嚎叫的北风把那敲门声传遍了整条小巷……

终于打了电话，来了出租车，到了医院，看了急诊。大夫一点也不着急。试表只有三十八度，是很平常的消化不良引起的发热。不用打针。给的药也平常。大夫的建议也很简单——以后不要在牛奶里加太多的辅助成分。

回到家时天已大亮。一夜北风吼累了，干冷，可不再那么烦人。谢过霍大妈，小两口望着安睡在小床上的宝宝，心里头都在回味前半夜的滋味。活了这么久，头一回体会到爹妈把自己拉扯大有多么不易。还有什么好说的！随便吃几口早点，赶紧去买体温表和婴儿常备小药……

蹦跳的井盖

老罗从四川农村到北京打工整三年了，遇上的好事坏事怪事趣事不少，现在先讲一桩。

老罗在北京护城河边的绿化队当临时工。这天是星期日，老罗休息。绿化队管吃管住，但住的是简易屋，吃的是缺油少肉的大锅饭，所以这个星期日，他洗漱完毕就跑出来，沿着护城河溜达，心里头盘算着，到哪儿去打次牙祭——最好又能喝啤酒又能吃上肉而花销在十元之内。

走到一片绿地边上——那片绿地树木较多，是老罗平日工作的责任段之一，他对那里的每一株乔木、每一丛灌木，甚至每一根绿草都非常熟悉；当然老罗这天没兴趣再迈进去，可是，他在一瞥之间，发现那绿地里面有些个异常。当时那片绿地的那一角没什么人影，可是却嘭嘭嘭地仿佛有人在敲铁栅栏门；绿地里没有铁栅栏门呀！顺着声音定睛细观，只见掩映在几棵树木下的一个窨井盖，正在蹦蹦跳跳！好奇怪呀！

老罗走了过去。那窨井，是个自来水井，平时是用来引水浇灌绿地的，遇到有火警时，也便起到消防栓的作用。老罗对那窨井真是太熟悉了，彼此跟老朋友一样。老罗五十五岁了，在旧社会度过童年，受了更老辈人的影响，多少有些个迷信，所以他走到那窨井前，心里冒出个想法：井底下是不是有鬼呀？要不，是那连在出水口上的，盘成一大盘的胶皮管成精啦？井盖还在嘭嘭嘭地蹦跳，而且似乎因为他的走近，蹦跳得更厉害了。这鬼怪妖精，大白天的，闹腾得这么厉害，邪乎！

老罗弯下腰，细望那蹦跳的井盖，对它底下的那鬼怪妖精说："我平生没做过亏心事，我可不怕你！你究竟想干什么？你要不再这么胡闹，我说不定还愿意帮帮你！"这话一出，那井盖居然就不再蹦跳了。老罗绕着井盖转了一圈，心里纳闷，也实在好奇，于是铆足劲头，把那已然有点错位的井盖猛地往边上一拉。啊呀，可真见鬼了——窨井里伸出一个活人头来，那人头因为不断地往上撞击井盖，头顶上肿起好大个包，还流出了血！既然是个大活人，怎么会在这窨井里呢？再一细看，呀，那人嘴里给塞上了东西，怪不得他发不出喊声来呀！而且，那人的手脚都被绳子捆住了！井盖蹦跳，是他呼救的方式啊！老话说："救人一命，胜造七级浮屠。"新话说："救死扶伤，实行革命的人道主义。"老罗赶忙先把塞在那人嘴里的东西取出来——是臭烘烘的袜子！再把那人拖上地面，给他松了绑。那人瘫坐在地上，一阵大喘气，又一阵深呼吸；老罗看他光着脚，从窨井里帮他捡出鞋，让他穿上；那人穿上了鞋，才连说了几个"谢谢"。老罗问他："遭抢了吧？
这护城河边僻静，常有坏人活动——可抢完人把人这么塞到窨井里，以前倒还没
听说过……要报案吧？走，我带你去，派出所不远……"那人听到这些话，站了
起来，注意地张望四周，摆摆手。老罗奇怪了："你就算了不成？"那人跟他一抱
拳，又说了声"谢谢"，扭身就要离开，老罗拉住他胳臂，意思是还是应该去报案，
那人却以为老罗是跟他要报酬；那人摇摇胳臂，摆脱了老罗，望着老罗的脸说："是
呀是呀，该给你点……"说着就从脏兮兮的西服口袋里，掏出两张钞票来，递给
老罗；老罗一瞥，是两张百元新票呢！老罗没接，心里想，我救人可不是为了挣
钱；不过，如果一起报完案，再陪他上趟医院，交个朋友，到小饭馆里，由他请
客，喝上两盅，点个鱼香肉丝什么的，再有一钵酸辣汤，配上两碗白米饭，那倒
可以大大方方地接受……那人呢，看老罗不接，以为是嫌少，于是又从口袋里摸
出了几张新钞票，一起塞到老罗手里，老罗推让，就在推让之间，老罗和那人眼
对眼，忽然双方心里都冒出了一个念头：咦，这人，好像什么时候见过的啊……
几秒钟过去，两人差不多同时想了起来——啊，是他啊……那人想起来以后，扭
身便走，走了没几步便跑……老罗先是愣住，后来便弯腰捡起捆过那人的绳子，
追了上去……

　那人在前头跑，老罗在后头追，他们两人跑出了僻静地段，有的过路、散步
的人注意到他们的异常状态，都朝他们张望，但无从判断他们是怎么回事。老罗
本想喊："抓住他！抓坏人啊！"可心里又没十分的把握，只打算先把他追上再说。
那人看上去比老罗年轻，大约四十来岁，可毕竟被关在窨井里好久，气力不济，
眼看老罗就要追上他了，突然，那人停住脚步，转过身，指着老罗大喊："强盗！"
又朝周围的人大叫："抓住他！他把我头打破了，还想抢我的钱！"这时有几个男
子汉跑近他们，其中一个从后面紧紧搂住了老罗，老罗忙说："我不跑。快把我们
送到派出所去！"围观的人渐多，大都很同情那头顶流血的人，有的还建议他先
去医院。正乱着，恰巧有治安警察的巡逻车过来，有人招呼，警车停下；见警车
一停，那头顶出血的家伙转身便想跑开，这时老罗喊了起来："别让他跑！他要是
好人，为什么见了警察就跑？！"那家伙撒开腿猛跑，这时就有人拦他了，警察

很快也就截住了他。

到了公安局，真相大白。

原来，几天以前，老罗领下三百五十块工资，去护城河边的银行存钱，快走拢银行时，河边树荫下冒出三个人来，跟他亲亲热热地打招呼，把他引到河边，要他用手里的"旧票子"，买他们手里的"新票子"，一百块"旧票"，可以换他们三百块"新票"……其中的一个"票贩子"，就是今天那让井盖蹦跳的家伙……当时老罗拒绝他们，只是觉得凡是没流汗水就能白来的财，会让他晚上睡不好觉；直到进了银行，才悟出，那三个人是在卖假钞。

那三个卖假钞的人，做成了上万的"生意"后，分赃不均，发生内讧，其中两个把真钞全拿走了，并且合伙把那第三个捆起来，塞进了那绿地的窨井，本以为他会闷死在那里头……

后来，那两个贩假钞的坏蛋也落网了，公安部门正在进一步追查假钞的来源。

老罗还干着老活计。如今每当他走拢那口窨井时，总要对那井盖说："你可别又蹦蹦跳跳啊！"

冰箱里的黑泥糕

川妹子嫁给了北京小伙，热恋期间，她画过一幅水彩画：古老粗壮的大槐树下，露出虽然残破却极富韵味的老式院门，院门外有两三位老人坐在小马扎上，摇着大蒲扇乘凉。婚后小两口住楼房，这画一直挂在了他们单元的门厅里。不过，川妹子对胡同旧院的生活情趣，究竟所知还浅。

这天是公公的七十大寿。丈夫因公出差，只是从远方用手机打来问候电话。川妹子一个人提了个生日蛋糕去祝寿。进院到屋，公公遛弯儿去了，只有婆婆在小厨房里弄寿面，打过招呼，她就管自进到堂屋，拉开冰箱门，正想把买来的蛋糕搁进去，却发现那里头已然有了个大匣子，便大声问："妈，谁先买来个蛋糕？"婆婆耳有点背，回答她："啊，丹皋？来过来过……"她把那匣子先拿出来，打开一看，吃惊不小！哪儿是蛋糕，竟是一匣子黑泥！丹皋是胡同里失过足的小伙，这坏小子，怎么跑这儿来恶作剧！愣了一下，她就把自己带来的蛋糕放进冰箱，然后踮着脚尖，拿着那匣黑泥糕，趁婆婆在厨房里只露着背，把那东西扔到院门外不远的垃圾站去了。转回身时还在琢磨着怎么跟二老交代，总得先圆个谎，且不能让没来得及开匣验糕的寿星老堵心。

谁知她这下可闯出了个大祸！寿星老堵着心回来，手里正捧着被她扔掉的那匣"黑泥糕"——原来，那是公公好不容易经营了半年多的心肝宝贝！

当然，误会很快也就消除。丹皋是来过，送的是两个葫芦。婆婆怪自己耳背，没招呼好媳妇。媳妇忙着道歉。寿星老且没心思吃寿面蛋糕，他像对待玻璃器皿一般，小心翼翼地检查他的那匣宝贝。原来，退休后他的乐趣之一，就是"饭蝈蝈"。"饭"在这里作动词用，是繁殖的意思。川妹子后来查了许多种词典，包括北京方言词典，都没找到公公嘴里发出的那个"饭"音该拿哪个字来表达，她一度认为应该写成"繁"，可是公公坚持说老北京就是说"饭蝈蝈"，还有"饭蛐蛐"、"饭油葫芦"、"饭金钟"，都是一类的乐子。

早在头年秋末，公公与几位同好者就乘公交车去西山，采集了一些即将甩籽的母蝈蝈，回来放在几经筛配的泥土里，让母蝈蝈在那"黑泥糕"里甩籽，为让土里的籽提前成熟，老北京积累了一整套的方法，其中一个环节就是让那含籽的"黑泥糕"微微受冻，以前没冰箱时，冬日要洒清水，放在院里一定时辰……然后则又要以较高温度持续烘焙，小蝈蝈出土后，每七天要蜕一次皮，并且自己将蜕皮吃净，如是七次，到春节前后方能成为成虫，于是，在雪花纷飞的冬日，胡同院落里也能听到蝈蝈的鸣唱了……

蝈蝈最后一次蜕皮时，小两口跟老爷子一起，守着装在大玻璃罩里的"黑泥糕"，看那斜放在其中的竹棍上的蝈蝈，怎么缓缓地破皮而出，敢情蝈蝈那两根长长的须子，是从腹部抖抖擞擞弹伸出来……蝈蝈吞掉了自己最后一片蜕皮，趴伏在"黑泥糕"上，鲜绿娇嫩，好可爱！

老爷子给蝈蝈准备嫩菜叶和面包虫，婆婆过来笑问媳妇："你不觉得这是胡闹吗？"川妹子认认真真地回答："妈，这正经是胡同文化呢！老北京人，不管有多少烦恼，都总能自己找乐……"老太太却又听岔了："什么？找药，你感冒啦？"另外三个都笑软了身子……

美人风筝

川妹子浣蓉是我远亲，叫我舅公。这个星期天她兴冲冲来找我，说是她公公和一些离退休的《红楼梦》爱好者，正制作一批风筝，完全按照《红楼梦》第七十回所写，要制作出大蝴蝶、软翅子大凤凰、大金鱼、大螃蟹、大红蝙蝠、七连串大雁、玲珑喜字等各色风筝，完成后到天坛祈年殿和皇穹宇之间的高台神道上去放飞，约我到时去观赏。我听了非常高兴，只盼着那"红楼风筝会"早日举行。

可是过了好些天，竟再无消息。我呼了浣蓉好多次，有天晚上总算呼到了她，用手机给我回电话时，她正跟一些个朋友在三里屯"泡吧"，我抱怨她吊起了我的胃口，却又把我"凉拌"起来，还忍不住说："你们年轻的一代到头来还是喜欢洋文化、新潮流……"她咯咯笑着说："哪儿呀，我们正讨论北京胡同文化哩，分歧可大啦！……"第二天她办件什么事，路过我们那条街，到我家打一头，叽叽呱呱地跟我说起他们"泡吧"时的争论："有的说，胡同旧院有什么好？光是普遍没有卫生间这一条，就该都拆了盖楼……我当然不同意，我说，那是技术层面的问题，我关心的，是文化层面的延续和发展……老北京胡同四合院里的普通市民，有一套特殊的跟自然亲近、跟邻里和谐，把庸常平凡变得多彩有趣，把艰辛人生雕刻得精致玲珑的办法，在当前这种以竞争为轴心，浮躁波动的社会生活里，实在应该从老北京悠闲温馨的文化传统里，提炼出一些可以拿来制衡的精华……"我截断她说："你且别形而上个没完，我想立刻知道，你公公他们的那些风筝究竟制作完了没有？什么时候到天坛举行放飞盛会？"她这才答应尽快去婆家一趟，了解进展详情。

没过几天，浣蓉来电话告诉我，她公公这些天眉头不展，因为他自告奋勇承担了制作美人风筝的任务，结果别人的那些风筝差不多都制成了，唯独他制作出的美人风筝徒有其表，试放时总是没到两丈高就栽下来……《红楼梦》里写到，贾宝玉放美人风筝升不起来，说"若不是个美人，我一顿脚踩个稀烂"，倒是林黛玉懂行，告诉他是顶线不好，要另外打换……不过浣蓉的公公在那一再失败的过程中，也增进了不少知识，比如，最早叫做风筝的物事，是一种能在气流中鸣响的乐器，我们现在所说的风筝，正确的名称该是纸鸢；一般纸鸢有两根顶线就能飞升，美人风筝非得三根顶线才成，可三根线之间的均衡关系，很难把握……

后来有一天，浣蓉来把我领到一所胡同大院里，那是她公公朋友温教授的家，温教授屋前的院落较空阔，那拨子按《红楼梦》描写制作风筝的老伙伴们都聚齐了，把各自扎出的风筝展示在院子里，形成一个风筝大展。我问那美人风筝是否能升空了？浣蓉公公只是摇头，却又笑嘻嘻地说："快了！"……我被请进了温教授书房，原来，大家正围在电脑桌旁，看歇顶长须的温教授在电脑上制作美人风筝的三维动画呢……

不是梧桐

川妹子浣蓉的公公曾老跟我成了朋友。那天他来电话，让我得便去看"梧桐"，去的路上心想，梧桐有什么好看？这些年南树北栽的情况在北京越来越多，雪松、梧桐的成活率似乎最高，我们居民楼下小花园里就有这两种树，何必汲汲孳孳地跑老远胡同里去赏梧桐？

在胡同当中的一块"鼓肚儿"空地上，曾老正等着我呢。原来，他是故意在电话里含糊其辞，敢情他让我去看的不是树，而是一种俗称发音为"梧桐"的鸟儿。也不是他养了那鸟儿，而是胡同里比我大两岁的老徐，训练出了两只"梧桐"，能不断地表演叼弹的把戏。精瘦的老徐腰板挺得直直的，他把两根棍儿构成的，底端有三足爪的丁字形架子戳在地上，那两只"梧桐"胸部虽有栓绳的小扣儿，此刻却并不套住，任由它们在横棍上立着，我仔细观看，那鸟体态比麻雀略大，毛色灰黑并不鲜艳，也没凤头什么的特别引人瞩目之处，只是短喙粗大，呈蜡黄色，啊，这鸟的学名，该是蜡嘴雀吧？曾在谈老北京风俗的书上，看到过关于"梧桐叼弹"的描写，生造出了两个字——把"吾"字和"同"字右边加上鸟旁，构成一种鸟名，但是我遍查《辞源》《辞海》甚至《北京土语辞典》，没这么两个字，所以现在坚持只以"梧桐"注音——过去是听说过"梧桐叼弹"，却并没有真眼见过，所以老徐耍起那把戏时，我真是兴趣盎然。

老徐先用左手把一只豌豆大的白塑料珠子用力抛向空中，被他示意的那只"梧桐"便如箭蹿空，这倒并不怎么令人惊讶，但他紧接着又把一直拿在右手里的一根有烟袋锅般翘头的长棍猛地朝上一挥，从有活动盖门的"烟袋锅"里甩出了一颗樱桃那般大的蓝塑料球，那球不仅被抛甩得极高，而且跟第一个小珠子所飞出的方向大相径庭，但蹿到空中的"梧桐"却极灵敏迅疾地转变方向腾跃而上，又把那"蓝樱桃"衔住，然后在空中划出一道弧线，倏地飞落老徐张开的左手掌上，乖乖地吐出一大一小两粒"弹丸"，老徐这时已把甩大丸的工具夹在了胳肢窝，便用右手从衣袋里掏出些麻籽喂那"梧桐"……在半拉钟头里，老徐和他的宝贝"梧桐"连续表演，乐此不疲，除了曾老和我等几位固定观众，也有不少进出胡同的熟人或生人驻足观赏，大都啧啧称奇。

老徐说，他今年从鸟市买进六只"梧桐"，训练成的只有这两只；完全不用笼养，在家里，就把它们用细绳拴住胸部的小扣环，由它们在那架子上栖息，当然要适当供应饮水和麻籽，在架子下面搁几张旧报纸，承接它们的排泄，勤换着点儿，也没什么秽气……问他为什么喜欢这玩意儿？他反问："票友为什么喜欢唱戏？有人为什么喜欢冬泳？……"

忽然有辆奥拓车开进胡同，是浣蓉小两口来婆家了。曾老留我晚饭，我没推辞。在曾老家，我问浣蓉看没看过"梧桐叼弹"？谁知这位平日里以"北京胡同文化维护者"自居的女士，却眉毛鼻子全都皱起，说那蜡嘴鸟本该到南方过冬，却被一些唯利是图的人中途用网粘捕，跟许多种别的鸟儿一样，被拿到鸟市售卖，那徐大爷买来后，训练的办法无非是使其饥饿，逼得那鸟依他的法子叼弹，才喂点麻籽，结果使自由的生灵沦为了奴隶……我看曾老脸色难看，忙拿别的话岔开。回到自己家，细想那不是梧桐的"梧桐"所遭际到的命运，却一时真不知该称是福还是祸。

虬梅无价

"舅公，我带您看件新鲜东西去！"川妹子浣蓉来过电话没多一会儿，就开着他们小两口新买的奥拓车接我来了。在车上，她让我猜这回她要带我去看哪样"胡同文化"，我说了一大串：听刚"饭"出来的金钟在青花帽筒里打鸣？看老太太们的踢毽比赛？自制七尺长的大糖葫芦？泥塑兔儿爷跟面塑兔儿爷打擂台？……她笑说："比那些个都更来劲儿！"

她没把车开进她公公那条胡同，却拐进了另一条有好几道弯儿的胡同，停在了一个杂院门口。把我往院里引时她告诉我，她公婆，还有温教授等好多人，都来看过啦……我问："这位玩主也是个退了休的？"迎面出现个黑脸类汉，她忙介绍，我心里疑惑，难道这位爷们也掌握着胡同文化？她却只顾跟那汉子欢谈，原来，他们竟已非常熟稔。

　　进到最里边，在只有六平方米左右的小院里，木架子上摆放着三个自制盆景，仔细看，呀，都是最难制作的蜡梅盆景！三盆蜡梅都有粗壮蟠凸的根本，上面的几根枝条都不多，但走向错落，与根本部分配合着，恰好写意出龙的动势；枝上着花不多，氤氲出淡淡的香气……

　　赞不绝口之余，跟那汉子聊起来，才知道他是跟已故去的爷爷学的手艺；他自称是"小三届"的——"老三届"一般人都知道，是指 1966 年"停课闹革命"时滞留在中学里的那六个年级的学生，后来多半去农村插队或去了生产建设兵团；"小三届"则指那以后进入中学的三届学生，他即其中之一，也没学到什么就算毕业了，他毕业后被分配到附近煤厂当了送煤工人，蹬着平板三轮，拉着蜂窝煤，跑遍了这一片的胡同院落；后来煤厂改成了煤气站，他就一直在站里当换气罐的工人……这些年的工余爱好，就是培植盆景，前两三年就试着弄蜡梅盆景，总没成功，今年才算圆了梦，而且弄成了三盆。我问："这蜡梅怎么竟有檀香的气息啊？"他便滔滔不绝地跟我侃了起来："我就是在檀香木上接的根呀！哎，为寻这檀香木，我跟蛐蛐似的蜕了七层皮！……这蜡梅，有人把蜡字写成腊，虽说培植得法它确实能在腊月开花，可它叫这名儿，还是因为花瓣像蜜蜡似的……我这是最名贵的品种，叫磬口蜡梅；今年是龙年嘛，我就都给弄成虬龙的造型……这些天有张报上登了几行字的消息，配了张小照片，嗬，来这院里看新奇的络绎不绝，说是'我们能不能看看梅花？'其实，梅花跟苹果、梨、桃、李、杏什么的一样，属于蔷薇科的乔木，这蜡梅单算一科，而且是灌木，所以，您要是觉得好，回去跟别人提起，别说是看了梅花，得说是看了二强子培植的蜡梅……"我望着粗眉厚唇的二强子，只觉得他也像是一种花……

　　临告别时我问："您既有这手艺，怎么不……"话没说完浣蓉便截断我说："人家图的就是这么个乐子，不想把这个拿到市场去转换……您往这儿瞧——"我顺她所指，扭头看到二强子那住房门上贴着艳红的春联，上下联是："寒气与君霜里退，阳和为尔腊前来"——这好像是唐朝韩偓的诗句，亏他能知道——没看清横批，已经被送出了后院，我在心里说，唔，横批可以是：虬梅无价。

天上掉下个什不闲

胡同口那小学原是个祠堂，据说是明朝奸宦魏忠贤的生祠——就是人还并没死，谄媚的人就给他盖起祠堂供起牌位定时祭祀——那祠堂早经废弃多次转手拆建，算不得什么文物，最近小学要把里面最后一栋旧房拆了修筑新教室，拆房时出了件新鲜事，从那顶棚里，发现了一些不知是什么人在什么时候为什么搁进去的破旧杂物，其中有一个木架子，桁杆上穿了些孔，吊物的麻绳还在，所吊的物件里，仅剩一面破烂的小锣——怪不得曾有人说那屋子里常闹鬼，半夜会有锣响，现在可以推定是耗子跑过去时弄响的——那究竟是个什么物事呢？大家议论纷纷，莫衷一是。后来有文物局的人来鉴定，说那是清末民初，唱什不闲的艺人用的锣鼓架。

川妹子浣蓉的公公曾老，那晚上不开电视，拉开了关于什不闲的话匣子。正好我去串门，浣蓉小两口也在座。曾老说，他小的时候，北京的曲艺相当繁荣，庙会里不用说了，就是一般市集茶馆里，也多有演出，数来宝、评书、相声、双簧、大鼓书、琴书、单弦、子弟书……都拥有大量的欣赏者，只是什不闲那时已不多见，偶尔也遇上过，记得那举起放下都很轻便的桁架上，挂着铙、鼓、钲、锣各一，唱时并不用来伴奏，而是在唱完每一段后，拉动绳索，那四样打击乐器便有节奏地响动起来，造成一种特殊的氛围……他问老伴可还记得那久远的韵味，大他三岁的老伴这回却不耳背，自豪地说："像你呢，那么健忘！"清清喉咙，竟哼出了几句："天坛游去板车牵，岳庙归来草帽偏，买得丰台红芍药，铜瓶留供小堂前……"浣蓉听了使劲拍巴掌，连说："真该恢复这种曲艺……"丈夫就跟她说："徐大爷玩'梧桐叼弹'，你说那是'胡同文化'的糟粕，残害了野生鸟类；其实这什不闲的唱词，大多从竹枝词变化而来，里头庸俗无聊乃至黄色的成分不少，我看过资料的！"小两口这边抬杠，老两口那边也争执上了，老曾非说老伴哼的那个腔不是什不闲，倒像是莲花落的调式……我望着他们，笑得心跟酥瓜似的。

究竟什不闲该怎么演唱？一时成了迷恋北京民俗文化群体议论的热点。这在只习惯于拿着遥控器泡电视的人们，或者只热衷于新潮的、港台的、西洋的时髦文化的人们看来，着实可笑。但浣蓉说得好："有些文化确实会在时代潮流里衰落，但不应该任其消亡，好比现在绝大多数满族人都不会说满语读满文了，可是人类里一定要保持一定——哪怕很小——数量的不管是哪一族的人，把这种独特的文化承传下去！什不闲就是不能再广泛流布，也至少总得有人能大体准确地把它唱出来，若是今后某些关于老北京的影视里能给它留些痕迹，那就更好了！"

据说有人去请教了曲艺界的人士，结果怎么样我还不清楚。前两天正当一些兴趣者聚在温教授家时，忽然有个才十多岁的小学生，跑来毛遂自荐；说是他能演唱一套什不闲！这可能吗？那男娃娃就说，他祖爷爷，住隔壁胡同九十多年了，小时候从安徽凤阳，跟着母亲讨饭，辗转来到北京，后来就专唱什不闲，那腔调是从凤阳花鼓变化过来，加进京腔京韵，渐渐成型的。他祖爷爷后来在北京进了前门外撷英番菜馆当学徒，三十年前从一家国营西餐馆退的休，现在身体还硬朗，打小教他唱京剧，这些天听说了什不闲的事儿，竟能回忆起当年的一个三十二句的赞隆福寺庙会的段子，一句句地教会了他……

就在那天，一个稚气的嗓音里，传出了仿佛从天而降的什不闲音韵……

麻姑搔头

传说里有"麻姑搔背"，说神女麻姑的双手像鸟爪，若来搔背舒服得令人飘飘欲仙，我这里篡改一字，是因为最近有这么一段遭遇——

像我这样花甲上下的爷们，这些年理发成了个大问题，凡叫发廊或美发厅的地方，人家都不欢迎我们这号"省油灯"，我们自己也不大敢进；传统的小理发铺很难寻觅，找街边临时摆把椅子的理发师傅解决问题，也实在是太凑合。而我，头发虽说是日渐稀薄，脑袋瓜上却也有滋生繁茂的所在——鼻孔里的鼻毛时时往外探头探脑，耳朵呢，又是个油腻型的，里头动不动积淀下颇厚的分泌物，这两个问题，如今即使是去高档美发厅，人家也不给管。这天正烦躁呢，曾老来电话，听我为此诉苦，嘀嘀笑说："你快来，我给你找个麻姑……"

一小时后，曾老带我到了他们隔壁胡同的一个大院，在东偏院月洞门里，小小两间房舍里，迎出来位面善的兄长，满口寒暄，浑身礼数，让进屋，沏茶递果，一派老北京的酽酽人情味儿，沁入我的肺腑。坐定后，才发现那外间屋临窗的地方，布置出了一个小小的理发区，只不过那椅子、镜台及相应的器物，全都跟民俗博物馆里搬来似的。曾老介绍，这才知道主人谢大爷六十多年前进珠市口一家理发馆学手艺，五十多年前自己独立开了一家小理发馆，四十多年前成了国营理发馆的高级技师，三十多年前离开了这个行业，十几年前从单位退休，退休后，有些熟人，以及熟人引荐来的生客，特特地来到他这里，为的是享受一回老式理发的"全活"——其中百分之百都是岁数在花甲以上的爷们。去之前，曾老就跟我说明，谢大爷绝非是在开个体理发馆，他是从不收费的，若是大家合得来，一年里去过若干次的，逢年节时提点礼物去，那他接受。

听了我的诉苦，谢大爷蔼然地说："我倒能给您解烦。不过，当年我学的手艺里，好多项目，后来说是不科学、不卫生、有危险，都给取消了……"边说边从镜台上拿起些物件给我看："这是全套的清耳家伙，挖勺有大、中、小三号，耳铲有两种，耳镊子上头也包了银，还有耳掸子……依我愚见，耳道清污，还是必要的；这是绞鼻毛的小镞子，对了，耳毛太长时候也得镞，那另有一号，可不能用混了！这小玩意儿您说是干什么的？这叫眼碌碡，能隔着眼皮给您按摩眼球，往年还有在眼白上去眼腻的碌碡，那个嘛，甭让同仁医院的大夫发话，我也说它不科学，废了这项目是对的……不过，用那剃刀的后础子按摩内眼角的睛明穴，怕还是有好处的吧？这个呢，是专为留长髯的爷们准备的物件，温教授前儿个来修完髯，对着这镜子照了好一阵，直说：这传统理发的家伙手艺，不该绝啊……"

谢大爷请我坐在椅子上，除了给我推、剪、刮、洗、吹、修头发，还给我镞去了多余鼻毛、彻底清除了耳道里的污物，并且让我仰卧椅上，以老北京人的一派殷勤善意，用他这么多年不减其功夫的双手，给我实施全头按摩，哎，那股子消魂酥魄的感受，实在是只能用"麻姑搔头"来形容！

"后主篓"

浣蓉给我来电话："舅公，我这就接您看画展去！是后现代主义的最新佳作哩！"这倒真引出了我的好奇心。好一阵子了，浣蓉嘴里"后现代"个没完，虽说那多半是他们小辈之间对话里说的，我耳朵眼里灌多了，竟也记住了不少有关的"说头"，比如："后现代理论"的大师叫杰姆逊，是个美国大学教授；"后现代主义"反映在建筑上，讲究"同一空间里不同时间的并置"，体现在绘画上，则讲究拼贴方式，突出装饰趣味……坐进她那奥拓车里以后，我宣布："为的是活动活动筋骨，才上你的贼船……我可不乐意让'后现代'弄个晕头转向！"她握着方向盘只是咯咯笑。

汽车拐进了她婆家住的胡同，我说："还拉你公公去么？他怕更得晕菜！"车停稳后，她请我下车，我想坐在车上等她公公确实不恭，便跟她走进院里。

谁知到了她婆家那北房外头，她朝窗外一块支立着的大床板说："您看！就是这一幅杰作！"

我正想嗔怪她胡闹，却不禁被那门板上粘贴出的一大片斑斓的色彩吸引住了。走近些细观，是用糨糊把许多不同质地、不同大小、不同色彩和花纹的旧布头拼凑起来的。浣蓉在我耳边煞有介事地讲解起来："创作者没有事先设定的主题，甚至连形式也没事先想象，只是由着性子临场发挥，可是您瞧，这不同时代不同人穿用过的旧布头，岂不是活生生地体现出'同一空间里不同时间的并置'么？岂不是极富于奇妙的装饰趣味么？……"我可是忽然明白过来了，指着大声说："嗨，这不是早年间常能见着的，普通人家妇女为了纳鞋底，糊出来晾着等它快些干燥的布袼褙吗？"

"让您说着啦！"身后响起浣蓉公公曾老的声音，我忙转身致礼。原来是曾老想约我下围棋，托付浣蓉接我，浣蓉却搞了这么场把戏。进到屋里，才知浣蓉婆婆串门去了。曾老告诉我，老伴近来耳朵更背，记性更差，一家人都劝她别除了家务事就是看电视，该多参加些个活动找些个乐子才好；她自己也说："可别闹下个老年痴呆！"可她不识字，得不着读书看报的乐趣，又不喜欢扭秧歌，结果就想出了个自己动手做鞋的主意，大家反对，她说："知道你们心里怎么想：归了包齐还是干家务！可我只当是玩儿，谁还真指望我做出鞋来上脚是怎么的？你们别拦，我还真来劲了！"于是她没事儿时就兴致勃勃地"玩儿"起来，这不，院里晾着她熬糨糊糊起来的布袼褙，那是纳鞋底的原料；屋里，曾老把一个可以支在两腿之间的木板夹子拿给我看，说是烦邻居丹皋给做的——早年间那东西好多人家都有，把剪好糊好的"千层底"固定在那夹子上，用麻线、圆锥、扁针纳鞋底可以左右手倒换着进行，麻线能抽得更紧……曾老乐呵呵地说："她这头一双是给我做'老头乐'，又叫'棉花篓'，说是从清明做到寒露，怎么也能做好！"又拿出几张纸给我看，上头画着些传统的"云头"和"兽面拐子"图样，打算给纳到鞋帮子上；我和浣蓉看了齐赞漂亮，曾老说："人家还觉得不过瘾呢，这不，找东头魏大妈，求人家给画'拐子龙'图样呢，今年不是龙年么……"浣蓉说："这用'后现代主义'绘画纳底子的'老头乐'，真做得了您可别上脚，咱们送去参加'威尼斯双年展'，就给它标上一个'后主篓'的名儿……"咳，这叫什么主意！

春游"香雪海"

别看温教授又通洋文又懂电脑，西服革履的，头上还喜欢戴顶"法兰西帽"，可跟我们平头百姓交朋友，一点架子也没有。前些天他还召集我们一群老头老太太春游呢。去哪儿？去"香雪海"。你知道江南有赏梅胜地"香雪海"，难道我们是去那千里之外了吗？告诉你吧，我们连北京城圈儿都没出！我们去的是北京的"香雪海"。

温教授有个主张，就是要珍惜北京城圈里的"小风景"，有的小型的风景名胜，不但就在城圈里，而且干脆就在胡同里，比如智化寺，深藏在东城禄米仓胡同，里头的建筑基本是明代原物，文物价值极高，还传下来一种独特的佛教音乐。"香雪海"在哪里呢？在南城教子胡同东侧的西砖胡同里头，那里有座法源寺，是北京最古老的一所寺院，唐朝始建时叫悯忠寺；现在的规模面貌是清雍正年间灾后重建保留下来的。法源寺里的殿堂佛像以及佛教经籍文物之瑰丽珍贵自不必说，更难得的是花木茂盛，四季出奇；虬松巨柏、翠竹修篁、古藤银杏、文官果、龙爪槐……已令人觉得美不胜收，更堪称一绝的，则是那满院的丁香。丁香花本是北京常见的植物，有的胡同杂院里就都还栽种着，但一般都是"华北紫丁香"，品种比较单一；即使有白丁香，也不过是"华北紫丁香"的变种。法源寺的丁香品种却不但齐全，而且数量极其可观，其中以白丁香居多，而且据说有明朝郑和下西洋后从南洋马鲁古岛带回来的品种，叶片、花瓣与香气都属独一份儿。寺中春日丁香盛开时，一度达到满眼浸白、满寺飘香的程度，故获得"香雪海"的美谥。我们游览的那天，觉得丁香花穗不如想象中的那么如云似海，也不能确定哪些株是北京地区独一份儿的品种，但仍然个个兴致勃勃，喜笑颜开。

后来大家在南横街一家小饭馆聚餐。围着大圆桌，个个仿佛都返老还童，抢着话茬儿议论起来。温教授说："随着社会生活的发展，有些事物会被淘汰，不好的，落后的，淘汰掉是应该的，可是有的美好的东西被淘汰，却仅仅是因为'含金量'不够高，'票房'不好……"曾老抢着举例："比如现在满大街卖的草莓，在棚里用化肥快速催熟，贼大，可是那味道比过去露地栽种的小个头草莓差老鼻子了！"谢大爷接下去说："小草莓赚不了大钱，给淘汰了，其他水果的情况也差不多，拿梨来说，原来北京除了出鸭儿梨，常见的还有红绡梨、鸭广梨、秋白梨……"他老伴抢着说："那倒偶尔的还能买到呀，苹果比梨惨，到处时兴日本红富士，它再好，代替不了别的苹果那些个特殊的味道呀！现在像沙果、香槟子……"有人立即补充："虎拉槟，林檎……都见不着了！""桃子里的十里香、大叶白、莺嘴桃、扁缸桃……葡萄里头的马奶白、兔儿粪、梭子葡萄……怎么也全给淘汰啦？"

那天回去后，我们一群老头老太太联名给有关部门写了信，希望能重视法源寺的丁香花，最好为每一株老丁香都建立档案，千万不要让那些独特的品种被稀里糊涂地断了后；还建议再补栽适当数量的丁香树，以恢复其"香雪海"的气派……

丹皋皮条

那天浣蓉、健豪小两口来我家，一进门我就觉着他们脸色不对劲儿，问是怎么回事儿，浣蓉说："嗨，别提啦，健豪今儿个大失绅士风度，跟丹皋翻岔起来啦！"丹皋是浣蓉婆家住的胡同里的一个小伙子，虽说曾经进过局子，这些年却口碑颇佳，而且他去年夏天下岗以后，健豪秋末就给他介绍到健身俱乐部当清洁工，按说他们的关系应该特磁，为个什么竟翻岔起来了呢？健豪说："我们那是文化冲突！"嗬，连冲突，也搭上文化的车了！

细了解，原来那天下午，丹皋在胡同小空场的大槐树底下，支起自制的杠木架子，光着个膀子，玩起了老北京一种技艺，叫皮条杠子，围了一群人看，其中少年娃娃居多。那丹皋用有韧性的皮条吊在杠架上，一会儿鹞子翻身，一会儿鸭子凫水，突然又麻花满拧，转瞬间蜻蜓倒竖，引出掌声喝彩，停下来他满脸得意。浣蓉、健豪恰好遇上，也都拍了巴掌。丹皋见了健豪格外亲热，谁知健豪一时兴起，指着丹皋身上的腱子肉说："你这块儿练得不够科学，瞧，胸大肌跟斜方肌虽说发达，这胸锁乳突肌，还有腹外斜肌，明显地跟它们没达到匀整和谐的关系……你为什么不近水楼台先得月，在俱乐部里按健美规则练练呢？"周围的少年娃娃有的当时眼里就减去了对丹皋的崇拜，窃窃私议起来，丹皋一时吃不进这些个话，脸红脖子粗地啐了一口，粗鲁地说："什嘛健美规则，去你个蛋的！"结果自然是不欢而散。

在曾老——就是健豪父亲——家里，健豪已经挨了父母一顿训。他爸告诉他，丹皋祖上，直到他爷爷那辈，家族里好多个人，都是在天桥和隆福寺庙会摆场子卖把势的，像有名的掼跤手和中幡手沈三，拉硬弓和打弹丸的牛茂生，跟他家上辈都有姻亲关系，到他爸爸那辈虽说都谋了别的职业，业余也还能练上几手，他打小有那个熏陶，所以在练块儿上不喜欢洋办法，只迷恋祖传的土把势，这也算是老北京体育文化的一脉相传，就是如今春节庙会上应邀去做些表演，也还有很多人喜欢钦佩，怎么能不尊重人家，胡乱地加以讥评呢？健豪他妈听说得罪了丹皋更是气不打一处来，说："我看着他光膀子倒比看着你光膀子顺眼，你这几年花钱到那个什么俱乐部练呀练的，怎么我瞅着就跟天福号的酱肘子似的……要能把你吃了倒也罢了！"浣蓉完全站在二老一边，还添油加醋地说："能吃我也不待见！光练身子不练脑子，他也不想想，那俱乐部老板怎么能允许清洁工白使那些个器械？跟丹皋说那个话，就跟说'何不食肉糜'一样，可笑可恨！"

在我家里，我也一边倒，对健豪说："你那个洋式的健美运动，可能自有其道理，比如说是要把雕塑自我的可能性发挥到极致什么的，可如今我从电视上看到的镜头，男的一个个走脱了正常人形，女的更没了一点女人味儿，可真不喜欢！既然你也知道，你那是一种体育文化，人家练皮条杠子也是一种体育文化，那就应该有个平起平坐的态度，不要主动去向人家挑衅！"

健豪倒把这些话都吞了下去。他笑着说："成，赶明儿我来个中西合璧……跟丹皋赔个不是以后，就拜他为师，也学上几招'丹皋皮条'！"

得儿蜜

我正倚在沙发上养神，浣蓉从厨房走出来说："好吔，老爷子一个人闷得儿蜜哩！"这小媳妇专爱学京片子口吻。不过她功夫欠深，我当即纠正她说："了得呀你！糟改起你舅公来了！你说'闷得儿蜜'是什么意思？"她眨巴着睫毛，望着我说："不就是'一个人偷着乐'的意思吗？"我拍下大腿说："满拧！'闷得儿蜜'是背地后吞没别人东西的意思！要说'得儿蜜'还差不多！"她从厅里取了个大玻璃罐，回到厨房去，帮她舅婆往里头装新买来的一袋子绵白糖，先是听见她笑着把"闷得儿蜜"和"得儿蜜"倒换着造成许多的句子，又一叠声地问舅婆对不对，大概是她又说错了一句，自己先尖笑起来，接着就是玻璃罐落地的一声闷响，我忙跑进去看，是她失手把刚装满糖的罐子给碰地下摔碎了。

浣蓉止笑不知所措。我老伴啧啧摇头说："哎呀呀，这要在三十年前,定量供应、凭证购买的时候,闹不好能把人心疼得背过气去！"浣蓉吐吐舌头说："怪我怪我,我先把它扫起倒了,再马上下楼买去。"我忽然灵机一动,伸出胳臂立起巴掌说："别倒！给德明送去！"

德明是浣蓉婆家所住的胡同里的一条汉子，职业是汽车修理工，五大三粗的汉子，养的宠物却恐怕是京城里最小的一类——蜜蜂。他家在胡同口住，是从往日的大宅院里隔出来的一角，连房子带天井式的小院子不足三十平方米，而且呈不规则的四角形，但他却极会充分利用自己拥有的空间，其中最得意的一笔，就是用厚实的木料把天井封了起来，但又在顶棚上安装了一个可以拉合的出入口，搭起梯子，登上那木顶棚，则在自家和别人的屋顶之间，形成了一个小盆地式的空间，在那空间里他搭了个小棚子，可供自己起坐，夏天还可以睡在里面；又养了十来盆无花果、安石榴、令箭荷花什么的；此外，就是他的心肝宝贝——三箱蜜蜂。

德明养蜜蜂，不是为了割蜂蜜吃，而且，为了让他那些据说是印度种的蜜蜂渡过种种难关，尤其是为了让它们安然过冬，他没少喂它们白糖。初春，蜜蜂苏醒过来，蜂王重新产生一次，会出现些独特景象，他蹲在那"盆地"里，仿佛自己也成为其中一个角色；夏日，因为园林部门给街道和胡同里的树木喷药水，他的蜜蜂会死掉一片，这时他茶饭无心，非得余下的蜂群缓过劲来，又呈旺盛状态，这才又现笑容；秋末他套上个头罩割蜜，割下的蜜自己撇蜡，装进一些个干净的玻璃瓶子，其中起码一半，在入冬前他又会稀释了反馈给蜂群……他媳妇说他每年都认得几只取了外号的工蜂，工蜂耗完体力就自己找个地方安息，头年那只他取名"虎子"的工蜂，据说是落在马路牙子边的泄水筻子边了，他用大巴掌给托了回来，郑重地安葬在了无花果根下，他说他知道，"虎子"是专负责去下水道里采集无机盐的，任何一种蜂蜜都需要有这类的微量元素；他是专业性的《中国养蜂》杂志的长期订户，休息日常去西山卧佛寺，不是爱瞻仰卧佛，而是去那里的养蜂研究所拜访有关专家。

我登上过德明的那个"高原上的盆地"，看过他的蜂，并且知道他常到糖业公司仓库，去买那些搬运中撒落扫拢的处理废糖。我把将家中的废糖给德明送去的主意一说，浣蓉立刻拍了个巴掌："哗，太好啦！德明养蜂，得儿蜜！"

玲玲入耳是何声？

天气热起来了，我漫无目的地在胡同古槐的浓阴下转悠。上班的还没下班，上学的也还没放学，知了也还没长大，胡同里人影稀疏，阒无声息。胡同深深深几许？柳絮成球沿脚飘。哎，北京的胡同啊，光是你这闹中得静的特色，就值得大都会的人们珍惜维护！

从横岔的小胡同里，踱出来一个熟悉的身影，咦，那不是一颏美髯的温教授吗？听说他最近忙于著书立说，闭门谢客，怎么这时候跟我一样闲散起来？我认出他的当口，他也认出了我。相互笑着招呼后，我见他手里拿着个带盖子的玻璃升，不禁问："您拿着这个，是要去——？"他眯眯眼，一脸老顽童像，让我猜。我猜是去打扎啤，他摇头。啊呀，从那容器推测，可就难了；再说，如今岂有拿家伙去零打酱油醋的？

我正偏头寻思，忽然，有种悠悠然的琤琤敲击声从胡同深处传送过来。那是什么声响呢？不像铃铛，绝非琴瑟，却又让人联想到古寺檐角的铁马，和高山流水边的鼓筝人……温教授用髯尖指指那边，笑眯眯地带我循声而去。

我细细品味那独特的声响。啊，记得那回跟温教教授一起议论北京的民俗，他随口背出了几首上世纪初的北京竹枝词，其中有这样的句子："磕磕晶晶响盏并，清明出卖担头冰。""冰盏叮咚响满街，玫瑰香露浸酸梅。"难道，这胡同里会有敲冰盏卖冰核梅汤的么？

我们并肩朝前走，渐渐接近了那发出琤琤敲击声的地方，我看出，那是个打通自家屋的后墙，所开出的一家小店。这种以售卖小食品和小杂货，方便附近邻里的胡同小店，并不稀奇。它们还多半在天刚开始热的时候，就把装冷饮的冰柜摆在售货口，还挂着些花花绿绿的冰糕招幌。但这家小店却有琤琤的冰盏声，在现在的北京城，恐怕是独一份儿了。

忽然从接近那小店的横胡同里，有些小学生蹦着颠连步跑了出来，有的，就跑到那冰柜前买雪糕。原来，那横胡同外头的街上，有所小学。

温教授停住脚步，指给我看："瞧，那店主，也就不惑之年吧，去年下岗以后，登记注册，打开自家后墙，开了这家小店。他爷爷原是在什刹海荷花市场摆摊卖自制酸梅汤的，传下来两只铜盏儿，不懂的人都以为那是喝酒用的，其实，那是当年卖冰核梅汤的响器，用来招揽顾客的……"我眯眼细看，点头道："现在连信远斋的酸梅汤也不流行了，他权把那铜碗儿用来推销西式冰激凌，也算得上别开生面。"温教授却说："他现在也卖酸梅汤呢，自制的，获得了有关部门检测批准。而且，不是信远斋那个流派，他爷爷传给他的，是西四牌楼隆景和那个流派的做法，讲究沸水文火煮乌梅，蔗糖冰糖两增甜……因为产量小，他不是我这样的'知音'，还不卖呢！等我打满这一升，你到我家，咱们念着竹枝词细品！"

小学生们散去，我再立足细观，只见那瘦高的店主把竖在冰柜边的一个月牙戟扶扶正，然后右手拇指和小指夹起下面铜盏，食指和中指挑动上面铜盏，又琤琤地敲动起来，脸上满溢着自得其乐的表情。温教授在我耳边说："那月牙戟，正是当年卖冰镇酸梅汤的典型招幌，据说跟'望梅止渴'那个成语的源头有关……"·我心里好羡慕那店主：买卖好赖先不说，图个传统文化的享受——得大自在！

奥迪麦秸

浣蓉跑来跟我说："舅公，有件事你一定要帮忙！"我说："那要看是什么事。"浣蓉就拿出样东西给我看，一看我就喜欢——那是一座塔的模型，还没等浣蓉让我猜，我就说了出来："这不是万寿山后山上的多宝塔吗？整个儿镶着七彩琉璃——呀，这用的是什么材料？远看我还以为真是用琉璃烧的小样呢……"凑近摸了摸，我判断："是用木签子扎制的，亏他做工那么细致！"浣蓉说："您再仔细看看！"我终于弄清楚："是麦秸扎的！麦秸很娇嫩啊，又最难染色儿——这是谁制作的？你研究北京胡同文化，怎么又找到个用麦秸扎宝塔的主儿？他是哪位？"

浣蓉告诉我："人称宝塔韩，其实他名叫韩塔宝。说来有趣，他出生在西四牌楼往南，路西砖塔胡同，那儿不是有个万松老人塔吗？那塔不高，也并不怎么好看，可是，就因为打小跟那底下长大，家里大人又给他名字取作塔宝，所以他养成了个见塔就喜欢的习惯。他退休以前，一直在菜市场当售货员。十年前退休回了家，他就在他家那小屋里，用麦秸扎上了宝塔模型。扎麦秸玩意儿，是他岳父教给他的，他岳父几十年前专在花儿市泡子河那边摆摊卖麦秸工艺品，他说岳父并没扎过宝塔，可是，传给了他给麦秸染色儿的诀窍。他岳父老早去世了，可他老伴也还记得些扎麦秸的窍门，在老伴辅助下，他琢磨出了一套扎宝塔的办法，如今北京凡有点名气的塔，他都扎出来了，大大小小，摆满了一面墙的多宝格……"

我恨不得立马去宝塔韩家，一睹那满墙的宝塔模型。

浣蓉开着她那小奥拓，带我去一饱眼福。我忘了她让我帮忙的话茬儿了，我以为那不过是她为了增强我注意力的一种语言技巧。

进了那大杂院，拐了两个弯，只见一个门楣上挂着个麦秸扎出的匾，上头是五个连成一体的绿字"宝塔韩塔宝"，噫，有趣有趣。

宝塔韩矮胖色黑，其貌不扬，他的美，全通过一双巧手，体现在了那些扎出的古塔上。他家屋子虽小，那一面墙的多宝格上，却放射出璀璨的光芒，使参观者仿佛置身在宏阔的七宝楼台。我认出了广安门外天宁寺塔、八里庄慈寿寺塔，不知他是怎么掌握那比例的，缩制出的形态惟妙惟肖，叹为观止。这样的密檐式塔还比较好扎，更难得的是他还用麦秸扎出了覆钵式的妙应寺及北海琼岛的白塔。他把我不熟悉的那些塔一一介绍给我，说是为了准确地把那塔形扎出来，常常坐长途汽车，早出晚归，去实地反复考察、打腹稿。他那小屋的饭桌上，摆放着正扎制着还没完工的香山碧云寺金刚宝座塔。我正赞叹，他却叹出长气。浣蓉告诉我："没麦秸料啦！原来，他自己骑自行车，往远郊跑一趟，就能带回一大捆好麦秸来。如今，他年纪大，腿脚也软了。再说，如今北京郊区划地开发，要跑很远才能见着麦田。我替他开着奥拓车去老远找了些来，又都不合格。所以，您得帮这个忙！"我一时懵了。爱莫能助啊！

浣蓉提醒我说："前两天您不是说，那王市长要开车奔北京来招商吗？"对啊，王市长从前是我学生，他那个市又恰是产麦区，我打个电话给他，让他进京时捎捆上好的麦秸来，技术上应该没有问题，怕的只是他不理解，或者跟我端官架子……

王市长没辜负我的期望。那天我先接到的是宝塔韩从公用电话亭打来的电话：

"哎呀，怎么谢您才好啊！喜从天降！王市长没去宾馆，先把奥迪车停我家门口！一捆奥迪麦秸啊！……"

仙蝶寻踪

我问浣蓉："这些天，你又在研究什么胡同文化？"她说："舅公，我正研究胡同里的野生动物呢！"老伴一旁听了呵呵笑："你说的是布老虎、糖耗子什么的，手工艺品吧？"我看浣蓉脸上的表情，就知道她并非是开玩笑。我对老伴说："你忘啦，咱们住胡同杂院的时候，纸糊的顶棚上，晚晌总有耗子跑，那不是野生的，是家养的？"老伴跟我抬杠说："每早还有麻雀在檐头唧唧喳喳呢，可咱们都管那叫家雀，对不对？"我笑了："你真行，无形中倒把胡同里的居民们，跟某些野生小动物之间那和谐的关系，给点了出来。我马上就想到乌鸦、喜鹊……还有知了，到夏天，树上要没有那知了的叫唤，心里头恐怕会空落落的。"老伴却还要跟我抬杠："嗬，连昆虫都算上了！快别提树上的那些个小动物，槐树上的'吊死鬼'，核桃树上的'羊拉子'……那些个东西你也跟它们讲和谐？"我心平气和地说："老胡同里头，细想起来，野生野长的东西还真不少。记得在深夜里，看见过刺猬在院里枣树底下觅食；还有黄鼠狼，在胡同垃圾桶边上一闪就没影了……有的，像蛇，蝎拉虎子——就是壁虎，还有蝎子、土鳖，很多人不喜欢，害怕，其实把它们灭绝了未必是好事……"浣蓉就问："舅公，舅婆，你们往年在胡同里见着过蝴蝶吗？"老伴说："那时胡同大院里，常飞来。不过，没见着《红楼梦》里，薛宝钗扑的那么大的，花色也都平常。"

老伴下楼参加健身活动去了，我跟浣蓉细侃蝴蝶的事。浣蓉说，去陶然亭寻找过"香冢"，没找到，问我知道不知道。很多年前，我倒见着过。记得那"香

冢"还有块石碑,上头刻着一首短歌:"浩浩愁,茫茫劫。短歌终,明月缺。郁郁
佳城,中有碧血。碧亦有时尽,血亦有时灭。此恨绵绵无断绝。是耶非也,化为
蝴蝶。"我说:"那词句很颓废,也算不上美文。不过,往好了想象,也许是晚清
戊戌变法失败以后,有人借题发挥,暗喻碧血丹心终能不朽的意思。短歌里的'蝴
蝶',表示庄子'人生如梦蝶'的意思,并不真是说蝴蝶啊!"浣蓉却说:"据我
走访老人和查阅资料,那'香冢'虽然很可能又确实如您所说,是纪念谭嗣同等
烈士的,不过,又确实跟蝴蝶有关。以前北京胡同里经常出现一种蝴蝶,形态不
算奇特,翅上黄黑相间,后翅缺口明显,它们的老巢在太常寺的大匾后头,所以
被叫做'太常仙蝶'。为什么说它们有仙气?它们专爱跟品质高尚的士大夫交往,
有时会在窗外向屋里窥视,有时干脆飞进屋里,停在砚池边,翕动蝶翅看人写字
画画;雅人燕集,它们会在头顶上酒杯间穿梭舞蹈……温教授给我抄了好多明末
清初文人雅士吟'太常仙蝶'的诗词,像龚自珍就写过不止一首,还在小序里说:
'蝶能识当代正人,不惟故实之流传而已。'我在菜市口烂漫胡同——其实当年叫
烂面胡同——走访了一位九十三岁老人,他说,他父亲亲眼看见的,谭嗣同遇害
后,有一群仙蝶到他血洒处盘旋,仿佛无限地悲愤……我想,'太常仙蝶'的后代,
现在也许还有吧!"

我说:"尽管这些年城市成了持续破土的大型工地,喧嚣中的发展对胡同四合
院的生态破坏非常严重,可是,偶尔还是能在胡同院落里看到你说的那种翅上黄
黑相间的蝴蝶。这些'太常仙蝶'的后代,也许会为时代的进步感到欣慰,但也
许又会为它们的生存空间越来越小而焦虑……"浣蓉说:"多咱所有的北京人都意
识到,这座城市不但属于人,也属于黑老鸹、花喜鹊、雨燕、家雀、湖虾、泥鳅、
知了、蜻蜓、蝴蝶……乃至于七星瓢虫,那我们的城市规划和建设,社会的公德
与风气,就都会提升到一个新的境界啊!"

浣蓉决定用业余时间,从今夏开始记录在北京城区目击蝴蝶的地点、时辰、
以及形态、花色,攒成一份资料。您愿意得便也作点记录么?就是不记录,心里
存下一点对京城蝴蝶的关爱,也挺好,对不对?

"金丝楼"

我靠在躺椅上闭眼养神，耳朵里灌进来些浣蓉、健豪小两口唧唧哝哝的议论声，他们似乎在说些什么关于金丝猴的事儿，那金丝猴可是野生动物里的珍稀品种，理应人人懂得保护……我嗽了一声，他们以为是我嫌吵，止住议论，轻手轻脚出了屋。

晚上跟老伴对坐吃她拌的凉面，有一搭没一搭地说些闲话，她突然问我："当年有'牛吼一声坐中堂'的老话，那'牛'是谁呀？"我说："嗨，那是什么发了霉的老话了！那人不姓牛，是个满人，好像叫瑞麟，因为当过太常寺赞礼郎，嗓门特别大，所以得了个'牛吼'的绰号……那是咱们爷爷一辈的人了，要不是后来咱们住进那条胡同，隔壁传说是他家的老宅，有邻居跟咱们提起过，谁还记得什么'牛吼''羊叫'的！"老伴说："我倒是记得，那宅院虽说改成了杂居的机关宿舍，可老格局还似模似样的，尽后头，有座挺气派的罩楼……"我说："咱们多少年没去过啦？怕是早拆光啦！"老伴就说："呀，浣蓉、健豪他们白跑一趟啦！"我说："他们跑那儿干什么去？人家现在关心的是金丝猴！"老伴就笑，笑得我害怕——可别把面条呛到气管里去！

过了两天，浣蓉、健豪兴冲冲地跑来，进屋就让我看他们拍的一厚摞照片。敢情他们研究胡同文化，就建筑而言，不仅是研究大小四合院的平房廊榭，还辟了一个专题，单研究胡同里的楼房。浣蓉把他们拍的照片一张张递给我看，讲解说："我们感兴趣的楼房，是胡同里至少在六十年前建成的，基本上没有钢筋混凝土的事儿，砖木结构的旧楼。居然还有不少那样的楼，没太走形，让我们给拍了下来。您瞧，这是当年最体面的四合院的后罩楼，因为楼后是别人的宅子了，所以后墙连个透气的小窗户都没有，进深狭窄，如今的住户把廊子包起来，也扩大不了多少面积；据说当年那是用来当仓库的……再瞧这个，这家当年阔气，这两层小楼大概是小姐的绣楼，两面有窗，窗外花木茏葱，而且楼外有螺旋式石梯通往二楼，那石梯还用太湖石遮蔽起来，据说当年石头上攀满了蔷薇、茑萝……这些楼都只有两层，楼龄有一百来年了吧。您瞧这几个楼就很不一样了，虽说建筑材料还是砖木为主，造型上，则可称为中西合璧——这样的石片瓦坡顶，还有这样的拱形廊柱，透出了西洋味儿，可是这样的斗拱，还有这装饰部件上的吉祥图案，可又是十足中国味儿的……这样的楼三层居多，四层的我们只发现了一例……这几个是失败的例子，据说是日本侵华时期汉奸盖的，死板得像鞋盒子……舅公，我们打算把这些照片无偿地提供给有关部门的人士，也许，这对把保护胡同风貌与改造胡同民居使其适当地往高层发展协调起来，有参考价值呢！"我说："还以为你们去找金丝猴了呢！"健豪听了抢着说："是呀，舅婆说的那个，当年'牛吼'家的，用金丝檀木作柱子，供他们祖上牌位的'金丝楼'，我们找得好苦！哪儿还有影儿呀！如今那儿全拆平了，说要开发成'欧陆风情'的什么'花园'哩！"您说，这消息是让人惊喜还是感叹？

天棚将军

乍听曾老提起，他们胡同里有个"天棚将军"，我不由得说："呀，怎么会是……猪八戒呀？"曾老摇着头说："快别那么想！人家怕的就是产生你那样的联想！猪八戒在天上当的是天蓬元帅，这主儿不称元帅叫将军；再说，写出字来，不是'莲蓬'的'蓬'，是'凉棚'的'棚'……像你这样岁数往上的'老北京'，该都记得胡同四合院里，夏天搭出来的凉棚吧？"我说："当然有印象啦！过去有句话嘛，'天棚石榴金鱼缸，老爷肥狗胖丫头'，把夏日北京胡同四合院的情调刻画得栩栩如生……"曾老指正说："准确的说法，后半句该是'先生肥狗胖丫头'，因为四合院的老爷太太少爷小姐都不必提起，先生指的是账房先生，跟肥狗丫头并列，以示其宅主的富足，以及劳资双方的和谐，跟前面提到的三样事物，共同构成一种封闭慵懒的氛围……且不必对这句话多加评析，现在咱们无妨都闭眼默忆一下，当年胡同四合院夏日天棚下的一派清凉……"

我闭眼默忆，胸臆里不仅出现了四合院垂花门里，齐着屋檐搭起，高出屋顶，覆盖住整个内院的，杉篙、竹竿、麻绳、芦席构成的硕大凉棚，还出现了当年四合院里住房窗户上糊的绿幽幽的冷布，可以卷起放落的东昌纸窗帘，以及阶沿下喜阴的玉簪棒，窗户里案几上的文房四宝与冻石摆设……甚至还有堂屋绿瓦盆里，从冰窖里买来的，头年什刹海里采出的天然冰砖……那时没有空调，甚至没有电扇，可是在天棚的遮蔽下，四合院里却暑气尽消，一派清凉……那天棚上覆盖的芦席，都可以通过拉动麻绳很方便地卷起铺开，一般小雨不会漏水，雨后氤氲出森林般的气息，干燥得很迅速……

我把忆及的天棚美景跟曾老形容了一番，他笑道："正是那么个情景儿。旧时不仅夏日，其余季节，有时也需要请棚匠搭棚，像红白喜事，搭起的天棚底下可以摆宴席，还可以再搭个台子演堂会戏。节庆时，街上搭牌楼，也属于棚匠活计。有的商家讲究在门前搭棚，方便顾客，以广招徕；这种席棚，甚至二十多年前，在不少的副食店门前都还有，入秋底下往往码着冬储大白菜，还盖着棉被……清朝末年，光绪大婚前，宫里太和门遭了回禄，棚匠愣用搭天棚的材料再加上绫罗绸缎什么的，搭出了一个望去丝毫不差的太和门来；还有八国联军入侵北京时，正阳门被焚，后来慈禧、光绪两宫回銮，也是用那办法，竟搭出了偌大一座几可乱真的正阳门！你说天棚匠手有多巧！……"

接着曾老介绍起胡同里的天棚将军来，赢得这称号的老者已经年逾九十，据说直到七十来岁时，他还能不另用任何辅助工具，也不需要把杉篙、竹竿先插地固定，就凭一双手，不断地用麻绳捆扎，先低后高，攀上爬下，腰腿并用，循序渐进地，扎出一座大风也刮不倒的牌楼来！

晚饭后，曾老带我去天棚将军家求见，他家那平房外固定着空调的压缩机，屋里家用电器一应俱全，但只有他的子孙们在家，说是开着空调，他还总嫌屋里热，一个人往什刹海边遛弯儿去了……孙子把桌上一样东西指给我们看，那是用许多牙签扎成的一个天棚，我和曾老都惊呆了！

月光宝盒

这两天我和老伴都觉得天花板上有些个不对劲儿的响动，是楼上那户又在搞装修么？不是前两月刚"鸟枪换炮"了吗？我们俩正翘着下巴琢磨呢，门铃响，老伴忙去开门，恰是楼上的小聂来了，不知为什么，他手里还抱着个纸匣子。

小聂进门就道歉，又说明天一定采取措施，不再让他们上头的声响传送下来。原来，他们家新买了个跳舞毯，他那十二岁的儿子简直是跳疯了，他媳妇也爱跳，每天晚上不对着电视机跳上那么一阵，简直就干不了别的事。跳舞毯这玩意儿，我在附近商厦的电器部看见过，有顾客在那毯上试用，活蹦乱跳的，毯子所对着的电视机荧屏上一闪一闪的，给我的感觉，是用脚操纵的一种电子游艺，闹心。这东西在居民楼里，恐怕是只有住一层的适合买来玩儿，但现在小聂家买了，就在我们头顶上跳，我们也无可奈何。小聂说明天他就去买厚地毯，垫在那跳舞毯下面，那样噪音基本上可保证不再传递下来；但愿如此！

没想到小聂说完这些话，并不告辞；我请他坐，他便抱着那盒子，坐到我对面，老伴给他倒来茶，他道谢，也不喝茶，双手只是在盒子边上摩挲。我不禁问他："你搂着的是什么宝贝？"他笑笑说："确实，是宝贝！"

小聂把他那纸盒子搁到茶几上，且不打开，先跟我们倾诉道："如今，我儿子这辈，论玩儿，可以说是彻底地电子化了。到游乐园里，坐'过山车'，乘'海盗船'……都是电子操纵；回到家里，也大都是带电子设备的玩具；这不，又玩上了电子跳舞毯……刚才，他跳着跳着，忽然想要换双鞋，结果就从床底下，薅出来这个鞋盒子，打开一看，里头不是鞋，嚷起来：'怎么一堆破烂呀！'他妈一看，也撇嘴，娘儿俩差点给我扔了……亏我手快，抓起紧抱在了怀里，才算抢救了下来！"

接着，小聂打开盒子盖，把那里头的东西一样样拣起，举给我们看。他告诉我们，他的童年，是在胡同杂院里度过的。他媳妇打小就住在机关大院的楼房里，跟他在童年的回忆上，共同语言不多。他小时候，晚上跟邻居小朋友在路灯底下玩弹玻璃球，不仅赢了里头带彩色螺旋花的玻璃球会欣喜若狂，就是赢了一个污涂的"麻坑"，也会手舞足蹈；冬天，会脱下带护耳的棉帽子，倒过来当盆儿，把玻璃球搁在里头，耳朵冻得红红的，跑回家去。还有"洋画儿"，其实是些土得掉渣儿的，粗纸糙印，单线平涂，长方形的，内容多半是《封神演义》《西游记》之类的，绝对中国民族传统内容的彩画；他是长大成人以后，才懂得那些彩画曾随洋牌子的香烟附送，所以有"洋画儿"之称。"洋画儿"可以从小摊上买，一买就买它几个大全张，然后自己细心地剪出每一个小张来，每小张上是一个人物。他关于中国几部古典名著里的角色知识，就是从那些"洋画儿"上得来的。小朋友们玩"洋画儿"，可以像出扑克牌那样比大小，也可以把一摞"洋画儿"搁在石头上，用手在旁边使劲地一拍，凡从一摞上翻落下来的，就算赢进的。那时候一场游戏结束，发现自己手里的"洋画儿"失去了很多，真的很伤心；但在念念不忘那输掉的"洋画儿"时，也就更牢固地记住了那上面所画出的人物，及相关的故事。还有纸烟盒，可以叠成三角形，像拍"洋画儿"那么拍着玩。烟盒上有名胜古迹，有异国风光，有动物植物，就是只有三个九的"大重九"，也无形中给儿童一些关于吉祥的暗示，至少是增添着一些情趣。还有可以跟女孩子一起玩的：跳猴皮筋，拽沙包儿，抓（要发 chua 的音）羊拐，解九连环……他检视着纸盒里那些饱蓄着童年美好回忆的东西，喃喃地说："落后么？不卫生么？……可是，我现在心理上不是很健康么，身体不是倍儿棒么……"

小聂把他那盒儿时的玩具匣寄存在了我处。月光泄进来，正照着那匣子，我对老伴说："好呀，这月光宝盒，也是一种胡同文化的见证啊！"

并列第一

陈老师走进王校长办公室，一眼看见办公桌上摊放着的两篇作文，他们俩对望了一眼，王校长叹了口气，陈老师便知不妙。

王校长打个手势，陈老师在办公桌那边的椅子上坐下，两人又对望了一眼；陈老师干咳了一声，王校长也便知道不妙。

陈老师嘟噜着嘴，等王校长发话。

王校长硬硬头皮，和缓地说："两篇都看了……当然，你们评定卢晓花得第一，是很公道的……不过，尚赢赢的这篇，毕竟也还是入围，你们评为鼓励奖了嘛……"

陈老师拿眼一瞥王校长，王校长语塞起来："……尚，尚，……她这个，这个名字！……赢赢，总，总是想赢……当然，是家长，她父亲，尚老板……总想赢，赢……"

陈老师忍不住了，望着王校长说："想赢没什么不好！可得遵守'游戏规则'！他闺女的作文明明没有卢晓花写得好，怎么能让他闺女得第一?！"

陈老师语气这么粗重，王校长脸上有点搁不住，便说："作文这个事儿，只要没跑题，通顺，那就很难说谁的一定比谁的好……就阅读者而言，可以仁者见仁，智者见智，是不?"

陈老师的语气更激愤："您究竟算仁者，还是智者？您刚才不是还说，我们的评定是公道的吗？"

王校长无奈地望着桌对面的年轻人，用手指弹弹桌上的作文，皱眉说："这又不是正式考试，不过是一次作文比赛，谁得第一，就那么不得了吗？"

陈老师斩钉截铁地说："让学生们从小就懂得公平竞争的原则，这可是天大的事！"

王校长一时无话。他偏头朝窗外望去。夕阳西照下的校园，操场上已经没几个人；在操场一侧，生了锈的联合锻炼器械高耸着，仿佛恐龙的骨骸；虽然早已用缆绳拦起了这个已不能使用的器械，并多次将不得越栏进内玩耍作为一条纪律

加以宣布，可是，仍时不时会有实在心痒手脚也痒的调皮学生，趁老师们一时眼
光不到，便跑进去，或登悬梯，或攀爬绳，或荡秋千……瞧，现在便有两个放学
这么久还未离校的男孩，又溜了进去，传达室的老李正激动地跑过去吼他们，那
声音清晰地传了过来："……不要命啦！……"这声音让王校长心痛。搞不好，早
晚要出事儿！可是，漫说教育局和学校自己没钱购置新的联合锻炼器械，说来惭愧：
就连把这已经报废的拆掉，那份工钱一时也没个着落！唉！

　　陈老师也随王校长的眼光朝窗外望了一阵。王校长转回头，陈老师也转回头，
俩人又对望了一眼，陈老师发现王校长眼里湿润润的。

　　沉默。

　　良久，王校长近乎哀求地说："要么……并列第一，怎么样？……卢晓花还是
放前头，她的姓氏笔画毕竟比尚赢赢少，对不？……"

　　陈老师本想说："决不能拿原则作交易！"可是，没能说出口。他看到老校长
身上半旧的廉价夹克衫，胸口处有个墨水点，显然多次洗过，却怎么也没能褪净……
又望望窗外，那破旧的联合锻炼器械在夕阳余晖中仿佛张着血盆大口……于是，他
便说："如果……那是真的……尚赢赢她爸，准给咱们学校赞助一架新的？"

　　王校长说："是真的……咱们学校实实在在是需要啊！……"

　　陈老师盯紧了问："就这么一个条件？作文比赛得第一？……会不会以后
他又……"

　　王校长闭上眼睛，仿佛养神。不过，再睁眼时，眼睫毛有点儿粘连。王校长
咬咬牙说："只让这一步吧！……下不为例！……责任，我来负！……"

　　陈老师痛苦万分地说："好吧，并列第一……至多并列，想独个第一，没门
儿！……而且，一时不好说，早晚我还得跟尚赢赢说……她该懂得，世界上不是
什么东西都能拿钱买或者换的……"

　　王校长没能松口气，而是心弦绷得更紧了。

　　陈老师问："如果那个尚老板，他听说是并列，不乐意，不赞助了，那怎么办？"

　　王校长呆呆地坐在那里，良久，忽然重重地以拳击桌……

不必改期

"为什么改期？"接电话的朋友惊异地问。

他耐心地解释："我们对门单元的老太太今天去世了。你想，人家正悲痛的时候，咱们喜笑颜开的，合适吗？"

不是每一个接电话的朋友都能接受这个解释："单元楼又不是平房院，各自过各自的，碍他家什么事呢？""死人的事是经常发生的。说不定过个把星期，楼里又死一位，你们难道还改期？"

更有大为狐疑的："别是他们闹翻了吧？"

当然不是。确实不是。他和她都是一样心肠的人。他们相见恨晚。他觉得她同分手的那一位相比，最让他满意的就是她那双一听见别人不幸就立即湿润的眼睛。而她一听他说，因为对门有丧事，他们约双方朋友聚一聚，自助餐，小舞会的周末活动，推迟到半月后再举行，便立即自豪地想，这一回真幸运，遇上了这么个人——她在打电话给她的朋友通知改期时，特别地强调："我们那位说了，关键不在人家在乎不在乎，关键在于我们心里头怎么过意得去！"

过了三天即周末。他和她从街上回来，在楼门口看见一个乡下人，正高高兴兴地把一些拆开踩平的纸盒板往自行车后座的挎篮里放，还没放完，楼里出来了三位年轻人，正是对面单元的领导，每位都将若干纸匣搂在胸前，显然是接茬儿卖废品来了。他和她便同他们打招呼。他们微笑着，轻松地帮乡下人拆着拍平着那些大大小小方方圆圆的纸盒，甚至还一边说笑着："这是盛蛋糕的吧？有股子麦琪淋'哈'了的味道！""奶奶怎么把这个盒子也攒着？还是'红卫'牌皮鞋哩！"他和她不禁面面相觑，这些孙子辈儿怎么毫无悲戚之态？

更令他们惊诧的，是傍晚时对门陆陆续续来了好些个客人，其中两位显然是头回来，摁错了门铃，找到他们这单元，后来，对门的一位年轻人竟来向他们借折叠椅。他忍不住问："你们家这是——？"年轻人神色自若地说："爸爸妈妈他们送奶奶骨灰到通县去了，跟爷爷的骨灰合葬。我们今儿个晚上请了些朋友来聚聚，吃自助餐，听音乐，还打算跳一会儿交谊舞——你们不来跳跳吗？"她眼里涌着热辣辣的液体，不由得高声质问："你们怎么可以这样呢？"

年轻人先是愣愣地望着他俩，后来诚恳地说："我们都爱奶奶。可奶奶八十六岁过去，是自然安乐死，她赶上了十多年安稳富足的日子，合眼的时候面带笑容。我们要高高兴兴地活下去，这是对奶奶最好的纪念！"

年轻人提着四把折叠椅走了，他和她坐在沙发上，各自托腮沉思。

不欢而散

一道夕阳斜照进窗，照到并排坐在沙发上的他和她。他正向她显示他的照相簿。

"你看，我这张秋景拍得如何？"

"取景好。彩扩还原效果不错。"

"嗬，你还挺内行。再看这张，抓拍的，这西瓜个体户神态哏不哏？""哈！真逗！你要有好机子，用望远镜头抓拍，那成功率更高！"

"是呀，傻瓜机在我手里能玩成这样，够棒的了！咱们……早晚能有高级机子，到时候……"

"你早晚能有。别扯上我。"

"别！……吃个美国杏仁吧，蓝钻石的，名牌！"

"嗯，挺香。你还有什么得意的？"

"早憋着给你看哩！看这本里头的，怎么样？"

"这几张不像是偷拍的啊。人家都乐意你给拍吗？"

"我跟她们说，拍得了将来给她们寄去，她们还真给我留下了地址。嘿，这对傻姐妹儿！"

"你照的照片儿给她们寄去了吗？我想，她们来一趟北京不容易，人家姐妹俩一定眼巴巴等着呢！"她说。

"还真给她们寄？我又没收费，我也不是那号风景点的拍照个体户！"

"哟，这不成了骗人家吗？

"骗？哪有那么严重！偷拍、抓拍的相片，也都给那上头的人挨个送去吗？"

"可这姐俩，你说好给她们寄去的……你还有地址吗？"

"早扔了。快吃这杏仁。喝咖啡，都凉了。""瞧她们姐俩的表情，瞧那眼神，人家对你充满了信任，充满了期待……"

"别看她们了！往下看……我是想着将来用这一组照片给杂志投稿，总题目就叫'一个模子两个人'……"

"你干吗骗人家呢？"

"你这人！死心眼儿不是？我多余说收过她们地址，她们也许并不在乎这事儿，她们想照可以自己掏钱照，现在照相又不是什么难事儿！"

"她们一定等着这张相片，在她们那离北京非常遥远的家乡……"

"她们也许根本就没回去，根本就不在乎，早就完了——"

"可我在乎。"

沉默了一阵。

"咦，你怎么啦？别走呀，你听我解释……别说再见，你这人怎么这么各色……唉！"

夕阳发黄无力地照着他单蹦儿一个和一摞照相册。

不堪其扰

我夜间写作，上午睡觉，在谈自己创作的文章里，我讲到过这一点。当然，这一习惯不可能让所有欲同我联系的人都事先知道，所以也偶有上午找上门来的。好在我还坚持一个原则——这倒不是什么我个人的怪癖，至少北京的同行们大都如此——访客应事先来电话约好具体时间。因此，凡事先来过电话的，我或我家里人都会告诉他们上午不宜来访。凡约好在下午某时会面的，届时我一定在家恭候。

那天却有一位女士一早就跑来，说是在 X 学院旁听的，热爱文学云云，定要见我。爱人不忍劝退她，却忍心叫醒了我，我只好睡眼惺忪地去厅里见她。该女士三十来岁的样子，或者我把她看大了。总之并无妙龄的感觉，穿着打扮似颇新潮，或者当时我不及细察，总之亦无甚特点。问她何事，称她已知我将去 X 学院讲一次，要我趁便代她求情，求什么情？原来人家并未录取，她现在是你不录取我我也来听课——我说你听了课不就行了吗？那结业证国家教委又不承认——她说不录取她就不能住进学院，现在她是住的旅店……我老老实实告诉她，我和该学院并无多大关系，与负责这方面事务的人更说不上话，但她既找到我，我也就答应有机会时帮她说说。她还谈兴甚浓，我却呵欠连天，不得已下了变相逐客令，她也就走了。

过几天我去 X 学院讲一课，她果然在座，而且我一讲完她就走上来招呼我，很熟稔的样子，我也就招呼她——实在我也不认识别的任何一个学员。后来系里负责人招待我，我就顺便为她求情，他忙对我说："哎呀，你可千万别管她的事！她是那种从小城市来，千方百计要在这里混成个模样的女人……"我便埋怨："那你们为什么把我的地址告诉她呢？"他用别的话岔了过去，想是被她缠不过，就自己金蝉蜕壳，嫁祸于我了——但当时我也没太在意。

两三天后，在我接到的一叠信中，有一封是她写来的，说是替人家跟我约稿——但她所说的那个刊物，应是一个很小的外地某文化单位的类似内部简报那样的东西，再看她用的信封，又是北京一个我原来没听说过的 Y 学院的公用信封，自然看过就扔字纸篓了。

忽然有一天上午又门铃作响，爱人不在，我起床披衣去开门，是她。我便告诉她正休息，而且不接待未事先联系好的客人。问她有什么事，说是来取所约的稿，我说不拟写那个稿，请她不要再来了。

她却几天又来了，而且又是上午，我仍不让她进屋，扶着门很不客气地对她说："你怎么回事？"她说："我考电视台，我觉得我考得很好，可我让人家给挤了……"我心中掠过一丝同情，但对她如实地说："这类事我帮不了忙；你千方百计想打入北京文化圈，可我一点忙也帮不了，你以后千万别再来打扰我了，尤其不能上午来搅我的觉！"她却一笑，说："上午你肯定在呀！而且，你的那位又多半不在……"我气得把门重重地关上，我家单元门上虽有猫眼，但我们那个门廊的光线很暗，因此形同虚设，而爱人特别是上大学的儿子有时又忘带钥匙，听见门铃响坚决不开门我又做不到，因此她的骚扰，几乎难以排除，想到此，真烦透了！

也曾想去和开电梯的女同胞说说，让她们见了她别让她上来，可电梯班不断换人，可怎么让她们都清楚？更何况还会派生出一些议论，产生副作用。

有一天上午她又来了，爱人在家，开的门。自然说我正睡觉，只见电话约定的客人，于是她赶忙问我家电话号码，爱人无心，顺嘴就说了出来，她笑笑，礼貌地说再见，去电梯口了，这就栽下了新的祸根——从此她不断打来电话。

头一回来电话，我对她说："我们根本没什么关系，你不要给我打电话！"

她就来了封信，这回用的是一家什么很少有人知道的报社的信封，里面的信笺又是外省一个小城市的一家什么公司的，信是匿名的——但我能认出是她的字迹。信的字句不通，意思却很明白，富于挑逗性。我看完自然随手就扔了。实在我要做的事太多，不可能把哪怕是想一下的时间用在她身上。跟爱人说了，她也有自己一大堆事，说了句："这人有病。"也就懒得理会。

她却又来电话，我拿起电话习惯地"喂"一声，她便在那边立即说："你好！"我一听是她，马上挂掉。谁知大约一小时后，她便来按门铃，原来她打电话，是要验证一下我可在家。还是爱人去开的门，还是没请她进来，问她什么事，说要见我，爱人告诉她，我不愿见她，她还不走。没办法爱人只好在她鼻子前关上门。

从此我家电话铃一响，就都有点紧张，但也不能不接。如果对方是个陌生女性，往往搞得爱人儿子和我都一时不知该不该立即挂掉——其实很多次都是重要的稿件往来的业务电话，挂掉不仅误事，还会得罪好人，我接电话时也不敢照例先"喂"一声，有一回我拿起电话不吱声，结果对方也不吱声，双方僵持了足有两分钟——你说那会是谁呢？

本来每天拆阅信件是一桩兴味盎然的事，自她屉进来以后，就时常要遇到她寄来的"耗子屎"——有一回她"命令"我某日某时去月坛；有一回里面是两张去西安的卧铺票的铺位号；还有从报纸上剪下来的不知何意的刊头画；后来又有公开的猥亵语言；最文明的是一首"诗"，其中的叠句是"明月几时圆"……

最要命的还是她坚持着雷打不动的"三部曲"：先是一封信，再是一个电话，然后是人来。这样的骚扰继续了两个月，我的对策也只能是：凡认准是她的信，当即撕掉——但有时也还是拆了，因为她不断换信封，大体上都是一些文化单位的公函封；凡听出是她的声音，立即挂断——有人建议我在电话里骂回去，她在信里说了，巴不得挨我骂，喜欢听我哪怕仅是"喂"一声，我能满足她吗？她来，自然坚拒门外——但这就必得总是爱人去开门，不胜其烦，而她有一回就公然对我爱人说："你们离了算了！"令人哭笑不得。可怎么办呢？问 X 学院，人家说本没录取过她，并无她的档案；她住在什么地方，不知道；她是不是真叫她自称的那个名字，也很难说；她大概确是来自那个外省的小城，可如果我给那个城市的某个机构写信，人家会管吗？她有到北京的自由呀；向我们驻地的派出所反映？她犯了什么法呢？干脆，我离家躲一阵？我又凭什么有家不能安居？想来想去，也就是她寄来的那些信，可以算是构成了对我的性骚扰，但我据此和她打官司吗？那她太求之不得了，她那打进北京这个大码头，成为名人的愿望，也就实现了！儿子的建议对我最有诱惑力——找几个"哥儿们"，等她再来时，给她点颜色看看！可那样，犯法的就可能反而是我了！当然，她是有病，应该找心理医生，可那得她自己去找。

总之，我在明处，她在暗处，都怪 X 学院的人跟她泄露了我家地址，却不能为我提供关于她的准确信息。

她是想走捷径，达到她预想的目的。闯北京，这么个闯法，倒也亏她想得出！

当然，我和爱人也采取了某种办法，使得她起码到目前为止，没有再来她那一套。

我不想也无畿力嫁祸于人…但也真企盼她尽快找到一位跟原来老婆离婚跟她结婚的大名人，那时我们或许会在某一个"派对"上相遇，她或许会告诉我，X学院和电视台都在抢她，而她却可能要到国外去发展……嗯嗯，但愿我的好梦成真！

不可饶恕

最近一次美国奥斯卡电影大奖给了一部叫《不可饶恕》的西部片，又有人把它翻译成《杀无赦》，不过我这里要讲的不是这部美国电影，但，之所以讲到它，是因为我要讲的事和美国有关系，而且，讲到最后，那也真是"不可饶恕"。

话说那天楼底下噼噼啪啪鞭炮一个劲地响，我正写小说，烦透了，便嘟囔说："北京怎么这么落后！人家深圳广州春节都禁放鞭炮了，这儿还这么震耳欲聋地扰民！"儿子却早凑到窗户那儿往下看，他可是开心透了，大声唤我："嘿，爸！快来看呀！真棒！快呀！过一会儿可就看不见啦！"我自岿然不动，说："有什么特别好看的！左不过对面有人结婚，老一套的场面！"儿子就说："老一套？！你那想法才老一套呢！人家租的卡迪拉克加长豪华车，嗬！真气派！"我就一愣，卡迪拉克加长豪华车？都说北京早有了，而且有钱就可以租来过瘾，可我的眼皮儿福浅，一直没在街上遇到过，听见儿子那么一嚷，我也有过去看看的冲动，不过到了我这个岁数，惰性总是占着上风，终于还是稳坐钓鱼台，没挪窝儿。

第二天在电梯里，邻居们有的就议论到头天的那桩婚事，对卡迪拉克啧啧赞叹，又有问开电梯小章的："你妹妹他们租那车，花了多少钱呀？"原来结婚的是小章的妹妹妹夫；小章她家住在我们楼对面仅存的一片平房院里，那些破旧的瓦顶房正期待着拆除改造，但那里面的年轻人等不及拆迁，便在这个春天里男大当嫁、女大当婚了；小章说到妹妹的婚事，又为妹妹自豪，又为自己早些年的婚事比之不足而叹息，她为电梯里的人们报道说："不知道租那卡迪拉克花了多少，也是有人承包，还带拍录像什么的，一总花了八千八百八十八……"就有听见的人嘬牙花子，还有人问："你妹妹嫁了个个体吧？"小章笑说："个体大款能入赘到我们这么个破院里吗？"她告诉大家，妹妹妹夫都是国营工厂的工人，如今厂子很不景气，你说他们能有几个钱？可是人一辈子，能结几次婚？就算再开放的人，头婚也只有一次对不？所以花这么一笔钱是值得的……她说最值得的是请人拍了录像，一辈子里想看的时候随时能看，多带劲儿！我当时随口说了句："一定好看，能借我看看多好！"有的邻居帮腔说："是呀，你搞写作，你真该开开这个眼！"当时小章只是嘻嘻地笑，也没说什么。

谁想第二天我坐电梯，小章见了我，便把一盒录像带递给我说："您拿去看吧！他们听说您想看，都愿意借——要是别人，他们也舍不得！"我接过，忙道谢。

回到家里，我就把那盘带子塞进了放像机，可没等我看，就来了电话，接完电话，又有人来访，送走了客人，又到了去外面赴朋友约会的时间……就这样忙忙匆匆，很晚才又回家，那时开电梯的已不是小章，所以我也没想起那盘录像带来，回到家，洗澡、吃饭、打电话、翻报纸……后来坐到电视机前，儿子早已歪在沙发上了，我看荧屏上好像不是正在播出的节目，便问："你这是看的什么呀？《出生入死》吧？怎么你就爱看这种东西？你什么时候录的？"儿子懒洋洋地说："刚录的，我再看看，音乐配得挺好……"我忽然心魂一悚："你拿什么带子录的？"儿子说："用你新买的'大自然'录的呀！"我凑过去一检查，两眼立马发黑——他用的是小章借我的那盘带子！

确实也不能怪儿子，因为我回家后一直没给他打招呼，而且，我头两天确实刚买回来几盘"大自然"空白带，偏小章借我的那盘，也是崭新的"大自然"，包装完全一样，封套上并无特别的标志……

我意识到，我犯了死罪！我给人家抹去的，是永不可重演的人生中最宝贵的场面，那是用多少钱也补偿不了的！如果那是电视剧中的一场，纵是倾家荡产，我也愿赔偿损失，揩请他们重拍，可我难道让小章的妹妹妹夫重坐一次卡迪拉克么？纵使他们重来一遍，连宾客都重新一个个再请来助兴，他们那天的原始心情，岂是还能恢复的？……

我是不可饶恕的！

天哪！读者诸君，你们有什么不乞饶恕只求善后的良策？请快快有以教我！

……

1993.7.4

彩票飞

那天的秋阳照到身上，有一种"老头儿乐"伸到衣领里头轻轻抓挠的感觉。

别提多来劲了！他跟她还真对脾味。"电脑红娘"赛过"人脑红娘"，没得说！在购物中心休息厅吃冰激凌的时候，她是怎么说的？"我原来最担心的是，你跟那千千万万的男人一样，最厌烦逛商店，尤其看不来我们女士在柜台前头挑来拣去下不了决心，让那售货员干受'百拿不厌'的考验……没想到，你倒真跟我一样，挺喜欢到商场逛呀、挑呀的！"他当时便故意冲她一瞪眼（当然嘴角是上弯着，现出一个明显的微笑），问："怎么着，你是说我也有娘儿们气？"她就一甩头发，赶紧声明说："没那个意思！说真的，你买那彩票的气派，我们女士十个里头九个都作不出来！"他听了这话，觉得比"八喜冰激凌"还甜，一直甜到心眼儿的最深处。

那彩票是在一个"五合一洗浴香波"的专柜买到的。他和她都并不缺少香波，尤其是她，在她家小小的卫生间里已经摆着有至少三种香波了；他和她对那有着一个洋味儿十足的牌号的香波原来一无所知,对所谓"洗发、护发、去头屑、润肤、营养肌体"的"五合一"功能也并不怎么神往,但"凡购买本香波五瓶以上者赠淑女包一个并得彩票一张,彩票开奖日期铁定于下月 18 号,头奖金额捌万捌千捌百捌拾捌元! 祝君实发,发发发发发! "他和她在柜台前被那彩印的广告吸住了,当她还在犹豫时,他已毫不迟疑地一晃肩膀掏出一整棵买下了那五瓶外观缤纷奇特的"五合一洗浴香波",当他把那极可能"发发发发发"的彩票装在小小的淑女包中递到她手里时,她忽然觉得他简直太像那本她长期压在枕头底下的电影画报插页里的那个男星了——尽管他们长得一点儿也不相似,可那内里的帅劲儿绝对一脉相通! ……他和她逛完购物中心,他提着沉甸甸的手提袋,她手里捏着那只白来的淑女包,上到过街天桥,在过街天桥中段,他和她不由得倚栏下望,嗬,车水马龙,红尘滚滚,好一派都会风光! 他们都意识到,自己也是这风光里的一部分,而且是亮闪闪甜滋滋的一部分……她下意识地打开那只小小的淑女包,不知怎么搞的那关合处的金属扣刺了一下她的手指,她痛得"唉哟"一声,并发现手指立即浸出了血来——忙将包打得更开,看究竟是怎么一回事,原来那金属扣没打磨好,有一处尖利的地方……就在这一刹那间包里那张彩票一下子抖落了出来,并随着小风那旋转的气流猛地上腾,随即便迅速飘向人行天桥下面……

他先是本能地一跳,去抓那彩票,没有抓到;接着,便绝无一隙间隔地跑下天桥,冲到人行道上,去张望和追逐那张飞动的彩票;有一阵,彩票在气流中飘飞在慢车道上空,他便杂技演员般地灵敏闪动身躯,使躲开他的自行车发出一片脆响的铃声;彩票忽然又飞到了快车道中,他大无畏地跃进快车道,在一辆迎面而来的小面包车急刹车前,终于抓住了那张很可能在实发的日子里发发发发发的彩票,他不由得发出一声圆润的欢叫……

他以凯旋的姿态一步三跨地冲上人行天桥,手里紧捏着那张彩票;但是人行天桥上已不复存在她的身影;他走动着,用双眼急切地寻索,甚至呼唤,没有! 她消失了……

1992 年 11 月 20 日

踩 莲

陈画家大吃一惊——他在当天的邮件里，发现了一样奇怪的东西，那会是谁寄给他的呢？也不附上一封信，他在灯下端详了半天，努力猜测：是寄来供他当资料的？是跟他开玩笑的？……

陈画家的邮件总是很多，除了国内、国际的一般信函，还有许多大小不一的牛皮纸口袋邮件，多半是赠阅他的杂志，此外他收到的 EMS 也就是特快专递邮件也挺不少，这天就有三件，在他住的这个榆香园里，经常接到 EMS 邮件的住户也就他一个，往往是，送 EMS 的邮递员把那邮件送达小区传达室，管给住户送邮件的小安便飞快地代他签收，随即把那快件跟他其他的一摞邮件还有几种报纸归拢一处，有时为慎重起见还用塑料绳捆扎起来，以免散落，如果没看见陈画家出园去，那就会及时地给他送上门去，倘若知道陈画家出去了，那就注意他何时归来，一旦陈画家出现在园门内，便马上迎上去，把一捆邮件递给他。陈画家对小安非常满意，几次向物业经理表扬小安认真负责、灵活麻利，他入住两年多，还从未发现丢失邮件的情况。

因为邮件多，陈画家习惯于每天晚饭后，拿把剪刀，坐在沙发上先把所有的封口剪开，一般信函连信封放在一边，那些牛皮纸口袋包括 EMS 里的杂志什么的抖出来放在另一边，包皮封套则扔在沙发一侧的藤编废纸篓里。做这件事的时候他总是开着电视，心不在焉，仿佛是在做一套松弛身心的体操。

这天陈画家从一个 EMS 蓝边大封套里抖落出了一双鞋垫，色彩很扎眼，细观发现是手绣的，绣的是莲花荷叶，还有鸳鸯戏水。他是很欣赏土得掉渣儿的民俗工艺品的，但这双鞋垫做工虽细，那花样图案却并不顺眼，大体而言，是土得不够，那些莲花荷叶鸳鸯既未达到写实，又没体现出童稚的变形趣味，还很不得体地绣上了英文，大概是想绣"爱情""幸运"两个单词，结果又拼错了。这样的东西没有收藏与参考的价值，于他而言当然更没有实用价值。他蹙眉伸唇，不得要领。什么人在跟他开玩笑呢？他觉得这个玩笑实在并不高明，便顺手把那双拙劣的鞋垫扔进沙发边的废纸篓里了。

陈画家很快就把那双鞋垫忘记了。他关掉电视，跷着二郎腿，看杂志上一位艺术评论家的文章，那位评论家很前卫，把人文关怀嘲笑了一通，主张"形式即一切""只要装饰不要趣味"。他边看边抿嘴笑，心里想，倒真该把这双鞋垫给这位评论家寄去。

忽然单元门边墙上对讲机发出呼叫声，他过去接听，是小安的声音，问他是不是拆阅了所有的 EMS 邮件，有没有一个里面装着"踩莲"的？他先是莫名其妙，问："什么莲？"小安重复地说："踩莲，踩在脚下的踩，莲花的莲……"他恍然大悟："啊，是那双鞋垫吧？"小安说："对对对，劳驾您给看看那特快专递的封皮，是不是寄给张顺田的？是我粗心，以为一定是您的，就给了您了……"他说："对，一定是你弄错了，你上来吧，我这就退给你。"他去沙发边废纸篓里拣出了那双鞋垫，又翻出了装它们的 EMS 封套，封套上果然写着收件人是张顺田。门铃响了，他开门，把那塞进鞋垫的封套递给小安，说："你帮我解释一下，因为我邮件多，又没想到会混进别人的，所以一律不细看信皮就都剪开了……"小安忙说："都怪我，怪我……"小安临走前，他问："这张顺田是谁呀？"小安说："是春节后新来的保安，鼻子边上有个大痦子的那个。您进出的时候常见着他的。"他对小安说："大痦子？没印象。"又说："这东西上的图案该叫'彩莲'，五彩缤纷的那个彩，怎么会是踩脚丫子的踩呢？你把彩字该怎么写也告诉张顺田吧。"小安感激地走了。

陈画家是榆香园里一个常在的生命，张顺田则是一个暂栖的生命。其实他们迎面相遇的几率很高，不仅张顺田在大门口值勤时会遇见进进出出的陈画家，因为包括张顺田在内的一部分保安的宿舍就在陈画家住的那栋楼的地下室里，有时他们也会在楼前擦肩而过，但陈画家对张顺田这样的生命存在基本上忽略不计，张顺田呢，虽然模模糊糊地知道那人是住在楼上的一个画家，但究竟什么是画家，他也从未仔细去想过，在他的意识里，这样的人跟他老家那些过春节时能给人写春联的，以及能给谁家盖的新房的屋梁上画彩画的，那样的人物，大概是一样的，他哪里懂得，人家陈画家是画油画的，近来又热衷搞装置艺术，自有另一派他难以想象的天地。

　　张顺田所睡的那张上铺，垂直往上十多米，就是陈画家的画室。两个生命其实离得很近，但他们所思所想所喜所忧竟是那么样地不同。近来张顺田一直在想他的未婚妻。特别是躺在床上的时候，睁眼是她，闭眼也是她。张顺田外出打工，换过几处地方、很多工种，因为只有初中学历，又没什么技术，总挣不上高点的工资，因此也总没能成家。今年春节他回家去，像他这样的二十七岁的光棍小伙子，城里头不稀奇，山乡里可就惹人议论了，父母兄嫂姐姐姐夫乃至七姑八姨无不替他焦急，其实那时候他正处在又一次失业状态，好在手头有些从牙缝里挤出攒下的银子，在按习俗送礼等方面显得还算大气，就跟家里人说还在原来那个公司工作，也不细说干的是清洁工，家里人就很高兴，都忙着给他找对象，哪还能搜出几个年龄相当的闺女？有的都劝他接受小寡妇了。但终于由他二嫂给介绍了一个姑娘，是镇上一家杂货店的售货员，跟他同岁还大着月份，好好的一个姑娘怎么总没嫁出去？脸蛋确实差点，眼睛小，上牙床还有点暴，但身条从背后看还挺不错，也是她自己以往太挑，轮到跟张顺田见面，她不挑了，两人单独在一起，她自己说："城里净是漂亮的，我可不好看。"张顺田就说："城里的谁愿意跟我？要说模样，我也不行，你瞧鼻子边这个大瘊子。"姑娘下死眼看了看那瘊子，笑了，说："只要心好，跟这瘊子过一辈子也行。"张顺田就说："干吗一辈子？城里有整容医院，只要攒够了钱，动手术去掉玩儿似的！"姑娘就说："有钱就那么玩吗？钱该用在刀刃上。"这话他岂止是爱听，简直就感动得不行了。就这么很快定了亲，约定年底成亲，成亲后双双到城里来谋个发展。回到这大都会，张顺田就找到了榆香园的这份保安工作，管吃管住，每月 500 块的工资，发下工资，他别的方面能不花就不花，唯独舍得买 IP 电话卡，这就叫把钱用在刀刃上。他每周要跟未婚妻打去两次电话，每次总要聊个半个来钟头，这成了他生命中最大的快乐。于是有一天未婚妻告诉他，正在给他绣"踩莲"，那是他们老家那地方古老的习俗，未婚妻把绣有莲花鸳鸯的鞋垫送给未婚夫，未婚夫接到后一定要马上放进鞋子里，随时地踩在脚心下，脚心通全身，踩莲的人该在心里结出斗大的莲蓬……前几天未婚妻则告诉他，"踩莲"绣完了，商店老板教给她，到县邮局去用特快专递寄给他，他掐指算来，这天怎么也该到了，就去问小安……

榆香园跟别处一样,很少发生什么惊心动魄的故事。每个生命都顺其自我逻辑外表平淡地延续着。又一天陈画家与张顺田在那楼下迎面相遇,各走各路,各怀各情。张顺田甜蜜地踩莲而前,陈画家则已经全然忘记了自己曾有"应该是五彩缤纷的那个彩"的训喻,他正要去参与一个命名为"虾梦"的行为艺术活动哩。

查无实据

那是 1979 年的时候,我第一次见到他;那时社会生活正发生着许多巨大的变化——比如为成千上万的 1957 年和 1958 年被错划为"右派"的人实行改正,在那进程中,两种被冤屈的人都很得同情,一种是当年根本没有什么言论、纯粹是被凑数凑成"右派"的,一种是虽有言论文章但经历史验证那言论文章不仅无大错,甚而还是香花的——后者不仅被同情,还备受尊敬。

记得在那时候的一次座谈会上——那时候有许多以解放思想为题的座谈会——他抢着发言,情绪激昂,言辞锋利,很有点举座皆惊的效果,使得与会者纷纷互相打听:这是哪位? 当时没什么人认识他,甚至那个座谈会的主持者也不知他是谁;他来自外地,没人说得清是谁通知他去参加那个会的,但那种会好像谁愿参加,走进会议室坐下,也就参加了。记得他在那次会上主要是讲他个人的遭遇:他当年也无辜地被划为了"右派",下放劳动多年;而最令人气愤的是,如今他要求改正,他那个单位却不给改,因为如今在他的档案里,根本就找不到当年划他为"右派"的材料了! "他们就如此草菅人命啊!"我至今还记得他在会上的控诉声。他因此为人注意,"这就是那个白白顶着'右派'名儿下放改造了多年的人,如今居然又找不出划他'右派'的材料来!"他一出现在公众场合,就有人指点着他,向别人介绍。

我那时当着杂志的编辑，觉得他的遭际颇离奇，就提出向他约稿，请他写写自身经历，也是一种对极左的控诉吧；但一位老编辑是当过人事干部的，他对我说，反右时搞得扩大化了，那是事实，但定为"右派"，那是一定有档案的，并且那档案都是用防燃纸做的，那时"以阶级斗争为纲"，别的事可以马虎，右派档案岂有马虎的？至于下放劳动，改造思想，那时就不是右派，也一样要轮到的……我从那老编辑的话音里听出来，他对该人当年究竟划右没有，是持怀疑态度的。

后来我又在座谈会上遇见某君，他的发言，更激烈也更引人关注，他动辄称"我们五七战士"，连一些档案齐备的改正了的1957年受害者也对他的这种说法反感，我在会议休息时过去和他交谈，问他何以要发明这么个词儿，他说："我们是一群最早站出来和教条主义斗争的战士呀！"我就说："上次听你发言，好像你说你是稀里糊涂给定成右派的，原来你是确有言论的呀！"他说："是呀，我当时也发表了批判官僚主义的小说，只不过没《组织部的年轻人》那篇叫得响就是了！"我问他发在哪年的什么刊物上，他立刻告诉了我。

直到如今我也没去查过那刊物的合订本，我估计谁也没去查过，但此公就在80年代初因"五七战士"和"早就也组织部来了个年轻人"而调进了北京一个文化单位。

可是过了三年，情况有了一些变化，被改正似乎不再成为一种潜在的光荣，而且，又出现了关于人道主义的争论，记得有一天他主动来我们的编辑部，当时恰好就我一个人在，他仿佛并不认识我，只问我们主编在哪儿；我就说："嘿，'五七战士'，你有什么事，先跟我说吧！"他这才表示认出我来，但一脸正色道："那是什么称呼？不可以的！"我问他究竟什么事，主编不在，我可转告，他说他要写一篇批人道主义的论文，问我们可不可以安排头条。我说一定转告主编，并及时通知他。

但后来我转告了主编，主编没吱声，后来也不见我们刊物头条有他的文章；我也没在意。

再后来我离开了那个编辑部，自己搞创作。又过了几时，有一回偶然看到一本香港杂志，那杂志的观点，是反对批判人道主义的——这当然不稀奇，稀奇的是那里面说，有的大陆文化人，写好了支持人道主义的文章，却找不到地方发表，所举的例子，便是某君，而且那记者报道此事，显然并非道听途说，而是亲自采访所闻——该杂志刊出了某君接受采访时拍的照片。

我对某君，从此绝对地不感冒。

某君这些年来，是越混越好，报上不大有他本人的文章，但时有他的消息，准确地说，也不是关于他的消息，而是关于别人的消息里有他的名字出现，无论如何，他应列入当代英雄的行列。

近两年又听说，他实际是台湾籍人士，原来那个籍贯，是因为多年存在极左，为避祸，不得不造了假；他说他哥哥姐姐都在台湾，具体在台湾哪儿，失散多年，不清楚，但他已在有关的对台宣传杂志上，登了寻亲启事，期待着在不远的将来，与台湾的兄姊抱头痛哭地重逢；始终没听说他这一神圣的愿望得以实现，但可以在报刊上乃至荧屏上频频看到他亮相，都是与台湾有关的事儿，诸如两岸的这个联谊活动呀，那个研讨会呀，等等，等等，有人说由于他的这一特殊身份，他那名片上的头衔，就更加印不下了。

某君一而再、再而三地因档案上没有、查无实据的因素而走红，无论如何，还算是奇人异事吧，对其人我不以为然，对其事我却觉得颇可玩味，爱为记。

1993.7.2

唱牛奶

人们背地后都管他叫"唱牛奶"——也不全在背地后，有一回就有那调皮的小伙子当面这么叫了他，他并不生气，还微微一笑，近于谦虚地说："哎，那时候，文革嘛，江青嘛，上当嘛……"

那时候，确是"文革"期间，他参加批斗一位"资产阶级反动学术权威"，念一篇抄来的批判稿，其中有一句是批判那权威"坚持资产阶级生活方式，每天早上喝牛奶"，他念时倒也声嘶力竭，很是义愤填膺，但把"喝牛奶"念成了"唱牛奶"，结果不但革命群众哗然，连被批斗的权威亦忍俊不住。时过境迁，那阵子的事人们大都不再提了，但"唱牛奶"的典故，却流传至今，就"唱牛奶"这一"绝唱"而言，和江青实在拉不上什么关系，也不知是上了谁的当，总之，他老先生实不必谦虚。

现今"唱牛奶"早过离休年龄，但他拒办离休手续，说要发挥余热。于是他当上了挂靠在某单位的一家中外合资的大饭店的董事，或者那头衔还不仅如此。但不管他有多少头衔，人们提起他来，私下里还是叫他"唱牛奶"。他在那新岗位上，事必亲躬，特别是大力支持总经理的工作。且说去年，他就不辞辛苦：和总经理亲赴日本，去考察所订购的日本家具的制作状况。在日本也真是马不停蹄，走访了许多的地方，包括箱根风景区，眼界大开。回来的纪念照相册里，有那和日本艺伎席地而坐的镜头，更有不少"唱"的镜头，所"唱"的，据说并不怎么好"唱"，原来是日本的清酒，度数太低。

他们前脚去了日本，后脚就有天津塘沽新港的急电，问为什么所订的日本家具到了，通知单早发出半个月，却还不去取回。好几个集装箱，占好大的货位，就是不怕巨额罚款，港口货场也受不了——别家的货陆续到了，堵在那儿，太碍事！原来，"唱牛奶"他们出发前，确已接到家具到货单，那总经理也给他过了目，他说："日本还没去过，应该去看看，再订些家具就是了嘛！"把那催领单，顺手就锁他办公桌的抽屉里了。

"唱牛奶"回到北京，见人就批判日本，说日本不好，东西太贵。因此他也就果断地作出决定——不再要日本的家具！他回北京在家歇了三天以后，才去了办公室，打开办公室抽屉，让人去塘沽取日本家具。有人议论说，那塘沽港的罚款特吓人，够再买一集装箱家具的了，他就批判说："那就是不正之风嘛——他共产党罚我共产党，还有没有一点点共产主义协作精神？典型的本位主义！"

前些时候，那位总经理东窗事发，问题很多，据说其中一款，是在曼谷嫖妓，把该项开支，也列在了报销单上，又恰恰为境外投资者发现，此事涉及的钱数甚微，但由此引发，就查出了他好大的窟窿，故而栽了——被公安机关拘查。"唱牛奶"对总经理的胡作非为甚为气愤，还主动上交了一千美元，说是发现那回的日本之行，总经理发的出差补贴超标，这一点别人并未指出，是他自己发现的，上交时他说："我们老同志嘛，凡事应该严格要求自己，表率嘛！"他把"表率"说成了"表虑"，但人们都没笑，也没构成新典故，人们提起他，还是称为"唱牛奶"。

陈 灰

父亲猝然去世，蓉娜竟没有马上飞回中国奔丧。亲友们去安慰她母亲时，有的就不免啧有微词。但母亲却非常旷达。母亲理解并谅解她。适逢一家大公司约定蓉娜去面试，那是她实在不能放弃的机遇。父母含辛茹苦，满怀期望，将她送到大洋那边深造，好不容易获得了学位，经过几番曲折，终于有被这家大公司录用的可能，若放弃最后的面试，那就等于将那职位拱手让给了另一位竞争者——她知道从最初的十几个面试者中，最后筛得只剩下他们两个，而那一位并没有再被约会，只被告诉"必要时还会联系"，如果她回国奔丧，公司就必要那一位候补者了。

获得了那薪酬待遇不错的职位，给人家干出了个样儿，父亲辞世三个月后，有了假期，蓉娜这才回到北京，扑进母亲怀里相拥大哭后，她问母亲父亲有什么遗言，母亲告诉她，父亲曾说，蓉娜先在那边获得工作经验是好的，但是过几年还是应该回中国来，为国效劳。她本来想跟母亲说，父亲既然已经辞世，那等她买妥了房子，转换好了身份，就立即把母亲办过去，让母亲享享住单栋小楼带草坪花坛的清福。母亲捧着她的脸，看着她的眼睛，她没说什么，母亲已经看明白女儿想的是什么。她也望着母亲的眼睛，她知道母亲看穿她定居那边求发展的心思，即使回来，也是以外籍身份在外国公司驻华机构里做事；母亲永远不会认同她的这一选择，但母亲又深刻地意识到，她已是一个完全独立自主的生命，必须尊重她，跟她做朋友。

蓉娜父母都是在各自岗位上奉献了聪明才智做出丰厚成绩的知识分子，经历过许多磨难，晚婚晚育，母亲快四十岁才剖腹生下她。二十年前，她还没上小学，那时候叫落实政策，父亲所在机构分了一套三室一厅的单元给她家，结果其中两间都成了书房，到她漂洋过海——更准确的说法应该是飘云过海，现在都是坐飞机不乘海轮——去留学时，家里就到处堆满了书，现在回到家里，连原来她住的那间屋里也全是书，她更感觉是进入了一座图书馆。她对母亲说，父亲仙去，您退休多年，为什么不处理掉多余的书报杂志呢？母亲说已经分几批赠给了郊区学校，现在你看到的，哪本也不是多余的了。

蓉娜去翻动父亲的书架，有的书其实很多年都没使用过了，上面有陈年老灰。母亲的藏书也有这种陈灰。她问，为什么不雇小时工来清理清理？母亲说请过的，也很愿出力，但从书里抖落出纸片，见发黄薄脆，立刻扔掉，你父亲从垃圾袋里拣回来，已经无法补救——母亲说出那纸片文字的落款，一个文化史上永远留芳的名字。她说，你们多嘱咐，让小时工处理任何东西前都问一声，不就行了吗？母亲举出更多例子，防不胜防，如用吸尘器吸坏了线装书、用湿抹布擦脏了大画册……她又与母亲对视。母亲看穿她要问"那陈灰下的东西都留着给谁"，她看穿母亲想说"除却陈灰是金子，都留着等你接收"。母亲叹了口气，仿佛也在替父亲叹，叹的是她虽有了一个那样的可融入西方社会的前程，却很难再接续那些被陈灰覆盖的本土文化遗产。她也叹了口气。她意识到自己心有余力不足，她所供职的跨国公司可以给她带来很不错的物质生活，还有西方一般水平的文化享受，特别是旅游文化的乐趣，但是要想不仅从形式上，而是从实质上接收父母欲她接续的那份本土文化却很难——尽管双亲收藏的书籍里也有不少从西方翻译过来的和一些西文原版书，但就连那书上的陈灰也仿佛在告诉她，那到头来还是中国本土的，在广泛吸纳中发展着的，需要下一代去承传的文化。

蓉娜回那边去了。她没有告诉母亲，也不想告诉任何其他人，她用小首饰盒装去了一些父母藏书上的陈灰。哪一天，谁，会来非常小心而且不出纰漏地扫除那些陈灰，不是从形式上，而是从实质上继承下北京家里的那一份文化遗产？那天她选定了分期付款的单栋小楼，家具都还没有运到，她将那只小盒郑重地搁到壁炉上，望着那只小盒，透过泪水，对面仿佛有父母的眼光射过来。

抽换年轮

树干剖面上一圈套一圈的年轮，一旦形成，怎么可能将其中的一部分年轮抽出来换掉呢？

把我们生命的流程，比喻成一圈套一圈的年轮，这已经成为一种滥觞，本不必多言。但是，如果有人要把其中部分的年轮抽换掉，首先是抽取出来，只当根本没有存在过，对此，你会作何感想呢？

我前些天就遇到这样的事。先接到电话，很久没听到那声音了，但一听也就知道是谁，从某西方国家回来，说要见我，而且希望单独见，有重要的事情跟我谈。

就约那来电话的某人，到郊区书房，单独面谈。你看了下面就懂得，我为什么不能使用他或她字，只能说某人。当然也不便说出某人来自某国，年龄几何，以及其他方面的个人资讯。

多年不见，一旦见了，还是很感亲切。但某人并非为表示亲切而来，来的目的，说来也很简单，就是要我把此人十几年前写给我的那些书信，悉数退还。

不要误会，我跟某人绝无恋爱关系，那些书信绝非情书。那时候，此人刚出国，所遭所遇，多不顺心，艰苦奋斗，备尝艰辛，就常常灯下给我写信，倾诉烦恼，泄出浊气，我呢，也就每信必回，尽我所知，倾我所悟，无非是鼓励此人咬牙拼搏，祝愿总有一天，乌云陆续散尽，骄阳沐浴身心，在那边立稳脚跟，修成正果。

某人提出这样的要求，令我在惊讶之余，多少有些不快。信既寄出，就归收信人所有，又不是恋人反目，何至于专门跑到我这里来，全数索回呢？我就问，那是不是，从国外，把我回的那些信，全数带来，要还给我呢？回答是，抱歉，那些信，全给烧成灰了。我说，这很不公平，是不是？而且，我就再问：这些来往信件的内容，我实在想不出有什么不妥之处，你怎么现在就如此急切地希望它们全数消失呢？某人心平气和地对我说，经过一番努力，现在自己已经进入了那边的主流社会，因此，希望把以往一切非主流的生存痕迹，全部抹掉。这不就是一种要抽出部分生命年轮的举动吗？

我真的不能理解某人了。进入了那边的主流社会？当然，那是某人多年来朝思暮想的一种生存境界，有志者事竟成，我首先为此人高兴。但是，人生的历程里，那些凝聚着艰苦奋斗、勇猛拼搏血汗的年轮，不是比能够稳定地跻身在所谓主流社会的，那些可能会呈现为肥厚匀实的年轮，更有光彩，也更具有回味的价值吗？即使某人不愿意别人看到那些曾经含有卑微与屈辱、孤独与失落、痛苦与血泪的年轮，作为某人自己的一份人生财富，回视、回思，不也还是很有必要的吗？但某人向我索回那些来信，目的明确得很，就是"再不能让它们还存在于这个世界，拿回去要通通销毁"。

我发愣。某人开导我，还举出一些例子，比如某富翁的传记，详写的是其发财后继续大发的谋略，而对于其"第一桶金"，则语焉不详；某政治家回忆录，就明显地有"年轮缺失"；就连某些大明星写的书，也一律"该彰则彰，该隐则隐"。

我问某人，书信能销毁，刻在心头的记忆，可怎么磨洗掉？回答更令人吃惊：凡不能磨洗掉那个的人，决不可能保持住其现在所获取的社会地位。既然已经跻身主流，为长远计，必须从记忆中也抽取掉那部分年轮。我问，抽掉的部分，你会另设计出一种年轮，换进去，镶嵌起来吗？某人的回答是肯定的，并且告诉我，凡已经成事并将不再滑落，而且会继续在主流中往金字塔上一级攀登者，那样做是极其必要的。

我无语。那么，我把某人的那些来信全找出来并且交到其手中了吗？请读者诸君猜猜吧。

抽象画

侄子伟伟抱来一幅画，装饰我二次装修后的书房，"别挂原来的风景画了，给您增添一点新鲜气息！"说完，他就给挂在了墙上。那是一幅抽象画，是伟伟从国外专门陈列那位画家作品的博物馆买来的，虽然是复制品，但是尺寸和原作一样，几可乱真。

虽说尽量不在家里待客，总也还有三朋四友偶来小坐，言谈极欢，都说我书房布置比以前好，一位提到书柜把手样式别致，一位提到秋香色窗帘悦目，还有几位都赞吊在屋顶的那盆瑞典常春藤养得真好。

那天过午启动电脑，居然失灵，懊恼中寻找原因，发现原来是我擦桌子时，移动电插板用力过猛，导致了插入墙体插板的插头松出，这本来应该是一个最容易解决的问题，但是，我却挠头不止，一筹莫展。怎么回事呢？二次装修，一切由儿子和侄子他们操办，书房的书柜书桌等东西也都由他们定制，书柜贴墙而立，正好把墙体上的插座掩住，他们为我接好插板，才将书柜安放在那里，本以为不会造成通电中断，哪想到我会无意中将插头拔松。我能从书柜侧面，脸贴墙壁，望见那已经接触不良的插头，却无法将其按紧在插座中。尴尬之极！若要解决问题，先要将书柜腾空，再挪动书柜，可是我毕竟已是望七的年纪，纵使勉强支撑着把书柜腾空，又哪里有力气将书柜挪移？尴尬之极，只能是埋怨他们没让装修工把电插座安对地方！喘吁吁坐到沙发上，才又想起，墙上的插座被掩，倒是我最后的决策，当时只说书柜要尽量地大，他们只好改变原定的尺寸，给我把书柜做大，此时我的处境，只能算"自作自受"！

老伴住院，小阿姨去照顾，孩子们全在上班，家中只有我自己，难道，我就只好暂且不用电脑吗？偏这天需要查看人家给我的"伊妹儿"，多半需要尽快回复，而且一篇小说构思成熟，亟待"开笔"，心里只是发痒，烦躁中在单元里踱来踱去。踱到阳台上，无意中朝下一望，呀，那不是小封吗？

小封，河南小伙子，他名字有点怪，写出来还好点，是封健，听声音，那就是封建，问过他，他爹妈怎么给他取这么个名字。他也没回答，只说他爹是木匠，他也跟他爹学过木匠活。最近以来，每天中午，都能看见他席地而坐，倚在朝南的楼墙，懒懒地晒太阳，有时还会幽幽地吹一阵箫。

我们楼下不远，是护城河，已经有三个月了，施工队在修理河道，其中很重要一项工作，是在两岸重新浇铸水泥护墙，浇灌水泥前，先要用铁木结合的模板，构成墙槽，小封就是干那活路的一员。他们二十四小时分三班施工，他总是午饭前收工，饭后别人抓紧时间进工棚睡觉，他却到离工棚百米多远的地方晒一阵太阳，我也就是在他晒太阳的时候，认识他的。我问过他，这么晒太阳、吹箫，难道不影响休息吗？他笑说其实这才真正解乏，睡觉，一天有四个钟头，他就浑身是电了。我常下楼跟他坐在一起，聊东聊西，我构思的新小说，大量素材就是从他那里获得的。

我跑到楼下，跟小封诉说遇到的窘境，冒昧地跟他求助，他听了一笑："大爷，这有什么，我给您解决！"他就跟我上楼，到了我那书房，嗨，我认为是移山填海的事，他麻麻利利的，半个多钟头，完活儿！我不让他走，请他洗汗、喝茶，这期间我就发现，他认真地凝视墙上挂的那幅抽象画，头微微偏着，眉尖还有些小小的抖动，我喊了两声"小封"，外加一声"封健！"他才惊醒般地转身对着我，用一声"唔"表示"什么事？"我就再次道谢，请他赶快回去休息，晚饭后他又该干活了呀！他就说，他有电工本，过两天给我把那墙上的插座从书柜后头移出来，我感激不尽，说要给他劳务费，他说如果那样他就再不上门了，他只是告诉我需要事先备一点料。

小封来给我改电插板位置那天，我又发现了好几次，他似乎无意，又分明有意，改变了几次距离，去凝望那幅抽象画。送走他的时候，我忍不住指着那画问："你能看懂？"他笑了，他的笑总让我联想到青春、劳动、强壮、田野什么的，可总没有联想到过审美……我只听见他说："就是总想看。"

小封走后，我给伟伟打电话，问他那幅画究竟都得到过什么样的评价。他说可以查到的。我打开书柜，翻动过一顿后，气急败坏地又给儿子打电话："你怎么搞的嘛！把我那一大厚本《现代美术大词典》搁到哪里去了？！"

挫 折

两口子都说，真遗憾，没让儿子赶上学校组织的那个"挫折教育"活动，那是时下挺时兴的一种教育活动，就是把学生组织起来，带到比较艰苦的地方，如郊区农村，让他们面对生活中的难题，自己想方设法加以解决；这样一反他们城里的"小皇帝"处境，使他们在种种挫折面前，通过自主性的克服过程，得到多方面的，尤其是心理素质上的锻炼。

那回儿子学校所组织的活动，限于该校的能力，其实应算是类似活动中"挫折量"最小的，只不过是从市区步行到圆明园，规定一律不许带零花钱，也不许自带各种名目的饮料——一律只带一只装白开水的玻璃瓶，并且不许以雪碧、矿泉水等冒充；到了那儿，统一吃中饭——每人只发两个馒头、一块咸菜，不许吃别的……而事到临头，儿子说肚子痛，也确实不像是故意逃避，因为一连拉了几次稀，只好到老师那儿给他请了假，于是就没能"挫折"成。

儿子没"挫折"成，听见同学们说起那天受"挫折"的故事，津津有味的，满心的不痛快，跟他们两口子闹了好多天别扭，倒让他们颇有"挫折感"。

于是这天他们决定自己来对儿子搞一次"挫折教育"。刚好这天两人都倒休在家，平时儿子回家，都是吃现成饭，遇到这种可以两人一起操持饭菜的日子，不消说，儿子放学回来不仅吃的是现成饭，而且会是极丰盛的一顿美餐。这天儿子下午上学时，临出门习惯性地问了一句："今天晚上吃什么好吃的呀？"两口子不动声色，当妈的只是说："放了学赶紧回来！过马路小心！"门"砰"地一合，儿子皮鞋腾腾腾踏得楼梯响，声渐小，终于消失，两口子对视了一下，互相用眼光鼓励："可来真的啊，别打退堂鼓啊！"于是，便行动起来。

他们在家里实行了一番"坚壁清野"：把橱柜、冰箱等处所有可以"拿起就吃"的东西，举凡方便面、面包、饼干、巧克力、糖果、果脯……乃至于香蕉、苹果、鸭梨……统统都暂时收拢在大立柜里，并且锁了起来，他们是想让儿子回到家里以后，发现大人不在，又没有现成的拿起就能进嘴的食物，在这"挫折"面前，不得不自己做饭来吃。

"这奶粉、麦乳精收不收呢？"妻子问。

丈夫一想，这孩子素来没做过一次饭，搞不好他在"挫折"面前依然硬不做饭，找不到别的他就冲些奶粉、麦乳精喝，抵挡一阵，撑着等他们俩回来，再吃现成饭，也是可能的，于是一扬脖："收！"

末后连西红柿、黄瓜、松花蛋、咸鸭蛋也都藏起来了。剩下的，只有米、面、油、盐、酱、醋、糖、味精、生鸡蛋、生肉……还有非弄熟不能吃的生菜，葱、姜、蒜什么的。虽说是让儿子受"挫折"，可也不能让他"挫折"得太大发了，因此母亲实际上把一些东西都给他在厨房中准备好了，搁盐、糖、味精的罐子也都给贴上了小标签。

儿子回来后找不着现成的"进口货"，饿了，不会下楼买吃的去吗？那他们早防备好了：给儿子在一进门的饭桌上，留下一张大大的条子，上面是这样写的："小刚：我们有急事出去了，你回家后就再别出门了，因为你舅爷说好五点以后从旧金山给咱们家再来越洋电话，你一定在家等着接这个电话，这可是个重要电话，关系到咱们什么时候去机场接他合适；要是你临时下楼，他刚好来电话，没人接，那就糟啦！他也许再来电话就困难啦！因为他也许就已经在飞机上啦！你可千万别误这个事呀！又：我们很晚才能回来，你自己解决晚饭问题吧，希望你吃好、吃饱！爸爸、妈妈即日。"

两口子给儿子留下"挫折"，便硬下心出门去了。其实并没走远，就在两站汽车路过去的那个大商场里，本来说"难得俩人结伴细转转"，似乎挺开心，可刚进去没多久，当母亲的就嘀咕上了："他会用火吗？别惹出火灾来！……他倒是坐过开水……要是让热油烫了可怎么好啊？……米饭他煮得熟吗？吃了半生不熟的饭……人家说会得胃癌的！……"当父亲的就劝："嗨，我估计，他一是不遵守咱们的规定，下楼买吃的去，他会想，哪儿那么巧，偏我下楼那么一小会儿，舅爷偏来电话呢！二呢，他呀，他就什么都不做，硬等着咱们回去，反正到头来咱们还得给他弄吃的！"可转到三楼的时候，他也嘀咕起来了："其实他饿上一顿真算不了什么……怕的是有人按门铃他乱开门……晚报上登过案例，现在是无奇不有的啊！……"这么一来，真不知这晚上是谁给谁"挫折"了！

但两口子还真有毅力，逛了商场，又到快餐店吃了快餐，虽说给儿子带回了一份，却是硬撑到晚上八点过五分，才终于回家。

打开家门之前，俩人对视，眼里都在说："不知小刚他，究竟是怎么对付这个'挫折'的啊！"

开了门，进了屋，灯光雪亮，电视开着，小刚歪在沙发上，手里拿着遥控器……屋里弥漫着一股很熟悉的食物的香味……

"爸！妈！舅爷怎么还没来电话呀？我等都等烦啦！……"

"你吃饭了吗？"

"那当然啦！我干吗饿着呀！你们不是让我'自己解决'吗？"

"你吃的什么呀？"

"烤鸭呀！"

"烤鸭？！哪儿来的？！"

"嗨，那还不容易！我打了个电话给华丽烤鸭店，他们没一会儿就给送来啦！我要了一整只，肥死了，哪儿吃得完呀，还剩好些呢，你们给帮着吃吃吧！……你们干吗这么看着我呀？我保证没误事儿……我打电话要烤鸭，顶多用了两分钟，舅爷哪儿那么巧就那两分钟来电话呀，再说他听占线，他会过一小会儿再拨的呀！……这烤鸭我可是用自个儿攒的压岁钱买的，连上荷叶饼、服务费什么的，好几十块呢，你们可得给我补上啊！……"

两口子面面相觑，这回的"挫折"可真不小！

打地铺

翠芳是幼儿园的阿姨，有时来跟我借书。这天来却不为借书，说是很苦恼，想跟我说道说道。

事情是由她负责的大班的莉莉引起来的。有的孩子多动，很难管，莉莉多嘴，更难管。吃饭的时候不许说话，可是只要翠芳转身处理别的事，莉莉就总要跟饭桌上的同伴说话。到自由活动时间，那莉莉一张嘴就跟吐玉珠似的，她说个痛快，小朋友们也听得入神。

前些天，歇中觉的时候，忽然有小朋友跟翠芳提出来："阿姨，我要打地铺。"她拒绝了一个，却又出现了三个，都要求打地铺。人人都有小床，睡着很舒服，为什么无理取闹？经过查问，这才知道，是莉莉跟同伴们讲了她家打地铺的事。

莉莉家来了亲戚，说是她爷爷的妹妹的闺女，带着闺女，暑假来北京玩，在她家住着，她家可热闹了！晚上，亲戚就在她家打地铺过夜，那地铺是先在地板上垫一层硬纸壳巴，再铺一层褥子，再铺一张大凉席，可逗了！莉莉晚上都不愿意睡自己的床了，偏要到那地铺上跟表姐玩儿，那表姐叫飞飞，她们俩就在那地铺上说呀笑呀，推呀滚呀……

莉莉家打地铺，成了同班孩子们羡慕的一桩美事。有几孩子问翠芳："什么叫表姐？"她解释："就是你爸爸的姐妹的女儿，或者你妈妈的兄弟姐妹的女儿，如果比你小，就叫表妹，比你大呢，就叫表姐。"可是孩子们听不懂。有的就说："我爸爸妈妈没有兄弟姐妹。"有一个高兴地叫:"我爸爸有弟弟,我叫他叔叔对吧?叔叔家的小惠,比我小,是我表妹吧!"没等翠芳回答,莉莉一旁插嘴:"我妈妈说了,叔叔家的不是表妹,是堂妹!"于是就有一个孩子问:"叔叔家的妹妹怎么就是甜的呢?"翠芳忍不住捂嘴笑,身边的孩子大不解:"阿姨怎么啦?"

莉莉一连很多天都很得意。来到幼儿园,同伴们都围着她转。她每天都要带来一些她家地铺上的故事。就连几个平时很傲气的男孩也对她格外友好。莉莉说在地铺上翻筋斗又痛快又安全,越发惹得几个男孩子向往地铺。

没想到这事儿越闹越大。

有个孩子回到家要求打地铺,他妈妈说:"穷人家屋子小,没有客房,没有空床,那才打地铺呢!"没想到那男孩对他妈妈说:"妈妈,那我要咱们家穷!"

气得她妈一时不知该怎么呵斥,最后就告到幼儿园园长那里,追究翠芳误导孩子的责任。

还有个孩子回家提出要求:"我也要爷爷的妹妹的闺女带着闺女来咱们家打地铺过暑假!"家长听了笑弯了腰,送孩子来幼儿园,提的意见比较柔和:"教孩子们绕口令是对的,但希望不要再编这样的绕口令。"翠芳只能尴尬地笑笑,实在是无从解释。

十来天后,没想到莉莉的妈妈那天把她送来后,把翠芳拉到一旁请教:"你说这可怎么办?我们家亲戚回南方了,可莉莉不让收那个地铺,晚上她要去睡,还总说表姐说啦,欢迎我们到南方去玩,到他们家打地铺去,人家刚走,莉莉就总缠着我问:妈妈,咱们什么时候去南方他们家打地铺呀?你跟莉莉讲讲道理,让她别再胡搅蛮缠了好吗?"

莉莉是胡搅蛮缠吗?知道莉莉家的客人走了,地铺要拆了,好几个孩子竟跟莉莉一样沮丧,翠芳真不知道该跟莉莉和孩子们讲些什么"道理"。

翠芳来找我,说到底是跟我要"道理"来了。她说他们园长决定开一次家长会,让家长们讨论一下这个"打地铺事件",各抒己见,互相启发。当然,幼儿园本身,也该有个说法,翠芳就应该跟家长们说说自己的感受。我问:那你们园长有个什么说法呢?翠芳说:"园长认为,今后独生子女更多,独生的再生下独生,什么三姑八姨，二叔四舅，全成典故了；堂兄弟堂姐妹，表兄弟表姐妹，也都不存在了。家族关系单纯了，有好的一面；可孩子们能享受到的亲情，特别是手足情，就空缺了。家长们该在这方面动动脑筋，别让孩子回到家就孤孤单单。"

面对翠芳，我百感交集。地铺事小，折射出的内涵很多。我也讲不出什么"道理"。我只是建议，多琢磨琢磨北京话里"发小"的含义，也许，家长们能自觉地展拓社交范畴，以孩子的"发小"来作为血缘"手足"的代偿，使莉莉这一代的民族花朵，能吮吸到丰富的人生情愫，最后都结成善果。

打　气

街角有个修自行车的老头，每天一大早就推着平板三轮到那里安营扎寨，给人修车。有时候活多，有时候活少，但一天里下来，平均总也能挣个三张两张的。

这天傍晚，街上车水马龙，他却没什么活儿，只有三三两两来他那儿打气的，用他那气筒子打一回气，他收一毛钱，来打气的和他自己心底里都觉得收费够高的，但停车打气的照交不误，他也照收一毛不误，自他摆摊以来，倒从未为打气的事闹出过什么不愉快。

忽然来了个妙龄女郎，一身鲜丽的时装，华贵的耳饰、项链、手镯，镶蓝宝石的金戒指闪闪发光；她从一辆老头从未见过的外国豪华变速"公主型"自行车上跳下来，香汗淋漓，娇喘吁吁，命令老头说："给我打打气！"

老头愣了一下，指指气筒子说："你打吧！"

女郎愣了一下，把车支上，也指指气筒子说："你打呀！"

两人对望，互不理解。

老头心想，我那儿不是立着牌子吗——"打气一毛"，你拿气筒子打不就结了吗，打完递我一毛也行，往我那装小钱的铁罐子里扔一毛也行——怎么打气还要我给打？到我这儿打气的少说也有千儿八百人次了，哪个不是自己动手……

女郎心想，咦，怪了，怎么不动弹呢？我还能让你白打吗？自然给你钱的呀……女郎眼睛晃过了那"打气一毛"的硬纸牌子，笑了，舌尖舔舔溶化的唇膏，对老头说："你快打吧，我给你一块！"

老头又一愣，他没想到会有人为了偷懒愿花一块钱——在他的思维里，打气是一件最简单的事，是一件当然应该由自己动手的事，一个人连打气也不愿自己干，支使别人干，已经让他看不起，那人还说什么给一块钱，在他听来，实在含有污辱的意味，于是他便板着脸回答说："我只管修车，不管打气！"

女郎吃了一惊，在她近来的意识里，只要她给钱，没有办不到的事；怎么遇上这么个怪老头，宁挣一毛不挣一块？

这时有另外的人来打气，那人打气，老头和女郎还在斗气。

女郎说："我给你一块，你就只当修车，给我把气打上；车胎缺气也是毛病嘛，打气就是修车嘛……

老头心里堵着块东西，梗着脖子，气呼呼地说："不行！我不管打气！"

另外来打气的人打完气没走，又有新来的，都看上了热闹；逐渐形成一圈人围观。

女郎哓哓不休地说："你摆摊修车不就为了挣钱吗？为什么给钱你不挣呢？这不太奇怪了吗？……好，一块钱你嫌少，你给我打气，我给你十块！"

本来老头已经有点心动，是呀，摆摊不就为的挣钱吗……但一听对方说出十块这个给价，就像挨了一句骂似的，立刻厉声回绝："你另找地方去！我这儿不伺候！"

围观的人听明白是怎么一回事，凡出声的都向着老头，有人大声，有人小声，冲那女郎说："摆什么阔！""打个气能把你腰闪了！""真阔坐小轿车去！""人家国外有那不用打气的自行车，真阔骑那个！""是怕打气脏了手吧？手脏的心不脏，怕手脏的，那心可就难说了……"

没想到那女郎只当没听见四围的刻薄话，晃晃一头高级发廊里定了型的青丝，脸上反倒现出一朵花似的笑容，柔声细语地对老头说："您就给我打了吧，我骑回去还远呢，平时很少骑车，今天天气真好，骑骑车换换味道，蛮快活的……我又不晓得哪里还有打气的地方，也没力气再去找……麻烦您了，给打一下吧……我给您五十元！"

女郎前面的话，几乎就要化干戈为玉帛了，但她那最后一句，却炸在老头耳里，轰在老头心里，五十元打个气！这……老头晕了，目瞪口呆，一时说不出话来。

围观的人发出一片意义不明的惊叹声。

女郎从随身的小挎包里掏出一张钞票来，递向老头，只听她说："那就给一百吧！"

虽然暮色沉沉，大家都看得很清楚，那确是"一棵"。

老头如石像般地定在那里，没接钱，也看不出是拒绝。

真是量变到质变——围观的人群又发出了声音，有人大声，有人小声，这回都冲着老头："较什么劲儿哩！有买有卖嘛，给那么多还不干，傻帽！""打俩轱辘气挣一百，比干两三天大活挣的还多，不打白不打！""如今可不什么都讲究用钱买……花钱让人代劳也不稀奇，不还有搬家公司代人搬家吗？搬个家有时候还用不了一百块呢！""就给她打两下吧！"……

老头还是没融化，心里头可是火烧火燎的。

人群里站出个小伙子，晃晃肩膀，对那女郎说："我给您打吧！"说着就弯身去取打气筒……"你给我放下！"老头大吼一声，像狼嗥似的，所有的人都吓了一跳；只见老头面如关公，浑身乱颤，舞着双臂，也不是单对那女郎，而是针对所有的人，挣命似的嚷："不打不打就不打！一千块一万块也不给打！谁也别想用我的气筒子给她打！我收摊了！不干了！不打！不给打！"

轮到那女郎目瞪口呆，手里捏着那"一棵"，成了石膏像。

老头手忙脚乱地乒乒乓乓地收摊；围观的人还没散尽；女郎终于败兴地推车离去；忽然有个中年人匆忙跑过来，先挤进人群，又挤出人群，望了望，便追向那女郎，追上了，晃晃手里的一个打气筒，笑嘻嘻地对女郎说："我给您打气！我打！"

原来，他家就在附近；他围观了几分钟，便赶紧回家取打气筒。

那女郎只是推车走，不理他；他一旁紧跟不舍，连连说："我给打我给打……五十就行五十就行……要不，三十？……你停下停下呀……二十？他妈的你不能让我白跑一趟呀！你停下！十块！……？……！……？！……"

女郎头也不偏地只管往前走，后来爽性骑上那车，扬长而去——其实她那车并非不能骑了；中年人站定，朝那女郎啐了一口。中年人转过身，人群已经散去，老头也收拾得差不多了，中年人同老头目光相接，老头朝中年人重重地啐了一口。

大罗伯

当然，这不礼貌——管他叫大罗伯——大罗伯不消说是"大萝卜"的谐音，而且有一种挺时髦的裤子叫罗伯裤也写作"萝卜裤"；不过，邻居们都这么叫他，特别是年轻人，他不但不生气，还挺痛快地答应着，所以，我也这么叫他。

大罗伯喜欢人家说他是"离退休老干部"，你如果很准确地说他是退休职工，他会不高兴；大罗伯是从区里的副食管理处退下来的科员，退了二年多，才六十出头，不过他长了个将军肚，谢顶又谢得厉害，而穿戴又总是老派而整齐，所以当他用"我们离退休老干部"作为引语讲话时，不熟悉他的人多半会立马肃然起敬，心中揣测起他是从哪个部退下的副部长来。

不过大罗伯是个蔼然可亲、与人为善的人，所以他究竟是全薪带旅游津贴的离休待遇，还是只有百分之七五原薪的退休待遇，都不影响邻居们对他的尊重。

大罗伯离退休——离休和退休都是休，容当一大概念行文——以后，最大的乐趣，就是去我们附近的公园练各种各样的功。我们附近那个古木森森的公园里，一天到晚有人练功，早上自然人最多，一般来说，那些练法也比较平庸；晚上人也不少，有的功法，从旁看去，就比较离奇，如有一天晚上我去那公园遛弯儿，就看见有些人在一隅仿佛烂醉如泥，扭着麻花走动，浑身乱颤，嘴里还似乎又哭又笑……其中也有大罗伯，我就待他功成稍息时，过去招呼他："大罗伯！您这练的是什么功呀？"他很认真地对我介绍说："这叫'天缘'功，最适合我们离退休老干部……不仅去病，也养心呀！"大罗伯不仅早晚必去公园练功，他上午、下午乃至有时中午也去，所涉及的功种不胜枚举，有的名目稀奇古怪，他的身体确实因此得宜，至于心养得怎么样，外人如我当然无从判断。

去年初夏有一天，我意外地不是在公园而是在闹市遇上了大罗伯，他汗津津的，像是刚练完一种最伟大的功法；不等我问，他便主动告诉我："真是吉人自有天相！你看多悬，再晚一步，人家就满股了——我去，恰可好买了最后五股！"原来，他是拿出多年的积蓄，买了一种内部法人股股票，据说年利率达到百分之二十三！他一边用手帕揩着头上的汗，一边兴奋地对我说："我们离休老干部，能发挥一点余热就发挥一点吧！这也是积资搞开发嘛！"我就问他所买的究竟是股票还是债券，他问："那有多大区别呀？"我也说不出那有多大区别，我们也就分手了。

到了去年深秋，有一天我去那公园，是下午，阳光把银杏树照得金晃晃的；就看见那最粗的一棵银杏树下，围着不少人，当心的，比较密集，离当心远点的，人比较稀疏，在外围，我发现了大罗伯，凑过去，我问："大罗伯，这又是什么功呀？"他指指当心那银杏树底下，原来那树下有个中年妇女，大概是站在了一只凳子上，所以比所有人都高一大块；那妇女在做什么呢？我眨眨眼，确实没看错——她在收钱，不仅离她近的人递给她钱，远一点的人，也有掏出钱来，让别人传过去的，似乎起码都是十块一张的；我再一观察，不递钱的人，大都双手合十，仿佛在拜佛；最让我大吃一惊的是，我一偏头，大罗伯也在双手合十！我问："您这是拜谁呢？"他"嘘"了我一声，告诉我："玉皇大帝派观世音来啦！"我不禁质问他："离退休老干部，怎么能迷信呢？！"他用下巴指指当心："我们老处长，那不是，也作奉献呢！"那情景儿实在有点怪不忍睹，我便撇撇嘴，离开了。

后来有一天，在护城河边遇到了大罗伯，我便又讥笑他"身为离退休老干部"，居然迷信，太跌份儿！他叹口气说："按说，是不能轻信；可你看那么多人都围着她……有的人那病，她给摸摸，握握手，愣给治好了不是！"我就对他说："那所谓治好了病的人，多半是她的'托儿'！再说，什么叫玉皇大帝派的观世音呀！玉皇大帝是道教的神，观音是佛教的神，虽说《西游记》里头把他们都写到了，二者之间也没领导被领导的关系呀，谁能派谁呀！哪儿跟哪儿呀！"他就把将军肚一鼓，忽然极严肃地说："宁可信其有，不可信其无呀！心诚则灵啊！"我只望着他冷笑，他却又低声补充说："……我只不过在远处拜了拜，你看，今儿个就听说，我们那法人股，实际价值已经翻一番啦！"我想再问问他，他买的究竟是股票还是债券，但终于没问，就跟他分手了。

今年春末，一天晚上，电视新闻里播出一条消息，说是有个退休的妇女（我心里不由得想纠正播音员：是"离退休妇女"），在公园里自称是"玉皇大帝派来救苦救难的观世音"，满嘴胡言乱语，迷惑了一些人；又自称能治百病，包括绝症，有时给人咕哝几句，有时给人摸摸拍拍，有时给人一些"神药"——经检验是公园松树上的松脂——她虽自称观世音，却全无大慈大悲的胸怀，她贪得无厌地向求治者和信仰者索取现钞，从一张（十元）到一棵（一百元）全要，一张以下拒收，通过这种办法，她已骗得数万元……目前该骗子已被公安机关收容审查；随着播音员的解说，出现了有关部门在公园里隐蔽拍摄的一些镜头，以及该妇女在公安人员面前痛哭流涕的镜头；看完这条报导，我不禁心胸大畅，同时不禁想到，大罗伯一定也刚看完它——他跟我说过，他们离退休老干部如今看电视新闻是雷打不动的——可是我想象不出他看完后的表情。

因为紧接着我就到外地去了，去了好久，最近才回来，回来后头一天去公园，那时已是夜色朦胧，只见在公园一隅有人练一种前所未见的功——整个身体平躺在地下，摆成一个大字，而且不住地蠕动；那真是一个奇观，有男有女，还都挺胖；我一眼就看出来，其中有大罗伯，他那将军肚躺下后还是相当气派，可是那蠕动的身躯，却实在令我不能不联想到被火燎着的大青虫。

我没等大罗伯练完他那功就走开了。

好多天没再遇到大罗伯。

昨天吃晚饭的时候，爱人偶然提及他们单位组织"离退休老干部"去野山坡旅游，我马上联想到大罗伯，随口说："大罗伯要去，怕爬不动那个山。"爱人便说："他还爬山哩！他平地也走不了啦！你还不知道吗？他住院啦！听说闹不好，要瘫痪！"我大吃一惊："他把天下的功都练遍了，还能瘫痪？"爱人说："我下午从他们楼下过，刚好看见把他抬进急救车；听人说，他是让那什么票呀证呀的坏消息给急坏的——敢情他买的那个，不仅拿不到一分钱年息，连本儿也取不回来！唉，听说他投进去一万块呢，你想他一个离退休老干部，攒一万块钱容易么？"一听这话，我饭也不香了，心里只觉得大罗伯是个地道的好人，我原来对他，是太刻薄了。

我对爱人说："咱们抽个时间，去医院看望看望他吧——这位离退休老干部，咱们别瞎叫他大罗伯了，咱们叫他的正名儿吧！"

爱人先点头，又把头一偏："他正名儿是什么呀？"

我一愣，虽说可以跟邻居们去打听，只怕他们也说不上来。

1993.6.29

大盆菜

从我家西窗，原来能悠然见西山。如此好景，近年来被逐渐破坏。先是有座半透明的写字楼，刺破青天锷未残，把我视野里的西山，斩成两半。当我刚刚习惯于避过那写字楼，先左后右地观览山景时，有一天从外地回来，开窗一望，呀，两座高级公寓，采取最先进的施工方式，就是从高往低地那么组装，已经初见规模。这下，西山与我，就再不能"相望两不厌"了。

　　那天，气闷中，我下楼朝那切断我与西山眼缘的工地走去。当然不会太远，过了马路，没走多久，就接近了它。原来那座剑形的写字楼，只是人家的第一期工程，而两边的盾形公寓楼，是它的第二期工程。虽然公寓楼尚未完工，售楼广告已经赫然排列在横街两边，是那种挺高级的柔性灯箱广告，十米左右就竖起一个，以"好话重复千遍必是好事"的手段，给予路过的人们强烈的心理冲击。原来那高级公寓是为"都市豪杰"盖的，广告词是"我爱奢华——80平方米主卧，枕上痛赏西山落霞"，刚看清楚时，只觉得心脏被谁的手猛抓了一把，但是走过十几个那样的广告牌，也就逐渐麻木。我能怎么样呢？我们那满楼的一般市民住户又能怎么样呢？人家多半是一切手续都齐全，请国内甚至国外名建筑师设计，而且楼未封顶，已经"销售过半，欲购从早，以免向隅"。西山的落霞，只能任那些"都市豪杰"去痛赏，谁让我虽"都市"却不"豪杰"呢。不过又想到，山外青山天外天，楼外自然更有楼，说不定再过一时，在这座豪华楼盘西边，会有为更杰出的都市英豪，建起的更奢华的公寓，我都为它拟好广告词了："八十平方米开间算什么——八百米通间任您逍遥！"到那时，嘿，就轮到八十平方米主卧里的人士，望窗兴叹啦！

　　我走到工地跟前了。大中午，歇工了。只见一个个奶黄的安全帽，在我眼前晃来晃去，盖楼的工人，纷纷朝一个地方走去。我好奇地随他们而去，于是就看见了他们的工棚，是一溜拆卸安装过多次的，显得很陈旧的活动屋。但是那些戴奶黄安全帽的人，却没几个进工棚去，几乎全在工棚外，或者站着，或者蹲着，手里呢，不知什么时候，已经都拿着自己吃饭的家伙，有的敲得咣啷咣啷响，有的互相大声开玩笑。我走近几位，客气地打听，他们也就很爽快地回答。原来，他们都来自一个地方，跟包工头是老乡。他们的工资，一般是按每天40元计算，管住管吃。但是，工资要到工程结束，才能到手。现在如果想预支，每月不能超过100元。我问，吃得怎么样啊？有的就笑，有的就指向我身后，我扭头一看，原来是送饭的车来了。就用平时运料的卡车，给他们送来了午饭。从车上搬下了两大笸箩馒头，还冒着热气。然后是一大盆菜。那个大塑料盆直径有一米开外。什么菜？我去看，是一大盆熬白菜，虽然冒着很旺的热气，却没有什么油荤的气息。他们开始取馒头、舀菜，吃饭。多数是就在露天蹲着，狼吞虎咽；也有少数端进工棚里去吃，我就走到一个工棚门边，跟里头说："能进去吗？"里头的似乎也没听清我说的什么，抬眼对我笑，我就进去了。坐在床铺上吃饭的，是几个年龄比较大，以及看上去还没发育完全的少年。我就跟他们闲聊。其中一位年纪大的问我吃过了没有？那淳朴的表情里，有如果我饿，他就马上分些给我吃的意思，我很感动。我问他们菜里有没有肉，说没有，但语气上听不出抱怨，有个少年还跟我说："有油渣。"还用筷子拈起一粒给我看。问他们能不能吃饱，都说那当然，馒头总是管够的，人人能吃饱。

我从工棚里出来，看见那个蓝颜色的大菜盆已经基本上全空了，只有盆底还剩一些汤水。那一天，民工们吃的大盆菜，给我留下的印象非常深刻，以至于有一天，我在家里，也烹了一盆白菜，当然，用的是不锈钢盆，直径只有20公分，而且，我忍不住还是往里头搁了些肉片和粉丝。

那以后，我常到那个楼盘工地去，跟民工们聊天。有一天，我从工棚出来，迎面遇上了一辆好漂亮的宝马车，正躲闪，车停了，出来个人，热情地招呼我，原来是三十几年前的邻居玉雄，我就问他："买这儿豪宅啦？"他摇头，我就说："啊，是你开发的！"他笑声好响，都不是，他是来看看，想把底层一个大空间，租下来，开个大酒楼。我就跟他开玩笑："好呀！你以后，就专卖大盆菜吧！"他问我什么是大盆菜，我说完，他捶一下我肩膀说："真是个好创意！如今有的大款，他吃腻了精菜，就想来点粗放的。他妈的，以后你来酒楼，签名就算埋单！"

如今那豪华公寓楼完全建成，气派确实不凡。那些民工都不知道又去哪个工地了。我时时纳闷，那么一群其貌不扬，用玉雄的话说，叫做奇形怪状一大群，一年才能挣到一万三千六百元——还买不下这公寓一平方米——他们怎么就造出了这么华美的楼宇来？

玉雄的酒楼，果然在那公寓楼底层开业了，"大盆菜酒楼"五个字是镀金的，门口总停着奥迪和其他牌子的好车。我没进去吃过，但是从门外的精美大菜牌上，看到过主打菜的报价：大盆鲍翅——8888元；大盆佛跳墙——6666元；大盆海马鼋鱼——1688元；大盆虾——866元；大盆乌鸡——188元……

大碗传奇

那一年他给我讲了童年的遭遇。那时候他那个企业还没有把面子挣大。那一天他难得有点清闲。他开着辆奔驰车来我书房。他把手机关掉。他说："让他们以为我被绑架了，狂打110吧！"他说要对我敞开心扉。他确实敞开了。他说二十几年前他是个"文学青年"，狂热地羡慕我——不是崇拜，只是羡慕，"有个词儿，艳羡，对不对？"他拜访我的时候当然已经没了艳羡，他似乎希望我艳羡他，但是我提醒他我可没兴趣写报告文学，他说那当然，他不过是想找个有品位的人听他倾诉，凡他说出的，我如果想当做小说素材，都免费赠送。蒙他认为我有品位，姑妄听之，素材也罢废料也罢，什么费不费的，我觉得很难跟他成为朋友。

但是，我得承认，他的倾诉，很有文学水平。我相信他没有虚构。他讲述的那些真人真事，白描出来，毋庸再添油加醋，就很生动。听完，我就劝他自己写出来。他说他的文学梦早已烟消云散，见见当年艳羡过的写手，吹吹牛皮，权当一次消闲活动，总是足浴、桑拿、日式指压、泰式按摩……腻了，"你不是提倡心灵体操吗？这也算一次演练，对吗？"当然。

他的童年很不幸，后妈对他的虐待，花样叠出。他说，当时住在单位宿舍大院里，吃饭的时候，后妈让他端个大碗，到屋门外站着吃。那碗出奇的大，让邻居们看起来，会觉得第一是他的食量大如牛，第二是他后妈待他真不错，菜究竟油水多不多另说，起码饭是让他吃个够。但是，他每顿总是吃不饱。那么大碗饭，怎么还吃不饱？原来，那是后妈特制的一只碗，碗心里还扣着个小碗，那小碗用万能胶固定住，使大碗的容积少去三分之二以上。后妈并且一再警告他，绝不能让邻居们看见碗心，如果有邻居问他，他必须回答："妈给的多，香啊！"

这大碗的传奇，很文学，是不是？我问：难道邻居们就一直没发现那大碗的猫腻吗？他说，也许真是一直不知道那大碗的真实形状。但是，对他总是吃不饱，肯定是知道的，从院里那些孩子们那里知道的——说他吃不饱，是指他家给他的饭菜不能让他饱，但他哪顿也没真饿着过，还经常地打饱嗝儿，原来，他总是几下扒拉完那只大碗里的东西，就去逮院子里的小男孩们，在那些孩子们面前，他凶神恶煞，揪这个耳朵，薅那个脖领，让他们回家去给他拿吃的来，馒头、花卷、馅饼、蛋糕……有时候还让他们"孝敬"各种零食，以至水果。

虽然从同院孩子们那里能斩获丰富的食品，但他得到后却只能是躲到后院旮旯里去享用。他妹妹——是他后妈带过来的——那时候一大乐趣，就是满院搜索他，一旦发现他在吃别家的东西，就兴高采烈地跑回去告状，而他后妈就会撺掇他爸打他，"啊，存心让邻居骂我没给他吃饱呀，丢的可也是你的脸呀！"他爸就会揪他的耳朵或薅他的脖领，操起鸡毛掸子给他一顿臭抽——"好像他那么做就能充分表达出对我后妈的爱情似的！"而他的那个妹妹，总是若无其事地一边玩耍，甚至还拍巴掌欢笑。

"你觉得有意思吗？没多大意思？告诉你吧，这段经历对我后来管理企业有极大作用！"他要展开讲解那"化腐朽为神奇"的作用，我拿话给岔开了。

认识他不后悔，但跟他深交就兴趣不大了。没想到，前些时却跟他邂逅。

一位老同窗要从官位上退休了，约几位当年玩伴聚餐，盛情难却，我也去了。包间豪华，菜式丰盛。即将退休的官员有个口头禅："我能把公家钱拿家去吗？"我们都相信，这是他的守则也是他的实情。那天他在席上滔滔不绝，骂腐败，讽官场，我们想引他怀旧，总未成功。最后每人一份鱼翅捞饭，我正感叹奢华，忽然，给我讲过大碗传奇的企业家来了，一惊之后，也就释然——他跟即将挂冠的官员极熟，是来埋单的，也许是最后一次？大家起立互相介绍寒暄，随企业家而来的一位化浓妆的女士自豪地对我们说："我是他妹！"

企业家指着他妹妹对我说："过去对我狠着啦，这些年总捧着我！"那妹妹满脸谄笑："爹妈没了，长兄如父，你罚我人前吃饭必须大碗，我乐意呀！"跟着就大声吩咐服务员："给我换大碗！"服务员莫名其妙，一位同窗说："鱼翅捞饭哪有用大碗的？"那妹妹浑身贱相，别人能否理解，我不得而知，只是在一瞬间，与那哥哥眼光相接，从中触电般感觉到，那哥哥有一种令我阴冷战栗的快感！

后来知道，那妹妹妹夫也有个买卖，全靠其兄帮衬。那以后很多天，看见大碗，我心里就堵得慌。

大支票

雅雅放学回到家，没顾得卸下书包就得意地宣布："今天我抬大支票啦！"坐在沙发上看晚报的爸爸马上问："上头是个什么数呀？"妈妈从厨房里探出头来问："拍电视了吗？能不能播呀？"独有在餐桌边剥松花蛋的姥姥什么也不问，只是微微摇头。

吃晚饭的时候，一家人还是忘不了那张大支票。爸爸考雅雅："你会写吗？壹佰壹拾捌万元整——每个字都得大写才行呢！"妈妈感叹说："一捐就是这么大个数，像我们工薪族，挣一辈子也挣不来这么多钱啊！"雅雅说："老师让我们作文呢——《美丽的图书馆》……"姥姥说："还没盖起来，就写上文章啦？等盖起来再写也不迟呀！"雅雅说："那哪儿行呀！老师说啦，这是人家提出的条件之一，还要评一、二、三等奖呢！"姥姥不以为然地说："我看，这个奖你不得也罢！"爸爸说："为什么不得？有奖金的吧？"妈妈望着姥姥说："哎，我知道，他原来是咱们邻居，从小学到中学，功课从来没好过……可人家现在搞房地产，发财了，属于成功人士了嘛！"

第二天晚饭后，全家人围坐在一起看电视，晚间新闻的"简讯"里，有十几秒关于那成功人士向母校捐赠一百一十八万元用于盖图书馆的报导，他笑容满面地举起一张大支票，朝各方面晃了晃，然后递给校长，校长接过，让雅雅和另一个少先队员抬着，然后同他热烈握手致谢……

几天后，当地一家报纸登出了关于那成功人士捐赠母校图书馆的长篇通讯，配发了好几张照片，其中一张上依稀可见雅雅抬支票的身影，爸爸见了高兴地把那版报纸寄给了西安的爷爷和奶奶。

一个月后，一家杂志开始刊登《美丽的图书馆》作文比赛的优秀篇目，每篇发表出来的作文右上角都有那成功人士的公司的徽号，并且也刊发了介绍他事迹的文章，还在某期封面上登了他容光焕发的头像。雅雅一连写了三篇，哪篇也没选上，雅雅和爸爸妈妈都很不开心。

三个月后，爷爷奶奶来信，顺便问起雅雅，他们学校那座以成功人士名字命名的新图书馆盖到什么程度了，雅雅给他们回信，也顺便说到这件事，信里是这样写的："我们校长说，因为捐款没有到位，所以现在图书馆还没动工。不过，《美丽的图书馆》的作文比赛已经结束，捐款的叔叔说要再搞《美丽的图书馆》的图画比赛，校长说等捐款一到位，图画比赛就开始；我的作文没写好，图画一定要画好！……"

第四个月，成功人士的捐款到位了！具体而言，是部分到位——十八万元到位，但他拿来的不是钱，而是实物——九百只书包。根据他的要求，全校同学从那个星期一起，都背他捐的书包，那些书包看上去挺漂亮，同学们用双肩一背，书包上那成功人士的公司徽号就豁显在人们眼中。可是很快就有家长反映，说让孩子背个广告走来走去实在不合适，而且那书包中看不中用，没用几天就开线裂缝，这样的书包以二百元一个计费也太夸张；他们表示，还是要让孩子使用原来的书包。后来在开家长会时，校长通过小喇叭广播，向全体家长解释，说希望家长们理解，学校实在是太需要一座新图书馆了……

快一年了，盖雅雅他们学校新图书馆的一百万捐款还是没到位。《美丽的图书馆》图画比赛没举行。学校进行大扫除，雅雅参加清理仓库，发现她抬过的那张大支票靠在墙角，落满灰尘，还有蜘蛛在一角织了好大一张网。

快过年了，一天雅雅全家晚上围坐电视机前，雅雅用遥控器频繁地转换着频道，姥姥忽然说："停一停！"停下来一看，又是一条"简讯"：那位成功人士正在另一场合捐款，依然举出了一张写着一串繁体字数目的大支票……

等候散场

　　已经是晚上九点钟了，我才到达剧场门前。剧场里的芭蕾舞剧《天鹅湖》肯定已经跳完了如梦如幻的第二幕，而且华丽诡异的第三幕说不定也所剩无多。我是个狂热的芭蕾舞迷，因此尽管因为业务上的急事耽搁到八点四十才得脱身，还是风风火火地跳进出租车赶到剧场。

　　我出了汽车才感觉到下着小雨。从我下车的地方到通向剧场大门的宽大阶梯还有一小段距离，为了避免淋雨，我从售票处以及相连的平房那儿绕向阶梯，因为那里有挡雨的棚檐。我一边小跑，一边朝剧院大门望去，我觉得那一连串的门扇仿佛都已关闭，根本没有检票的人影了，我是否还能入场呢？惶急中，我忽然撞到一个人的肩膀上，要不是他及时闪避，我们俩说不定都得倒地。

　　我立足定神一看，是个小伙子，戴着一副眼镜。他的眼珠子在镜片后也细打量着我。

　　"您有票吗？"

　　我吃了一惊。竟还有比我更痴迷芭蕾舞的。这剧场前的小广场上，只有路灯光下，霏霏细雨中活像巨型甲虫的小汽车，默然地斜趴成一大排，除了我们俩再没别的人影。里面舞台上那最令人眼眩心迷的西班牙舞大概已经跳过，王子正在上黑天鹅的当……剧已过半，他还在这里等退票！

　　"我自己要看！"我一边回答他，一边掏我的票。咦，怎么没有？

　　"不，"那小伙子蔼然地对我说："我不要您的票。您快进去看吧！"

　　我从衣兜里掏出一堆名片，从中抽出了那张宝贵的剧票，顺口问："你不看，待在这儿干什么？"

　　"等散场。等她出来。"

　　我立刻明白，是一对恋人同来等退票，只等到一张，因此小伙子让姑娘先进去了。我倏地忆及自己的青春，一些当年的荒唐与甜蜜场景碎片般闪动在我心间，我不由表态："啊，你比我更需要……你进去吧！"

我把票递给他，他接过去，仔细地看了一下排数座号，退给了我。我那张票是头等席，一百八十元一张。他是等我主动打折么？我忙表态："不用给钱，快进去吧！"他还是不要，说："您这票的位置……离她太远……"我说："咳，那有什么关系！你可以到她那排，把这个好位置让给她旁边的人……至少，你可先到她那排，告诉她，你也进来了……"他却仍然把我持票的手推开了。

我觉得这个小伙子很古怪。他已然耽搁了我的时间，而且还拂了我的好意，我恼怒得反而不想进剧场了，我很粗暴地说："你有病！"

小伙子很难为情，解释说："我答应在外面等她……她也许会随时提前出来……我还是要在这儿一直等着散场……"说着便扭头朝剧场大门张望，生怕在我们交谈的一瞬间，那姑娘会从门内飘出，而他没能及时迎上去。

我抛开那小伙子，跑向剧场大门。小雨如酥，我险些滑跌在门前台阶上。从每扇门的大玻璃都可以看到前廊里亮着的灯光，可是我推了好几扇门都推不开。后来我发现最边上的一扇是虚掩的，忙推开闪进，前廊里有位女士，我走过去把票递给她，她吃了一惊，迷惘地看看我，摇头；紧跟着前廊与休息厅的收票口那儿走来一位穿制服的人，显然，那才是收票员，他先问那位女士："您不看了吗？"又问我："您是……怎么回事儿？"我发现先遇上的那位女士，不，应该说是一位妙龄女郎，站在前廊门边，隔着玻璃朝外看，我也扭身朝外望去，只见那个小伙子仍在原地，双臂抱在胸前，痴痴地朝剧场大门这边守候着……

从演出区泄出《天鹅湖》最后一景的乐曲，王子与白天鹅的爱情即将冲破恶魔的阻挠而终于圆满。妙龄女郎望着雨丝掩映的那个身影，忽然咬紧嘴唇，眼里闪出异样的光……我站在那儿，摩挲着鬓边白发，沉浸在永恒的旋律里……

第八棵馒头柳

丈夫是搞地质的，出差是家常便饭，总是背袋一背就走了，她从来不送。丈夫下楼出门也从不回头张望。

这回丈夫又走了。门在丈夫背后撞上时，她正站在饭桌边收拾碗盘，一副若无其事的表情。但门撞上以后，她却撂下手里的东西，去往阳台。她站在阳台上朝下望。阳台下面是马路。马路边上栽着一排馒头柳。馒头柳的树冠又大又绿，从楼上俯看下去并不像馒头而像帐篷。她习惯地朝阳台下往东数第八棵馒头柳那里望去。她等待着，她知道，再过五六分钟，丈夫的身影将在那馒头柳下出现。他们这幢楼的楼门开在没有阳台的一面，从楼门出去绕出楼区前往地铁入口，必从第八棵馒头柳那儿经过，然后便被一座治安岗亭遮住视线。每次她总是欣慰地在预计的时间里预计的位置望见丈夫宽厚的背影，特别是那只经丈夫设计由她改制的帆布旅行背包，她总默默地对着那脊背那背包送去她的祝福。但她从未向丈夫吐露过这隐秘的一幕，连儿子也全然未曾察觉过。

这天她习惯性地去往阳台一站，却忽然不习惯起来，因为丈夫的背影迟迟没有出现。他必得去乘坐地铁直往北京站，不可能改往别的方向；怎么第八棵馒头柳下不见他的踪影？惶急中她痛切地意识到，这往常短暂而稳拿的一瞥于她有多么重要！

她忍不住跑往楼下。楼门口空空荡荡。她不知不觉地来到第八棵馒头柳下，朝四面张望着。难道他钻到地底下或飞到天上去了？真不可思议。她差一点跑进治安岗亭去报失。回到楼上家中时儿子来跟她说什么她没听见，却听见了街上急救车呜哇呜哇的由远及近又由近及远的声响，她无端地朝儿子发了火，心里堵着一块鹅卵石。

接连好几天她都无精打采。她一忽儿暗自取笑自己，一忽儿又从逻辑推理上断定情况的不正常。终于，有天晚上她接到了他从很远的地方打来的电话，她情不自禁地说："你哪儿去了你？你急死我了！"丈夫莫名其妙，于是她便向他倾诉了一切，她怎样每次分别时都表面上若无其事，而每次却都要跑到阳台上去望他的背影，在那第八棵馒头柳下……电话那边沉默了一会儿，然后是丈夫深受感动的声音："傻女子！那天我刚一出门就遇上了咱们楼老王，他们单位的车正好接他去火车站，我就蹭了他的油，你真是死心眼儿……不过，我知道那棵馒头柳，对，第八棵馒头柳，你知道吗？每次我出差回去，你别看我进门的时候没事人儿似的，其实，我一走到那棵馒头柳下，就忍不住抬头望咱们家的阳台，咱们家的窗户，有时一站好几分钟，特别是晚上，那一窗灯火，让我心里头好爱你们！……"

摞下电话，她才发现儿子站在面前。儿子正问她："妈，您干吗抹眼泪儿？"

第十三夜

宁宁是典型的白领丽人，一个月的收入顶母亲一年的退休金，在郊区买了房，每天开着自己的富康车来来去去。她还是单身状态。这天晚上回到她郊区的那个小窠，抓起电话跟母亲抱怨个没完。她神经质地说："第十三夜！第十三夜了！天哪！什么时候算完啊！……"母亲一头雾水，问她："究竟怎么回事儿？别这么神经兮兮的，好像全世界都对不起你，所有的人都该排起队来跟你道歉似的……"宁宁还是只顾排炮般地抱怨，母亲先听明白了一层意思，是抱怨房地产开发商蒙人，卖房的时候花言巧语，住进来以后才发现问题成堆，比如，单元之间隔音效果极差……母亲就劝她说："你那儿我去过那么多次，我觉得各方面都还过得去嘛，凡事别求十全十美，在同龄人里头，你够幸运的了，别尖着嗓子叫，倒好像你是世界上最倒霉的人……"母亲叹了口气，心想，也许是女儿为情感方面的事烦恼，又不便直说，所以借题发挥。谁知女儿一下子就猜到了母亲的想法，马上快嘴伶俐地说："别以为我是失恋了，或者在公司里遇到什么不愉快，随便找个阀门撒气儿……我实在是累了一天，想图个清净，可是回到这儿，天哪，没完没了……"
母亲知道女儿最爱看冯小刚导演的电影，就跟她幽默一下："是呀，甲方乙方，
不见不散，没完没了，现在轮到一声叹息啦！"宁宁哭笑不得，她拿着游动
电话，跑到阳台间，跟母亲说："妈，您听听！"就把那听筒对准隔壁阳台间，
几秒钟后，问母亲："怎么样？听见了吗？是不是折磨人？半夜里也会这样！
第十三天啦！……"

　　原来，隔壁住着外地到北京经商的一对年轻夫妇，他们生了个胖小子，不到
半岁吧，忽然从十三天以前开始，每到傍晚就哭闹个没完，夜里更会连哭带嗽，
虽说他们抱着那孩子跑了好多医院，耐心地按医生嘱咐给孩子服药，可到头来还
是煞不住夜哭郎的嗓声。医生还让他们勤给屋子开窗通风，说是傍晚的空气比清
晨纯净，他们就每晚开一阵阳台间的窗户。

　　事情很简单。但是搁下电话母亲心里很乱。她在灯下沉思了很久。宁宁洗完澡，
躺进被窝了，母亲给她来了电话。开头，宁宁不耐烦。可是母亲慈祥而温情的声
音，对她渐渐产生了磁力。母亲引领她回忆起他们家曾居住过的那个胡同四合院，
那是单位宿舍，光一个里院就住着七户人家。宁宁记得院里那棵巨伞般的海棠树，
却不记得母亲讲到的那些事情：院里各家的动静，包括厨房里青菜下油锅的声音，
都互相听得见……有一家的小妞，染上了百日咳，那是任凭多好的医院，多妙的
偏方，也不可能完全止住那揪心的夜哭狂嗽的；邻居们烦不烦呢？母亲说，确确
实实，没有哪一家哪一位表现出烦厌，记忆里，只有关切的话语、安慰的目光……
夜哭咳嗽渐渐地减轻，但毕竟真是过了一百天才豁然痊愈。母亲还要讲下去，宁
宁止住她："妈，别讲了。别说那个小妞就是我。我要把随身听耳塞放进耳朵眼了，
那样我就只听得见曼托瓦尼的旋律了。我不再往下算天数了，还不行吗？"

　　珍珠雨般的乐音里，宁宁的心变得天鹅绒般柔软。无数往事涌上心头。父亲
去世后，母亲也不愿来跟她住，除了那刚毅的性格，所留恋的，竟是胡同杂院里
的那一份"鸡犬相闻"的人际温情？寡母的语音仿佛成为了乐曲中的无词哼唱。
她忽然觉得，从明夜里仍该掐指计算，从一百倒数，那隔壁的小生命，还得有多
少夜的挣扎，才能终于走出他人生的第一次困境？

颠　簸

G君来电话，说刚从美国飞回来。近二十年来他满世界飞来飞去，美国也不知去过多少回了，为何非来电话，仿佛报告一桩大事？又说想马上来我家，送我一样东西，我跟他说，老相识了，何必客套？况且从美国买回来的礼品，多半是MADE IN CHINA，很难令人惊喜。但他非要来，说见面细谈，于是就跟他约了时间。

G君算得是我的"发小"。我们同龄，在一条胡同里长大，读过同样的书，唱过同样的歌，喊过同样的口号，见识过同样的大场面，也有着近似的小悲欢。其实我们已经很多年只是春节前互相恭贺新禧，然后一年里相忘于江湖。我已经完全退休，他还当着一个并非虚设的顾问，这次又跑美国一趟，望七之人了，还做地行仙，实在佩服。

迎来G君，煮茗款待。他并没马上亮出给我的东西，我也懒得问那究竟是什么。且听他细说此次行程中的故事。

简而言之，G君搭乘美国西北航空公司的航班，从洛杉矶经东京回国，飞经太平洋上空时，遭遇了强烈紊乱的气流，飞机颠簸得非常厉害。他不知坐过多少次飞机，也曾遇到过种种不如意的状况，颠簸本是不稀奇的事，但这回的颠簸，一是严重程度超常，一是持续时间竟长达一个多小时！

G君坐在沙发上娓娓而谈。事已过去，有惊无险。他面部光润，发丝井然，衣履光鲜。显然，他知道我搞写作，最感兴趣的是细节，就把那飞机持续大颠簸期间的种种细节讲给我听。行李架嘎嘎作响，仿佛随时会解体。绝大多数旅客还算镇静，但个别旅客忍不住的惊叫，以及拼命压抑仍不免传出的绝望啜泣，使大体静默的机舱里的气氛更趋恐怖。空姐、空哥时时出动，来照料呕吐和痉挛的旅客，他注意到一位空姐的眼睛里也终于藏不住噩运压顶引出的凄惶。他旁边的旅客不住地翕动嘴唇祈祷。他自己呢，则双手紧握座椅扶手，一阵阵地紧闭上眼睛……

当然，我理解，那是一次生死交界线上的飞行。想必每个乘客都想到了那无法回避的字眼。我希望 G 君跟我讲讲他那一小时里的心路历程。他想到了夫人子女家事家产自不待言，但令他现在还感到惊异的是，在那些似碎片似旋涡并且时明时暗的思绪里，却始终贯穿着一个比较完整的意识，即使在飞机又猛地跌落、机舱里传来尖叫，意识猛地中断，一旦恢复了思绪，那前面的完整线索，就仿佛有游丝牵系，又生动地往下演绎……

他让我猜，当然猜不出。他说，他就总觉得，是跟我一起，在往北京王府井大街北侧的那条东西向的大街上走。那条街叫东华门外大街，相对而言，至今变化不算大，那条街上，当年有个集邮公司门市部，里面陈列着许多邮票样品，也出售各种邮票。他说又似梦境又极真实。似梦境，是浮现在他眼前的，分明是五十年前的街景和集邮公司内景，而跟年逾花甲的他并肩前往的，却分明是少年时代的我……

这让我听来确实怪异。不过回想起来，我们少年时代一起去集邮公司掏腾心爱的邮票，回到胡同里，我们互相去家里拜访，交换欣赏各自的集邮簿，以及为交换邮票而生出的兴奋与懊悔……那是怎样的天真时光！

他说，在飞机大颠簸中，他就想起，我们曾一起购得了一套当年匈牙利出的三角形体育邮票，一套是六张，而我那一套，因为不小心，失落了一张，心疼得流泪，也曾提出拿几套别的邮票换来他有的那张，他却不断提升条件，苛刻得我几乎把下唇咬破，终于还是没有成交……

他说，飞机大颠簸中，他立下誓言，只要活着，他就一定要把那张我当年缺失的邮票，给我送来。现在他就是送那张邮票来了。

往事已逾半个世纪。匈牙利早变了颜色。我早已不再集邮。可是，我望着那在生死门边颠簸出来的老邮票，忽然胸膛里有热涛澎湃……

颠连步

　　一对年轻夫妻，为他们三岁的孩子找托儿所。如今找个条件好的托儿所很难。得托关系、走门子，还得为托儿所"作贡献"。他俩奔波了好多天，最后附近两家条件相当的托儿所都答应，只要他们先为托儿所增添新的游戏设备而"集资"200元，就可让他们的儿子入托。

　　原来是完全"没门"，现在一下子两扇门都对他们开放，倒弄得他们委决不下，去哪一个呢？

　　她说：还是去西街的那所。那小小的四合院挺有情调，房子虽说旧了点，但院子里有好几棵大槐树，夏天槐花开了，满院飘香，孩子从小被槐花薰着，有好处。

　　他笑了：那算多大的优点？恐怕还是东街的那所更好些。新盖不久的两层小楼，现代化的味道比较浓。楼前新栽的杨树虽然细弱，可让孩子几年里随着那杨树一起长大，不也有趣？

　　讨论了一夜，居然造成了失眠，却并无结果。

　　"这样吧，我想，咱们过两天再作最后决定！"他最后建议。

　　"为什么要过两天？你做两个阄儿，我来抓吧；要么我做两个阄儿，你抓；抓上哪个上哪个，好吗？"她挺认真。

　　"不，"他告诉她，"我想咱们这么办：明天傍晚，咱们一块儿去西街的托儿所，旁观一下日托的孩子们被家长接走的情景；后天傍晚，咱们再一块去东街的托儿所，旁观那边的景象。你听我的吧！我自有道理！"

　　第二天他俩果然去了西街的托儿所。儿子没带去——儿子入托前，仍暂由姥姥带着——他俩就那么站在四合院的影壁前旁观。

　　一些家长早就聚在四合院院子里，等候阿姨为吃完晚餐的孩子们作一天的"小结"，据说有表扬，有批评，阿姨的声音很响亮，孩子们的声音直到齐呼"阿姨再见！"时才显现出来。

　　阿姨宣布了"解散"，孩子们蜂拥地跑出了屋子。这时他指着一个胖小子对她说:"看,颠连步!这种步子叫颠连步啊!"她看见那胖小子用一足落地颠一下再换另一足往前跑,直跑到张臂迎接他的妈妈怀中,便用胳膊肘捅捅他说:"谁还不懂颠连步呀!咱们儿子的颠连步还少吗?小时候,我也净跑颠连步,你不也跑过颠连步吗?"他就说:"是呀!人在童年时一点不掩饰心里的快乐,都跑过颠连步。看,那个小姑娘,不也是颠连步吗?"她也又发现了一个:"那边那个锛儿头娃娃,也是呀!"他俩不禁都畅快地笑了。

第二天傍晚,他俩又去东街的托儿所。家长们都等在楼前头,他俩混在其中。她东张西望着对他说:"还是觉得差不多啊!"忽然,楼里的歌声中止了,孩子们陆续从楼里跑了出来,他兴奋地指点着对她说:"看!看!颠连步!"她刚想撇嘴:"又来了!什么稀奇!"却忽然醒悟:这里用颠连步跑向他们家长的孩子,真是目不暇接,数不胜数。

还用说,他们下了把孩子送到东街托儿所来的决心。

她头一回这么深切地佩服他。当晚,她依在他肩上说:"真有你的!颠连步!"他自信地说:"嘿,咱们家的颠连步,以后还多着哪!"

点　地

"起来,到时候了!"老彭招呼我。

"为什么?"我坐起来揉眼睛,"闹钟没响呀!"

"你听,听呀!"

"听什么?"

"你仔细听!"

我听见了一种声音。并不神秘。很单纯。是可以想见的。

"是瞎子走路，用竹竿点地的声音吧？"

"你挺聪明！"

可是以我的聪明劲儿，还是参不透老彭为什么那么重视那个声音。

老彭没容我洗脸，便把我拉到了他那个小店的门外，指给我看。

天光还很脆弱。小街还极清静。我看见了，是一对盲人夫妻，竹竿点地，并行着；他们肩上都挎着鼓鼓的蛇皮包。

"他们也做生意？"我问。

"他们住在这条街，可是他们不在这儿做生意，这儿没什么人买他们的东西；他们是到公园那边去；在那儿他们有个摊位，他们卖些个泥玩意儿，兔儿爷什么的，挺粗糙的，可是在那儿偏有人买……"

我望着他们的背影，没什么感想。这实在是毫不稀奇的事。

老彭开始卸小店的窗板。我要帮他，他说："不用。你朝四外望望吧！"我就扭动脖颈望。我发现，旁边的小店也在准备开张。对面的小发廊也有了动静。那边卖早点的摊子开始炸第一个油饼。还有一家印名片的小铺子也出来人扫门前的地面……

洗漱完，帮老彭整理货架子的时候，他跟我说："这条街的人，每天一早，听见了他们俩竹竿点地的声音，就都仿佛听到了一声命令，比闹钟还准，比军营的号声还权威，一个个都起来，投入新的一天……"

我这才懂得那已听不见的竹竿点地声，在这个时空中具有很不平凡的意义。

老彭是我住平房杂院时的老邻居。如今他是个下岗职工。他顶下了这条小街的这个小食品店。我们几年不见。一个偶然的机会我与他邂逅。我应邀到他的小店住了一夜，就睡在那小小的店堂里。他优待我，让我睡在一排茶叶桶下面的折叠床上。他自己架梯子爬到可以存一些货的顶铺上去睡。在那上头睡时如梦中坐起，必会碰头窝脖。一夜里老彭给我讲述了他在这条小街上半年来的所见所闻所为所感。我时时被一些在我平时活动的圈子里根本听不到，甚至于将我们最具优势的想象力发挥到极致，也想象不出的世象细节，所震撼，所悸动。我们聊到很晚，直到他后来实在支撑不住，将一串未说完的话转化为鼾声，我也才罢休了询问。

我久久失眠。心里梗着太多庞杂的鲜货，难以消化。我是一个总愿将感受尽快提升为理性的人。这回我却甘愿将生猛鲜活的感受多储留一些时间。

我又在老彭的小店里待了一整天。我帮他卖货。同时目睹身受了许多故事。如果我仅是偶然路过这条街，并且在老彭的小店里买几样东西，不咸不淡地聊几句，那我就不可能产生出一种幽深的命运感。我的感受当然还有待于反刍。

天光暗了下来。小街却有了更多的色彩。因为各家店铺都燃起了灯光。有鲜明诡奇的霓虹灯。发廊的悬转柱闪着炫目的条纹。就是老彭的小店门窗外也挂出了串串瀑布灯。

入夜后，各种生意大都又有一个入账的高潮。但到九点钟以后，大多数生意便清淡下来。老彭的小店渐渐无人光顾。我问他："你几点关板？该算流水账了吧？"他笑笑说："快了……他们快来了。"

他们是谁？

过了一阵，老彭又让我"听，听……"

我听见的只是那边饭铺门口的劣质音响播出的流行曲。

老彭指给我看。我看见了。是那对盲人夫妻。他们仍然并行着。他们挎着的蛇皮包都瘪了许多。也许不是我的耳朵，而是我的心，又听见了他们竹竿点地的声音。那点地声在那时空中忽然显得格外庄严，格外神圣。

我在灯光映照下，看见了他们的面容。非常之平静。是一种可以说无表情，却又可以说是有着丰富得难以归纳与评说的表情。他们走了过去。将面容与那点地声烙在了我的心上。

老彭拿出算盘，开始算账。我看见对面发廊关闭了那悬转柱的灯光。印名片的小店又出来人扫门前的地面。小街上的灯光隔三差五地暗淡下来。那家小饭铺没等一首流行曲唱完便关上了音响……

我问老彭："你每天都是这个时候点钱吗？"

他手里本来分明是在点着钱，这时却停下来，抬起眼睛，目光从老花镜的镜框上射出来，见怪地说："什么？你说什么？点钱？……不，我也……我也点地呢！"

我的心，仿佛被竹竿重重地点了一下。丰盈的生命感受陡地要升华为尖锥般的理性认知，我硬是将它按捺下去了。不，不，不忙……

可是我的眼角，一定在灯光下，隐约闪光。

1995.8.8 绿叶居

电话骚扰

床头灯已经关闭，正要朦胧睡去，床头柜上电话铃响了，抓起电话筒"喂"了一声，只听那边似乎报出一位熟人的名字，但声音不像，于是他不由得警惕地问："你究竟哪位？"

这回听清楚是个男孩的声音，自称是那位熟人的儿子，自然就问他："怎么回事？你爸找我吗？你们家出什么事了吗？"那边男孩哭声哭气地说："叔叔，您别挂上电话，您别不理我，我爸我妈都出去了，还没回来哩，我、我、我……害怕！"这就怪了。不由得跟那男孩说："怕什么呢？你家门锁好了吗？不是新装的防盗门吗？你别怕，他们一会儿不就回来了吗？"谁想那男孩竟缠住不放："叔叔，好叔叔，您听我说，听我说吧……"

他心里想：这分明是骚扰性电话，真讨厌！不过他回忆起那男孩的模样，记得确是这么个声音，也就并没立即挂断，勉强地接听了下去。

原来那两口子又闹了一场纠纷，当妈的赌气回娘家了，当爸的去参加一个什么会议，住宾馆去了。他跟那位当爸的最熟，那是个最喜欢参加各种各样会议的人——自然该人的职业也确实形成着有人主动邀请和他主动要人邀请的局面——该人每参加过一次会议，总会带回一大串"花絮"，以及会议中宴请时的一张贺卡式菜谱。他给儿子留下足够一周里天天在街上吃牛肉拉面和小笼包子的钱，并且家里冰箱里也储备了些鸡蛋和速冻饺子，已经上到小学三年级的儿子脖子上挂两把钥匙，回到家有音响听、有电视看，按说安排得也挺不错嘛，这儿子怎么竟大老晚时不好好睡觉，抻过老子的电话号码本，胡乱地打起电话来了？

"叔叔……上个月爸爸妈妈在我家搞'趴踢'，只有您理了我，所以我求您再理理我……"他回想起来了，那次沙龙聚会中，宾主杯盘交错、吞云吐雾，那孩子在大人们腰身下无所适从地晃来晃去，牵着个算术本要问个什么问题，男主人只推着孩子的脊背让他早点上床睡觉，女主人同另外三位正围桌雀战，孩子凑上去时只得到一枚塞到他嘴里的酸枣；倒是他无意中接过了那算术作业本，帮那孩子检验几道计算题的对错，并摩了摩孩子的头顶，谁知那孩子竟因此选中了他来进行电话骚扰……

他想说声："行啦，你快睡吧！"就把电话挂断，却忽然握紧了话筒，并且离开枕头坐靠在了床栏上，因为他听见那孩子在那边说："叔叔，我爸我妈好久没跟我正儿八经地讲过话了，我上学以前，他们给我讲过故事，可我上学以后，再没听过他们讲故事了……叔叔，您别挂上电话，我不是要您给我讲故事，我只是……只是，叔叔，我、我讲个故事给您听，您不挂电话，您听我讲，好吗？求求您了……"

他一下子睡意全无。他没挂断电话。

1992 年 10 月 18 日

"都齐居"

不消说，他家有彩电，还订有《中国电视报》，每期报纸开列的节目他总要逐行检索，然后在终于选中的节目下面画上红线。除了画红线的节目，他别的几乎都不看。他说："这叫用在刀刃上。"他这句子不大通顺，可话音里的含义非常丰富。

入冬，他家窗户外总吊着一嘟噜一串串的东西，都用报纸包着、捆扎着，路过那楼的人们望见，可以理解那是些鱼肉鸡鸭之类的东西，这些东西给楼破了相，但人们或许会谅解地想："啊，他家还没置上冰箱。"其实不然。他家的冰箱是东芝的，比许许多多不分四季地使用冰箱的人们所拥有的牌子硬得多，只不过，四季里他只严格地使用一季。

从头年起时兴给彩电配录像机。他家也配上了。但配上半年多了，他只用那录像机放映过两盘带子。他那录像机有十多种功能，他常常细细地阅读说明书，觉着过瘾。但他除了放像以外，并无实践其余功能的打算。

最近他又下狠心买了组合音响。其实他并不喜欢音乐。但那么多人家都有组合音响了，自己不买，脸上的温度总不对劲儿。终于买来了。让组合音响雄踞室内一角，与早先买下的组合柜交相辉映，他像徜徉在花径中一样，踮起脚尖从这边走到那边，来回来去地欣赏，心眼里是一兜子浓蜜。可他除了听那张购音响时奉送的轻音乐唱片，并无购买别的唱片的计划。他听说唱针和磁头的使用次数都是一万到头，所以准备了一个小本儿画"正"字，用一次画一横或一竖。

他常在洗衣机前耐心地用洗衣盆洗衣服，本想搓完了用洗衣机漂洗，后来一想以往手洗不也活过来了吗？因而终于不去开动洗衣机。他还常把组合柜里珍藏的电吹风和电熨斗拿出来，打开精美的包装盒，取出那用具本身，用一块绒布细细地擦拭，然后再恢复原包装，并且想到一旦用时发生问题，去商店退换有无困难。

他是我的朋友。我戏称他的家是"都齐居"，即市民们认为该有的东西他都置备齐了，他听了呵呵呵地乐，很高兴。

昨天他终于"武装到牙齿"，我接到他的电话，他自豪地告诉我："我家也装有电话了。"他告诉我总机和分机号码，并且滔滔不绝地同我聊上了天，我好不容易才让他知道我正忙着，他终于结束了这个电话并嘱咐我说："往外打得算钱，往里打不算钱，你反正是公费电话，赶明儿你得常给我打电话！"撂下电话，我为"都齐居"主人祝福。

兜 风

按说职业司机对坐车兜风不会感兴趣，可"的哥"青岭却发出这样感叹："要能跟倪叔一起兜兜风就好啦！"

那是三十多年前的事了：倪叔到青岭他们那个村子"蹲点"，吃"派饭"轮到去青岭家。"蹲点"指的是干部下基层工作一段时间，从"点"上取得经验，以后再往"面"上推广。"蹲点"干部一般住在生产大队队部，吃饭呢，则由生产队干部分派到一些农户，轮流供应，以一定的"工分"作为补偿。青岭那时候八九岁，他娘给倪叔安排的饭菜好香，光那一盘炒鸡蛋，就让青岭馋涎难禁，可是爹娘不许孩子们上桌，青岭只能扒着门缝偷看，没想到坐在炕上炕桌边的倪叔瞅见他了，就坚持要他进屋上炕同吃，他爹娘怎么代辞也无效，只好唤他进屋，青岭那顿吃得好香！吃完饭，倪叔还留青岭玩，青岭给倪叔说了自编的顺口溜："河边有个庙，庙里盘个灶，灶上蒸白薯，惹来大老鼠，老鼠甩尾巴，想把白薯拿，狸猫猛一蹿，老鼠忙钻洞，白薯滚出锅，变个大青骡，四蹄呱哒哒，跑到老虎家……"倪叔听了仰脖大笑，如今青岭已经想不清楚倪叔的五官，但那天大笑的倪叔脖颈上暴突的筋腱，只要一回忆，还总能活生生地呈现在眼前。

后来有一天，倪叔结束"蹲点"，要回市里去了，市里派了一辆吉普车来接他。那年头，青岭他们那村子，有拖拉机，也来过大卡车，可是很少有小轿车出现，吉普车更是头一遭进村，不知那最早见到吉普车的人是怎么嚷嚷的，顿时全村轰动，说是"现代化来了"，那时候也不懂什么是"现代化"，反正一听说"现代化"就感觉幸福从天而降，连小脚老太太也忙出屋去开眼迎福，结果，村东的姚奶奶，不慎摔了一跤，磕落了门牙——当时痛苦，几年后家里富裕了给补上了乱真的假牙，她老人家逢人就先嘻开嘴唇，然后说："可不是现代化了嘛"，这是后话——且说倪叔把行李放上车以后，执意要找到青岭，说是要让青岭上车，跟他在村边转转，兜兜风。当时车边围着多少大人孩子啊，多少人想坐进那车里，跟着兜兜风，享受一下"现代化"啊，可倪叔只是一叠声地找青岭。偏那天青岭在河里摸鱼，人们好不容易才把他找到，簇拥着来到倪叔面前，倪叔好高兴啊，热情地让青岭上车一起兜风，可青岭那时不知怎么地超常羞怯，任凭倪叔催、同伴推，就是没有登上"现代化"……后来倪叔只好让司机开车出发了，挥手向所有的乡亲告别。

关于倪叔的一切，若不是有偶然的线头牵动，那相关的记忆都淡若烟雾了。前些日子青岭歇工一天，拎了两瓶酒一个蛋糕去给大哥祝寿，嫂子烧出一桌好菜，哥俩边喝边聊，大哥忽然说起，曾见到过倪叔。大哥是电器修理工，有回去一家修理冰箱，那位退休的老干部给他倒茶水剥橘子，闲聊中，问起他原是京郊哪儿的人，大哥一说出口，那老大爷先"嗬"了一声，跟着就问："你们村有个叫青岭的孩子吧？"大哥说："那是我老弟呀！哪儿还是孩子！他孩子都上中学啦！"青岭一听这话，酒醒了一半，忙问："倪叔他家在哪儿呀？"大哥说："我成天跑东跑西修活儿，哪还记得他那地址？你看这倪叔也真怪，村里那么多人，他偏就问起你一个。"青岭追问："他还怎么说起我？"大哥说："他就是反复说了好几次：青岭那个坏小子！"

青岭跟我说起这事，问我："我该不该千方百计找到倪叔，请他坐上我的车，免费一起兜兜风呢？我们可以绕着五环跑一圈，饱览现代化风光啊！"

我说："怎么实施你的愿望，我没有具体意见。只是听了这件事，我很受触动。世上人们的感情，可以分三类，一类是真情，这里面又包括亲情、友情和爱情。一类是善情，或者针对具体的弱者，或者针对弱势群体，对他们尊重、同情，竭诚地帮助他们。还有一类，就是美情。美情不同于亲情、友情、爱情，不一定有非常坚实的基础；美情也不同于善情；美情是完全超功利的，产生于偶然，就是一个生命对另一个生命，忽然喜欢，然后就想用一种方式，来让那人分享快乐，这种感情往往是只开花，不结果的。真、善、美这三类感情，其实最难获得是美情啊！"青岭听了我的话，一旁沉吟。

对 视

　　这天下了班，他格外疲惫。虽说挤惯了公共汽车，这天下得车来，真仿佛身子扁了一半。他走进自己所居住的那个小区，走过一幢幢按同一图纸盖出的居民楼，终于走到自家所在的那一幢，循着楼梯登上去。

　　他闻到了熟悉到极点的炸酱的气味。这幢六层的公务员宿舍楼，天天晚饭时总飘浮着这种气味。十家总有六家不断上演着这个保留节目。

　　他家半敞着单元门。这也是常见的景象。妻早回家一步，在厨房炸酱，为让油烟早点散去，照例要这样地半敞大门。

　　这样地半敞大门，就不怕坏人闯入么？真是不怕。像他们这样的小公务员，虽说并非家徒四壁，彩电冰箱洗衣机什么的总还是有的，但值得让强盗铤而走险，明知屋里有人还要闯进去的因素，实在趋于无穷小。有的单位把统一安装防盗门作为一项福利，他们单位呢，则是一律补助三百元，作为防盗门安装费，可是他家却领了钱而迟迟未安，像这样不太怕强盗的人家在他们这幢楼也非止一户，他们那个门里面未安装的尤其多。

　　他懒洋洋地走进单元。单元里地面铺着乳灰色的地板砖。六楼老王有个亲戚是批发地板砖的，这种地板砖开价相当低廉，于是热心的老王不仅便宜了自家，也让他和别的好几家享受到了那难得的折扣。不仅地板砖，像转角沙发、窗帘、电视柜……乃至彩电冰箱洗衣机什么的，也都是一家有个能得优惠的线索，便推及于楼里的其他若干家，大家高高兴兴地一起或先后脚购进，省去了不少的钱。

　　他进屋就把公文包扔到转角沙发上。黑色的公文包在墨绿色的沙发上显得比往日刺眼。不知是公文包实在太旧了，还是沙发的面子突然新了许多。

　　妻在厨房里炸酱，咳嗽着。怎么声音格外怪异。他本想问一声是不是感冒了，又觉得恐怕是被油烟呛的，便管自坐下来，想抽一根烟。那一槽烂的打火机，透明的机体，里面明明还剩些汽油，却一下两下三下五下，死打不出火来了。于是妻从厨房门里给他扔出一包火柴来。他便用火柴点燃了烟，吸一口，闭目养神。

睁开眼时,妻的身影又晃回了厨房,眼前的茶几上是两头蒜。显然是让他剥蒜。他便剥蒜。剥好第一瓣蒜,才发现了妻拿来让他装蒜瓣的是个新瓷碟。她什么时候买的?女人家就喜欢买这种可有可无的东西!家里有现成的素白碟子嘛,何必又添这种带小花边的新碟子!

妻在厨房里开始煮面条了。他剥出了好几瓣蒜。忽然他听见门道里有声响。

"谁呀?"他大声地问。

过道里的那人还没进来,也诧异地大声问:"谁?"

在厨房里煮面的妇人闻声也走了出来。

在厅里,三个人面面相觑。

这是怎么一回事呀?原来他不是在自己五楼的家中,而是在四楼李某的家中。他糊里糊涂地,错把邻家当已家了!

没有闹出什么纠纷。两家的景象实在太雷同了。可怎么他和李某的妻子,在相当不短的一段时间里,竟然都没发现对方"不对头"呢?就算他和李某,以及他妻子和李某妻子的身材差不多,那也不该"将错就错"到这种地步啊!

"三曹对案",这才悟出,他们两对夫妻,已经在很长的时间里,相互很少对视。

夫妻在一个屋顶下过日子,竟然失去了对视的乐趣与习惯,这太可怕了!

……他回到五楼自己家中,妻正在厨房洗菜。他长驱直入地进入厨房,大声唤着妻的名字,妻起初很是吃惊,却也并没有将眼光移到他的脸上,只是说:"你叫喊什么呀!"

他捧起妻的脸,说:"你看看我!你看着我的眼睛!让我们互相看!"

妻挣扎着,真的有些个生气:"你疯了还是怎么的?!"

然而,他在心里说:新的生活,可能就在这恢复对视中开始!

二嫂闯罗马

二嫂要去意大利罗马，这自然是我们家的一桩大事。

我这个小姑子早就为二嫂打抱不平。在二嫂所从事的那个科研领域，她的成就是拔尖儿的，可是到国外参加研讨会，总没她的份儿。她那头一篇引起海外同行注意的论文，署了三个人的名字。几年前国际上有关组织就邀请论文的作者去参加研讨会，头回去的是署名排在第一的老徐，他是二嫂那个科研所的副所长，人倒是个好人，可就是根本不能用英语与国外同行们进行业务交流，去的时候带了个翻译，回国后那年轻的翻译到二哥二嫂家做客，我恰好在座，只听那翻译抱怨说："我好尴尬啊！那个研讨会上就只我们中国人带翻译，而且老徐也没几句话好翻过去，不是'愿中国和贵国人民的友谊长存'，就是'我只是个科研项目的组织者，您提出的问题我一定带回去，转告我们的科研人员'，弄到最后，酒会上只能是我们两人对酌对谈……"后来那论文上署第三位的人物也去了，她是二嫂那个室的副主任，倒还能说点英语，但听力很弱，人家在研讨会上的发言，她就一大半听不懂，问到一些比较深入的问题，她就只好坦率地告诉对方，这个课题主要是我二嫂——论文上署中间名字的那一位——承担的，于是人家就问："那她怎么不来呢？"这她就无从回答了。

二嫂后来又发表了两篇论文，都只署了自己的名字，结果在国外同行中更加叫好，这回人家是点着名请她去罗马介绍研究成果，室里所里也都痛快地支持、批准她去罗马了。可事到临头，听到几句怪话，二嫂却打起退堂鼓来。

什么怪话？真真气死人——二哥二嫂他们住的那栋楼里，有那么一两位听到二嫂要去罗马的消息，竟然议论说："怎么不找个形象好点的科研人员去罗马？"他们当罗马那个研讨会是北京中外合资的大饭店招聘餐厅服务员哩！的确，要以报纸上刊登的那类招聘广告上提出的条件衡量，二嫂的"形象"就连报名的资格也没有——她个头不足一米六，躯体肥胖，脸庞不好看，还总戴着一副老式近视眼镜；说起来我得坦白——当初二哥跟二嫂恋爱的时候，我可是个大梗子，作梗的原因，就是二嫂的"形象"。

不用细说你也猜得着，二哥二嫂结婚以后，我们整个家族都喜欢上了二嫂，她不仅事业上的钻研劲儿和实际成就超过了二哥乃至于我们所有的同辈；而且，光她那天一亮就手脚利索地热泡饭、烤馒头片、煎荷包蛋，为二哥和侄儿侄女张罗营养齐全的早餐时那一片段"形象"，就能让你饱饱地欣赏到"贤妻良母"之美。

二嫂说："倒也是。我不是个'外事型'的漂亮角色。让别人去吧，只要把信息全带回来就行。"我就先搂住她肩膀把她骂了个臭死。我发誓要把二嫂的形象修饰得让人大吃一惊。我陪她去红都服装店，在挑选料子、敲定款式方面为她绞尽了脑汁，试衣样那天我比裁缝师傅还精心，结果为二嫂制成了两套绝对是掩劣显优的合体西服，我又陪二嫂去王府井四联美发厅，经过一系列程序之后，二嫂的新发型把她的脸庞衬托得容光焕发；又陪她去配了一副框架新颖别致的新眼镜。以上各个环节都很顺利，但进行到为二嫂挑选高跟皮鞋时，她可就不那么驯服了，她无论如何不适应长高跟，可你说她要不用长高跟鞋把自己的个头升到一米六以上，在洋人面前是不是也确实有点太那个了？

到飞机场给二嫂送行的时候，他们的所长、室主任们望着她，确实都吃了一惊，二哥竟极不得体地双眼直勾勾地盯住二嫂看个没完，我在一旁暗笑：怎么样，我这个"形象工程师"成绩不凡吧？

二嫂从罗马回来的时候我正出差在外，出差回来头一回去二哥家时二嫂却又回娘家去了，我就急着要二嫂在罗马拍的照片看，二哥在拿出照片给我看以前，给我打"预防针"说："你看了别伤心啊——你二嫂到罗马的第二天就在淋浴时把发型基本还原成老样子了。她说新眼镜配得太匆忙，验光也不准，看资料不方便，所以还就是戴着旧眼镜活动。高跟鞋嘛，她到底还是没穿，并且到罗马的第三天就为自己买了一双平底皮鞋，以后就一直穿这双鞋。只有红都的新西服她照你的意思穿了……"我没听完就尖叫了一声，一把抢过二哥手中的照相薄，急不可耐地翻看起来。

看着看着，我不再顽皮嬉笑，我从心底里升出一种由衷的感动。不错，二嫂个子矮胖，其貌不扬，然而那些与金发碧眼的洋同行们合拍的照片，无论是在酒会上、休息厅里、罗马的风景名胜中，她的神态总显得落落大方、自信欢愉。二哥指着一张放大成12英寸的彩照对我说："你看，她在回答对她的论文的质询，确实有股子超出衣衫外貌的精神力量，构成一种庄重而优美的形象哩！我理解——在她那个课题领域里，她能用英语流利地讲述她想讲述的一切，又能解答出别人所提出的所有问题——所以，你看，下面那些洋人的神态，那眼光，不都像一面面镜子，映照出她的尊严和修养吗？难怪最后改选他们那个学科的国际组织理事会时，你二嫂以全票当选为新一届的常务理事，她自己也投了自己一票，你说这形象如何？"

搁在以往，我非得羞二哥"夸老婆肉麻"不可，这回，我只是凝神欣赏着那张12英寸彩照，久久都没有吱声。

发现诗意

小焦曾跟我抱怨："住在'女生宿舍'啊！一个进入了更年期，一个进入了青春反叛期！"听他细说，其实他妻子的更年期综合征发作得并不严重，倒是女儿焦姝的青春反叛如雷似电，那一阵，放学刚进家门，还没跟父母照面，就大声嚷嚷："什么也别问我！"进了她自己那个房间，"嘭"地一摔门，做好饭，隔门唤她吃饭，要么根本不理睬，要么忽然拔门而出，气冲冲地说："就知道吃饭、吃饭！除了吃饭你们还懂得什么？"开始他们还试图教诲她，后来知道那只会使其反叛加剧，就干脆沉默，但沉默有时也会遭致抗议："为什么都不说话？我是聋子吗？"我曾安慰过小焦：对此不要过分焦虑，如今的社会环境，不至于将青春反叛期的"潘多拉魔盒"以某种漂亮的借口掀开，造成对社会的大伤害与他们自身的大迷失，估计焦姝多半只是家里反叛，在学校里大概要收敛得多，随着年龄的再增长，生理发育和心理成长都会渐趋平衡。

前些时小焦报告我好消息：焦姝不仅不那么反叛，还能主动跟父母交流了，她那间屋的门也不再关死，有时虚掩，有时敞开，以前她在屋里鼓捣电脑，绝对不许父母"偷看"，现在她会高兴地招呼他们过去，同看她从网上链接来的信息或博客文章，还乐于跟他们进行讨论。小焦问：难道青春反叛期的症候能不治而愈么？我也不能解释。

昨天焦姝来我家还书，我看她神情欢愉，就趁便问她，为什么有所改变？她就跟我细说端详。她说，先是班上跟她最合得来的果果的母亲因病逝世，果果跟她说："真的很后悔，到遗体告别的时候，我才意识到，我其实一直没有怎么认真地注视过妈妈……"果果这话，以及果果眼里罕见的泪光，让她心里咯噔一下，仿佛不小心触了电。那天晚上，她睡不着，起来上卫生间，路过爸妈卧室，卧室里有灯光，她朝里面望，望见妈妈坐在梳妆台前。方便完了，出了卫生间，她蹑手蹑脚再路过爸妈卧室，发现妈妈还坐在梳妆台前。爸爸出差不在家，妈妈为什么不好好睡觉？再细看，妈妈是在那里翻弄一些小东西。她以前也是从没有长时间地、认真地注视过妈妈。她此刻细观，惊讶地发现妈妈原来那么中看，却又怎么有了衰老的迹象？当时妈妈开的是梳妆台的镜灯，灯光只照出穿睡衣的妈妈的正面，从侧面望去，妈妈像一个半明半暗的剪影。妈妈所摆弄的，她终于看明白，是爸爸历次出差给妈妈带回来的小首饰，那些项链呀、手链呀、戒指呀、耳环呀、领饰胸针呀，没有一样是贵重的，最贵的一个大概是在回国的飞机上买来的免税的水晶手镯，花了一百多欧元，其实那水晶是人造的，只不过施华洛世奇的牌子算得有名而已。妈妈每次得到礼物，总是欢喜一阵，戴上几天，然后就收起来再不见踪影。爸爸也曾给焦姝带回过琥珀手链，被她接过来就甩到柜子里，还故意伤爸爸的心，喊道："有钱为什么不捐给贫困地区？"爸爸后来多半给她带回印刷精美的知识含量颇高的画册……

那晚焦姝在爸妈卧室门外偷觑了许久，妈妈一直没有发现她，她也因此平生第一次仔细地观察了妈妈，妈妈将那些小首饰一一从小匣子里取出，观看，抚摩，嘴角漾出满足的、幸福的笑意。有一个玉石挂坠，妈妈戴着招待客人时，一位阿姨不留情面地跟她说:"便宜货! 假的! 不仅绝非和田玉,连俄罗斯莱玉也不是!"妈妈很不自在,想说什么,语塞。当时焦姝却觉得那阿姨很为自己"解恨",心里想:臭美什么? 以后少教训我吧! 但那晚在卧室门外细观妈妈的动作表情,焦姝觉得忽然看到了妈妈内心深处,她亲切地抚摩那个"假玉吊坠",回味着生命里那个最亲近的人给予她的爱意……

焦姝说那是她人生中第一个失眠之夜,但又是一个甜蜜之夜,她忽然憬悟,这个原来让她处处不屑和愤慨的世界上,原来确有弥足珍贵和让人心仪的因素,这因素可以称为诗意……我听了祝福她:好啊,从身边最平凡琐屑的场景里,发现了诗意,这说明你脱离了青春反叛期,进入了诗意享受期! 这是多么美好的一个转折啊! 愿有更多像你这样的少男少女!

人们常问:为什么青春产生诗歌? 焦姝的个案给了一个明晰的回答。是的,正如你想到的,焦姝告别后,留下一个小本本给我,那是她的第一册短诗集。

烦 恼

您甭沏茶,您更别递烟,您邀我进屋坐坐,您乐意跟我这个户籍警聊聊,我这心眼里的感激,就跟您这楼下绿化队浇花儿的水管子一样,哗哗地往外流!

您问我干吗愁眉苦脸的,嗨,您猜我愁什么悔什么。说实在的,干我们这行挣的本来就少,又没外快,一般人都能猜出来,我们"菜篮子"里的牢骚兴许更多!可我今儿个不是为这个磨牙。就算您有严新那号功夫,隔着这预制板能知道墙外头的事儿,您也猜不透我今儿个的烦恼!

今儿个所长把我叫去,说是有群众来信。我干了十几年,群众来信接得多了,不是我骄傲自满,实事求是么,全部是表扬感谢信! 信封信纸薄薄的不起眼儿,存到档案柜里能让人忘了，可还有送锦旗来的哩！锦旗总挂在我们会议室里，您得便过去瞧瞧，头年的那挂黄穗子最长，上头写着"情同手足恩难忘"，就是东边那塔楼里的葛家送的。我就凭一条小小的线索，查材料动脑子打电话跑腿儿，愣让葛老先生跟台湾的兄弟接上了头，团聚在北京。他们老哥儿俩双双到所里来道谢，台湾那主儿还拿出一大罐冻顶茶，说是台湾特产，专送我，我自然辞了，又说送我们大家伙喝，所长自然也辞了，末拉了只留下那面锦旗……嗨，我说这些个干什么？都是该做的，分内的事儿，所里也不光一个人有这副热心肠，咱们书归正传，今儿个所长把我叫去，让我看一封群众来信，一看我可就懵了。

不错，您猜中了，是一封提意见的批评信。可提的什么意见批评我什么，您准定猜不出来。

事儿其实挺简单。半拉月以前，有两口子找到我们派出所，说是到你们这个楼区找人，到那座楼那个门那个号，敲开门，不对，不是地址不对，是原来那主儿搬家了，换了人家住了，他们问那新主儿，搬哪儿去？新主儿说不知道，他们就上派出所来，让我们给查查，那主儿究竟搬到哪儿去了？我问他们跟原来那主儿什么关系，他们说是朋友，挺好的朋友，因为忙，一年多没见过，今儿个休息，老远地跑来拜望，不想扑空了。正巧我管你们楼区这片户籍不是？我就给他们查，挺容易的，那主儿迁户口的时候，必然留下新住处的地址不是？查出来，我抄给了他们，他们千恩万谢地走了，过两天我也就把这事儿忘了，没成想今儿个迁走的那主儿的意见信就到了所长手里。他怎么写的？是呀，您也懵了不是？我那么干，明明是作做事儿，他可怎么说呢？他说："未经我本人同意，你们无权将我新住址告诉任何人。我本人愿意同哪些个人或单位以新住址保持原有的联系，应由我个人决定，并采取恰当方式告知对方。"他不光说他自个儿这段事哩，他还说："我认为，你们今后至少在未征得迁走户本人同意的情形下，拒绝向一切私人提供迁走户的新住址。"您听着新鲜不新鲜？为啥如今我好心倒得不着好报？您给评评这个理儿……

概不接待

301 的门上，总挂着个硬纸牌，上头用茶杯口大的隶书分行写着："写作时间请勿打扰，未经预约，概不接待。"偏偏来打扰他的人挺多，有的还是巴巴地从外地跑来的。有的见了那牌子，叹口气走了，有的却依旧去摁门铃，显然，里头把电断了，门铃不起作用，于是就敲门，先头轻轻叩，后来忍不住重重捶，但里面绝不通融。于是有的主儿就转而去敲 302 或 303 的门，302 或 303 里面的人，多半是老头或老太太，有时碰巧男主人或女主人在家，还有时候是上学的学生，把门打开一看，就知道是找 301 那位而不被接待的，于是照例有下列一类对答：

"您能帮我把这东西交给 301 那边吗？"

"是稿子吧？约稿信吧？实话跟您说，他那牌子一挂，有时候晚巴晌也不见摘下来，我们也不能去打扰不是？您把东西搁楼下他的信箱里吧，就是那个特制的大木头匣子，上头写着核桃大的 301 字号……"

但有的并不就此罢休，还提出来进屋借个地方写张条子，写完再把条子塞进 301 门缝，有的带来的东西信箱匣子装不进，就恳求代为存放和转达，于是，302 和 303 的人们也就只好应允。

但这都是头几年的情景儿。

这一二年来，301 门上的牌子固然照挂，302 和 303 门上也挂出了牌子。

302 门上挂的牌子是"教学时间请勿打扰，未经预约，概不接待。"原来 302 的主人是一位退休的英语教师，专门辅导人考"托福"，因为头一批辅导出来的个个"中举"，所以一传十十传百，竟源源不断有来要求辅导的，而他每天只辅导一位，周六周日还必定休息。一年之内的辅导名额早已满员，而慕名前来的依然不少，不得已，只好也卸门铃、挂牌子，并且即使在周六周日，也照挂不误。原来这家不理解 301 挂牌子的心情，现在是"心有灵犀一点通"了。

303 门上挂的牌子则是"休息时间，请勿打扰，公事私事，概不接待。"这门里的主人，是个近二年来大发的民间企业家，自从他发起来以后，三亲四友找上门来要求安插个职位的很多，各类文化艺术部门找上门来要求他赞助的更多，而且大多往他家里跑，以为"客厅里办事比办公室里办事强"，并且还都打算把他挖到"餐厅"去，因为"餐厅拍板更比客厅响"。但偏这主儿架子比山大，他家谢客之绝远远超过301和302，亲友们说他"六亲不认"，没得着赞助的说他是"一毛不拔"，他却回家只是打电话、看电视、喝酒、品茶、洗澡，临睡觉前看段《雅科卡自传》。

最近301里的主儿心里有点发慌。信箱吃不饱了。听了敲门正写着也搁下笔去开，但往往人家是因为敲不开302和303，才千恩万谢请他转交什么东西的。他为出集子的事同出版社通电话，人家告诉他："你能不能求求你那邻居303，赞助一下？"但面对着303的牌子，却像心上撒了胡椒面。他想改换一下自己门上的牌子，但只是想，眼下还没换。

古井帽

那天彻底拆掉了那个古井台。它在新修成的高速路出口外头。那里要修建一个新的加油站。

拆古井台的当口，从那边村里，来了个白髯老翁。没有人陪他来。他自己挂着拐棍来的。他移动得很慢，但他腰板很直，走到那些忙着拆井台的外乡工人旁边，他开口说话，可没人听他的，他明知没人听，却仍站在那里说。

他说他生在光绪三十三年，也就是1907年，到现在刚好一百年。这口古井在他出生前就有了。井旁原来有座小庙，庙门外好大一棵古槐，夏天满树槐花，那口井里的水好甜，槐花掉进井里，人们用桶打起水来，就连那槐花一起喝……一百年了啊！到如今，这古井台，我们不难想象，在他生命流程里，嵌进了多少风云变幻、悲欢歌哭!

在他三十岁的时候,井后那座庙烧了,只剩一座庙门架子,再后来,那残余的庙门也没了,他六十岁的时候,那棵古槐被伐了,再后来,井也枯了,但这井还有仙气,每到夏天,井壁上就长出叫不出名的香草,长长的叶片蹿出井口,老远就能看见一丛翠绿,闻见缕缕奇特的甜香……

百岁老人看着那口古井彻底地被拆掉。井台周边的石板被撬起,扔成一堆。那井口很特别,是用整石雕成的,形状颇像一顶去掉顶盖的草帽,老人说,那是一绝,当年井水最旺的时候,常常会高出地面,这周边高耸的井口石,总能把水拦住不让溢出,祖上的石工手艺多好啊,你看这石料虽粗,算不得什么汉白玉,可是周边凿得多么圆,这么多年头过去,看上去还那么顺眼、润心!

拆井的外地民工终于跟老人搭了几句话,他们说这井口石确实古怪,搬动起来好重,砸也砸不碎,恐怕只好埋到加油站的地基里去。

老人双手叠放在拐棍顶端,平静地站在那里。他见识过太多的世道变迁。前面公路上不时飘过各种牌子型号的小轿车。一群穿校衣的中学生从镇里散学回村,都骑着新式自行车,其中一个认出了他来,高声呼唤:"太爷爷!"他喉咙里发出一声微弱的呼应:"小兔崽子!"

那"小兔崽子"很鬼,他爹更鬼。他爹不仅知道这太爷爷当年常在井台上说书,构成大槐树下一道风景,而且还知道这太爷爷那几十年没淘汰的大躺柜里,还藏得有被老鼠啃过、蠹虫吃过的线装旧书,几次动员太爷爷把那旧书拿出来晒太阳,头年夏天太爷爷终于同意取出来晒太阳了,却忽然来了陌生人,说是从潘家园古董市场来的,太爷爷就知道是"小兔崽子"他爹,"好一个焉坏的兔崽子",把那陌生人勾了来,太爷爷都没让人家进屋坐,几句不咸不淡的话把人家连同"兔崽子"们给让出了他那院门。其实"兔崽子"们全是好意。但太爷爷自有他的一份道理。

"到该拆的时候,就让你们拆吧!"百岁老人拄着拐棍慢慢离开了那正被用土彻底填埋的古井。

加油站很快建起来了。是国际一体化格局的形态,无论在美国,在西欧,还是在尼日利亚或者悉尼高速公路出口外头,加油站全仿佛一个模子刻出来的。现在都时兴附设 24 小时便利店，里头的饮料、饼干、巧克力乃至钥匙链，全都雷同。来加油的和给加油的，没有人知道、记得那里曾经有过那样的一座古井台。

但是，在那加油站不远的别墅区，里头一栋最大的别墅，那天开了一个"派对"，豪华车停满了临时车位，每一位或一对、一组客人走进那足有一个篮球场大的客厅，眼球全都会马上被一角的装置艺术吸引，有的就不由得"哇噻"一声——顶棚上的一组射灯照耀着铺敷着蓝丝绒的不规则高底座，上面是有着真实土壤和蕨草的隐形大托盘，托盘里是整石凿刻出的古井帽，旁边立着一只绝对够年头的高耳竹箍的木水桶。

这栋开"派对"的别墅，离那个村子那个百岁老人放那旧躺柜的村屋，距离不到两千米。当别墅主人正让赞叹的来宾们猜他从哪里掏腾到那个绝对古雅的古井帽时，百岁老人正倚着炕上的被褥垛，沉浸在似梦非梦的种种情景中。而"蔫坏的小兔崽子"，则正在另一院落的麻将桌边，夸张地炫耀他如何没有通过潘家园的人，就把那个古井帽卖出了一个好价钱。

鬼姜花

我问小岑，那是什么花？他告诉我，是鬼姜花。

小岑和小汤两口子，来我温榆斋书房所在的那个村子，开了个小饭馆，从饭馆窗户望出去，就是大田，晚玉米收割尽了，地边上一丛丛高高的黄花，在秋阳照耀下灿烂悦目。

鬼姜，又叫鬼子姜，也就是洋姜，学名叫菊芋，没有人刻意地种它，却在我们村子周围到处冒出来。

跟小岑小汤两口子混熟了，大概其知道，他们一个是苏北的，一个是贵州的，相遇在城里一家餐馆，一个是二厨，一个是服务员，他们相爱了，结合了，就把多年来挣的钱合起来，跑到这个村边，开了这么家餐馆。也曾打算细问他们的经历，小岑顾左右而言他，小汤就哼歌："不要问我从哪里来……"

小岑自己兼大厨，他的侉炖鱼，味道极妙，生意也因此火暴。

就在我问了小岑"那是什么花"以后，过了两三天，我上午睡完懒觉，起床开门，呀，门外台阶上，一大丛花瓣如舌的明黄鬼姜花，插满一个浅蓝色的大塑料桶，由许多墨绿的大叶子衬托，冲击着我惺忪的视网膜，使我如同醍醐灌顶般清醒到十二万分。

我打电话给小岑，说："谢谢你采给我的花。晚上我订一只乡村五味鸭。"

乡村五味鸭，和侉炖鱼一样，也是他们餐馆的看家菜，不过，临时烹制很费时间，提前预订，到时候很快端上，质量尤其上乘。

晚上约好村友三儿，去小岑餐馆吃鸭子、喝小酒、侃大山。餐馆上座有一多半。五味鸭端上来之前，先端来一碟小菜，是些不大规则的片片，三儿以为是荸荠，小岑说是鬼子姜。夹一片搁嘴里，腌制过，味进得不深不浅，脆而不涩，用来开胃，好！小岑说我那一问启发了他，他第二天一早去挖了许多，还特意给我采集了那一大桶花。现在，他每桌客人都免费送一碟。

忽然有摩托车突突突而来，突突声乍止，就冲进来一个三十岁上下的青年，已经秋凉了，却还只穿件箍在身上的跨栏背心，两块胸脯子肉紧绷绷的，右臂隆起的三角肌上，刺青的图案是只张开嘴露出尖牙的虎头。他冲到那边角上的空桌，小岑去招呼他。三儿跟我说："虎鬼子来啦！"我老早听到过其人大名，直接见到却还是头一次。又好奇，又不免把警惕性提升。

只见那边，"虎鬼子"似乎在大声问小岑约他干什么，小岑微笑着，也不知道说些什么。后来看见小岑先往那桌端去一盘鬼姜花，后来又端上一大盘，热乎乎的也不知道是什么菜，当然，还有二锅头口杯。小岑坐"虎鬼子"旁边，俩人聊了一阵。

我和三儿把五味鸭吃过一半，"虎鬼子"喝完吃罢，跟小岑小汤道过谢，一阵风般出去，风还没息，突突突声响迅即远去。

第二天下午，乘餐馆没客，我拐进去问小岑："三儿说'虎鬼子'是专到各餐馆收保护费的，你对付他不容易吧？你昨天给他端上的东西好怪……"

小岑就跟我说，再铁的心，也有软的部分。他昨天邀满虎——他让我别再叫绰号，改称大名——来，提醒满虎，是满虎他大妈去世的日子；满虎一次醉后告诉他，自己生母产后没奶，父母觉得已经有儿有女，就把他送给邻村一个产后死了孩子的妇女去养，那就是满虎大妈，满虎说这世界上只有他大妈对他好，但是就在满虎懂得记日月的时候，大妈去世了。满虎记得，大妈家屋外，野生野长着许多的鬼子姜。昨天小岑端出一盘鬼姜花，是替满虎祭奠他大妈的意思，而那盘菜呢，是大妈当年常给满虎做的红烧独头蒜。小岑说，满虎临走跟他说，以后不再到处逛荡，打算到镇里集上，摆个服装摊，将来再开个服装店，也跟小岑小汤一样，有个自己的正经营生。

我听了就说："他能说到做到吗？"小岑有些不高兴了，稍微迟疑一下说："刘叔，没错，啥事都难说……可是，我不就做到了吗？"

回到书房，只见昨晚花头打蔫的鬼姜花，全都迎着阳光，挺起来把自己胀得充满了生命的尊严。

何必巴黎

这天婉英一回家扔下提包就到书架上翻书，爸爸推推眼镜，对她说："找哪一本？我帮你找。"她连连摇头："不用不用，我随便翻翻！"

她显然不是"随便翻翻"。爸爸一面墙的书架她翻找过一半，急得满脑门汗津津的，爸爸妈妈在厅里喊她过去看电视——一出他们三人都爱看的连续剧开播了——她却还在那里翻找着，把一种生怕别人干扰她的声音送过去："你们看吧看吧，别管我别管我……"

婉英高中毕业以后没考上大学，报考高档宾馆当招待员竟也落选，结果就到一家最普通的百货商场当了售货员。教中学的爸爸和妈妈总觉得有点对不起她——他们教的学生有不少考上大学、求到好职，偏自己的女儿竟蹦上这么条平平常常的生活之路。

不过婉英似乎渐渐平息了心中的奢望与不满。谈起她们商场有了越来越亲切的口气，最近又开始连晚餐也在商场食堂里吃，有时还参加一些商场青年人的业余活动，回来得挺晚。

可真不知道这天婉英为什么回到家就翻书架。妈妈在电视插播广告时进那间屋去招呼她："你究竟找啥呢？说出来我们也许立马就能给你抻出来！"婉英竟有点发怒了："妈，您别管我行——不——行！"妈妈只好又退了回去。

婉英心里翻腾着一浪又一浪的蜜水儿。还在上高中的时候，她从爸爸买来的一本外国现代派诗选上读到过一首法国诗人普列维尔的诗，那首诗倾诉着少男少女初吻后的特异心情，今晚，当她同店里的运货司机大强在胡同拐弯处的阴影中，头一回热烈地亲吻时，她心头就朦朦胧胧地升起了那么一股酽酽的诗情，她还试图把那首诗背给大强听，可临到张口却怎么也背不下来了……

好了好了，终于找到——她贪婪地读着那只占一页的诗行：一千年一万年／也难以／诉说尽／这瞬间的永恒／你吻了我／我吻了你／在冬日朦胧的清晨／清晨在蒙苏利公园／公园在巴黎／巴黎是地上一座城／地球是天上一颗星

她心里醉醺醺的，不知怎么的双眼潮湿了，腿一软跪坐在书架前的化纤地毯上。她把诗页紧贴在胸口，生怕父母这时候闯进来。她翕动着双唇，无声地对自己说："何必在巴黎，天哪，大强……这瞬间的永恒……"

何方食圣

饭局上，就他没跟人交换名片，但是看他总不时地附在罗老耳边说些什么，而罗老总一边细嚼慢咽一边侧头听取，脸上偶尔还泛出微笑，我就断定他是罗老的秘书。

又一回，他恰巧坐在我身边，我就问："罗老好吧？今儿怎么没来？"他笑嘻嘻地望着我点头，反问："你们公司那档事儿，总算摆平了吧？"看来他对我们公司的情况门儿清，我也不知他指的是哪档子事，事关公司机密，不便跟他就此对话，好在这时第一道热菜上了桌，他倒先转换话题，打个手势："您先用！"

还有一次，是个大型的酒会，在多功能厅里，服务员用托盘送来酒水，我挑了杯红酒，一位跟我们公司业务来往极多的王先生走近我，他喝的是西柚汁，跟我交谈起来，他提到一桩为难的事，我就说："为什么不求求罗老呢？"他叹气："够不着啊！"我恰好瞥见那边人丛里出现了那张熟脸，就跟他指点着说："那不是罗老秘书吗？赶紧去找他说说吧！"他连问几声："哪儿？哪位？"我就又指："就在摆自助餐开胃小吃的桌子头上，旁边还有个红衣女郎，你赶快去跟他认识！"他认准了，撇撇嘴说："你开那门子玩笑！他呀，哪儿是罗老秘书！我总见着他，他是个娱记！"我不信："娱记？那怎么跟演艺圈娱乐界了无关系的饭局上，也有他？"王先生懒得跟我再说什么，寒暄几句就找别人去了。

我过去找那娱记，他见我走近，主动跟我点头，还没等我开口，他先跟身边那位红衣女郎介绍我，说准我们那公司的名称倒也不难，我那怪姓他居然记住并报了出来，真好记性！又这样把他身边的女郎介绍给我："您能想起来吗？最近荧屏上频频亮相的新秀……"我们这一行的哪有工夫看肥皂剧？只好含笑招呼，那女郎只抿嘴笑，熟脸娱记就跟我建议："这儿的开胃小吃有鱼子酱，比××饭店同样标准的强多了，您赶紧换香槟酒……"说着他已身体力行，去向鱼子酱进攻。

在一个大的活动中心里，常常是同一时间有几处多功能厅同时举办不同的活动。那天我去参加其中一个，先经过另一活动的签到处，只见那熟脸正签完到，跟穿花旗袍的服务小姐打趣着，一边领取装赠品的提兜，仔细观察，此前他手里已经有另一种提兜了，大概是另一层另一活动发给的，我不由得驻足细看那立着的大牌子，上头写着里面活动的内容，是一个跟新型机械设备有关的研讨会，这样的"娱乐"会邀请他这样的"记者"吗？那熟脸大概从眼睛余光里扫见了我，很快离开转过走廊，是有意回避我吧。

我们那个活动也搞签到也发东西，而且发的提兜里也约定俗成地搁个信封，里面装有 300 元车马费。进到会场，整个活动期间里，我不时四面张望，看那"娱记"是否出现，没有，看来，他唯独对我们这个活动不感冒。

我们活动结束后，大多数人散去，少数人事前就有约定，出这活动中心，分乘小车到城市另一边的一家特色餐馆聚餐。

在那特色餐馆里，主办者包了一个豪华装修的大单间，里面可容纳两桌。大家先一番揖让调侃，其实这也是商业利益磨合的一个环节，然后就座进餐。我坐在这边桌，那边桌忽然发现椅子餐具准备不够，服务员在赶紧补救，我朝那边望去，咦，怎么，他来了！就是那张熟脸，那既不是罗老秘书，也并非什么"娱记"的主儿，竟大摇大摆地落在加座上，使那边原来的"十仙"成了"十一怪"。我忙问左右："您知道那刚来的是谁吗？"一个说大概是老总特约的吧，一个说反正又不要我们自己掏腰包，多一个少一个你计较什么？开吃以后，我到底意难平，干脆趁下座到首位给老总进酒的机会，指着那边那主儿问："老总，您请的？敢问何方食圣？"老总没朝那边抬眼，大概也没听明白我的意思，只拿起替代白酒的矿泉水，冲我敷衍地笑笑，又捶捶膝盖说："没福气没福气啊，你们吃吧你们吃吧……"老总自从年初得了痛风以后，宴席上绝大多数菜都不能吃，每回都是特为他准备一尾清蒸鱼、一份英国式煮蛋和一盘清炒芦笋。

这回我真想把那主儿的身份弄个玻璃般透明，我就爽性拿着酒杯，朝那桌走去，也不管那桌的同事、关系户怎么抢着招呼我，直奔那主儿跟前，没想到他见我去了，飞快起身，端起酒杯，大声呼出我的姓，连带叫出我的职务，仿佛我俩不仅是同事或者合作者，更是兄弟、发小，先声夺人地指责我："像话吗？拿这么半杯子就想把我打发了？"立刻就有好事者夺过我的酒杯将其斟满，他又怪叫："慢着慢着,他那半杯要是雪碧呢?"遂硬要我跟他交换酒杯,全席哄然叫妙,都嚷"一口尽"。

我们全仰脖干了,这时我大声问他:"你究竟是谁?你凭什么到处骗吃骗喝?"

没人认真听取我的话音,他呢,姿态优美地站着拈了一口菜到嘴里,嚼两下,咥一口,做了个鬼脸,大声抗议:"他妈的!这叫什么'佛跳墙'?纯粹一个'佛跳井'!"

连老总那边全听见,全笑了,笑声里,小姐端进来一个大托盘,里面是分成小盅的鲍翅白参羹。

虎 汉

早上起来,身上痒痒,到卫生间洗热水澡,用海绵球蘸着洗浴液,让浑身上下缀满大泡泡,可是,用花洒往身上冲水时,本来还热乎的水,忽然变得冰凉,不由得把门掀开一条缝,朝厨房那边大喊:"快给我看看,是不是又死火了?"厨房那边无回应,啊,爱人孩子今天都加班,该着我倒邪霉!忙披上浴衣,自己跑到厨房察看热水器,可不,又死火了!咔哒咔哒扳动旋钮,火倒是又打着了,可那鬼眨眼似的火苗,仿佛在跟我说:"您再去卫生间,我说不定还得灭!"一赌气,把火灭了,提起两个热水瓶,重返卫生间,总算把浑身的浴液沫子去掉了。

穿上衣服,把空热水瓶搁回厨房,恨恨地瞪了热水器一眼。心想亏得把你安在了有窗户通气的厨房,要不,指不定哪天,家里不知会是哪一位,洗澡的时候在卫生间里彻底地"歇菜"!

把厨房窗户的缝儿开大些,忙打火坐开水。忽然有一股炸辣椒的味儿,直窜我的鼻腔，忙按抽油烟机的开关键，机器倒是立马嗡嗡地哼唱起来，可也怪，这新安装的抽油烟机，有个不见于说明书的特点，那就是，它转动起来时，总是先把楼下老张家的"美味"急速地猛吸到我家，然后，才从容地将其驱散，可谓深得"欲擒之，必先纵之"的兵法精髓。

等水开的工夫里，把换下的脏衣服扔进滚桶式洗衣机，这是刚刚以旧换新、打折收费迎来的宝贝。但到爱人头一回使用它时，却发现了一个问题：装洗衣粉的小抽屉拉不开！忙给厂家打电话，后来来了人，用锉刀，把抽屉开口处处理了一番，当时能拉开关合了，也没破相……可是，今天我怎么又拉不开这抽屉啦？呀，再用劲，恐怕就要把它拉破了！看来，只好不用洗衣粉了！

大败兴！不过，败兴也得填肚子，是不是？从冰箱里取出一个汉堡包，放到微波炉里加热，咦呀，这微波炉怎么不亮哟？检查电路，没问题呀？用了不到半年，寿数不大呀，怎么就"痴呆"啦？

一跺脚，气呼呼地到门厅里，一屁股坐到沙发上，操起茶几上的电话，就——当然不能拨110也不能拨119——翻开电话索引本，首先找到了跟微波炉相关的电话号码，一拨还就通了，但回答很简单：让我抱去修。去它的！再拨跟抽油烟机相关的电话号码，占线、占线……再拨洗衣机方面的电话号码，有人接，听完我的诉说，在电话里指示我，如何用家里的水果刀，耐心地，划那抽屉的开合线；我愤怒地说："不！我要换一台！"电话不知怎的就中断了……

忽然，火上的水壶尖叫起来，一声高过一声，也就它，功能总是体现得那么圆满。我冲进厨房，关火。热水器又闯进了我的眼帘。本来，最该打电话，让来修理的，是这玩意儿，可是我一想起那几位师傅的熟面孔，反倒不想打了。他们每来一次，光所谓清洗，就要收五十元的费，如果换零件，那往往就得一百好几，还总跟我们说，是产品本身不过关，唉！

败兴到极点，眼光晃到了冰箱上。这口三开门的进口大冰箱，十年前买的，四年前突然不制冷了，从晚报上看小广告，按那BP机号码，呼来过一位师傅，三十来岁，络腮胡子，给检查以后，说是压缩机坏了，得换；这是不是要坑我们呀？对他有点怀疑。他虽然提来了一只工具箱，却没有现成的压缩机，需要去买。问他需要多少钱，他说先拿二百块给他吧。他拿走了那二百块，过一小时，两小时，总不见回来，急得我频频呼他，后来他总算汗津津地回来了，提来一个压缩机；原来，我家附近的几家所卖的压缩机，都对不上型号，他骑车跑到很远，才买到合适的。他趴在地上，歪着身子，终于安好了新压缩机，接上电，冰箱启动了，我好高兴！当时正是盛夏，没冰箱可怎么过日子啊！可是他说："您先别高兴，等真制出了冷咱们才算成功！"于是，我俩坐下来闲聊，等那冰箱出现制冷效果。闲聊里大略知道，他父亲在他幼年时病逝，和母亲住在胡同杂院里，高中毕业后没考上大学，上了一个冰箱维修训练班，干上了这一行，到修我这冰箱，已经是第一百一十七口了。我记得，他说他身体特别棒，打小从来没有感冒过，笑着问我："您信吗？"笑时露出两颗虎牙。冰箱完全恢复了制冷，他才走，送他出门时我说："希望以后能再见！"他说："干我们这行的，最好别老再见！"虎牙又白晃晃地闪。妻子下班回来，我告诉她，这位师傅代买压缩机，还开了发票，是一百八十元，最后只收二百五十元。几天以后，他来过一个电话，问我家冰箱怎么样，又告诉我，那坏的压缩机，他拿回去解剖了，是怎样的一种问题，我没听懂，但对他很满意。此后我家冰箱再没出过毛病，也就再没呼过他了。后来妻子偶尔提起他，说要是所有的修理人员都能像他一样，那该多好呀！又问我，他姓什么来着？我说早忘了，不过，既然《骆驼祥子》里有虎妞，我们就把他叫做虎汉吧！

沏了一杯热饮，啃着凉汉堡包，忽然有了一种呼叫虎汉的冲动。不是要他来修理什么，而是请他来做客叙谈。他又修过多少冰箱了？是不是也兼修理空调？他该娶上媳妇了吧？像他那样的憨厚实诚的汉子，所修理的，是我们对世道人心的疑惑焦虑啊！

花烛夜

女儿那天回来宣布:"爸,妈,我们有房子啦!"

这可真是个从天而降的好消息。

爸问:"你们单位什么时候分你们的?怎么从没听你们说起过?"

妈更疑惑:"天上能掉下馅饼来?"

女儿便说,是她大学时候的同学,去美国读硕士,给了全额奖学金,签证已落实,下星期就飞纽约;人家住的那个独单元,起码可以无偿地借给她住五年,这样,她和小孙,打算下星期六,就搬进去住……

爸问:"下星期六?!来得及吗?"

妈说:"其实,咱们家这儿,三居室,挺宽敞的,我们早表过态,欢迎小孙加入咱们这个温馨的家庭嘛……"

爸爸替女儿说:"不是宽不宽、温馨不温馨的问题……要的是一种独立的人生……"

当妈的觉得不中听了:"是呀是呀,独立独立……他们年轻人,还讲究个什么……什么生活的情调呢!……跟我们住一块儿,就不独立啦?丧权辱国啦?成殖民地啦?没情调啦……"

女儿就来搂住妈妈的肩膀,柔声地说:"那房子离这儿很近,我们会经常过来的,再说,都有电话,随时可以互通消息呀!"

爸爸便问:"你们什么时候去登记呀?虽说我也不主张大操大办,总也不能草草率率吧?还有,那房子你们不得再装修装修?……还缺什么,家具呀,电器呀,过日子的东西,知道你们不会伸手,可我们也该帮你们置备一点……虽说往外嫁闺女,好比泼水,我们也总得陪送一点,是不?"

当妈的还在生气:"这么大的事儿,事先也不透个信儿……下星期?开哪门子玩笑!就连通知你姨他们,都来不及!"

女儿就说:"通知他们干什么?你们也别操心!我们俩的事儿,我们自己处理……该办的都会办的……你们呢，先告诉你们一声，因为，毕竟我要离开家，跟小孙单过去了……当然，我们安顿好了以后，会来请你们过去……一起吃吃饭……"

这回爸妈几乎是一起说："快别提吃你们的饭！那一回情人节，你们让我们吃你们弄的什么情调餐，一样热菜没有，光是什么色拉、三明治……那叫吃饭吗？"

女儿笑说："那回，餐桌上不是有挺美的花插吗？还有银烛台……"

当妈的便说："好好好，你们俩就那么过吧，吃那个花插，喝那个蜡烛光吧！"

但是不算老的"老两口儿"到头来是不依也得依，闺女大了，女大不中留啊！

过了两天女儿和小孙一起来，拿他们在一家专做婚照生意的影楼拍的好大照片给他们看，呀，女儿一身婚纱，手里握着好美丽的百合花，小孙一身西服革履，头发梳得好整齐显得好亮堂，两人还不是那刻板老套的姿势，当妈的刚说了句："吆，怎么有点歪呀——"女儿就赶紧解释说："这叫动感，这样才有情调呀！"当爸的挺内行似的，附和着说："是呀，你看，这照片跟油画似的，咱们办事的时候，哪能想象出，能有这样的美事儿！"

转眼间，那天女儿小孙宣布他们搬进那个单元了，并且说，第二天请他们过去吃饭。爸大吃一惊："你们真的不举行婚礼了吗？"妈更是双眉齐飞，望着闺女说："你都不要娘家人送亲了吗？"

谁知女儿竟堂堂正正地跟他们说："我们根本就还没去登记呀！不过我们绝不是乱搞乱来，我们确实相亲相爱，我们住到一块儿，对社会、他人毫无损害，可是我们自己感到非常幸福！我们现在当然不会有孩子……其实除了不想马上登记，我们跟所有的年轻夫妻，没有什么区别，如果说有区别，那也只是，我们的结合可能更纯真、更浪漫罢了……"

"老两口儿"听了差点昏死过去，不过，终于还是只好面对这于他们是既古怪又无奈的现实……

那一晚，能算女儿和小孙的洞房花烛夜吗？"老两口儿"双双倚在床靠头上，久久地默然无语……但终究不能诅咒，最后，他们心头，还是都在为那对相爱的年轻人深深地祝福。

……

画 饼

女儿以往写完作文，总主动拿给他看。这回写完《记一次活动》，却往书包里一塞。他主动去要，女儿脸色泛红，仿佛做了什么亏心事。他好奇而担忧，严肃地伸手索要，女儿扭扭脖颈，从书包里掏出作文，递给他时眼睛望着别处。

这篇作文记的是一次什么活动呢？"……全楼的人都看到了那份贴在电梯边的《倡议书》，几天里，电梯内外，议论纷纷，有的说：'就是呀，咱们楼下的绿地非这么清理一下不可！'有的说：'光凭园林局绿化队和环卫局清洁队的师傅们的维护打扫，解决不了问题啊，利用星期天大家伙行动一下，是个好主意！'还有的说：'光这么拾垃圾不解决根本问题，关键还是家家户户都别从楼上往下乱扔东西！'绝大部分居民都乐意响应倡议，参加'星期日半小时仙帚活动'……"

他边读边摇头。虽说他理解初三学生写作文可以有几分虚构，但女儿这回所写完全是子虚乌有，哪有那样一份《星期日半小时仙帚活动倡议书》？！"仙帚活动"，亏她想得出来！根据这份《倡议书》，全楼的居民，凡有劳动能力的，应尽量在某个星期日早晨九点钟，相约下楼，互相配合着捡拾清除散落在该楼四周绿地和空地的纸张、木屑、砖块、杂物……然后用倡议者捐出的大纸匣和大箩筐集中送往垃圾集中站，前后顶多只需半小时，然后便"仿佛有一把从天而降的神奇的扫帚，拂去了楼周围的污垢……"

他接着往下读。女儿所记的那一次并不存在的活动，呈现出一幕幕令他五味丛生于心的场景。真的吗？"楼上那位叔叔"会在看到《倡议书》后，不但不讥笑地问："一人发多少钱呢？"而且"拾完垃圾以后，用手背擦去额上的汗珠。惬意地微笑"么？"一位高个子的阿姨'，真会"比打扮自己更细心地整理好蔷薇丛下的地面"么？而"爸爸和妈妈"，真的舍得"推迟去会朋友的时间"，"弯着腰，像搜索敌情的侦察兵一样，为拾获的每一件'战利品'相视而笑么？"……只有这样的描写或许是真实的："小男孩和小女孩像过节一样，欢笑地跑着、尖叫着……"

作文读完了。他发现女儿用一种不可名状的目光望着他。他本想鼓起勇气说："或许，你不妨把那《倡议书》真的贴出去……"但他没有吱声却咽了口唾沫。他把目光转向窗外。他看到，几位浓妆艳抹的邻居，正往楼厅里搬运成卷的高档贴墙纸，但小风打着旋子，一些肮脏的纸片和废弃的塑料袋在风中舞动，而且窗外的行道树树冠上，仍潴留着高处扔下的两个生锈的罐头盒。

他惭愧。他企盼着女儿对他说点什么。

换　妆

媚媚的心碎了！

真的碎了，她有一种胸中卡着一堆碎瓷片的感觉，天哪，谁能知道，她那颗破碎的心，辐射出多么强烈的痛苦！

让她心碎的，是那份满街报摊上都在发售的某种名号的《周末版》，该《周末版》竟在头版的报导中宣称——她所崇拜的那位歌星，那位不一定骑白马也不一定仅止是王子的偶像，竟不再与她一直暗中视为自己替身的某服装模特儿"拍拖"，这已足以令她的心裂成两半，更要命的，是那歌星已与她一贯最讨厌的某影视新星订婚！

她不知该诅咒谁，是那勾走歌星的狐狸精，还是那《周末版》该死的记者编辑，或竟直指那有八幅不同姿态的大照片围贴在她床头的歌星本人！

她在地安门街头踽踽独行，只觉得胸中那瓷片般的碎块割得她情感流血。

昏昏然，她走到了阿霞发廊的门口，她本能地推门而进。发廊生意清淡到并无一个顾客。阿霞本人正坐在一只血红的屁兜椅上看报纸，她一眼就认出来，正与她手中已经快捏烂的那份一样，同是那该死的《周末版》！

　　阿霞抬眼一望，是她，不由得尖叫了一声，那是一声含意复杂的尖叫——既惊诧于她的突然出现，又惊喜于她的来得及时。

　　媚媚和阿霞不用多说什么，她们"心有灵犀一点通"，"卿须怜我我怜卿"；发廊的音响正放送着那歌星最勾人魂魄的一盘带子。

　　媚媚呆呆地望着大镜子里的自己——"纯情少女"般的"妹妹头"造型，这正是歌星原来"拍拖"的那个红模最得意的发式，也正是前些时阿霞在歌星的歌声中照着杂志上那红模的图片为她精心仿效而成的；阿霞自己也是那样的一种发型；她们至今佩戴得最多的奶白色气鼓型耳饰和不锈钢枷锁形项饰，也正是那红模在今年挂历上最招人注目的两个细节。

　　媚媚双手举到头上，近乎粗暴地胡乱搓揉着发丝，心烦意乱地说："难看死了！"

　　阿霞嚼着一片口香糖，又把一片口香糖塞到媚媚口中，拍打着媚媚的肩膀，媚媚便趁势坐到了美容椅上，两人一个坐着一个立着，一前一后，腮唇都抽动着，镜子里对望，也没说什么，耳里只觉得那歌声有一种陌生感，钻进心里——心已碎，应是钻进那些碎瓷片的缝隙间——只觉得痛苦中又渗进了些酥痒。

　　阿霞熟练而精心地操作起来，已近完成，媚媚才想起并未嘱咐阿霞应如何造型，但待阿霞将美容椅复位，让她在镜中观察初步效果时，她不禁大吃一惊——怎么阿霞心中所想的，连每一个细节都与她丝丝吻合！

　　媚媚的心确实是碎了，但她回到住处，并没有把床头那些买来的歌星相片揭掉；当晚，她那收录机中又传出歌星的金喉高吭，她在歌声中站在大穿衣镜前，手持一本杂志，旋转着观察自己的发型和"整体效应"，还不时对照着那本杂志的封面——封面上，是那份《周末版》宣称已与歌星订婚的影视新星玉照。

　　唉，一颗破碎的心啊……

焕然一新

　　袁老是"空巢老人"。老伴去加拿大儿子家半年多了，每周至少通一次电话，电话里出现频率最高的词汇是"金融海啸"。儿子很争气，公司裁员几次，越裁仿佛越在肯定儿子对于公司的不可或缺，除非整个公司关张，否则，儿子的位置相当稳固。儿子、老伴来电话自然也问国内情况。袁老总以"风景这边独好"答之。不过，和全球气候变暖一样，这次的"金融海啸"也是全球性的，这边的好风景里，也有寒流渗入造成的叶飘零、花陨落的局部场景。袁老就告诉老伴：这边楼上小倪，就不大妙。那边老伴也不多问，只让他代问声好。

　　如今的商品楼盘跟单位宿舍楼，人际关系完全不同。商品公寓楼，同层门挨门尚且老死不往来，何况不同层的住户。但袁老和老伴却跟天花板上面那户，也就是小倪两口子，有所来往。袁老年过七十摆弄电脑，兴致浓酽，却往往不明不白地出些故障，保修期早过，打电话请陌生人来修总觉得不大安全，在电梯里有时遇上小倪，肩膀上总背着个手提电脑，有天袁老跟小倪点头微笑互相问候完，袁老就倚老卖老，冒昧地问小倪能不能替他排除电脑故障，小倪晚饭后果然过来，三下五除二，很快把问题解决，还留下电话号码，说再有问题尽管找他。后来，遇上国庆长假，小倪跑来，说也很冒昧，请二老给他们帮帮忙。原来，他们小两口有只宠物猫名佳佳，希望在他们去澳大利亚旅游期间，给照应一下，也不是要二老把那猫抱到楼下来养，小倪留下单元防盗门钥匙，请二老每天去楼上给佳佳往水盆里添水，再把储藏室猫厕的秽物清理一下，补充一些猫砂，至于猫粮，已经在一个大食盘里装满了足够佳佳吃一周的。袁老听完笑说："那你们回来发现丢了东西可别怨我！"小倪也笑："我们没有浮财。消费一般都是刷卡。让贼把房子车子偷走吧，反正我们都是长期贷款，他们去替我们还贷吧！"小倪两口子旅游回来，发现佳佳一副幸福得不行的模样，跟袁老和老伴道谢个没完，又送上些从澳大利亚带回来的土产，不收不行！

　　今年春节前，小倪又来，袁老以为小两口又要外出旅游，请他照顾佳佳，谁知小袁说，是来通知一声：春节期间他们楼上会发出一些声音，可能影响到楼下的清净，先道声对不起。怎么？大春节搞装修？这物业也不会批准呀！搞装修的外地人也都回老家过年去了呀！小倪见袁老疑惑，就主动解释说："不是搞装修。丽丽明天出差，春节后才回来。我反正赋闲，等她回来，我要给她一个惊喜！"丽丽是小倪的媳妇。大春节的，怎么会出差？袁老也不便多问，就说："那提前给你和丽丽拜个年吧——也代表我老伴——祝牛年你们财……"才说出一个"财"字，就见小倪脸色大变，袁老反应十分灵敏，赶紧这么往下造句："财富大增！牛年更牛！"小倪脸露笑意，连说："同贺！同贺！"

小倪去年11月被外资公司裁了。丽丽是在一家业务展拓到海外的中资公司供职，原来，她最怕公司分派她在长假期出差或值班，因为她和小倪最爱旅游，也总想利用假期回南方那个他们共同的家乡看望双方父母，现在他们共度时艰，丽丽主动争取到这次境外的任务，除了觉得有必要磨炼自己，也确实是为了不菲的补贴。

春节期间楼外鞭炮礼花声响不断，袁老并没注意到楼上发出了什么声响。元宵节前，丽丽回到家，一进门，就不禁"哇噻"连声。不是重新装修，是小倪把单元里的每一件大小家具几乎都重新摆放过，原来，他们家的布置风格是狂放，现在，变成了温馨，丽丽特别感动的是，在起居室里利用原来的部分沙发和茶几，构成了一个车厢座，她抱起佳佳坐下去，心里暖流涌过。

他们把袁老请去茶话。袁老看惯了他们屋里原来的景象，现在一进屋，忍不住道出声："焕然一新！"小倪和丽丽说，他们都属于"80后"里最大的那一批，他们拿到文凭，走向社会，贷款买房买车，享受小康，父母在家乡都为之扬眉吐气。但是，时代终于考验到他们这一代，就如同袁爷爷袁奶奶那一代曾经历凭票供应的日子，他们双方父母曾经历上山下乡的日子，现在，他们必须经历"金融海啸"引发的寒流……袁老望着他们，心里想，人也焕然一新呀！

悔的边缘

虽已花甲,他从地铁车厢里出来,去往出口的步伐仍相当敏捷。是人流高峰期,地铁站台仿佛一只巨大的鱼缸,人群就像穿梭回游的鱼儿。他被后面疾步往前赶的人从侧面撞了一下,他早已习惯社会中人际间的碰撞,从生理的到心理的到情感的,所以并不为意,本能地一停步,见是一个年轻人,那年轻人的眼光跟他刚一接触,就问他:"三益大厦从哪边走?"他回答:"那应该走东出口……"可是年轻人却马上离开他,朝前几步,又去问站台上报摊的售卖员,他心想,怎么回事?为什么不相信我的回答?我指点得很正确很清楚呀……他这样的年纪,加上他的教养,以及他个人性格中的一种执拗,使他在短短几秒钟里,产生一种慨叹,就是如今社会上人与人之间怎么增加了那么多的戒备?连问路也要三问验证才能确信吗?同时又产生出一种冲动,就是一定要以自己的实际行动,来使这位年轻人树立起信任陌生人的信心。于是他小跑着,穿过江鲫般的人流,追上了那年轻人,呼唤他:"小伙子!"

那年轻人听见他的声音,回头望着他,眼里充满复杂的表情,他一时难以破译,总的来说,大概是无比惊讶。他就对年轻人说:"小伙子,我带你去三益大厦。本来,从这边东出口出去,直接朝前走就能到,最近这边修路,临时拦出许多栅栏,要绕几个弯儿才能走到,不熟悉这边路况的人,如果没人带路,那就可能绕来绕去找不着了……"年轻人瞪圆眼睛,嘴唇蠕动着,大概是想说不用了不用了,他就又微笑告之:"我就住在这边,顺路就把你带到,跟我走吧。"他引领着那年轻人去上滚梯,那年轻人自觉地站到滚梯右侧,他心想,这就说明小伙子还有点文明习惯,大概是个外地考到北京的大学生吧,去三益大厦,也许是到那里头的公司求职面试,那就更不能因为路不熟误过约定的时间,自己带他去真是非常应该,也算是退休后的平淡生活里的一桩小小乐事吧。

出了地铁站,那年轻人就说:"老先生,我自己去吧。"他笑:"看见吗?两边全是临时栅栏,谁都得从这儿过呀……"转了两个弯儿,出现岔口,那年轻人说:

"谢谢啦,您自便吧……"他的笑容更灿烂:"自便?那你可知道该往哪边?来来来,跟我拐这边……"就这样,终于走出栅阵,人流疏散开,前面已经显露出了三益大厦,年轻人煞住脚,这回不知怎么绷紧脸,挺不高兴的样子,挺生硬地说:"行啦,别跟着我啦;我看见啦。"他本想说:"我回家也得经过三益大厦,我把你送到门口吧。"但望见那年轻人的眼神,他想,啊,如今的年轻人都特别在乎自己的隐私权,也许,人家到三益大厦里办事,希望能够保密呢,于是他就站住不动,指点前面说:"大厦的门朝西,拐往西边的时候,留神那地下存车库里开出来的车,虽然规定车子到了出口一定要停下来,看清没有路人才能开出,可是如今就有那财大气粗的人,车子猛地往外冲,上个月就撞倒过一个民工,我正好路过嘛……那开车的还骂那民工不懂城里的规矩……所以,你头回往那儿去,要特别地小心!"

阳光下,一个矮胖的花甲老人,一个身材颀长的年轻人,站在那里,目光交接着。两个人心里都涌动着很多想法,却都无法弄明白对方心里究竟在想些什么。年轻人朝花甲老人点下头,含混地道谢,转身往三益大厦那边走去,老人为了不干扰那年轻人,就且不回家,往另一岔路走去,那边有个公共绿地,他想去那里散散步也好。

年轻人还没到三益大厦就停住了脚步。他猛地扭回头,看那领路的老人还在不在。没影儿了。年轻人的心先一松,接着就越来越紧,仿佛被他自己的手狠狠地捏着。他是在下地铁车厢后,从老人一侧的衣兜里,窃走了老人的钱包。那钱包里究竟有些什么,他还没机会检看。他向老人问路,以及问过老人又去问卖报的,无非都是转移老人的注意力,万没想到的是,这位老人却向他展示出了十二万分的善意……这世界上还真有善吗?真有信任吗?甚至会信任他这样的一个生命?……他的行窃史还很短暂,为使自己这样的行为跟还没泯灭的良心不至于激烈冲突,他总对自己说:这世道哪有什么真正的同情、善意与信任?……一种浓酽的悔意涌上心头,他想马上找到那不见身影的老人,把钱包奉还……他都朝三益大厦的反方向快走了几步了,却又站住了。他在悔的边缘徘徊。他还是觉得以他个人的遭遇而言,像这位老人这样的社会存在还太少,他还不能放弃他的报复心理……

那花甲老人是在绿地的长椅上坐下休息时，才发现自己丢了钱包的。那个声称要去三益大厦的年轻人，自然立即成了他心中的疑犯。他把整个过程细细地回忆了一遍。他心中旋出丝丝悔意。难道无私助人在眼下的世道里竟是一种奢侈甚至一种痴愚？难道世道已经发展到不可以信任任何一个陌生人，甚至就连熟人也必得心存六分以上的戒心？……他的心思也一直在悔的边缘徘徊。当他往家里走去时，他这样想，没有充分的证据可以断定是那年轻人偷窃了自己的钱包，自己以后要把钱包保护得更好就是了；他以十二万分的善意去帮助陌生人并没有错，这样的事情过去倒是做得太少了，而且，应该有更多的人乐于以自己的行动——那怕只是热情为人带路这样的小善，来点滴增加这社会的人际温暖与亲善……

获奖者

得到获奖通知时，不光我高兴，文化馆上上下下整个儿一片欢腾——这种来自京都的奖项，在我们地区可是史无前例。虽然领奖通知上说，赴京路费和食宿费自理，但经馆领导集体研究，同意给我报销路费，食宿嘛，我表哥在北京，临时住几天绝无问题。我正兴冲冲要去买火车票，老汪凑过来，问："你那参赛作品，不是叫《冬日火把》么？"他那眼神，大有狐疑的意味。通知书上，把我的获奖作品写作了《冬日的火把》，这一点我一拆封就注意到了，可是，姓名是我，地址无误，想必是填写通知的人，匆忙中多填了个"的"字，这算得了什么问题？老汪一定是有"酸葡萄心理"，我笑一笑，不跟他计较。

京都领奖，真是风光无限。我也总算是上了一回大台盘。我们三等奖得主一共十个人，在喜乐声和掌声中鱼贯上台，只觉得眼前金光闪烁，尽是要员、名流的慈眉善眼，还没定下神来，已有一双胖大的手递给了我大红锦面的奖状，忙弯腰鞠躬接过，心情仍在极度的激动中，竟又不知怎么地跟着前面一位从舞台另一侧走了下去……在专为我们获奖者安排的座位上坐下后，一颗心还仿佛风筝似的总往高处飘；台上一位要员已在声音洪亮地对我们谆谆勖勉，我紧握着奖状，耳朵里只有敲锣般的感觉，怎么也不能冷静聆听那宝贵的教诲……

忽然，我右边的"同科举人"直拿胳臂肘撞我，我扭过头去，他小声问我："您拿的谁的奖状？"这问题好怪！我把手里的奖状展开一看，呀，不是我的！忙问他："是不是咱俩的弄混啦？"他把他手里的给我看，不是我的；我手里的，他说不是他的……我顿时心慌意乱，一颗心还跟风筝似的，不过，是个断线的风筝了……

台上是企业家在讲话了，那企业家看上去也就三十多岁，比两旁的要员们至少要平均小上十五岁；他没说上两句礼堂里就响起了笑声，我们这些获奖者可没心思欣赏他的幽默，虽说应该静听他的发言——我们得的这个奖以"鑫鑫杯"命名，台上发言者正是鑫鑫集团的老总——我们忙着互换发错了的奖状；说互换还不够准确，是多角交换；我左右两边的二位，换到了他们应得的奖状，我手里的那个奖状，也被隔了三个位子的一位女士要走……但是，我的呢？我的在谁那儿？怎么还不传给我？我右边的那位似乎比我还着急，不住地往更右边传话："有没有佘先生……佘国正的……？"左边一位则凑拢我耳朵说："别着急，这是常有的事……台上发奖的又不认识我们……组织者也很难使发奖人手里的奖状，恰可好跟走到面前的领奖者对榫……"他的解释和安慰并不能缓解我的焦虑……

忽然噼噼啪啪一阵掌声，人们都站了起来，发奖会结束了！我跳起来大声问："哪位手里有佘国正的奖状？获奖篇目是《冬日火把》！"见无人呼应，我就又喊："《冬日的火把》也行！"可是还是没有人答理我。这下，我整个儿成了个掉在地上，而且被踩瘪的破风筝了。

我失魂落魄地走出礼堂，只见要员们和企业家正纷纷钻进他们的专车，会议工作人员正在招呼几位没专车的名流和一等奖获得者登上一辆"依维柯"面包车，其中一位工作人员我在报到时接触过，她总是笑吟吟的，我忙朝她走过去，她大概以为我是要一起登车，蔼然地对我说："真不好意思，因为条件限制，晚上的聚餐活动，只邀请了一等奖获得者参加……"我忙跟她解释，不是要上这辆车，是我没能拿到自己的那个奖状……她耐心地听我说完，脸上的笑容仿若晴阳一般，对我说："真对不起，这是我们工作混乱造成的……不过这很好解决，明天上午您还不离开北京吧？您来找我好啦……倘若没人把误领到的您的奖状退给我们，我们就给您补填一个……"说着掏出一张名片递给我，我心中的焦虑顿时冰释。

第二天一大早，我按名片上的地址找了去，笑吟吟的那位女士不在，一位冷若冰霜的男士告诉我，她因为一桩突发的急事，要后天才来办公室了，但她记得约我来找她的这件事，所以打来电话，让他代她致歉。我问有没有人退给他们一份佘国正的奖状，他说"鑫鑫杯"评奖的事非他分管，请我还是后天找那位女士解决问题。我只好怏怏然离去。

那一天和第二天，表哥带我游览北京的名胜古迹，本该兴奋不已，却因为没拿到奖状，怎么也提不起精神。第二天报上发出了关于"鑫鑫杯"发奖的消息，一共大约五百字，其中套话约二百字，余下的字数基本上全用来开列出席者名单，企业家的名字倒只有一位，而有关部门的党组书记、党组副书记、书记处书记、部门主任、总编辑、副总编辑……以及理事什么的，密密麻麻一大片；得奖者和得奖作品么，只用了这么一个句子："廖寥等三名作者的《大河上下》等篇目获一等奖，另有六名和十名作者的作品分获二等奖和三等奖。"我本以为，没有奖状，会议报道总能为我得奖作证，没想到……

发奖大会后第三天一大早，我跑去找那位女士，她一见我便连连向我道歉道乏，脸上的笑容一直暖到我心里去了；她把属于我的奖状递给我，解释说，拿错的那一位领完奖下了台就走了，第二天才发现错了，跑来换，如今他那个还没人退来呢，看来得给他补一份了，好在他就是本市的……我翻开一看，篇目填的是《冬日火把》，没"的"字，回去一定先给老汪鉴赏！

我高高兴兴回故乡。在火车上，我忍不住，拿出那我平生头一回，也是我们故乡头一回，所领到的，在京都颁发的，全国性的大红锦面奖状，摩挲着……忽然，我不禁瞪圆了眼睛，张开嘴巴再难合上——原来，我的姓氏"佘"，被写成了"余"！……

机 嫂

虽说鸡年应当闻鸡生喜，但乍听人说邱二媳妇是个机嫂，却觉得刺耳。说话的人觉察出我表情不对，就一再地跟我申明机嫂的机是飞机的机，我更糊涂了，在飞机上当班，那该称空嫂嘛，我就多次在航班上享受过空嫂的服务，尤其是美国、法国航空公司的航班，似乎妙龄的空姐并不多，端的是空嫂当家的局面，近年来更时兴空哥服务，想来是更有利于预防恐怖袭击吧。

我跟邱二经常打交道。我在温榆斋这乡村书房里敲电脑敲到饭点，往往是出去散步兼采购，多半会在村旁集市的一个饼摊买饼，以为晚餐的主食。那饼摊的摊主就是邱二。隔着摊位，邱二望去是个雄壮的汉子，但他若一走出摊位，你就会为他一叹，他一条腿有小儿麻痹症的后遗症。记得我头一回发现他那缺陷时，他一定是感觉到我眉尖有些个不自然的耸动，就呵呵地大声对我说："跟麻脸壳一样，少见了吧？如今我们这样的病绝迹了啊，任谁家的娃娃，生出来就给定期打针吞糖丸儿，世道进步了啊！是不是？"但我在很长时间里，始终还没见着过邱二媳妇。

猴年三十晚上，应邀到村友三儿家看放烟花，我们这个村在北京五环路以外，不属于禁放区，因此家家都大放烟花爆竹。还没走到三儿家，路过一家，门口正是邱二和他媳妇，还有他闺女，我跟邱二打招呼，邱二就把媳妇、闺女介绍给我，邱二媳妇随邱二唤我刘叔，我见她穿得严严实实，头上连脖子裹着大毛线围巾，推着自行车，不像是刚回来，倒像是要出门的模样，忍不住就问："大年三十的，怎么不在家吃团圆饺子呀？"邱二代她回答，说是还要去上班，闺女就一再地跟妈说："完了事就回来啊，等你回来咱们家再放花！"

在三儿家一起放过第一轮烟花，坐下就着三儿媳妇烹制的饹馇（把用绿豆面摊成的薄饼裹上菜馅再切成小段，过油炸出）喝二锅头酒，跟三儿闲聊，不知怎么就聊到了《红楼梦》里金鸳鸯三宣牙牌令的情节，三儿没读过《红楼梦》，对据之改编的电视连续剧也没有多大兴趣，但是三儿家有牙牌，当然已经并不是象牙或骨头制作的，而是比较粗糙的塑料制品，我不是跟他讨论《红楼梦》，而是跟他请教那牌的玩法，以利我对"红学"的研究，三儿听我说了半天，告诉我他只会两副或四副一起出的玩法，《红楼梦》里写的是三张牌凑成一副的打法，他可没那么玩过，三儿媳妇端炖好的葱花肘子过来，一耳朵听见了，就笑说邱二媳妇会玩三张一副的打法，我不由得想起她大年三十还要上班的情形，再打听，才知道她是个机嫂。

原来我温榆斋所在的这个村子，离天竺机场不远，俗话说靠山吃山、靠水吃水，这一带的村落在一定程度上也可以说是靠机场吃机场，机场为各村提供了很多的就业岗位。我虽然经常利用飞机旅行，但以前心目中只有机组人员，很少想到还有很多的粗工在机场为旅客服务，比如把行李从行李舱里搬到运输车上，再从运输车上将行李搬上传送带，还有飞机上那些厕所，都要有人将其更新，当然更需要为数不少的清洁工，在旅客完全离开机舱后马上进去清扫、归整，这项工作大都由附近村里的中年妇女承担，之所以不称她们为空嫂是因为她们从来就没有随飞机升入过空中，但她们对机舱内部各个细节的熟悉程度，又大大高于把飞机当做公共汽车来坐的常客，称她们为机嫂，那是再恰当不过了。

破五那天，三儿媳妇把我带到邱二家，跟邱二媳妇算是正式见了面。想到《红楼梦》里周瑞家的、旺儿家的等等叫法，都是不尊重妇女的表现，就请教她的大名，原来她叫樊翠兰，我说今后就叫你小樊，她笑着认可。问她工作上的事，她很高兴地诉说。敢情她进入过的机舱多了，什么品牌型号的，哪国哪地区哪家航空公司的，全都门儿清，小故事也真不少，例如曾在椅背后的夹袋里发现过白金戒指，为把一块口香糖顽渣清理干净而又不损害地毡怎么出了一身大汗……那天我就便请教了她牙牌三张一副的打法，她拿出牌来耐心地讲给我听。

初八那天我就构思好了一篇以小樊为模特儿的小说，写一位机嫂整整八年几乎天天进机舱打扫卫生，却始终没有坐飞机升过空，于是，在鸡年她发下宏愿，一定要买张来回机票，落实隐藏心底许久的向往……

初九邱二饼摊重张，我去买饼，他生意清淡，就得意地跟他说起自己的小说构思，他听明白了，哑然失笑。

昨天应邀再去邱二小樊家，他们已不把我当做外人，遂向我讲起他们哀乐中年的种种情境，他们家虽然三年前就翻盖了住房，但至今还欠着亲友家约两万元的债务，闺女考上了重点高中虽然是值得高兴的事，每年的费用怎么也得五六千块钱，小樊把我带到院里，指着他们家那盖起三年颇为气派，却还没有装饰利落的正房说："我现在一点坐飞机的想头也没有，我向往的是什么？就是尽快把欠债还清，然后花一笔钱，把我家这房的廊脸儿，也像张三哥家那样，请高手来给彩绘，画得鲜鲜艳艳的……"

我小说没写，写了这么篇文章。我希望读者不要再嫌机嫂这俩字扎眼。

急　需

一跺脚，她推门进去。

一个没脱柴禾味道的姑娘迎上来问："您几位？"

她犹豫了一下，四面望望，问："你们老板呢？"

那姑娘认定她是食客，把她引到靠墙的车厢座那儿，请她就座；同时回答说："老板这会儿不在……过一会儿就回来！"又递过菜谱，她下意识地接住了。

姑娘拿笔，点着记账单说："您这就点吗？……我们这儿的锅巴肉片不错，锅巴都是我们自己做出来的，不是大纸盒子批发来的，绝对新鲜……"

她搁下菜谱，说："先不点……我等一个人……"

姑娘便说："那先给您来茶？"

她忙制止："不不，等会儿再说……"

这小饭馆里除了她和那姑娘并没别的人。也还不能说生意差。这是家日夜开张的饭馆。现在是下午三点二十。这时候吃饭算哪顿？

她试着跟那柴禾妞套情况:"就你一个服务员?"

答曰:"唔。"

"人多的时候怎么忙得过来?"

答曰:"老板也干。大厨也往外端菜。"

再问:"缺打荷的?"

答曰:"对。就是给大厨配菜的。原来有一个。他昨天回老家了。他妈病重了。"

还问:"生意怎么样?……挣的多吗?……"

"还可以吧……"不怎么积极响应了。

"打荷的一月能给多少?"

"五百多吧……"马上觉得说漏了嘴,立刻补一句,"我也不知道……"

还想问,那柴禾妞转身走了。有辆出租车停在了门口,进来个司机。这时候吃饭?对,吃。看来是个常客。柴禾妞跟他有说有笑。点了宫爆肉丁和甩果汤,一碗米饭。

招待完那司机,柴禾妞来问她:"点吗?"

她说:"我等的人……还没来……"

柴禾妞要离开,她示意且慢;对方望着她,她忽然吐出一句:"我来打荷怎么样?"

对方满脸漾着笑意。笑意中明白无误地表达着这样的回应:哪能呢?你们城里人!

是的。她虽曾在兵团农垦过八年,可自打返城后便二十年再没离开过。她身上自然散发出一股子城市的气味。但是……现在像她这样的城里人又一次遇到了困难。她下岗了。她已经找了半年的工作。凡她想去的地方,都被婉拒了。今天她走过这里,门上一张"急需打荷,待遇从优"的招贴,使她在腿脚酸疼中,一时冲动,走了进来。五百多?少是少了点,可是,光是想到上初中的儿子小磊,她也意识到,她现在急需挣到哪怕五百……

忽听道:"老板回来了!"

她站起来,迎上去,定睛一看,大惊失色。

"哎呀！李阿姨！"对方先热情地招呼她。

"小红！"

底下她晕晕乎乎了好一阵。公公在世病危的时候，小红曾在他们家当过一段保姆。没想到五六年过去，小红已然当了小饭馆老板！

也不知道小红都还说了些什么，更不记得自己都吱应了些什么，只是忽然清楚地听到小红在问："……等叔叔来吗？今天我请客！我这个大厨不错的！……只是暂时缺个打荷的……所以有的菜上得慢一点……"又听那柴禾妞在说："阿姨还开玩笑，说她来干打荷呢！"小红便笑："真的吗？"……

她心头像有个兔子在踹。喉咙里有两句话在恶斗，不知哪句话会冲出去，一句是："对，我急需工作，我来打荷……"一句是——终于还是它蹦了出来："当然，看你门上写着，所以开个玩笑……"

以"他怎么还不来？我去外头打个电话……"告别收场。她彳亍在大街上。

寄 存

吃晚饭的时候，我最怕门铃和电话铃响，那回先是门铃响，我正搛了一个肉丸子放入口中，门铃忽然急促地响起，差点让我噎住。好在老伴去儿子儿媳妇家了，要是她在，会心软，尽管十二万分不乐意，总也会去到门边，隔门大声问"哪位"，而且只要那声音听来和善，即使陌生人，她也会先开出一条缝儿。我的心比老伴至少要硬两倍，任凭那门铃声叮咚连响，且吃我的饭，反正我又没跟谁预约，是他干扰了我，我绝无接待义务，对不对？

门铃倒终于不响了，电话铃却又响了起来。我家的电话铃声设定为一种优雅舒缓的旋律，但不去接听，它竟来回来去地响个不停，听来虽然不扎耳锥心，也够让人腻烦的，我忽然想到，会不会是老伴在儿子家有什么急事，就搁下筷子，过去抓起话筒，里面立即出现了邻居小詹的声音，难道是他有什么紧急的事情要求助于我？我这么一问，他连说了一串"对对对对……"，我就问他在哪儿给我挂电话呢，他说就在我家门外，我恍然大悟，刚才按门铃的就是他，按不开，所以再用手机呼唤我。

我们这几幢楼，原是行业内部的宿舍楼，十年前按优惠标准分别卖给了住户们，近年来可以上市交易，有的单元成了出租屋，有的已然卖出过户给跟我们这个行业了无关系的人士，因此邻居间越来越生疏。我原来就是个不善交际的人，楼里生面孔越来越多以后，点头打招呼的频率大减，乐得"老头拉胡琴——吱咕吱（自顾自）"。不过这小詹却是见面不仅要点头打招呼，还多少要添几句不咸不淡的话，那是因为，小詹的父母跟我在一个单位共事几十年，虽说始终没成为知心朋友，却也从未产生过什么过节儿，小詹是我眼看着长大的，他父母不幸在前些年相继亡故，他继承了父母那套挺宽敞的住房，前数年娶了个漂亮媳妇，又生出了个洋娃娃般的小公主，这两三年觉得他是名利双收，开着辆我也叫不出名儿的血红的小轿车，似乎比同楼的那些私车都显得档次高些。记得去年春节长假结束前一天，在楼下遇见他们一家三口从车里出来，说是刚从新马泰旅游回来，大包小包地提拎着，让我好羡慕，心里也暗暗为他那亡故的双亲欣慰。

小詹跟我住一幢楼，但不在一个单元门里，楼层也不一样。他从未来过我家，我当然更没去过他家。他怎么知道我家电话的？一定是从传达室那里问来的。我开门迎入了他，他灵巧地闪入，绕过餐桌，走到门厅深处，我请他坐到沙发上，他也不坐，只是叫我伯伯，说他要把一样东西寄存在我这里，过些天再来取，我这才注意到，他手里提着一个密码箱。

老伴回家来后，我把小詹寄存密码箱的事告诉给她，原以为她会把我严厉责备一番，没想到她比我更开通，说："既然他解释了，已经买了新房子，正装修，这边的房子要卖掉，常会来看房子的人，所以把这么一箱子细软什么的暂存咱们家，我看也就别往歪处想他啦。他最近常到电视里当嘉宾，难道他这样的人会往咱们家藏匿毒品吗？他肯定是老早听他爹妈说过，遇上什么事，最可托付的就是你，这也算两代人的信任了。再说，咱们在这三楼里住了快三十年了，一次溜门撬锁没遇上过，咱们这样的有传统传达室的院子，比新近那些个有什么物业公司、穿制服的保安的商品楼盘严紧多了。怎么老同事儿子来寄存这么点东西，你就蝎蝎蛰蛰的，哪儿还像条男子汉！"

两个多月过去，总没遇见过小詹那辆血红的小轿车，也没遇见过他们家的人，他也没来过电话，那只密码箱在我家隐蔽处秋毫无犯，但电视节目里又见到他当嘉宾，侃侃而谈，我当然也就绝不为寄存一事蝎蝎蛰蛰。

万没想到的是，前两天老伴又去儿子家了，我吃完晚饭，刚收拾完，门铃响了，我想了想，就去开门，门外是个女士，刚开始没看清楚，后来发现不是别人，就是小詹的媳妇，忙把她请进来，让坐，倒茶。她刚坐定，就开门见山地问，詹某人是否在我这里寄了东西？我望着她那双纹过的眉毛和拉过双眼皮的眼睛，觉得心里发堵。她似乎看出了我的疑惑和反感，莞尔一笑，开诚布公地宣布："我正跟他进行离婚前的财产分割，他很不老实，隐瞒了他工资以外的收入，他跟我结婚时，并没有就财产问题签下任何协议，因此婚后双方财产共享，哼，他以为他那些稿费、版税、劳务费什么的可以瞒天过海藏匿起来，我现在把绝大部分付款底子都找到复印了，他必须把这些款项分一半给我！"

我反胃、恶心，就说："您闹离婚，闹到我家来了！我跟你们的事有什么关系？"

那女士脸上漾出一个得意的笑容，告诉我："他在您家寄存了一只密码箱。那可是我们必须分割的财产，您要是单只交给他，而被他再次转移藏匿，那我可要在诉讼里把您作为第二被告的！您要一直保留到法院派人来取才能交出。"

我大声抗议："岂有此理！我根本就没见过什么密码箱！"

她站起来告辞，笑吟吟地说："老伯伯，您怎么连这个也不知道：现在是有私家侦探的啊，我雇的那个，水平就是高！"

她怎么消失的，我也弄不清，只记得老伴回来往我嘴里塞药片时，我惊惊咋咋地问她："你进咱们楼……甩没甩掉……尾巴？"

拣芝麻

对"唐老"的称呼，他渐渐地习惯了。

一种新习惯的形成，意味着某些旧习惯的消弥。

比如，他原来习惯于说："不要拣了芝麻，丢了西瓜嘛！"

有时是在他所主持的最严肃的会议上，严肃到庄严程度地说，于是就有与会者将他这句话录到笔记本上，并且在下面画上双线。

有时在与同僚交换意见时说，语气诚挚而持重，往往令对方大佩服，不由得频频对之点头。

有时是在向他的上级汇报工作时说，声调变为舒缓诙谐，上级当时虽没有什么特别的表示，但事后上级在视察或作报告时，偶然引用他的"名言"，即使并不指明是得之于他的汇报，他亦心舒神畅——其实那"名言"古已有之，专利本不属他，只不过他据之为口头禅，并在他的工作实践中确实身体力行，给人印象深刻罢了。

在家里他也是动不动就要老婆孩子乃至到保姆"弃芝麻抱西瓜"，例如女儿葆青刚往电视机前一坐，他照例就要说："大好时光，你哪能就这么都用在拣芝麻上哩！"葆青照例就要顶撞："芝麻营养价值超过西瓜！"……他倒也看电视，主要是《新闻联播》，他认为只有《新闻联播》算是"电视西瓜"。

离休后的头一年，"弃芝麻抱西瓜"仍是他的口头禅，但有一回葆青给了他一个强刺激——当时他正系那套银灰色的中山装的衣扣，准备去出席一个什么新产品的新闻发布会，上主席台就座；葆青当着司机小罗便嘲笑他说："爸，您现在怎么什么帖子都不论，一请必去呢？您也该挑挑拣拣，看哪个是西瓜，哪个是芝麻呀。今天这个新闻发布会您闹明白了没有：分明是个关于芝麻糊的活动！"小罗忍不住捂着嘴乐，他气得直瞪眼……但到底他还是去了，当晚北方电视台的晚间新闻节目里，还有那新闻发布会上他表情肃穆的一个镜头，在屏幕上滞留了两秒钟之久。

后来夏天到了，他钓鱼回到家中，葆青扔着一份请柬嬉皮笑脸地对他说："爸！特大喜讯！您一准得去！人家这回可是开办'西瓜节'，您是抱西瓜大王，您不去，他们那'节'可怎么揭幕？"他没生气，只淡淡一笑，也没怎么歇着，便收拾起他那渔具来——葆青从旁看去，大吃一惊：他那姿态神情，比拣芝麻更像拣芝麻！葆青本想再调侃父亲几句，望着父亲那弓着的脊背和一双整理钓丝的现出老人斑的手，忽然转过身去，直咬嘴唇……

今年春节，上门贺节的比以往还多。葆青发现，父亲有了个小癖好：凡有那带着小娃娃来的，父亲总忍不住要把那小娃娃揽过去，或放于膝上，或抱在怀中，有一次竟至于把虹表妹的小儿子架到了他的肩膀上，任凭那娃娃拍打他的额头，还呵呵咧着嘴笑……

葆青心里挺不是滋味，不仅她小的时候，父亲净忙着"抱西瓜"而全然顾不上揽抱抚爱她这粒"芝麻"，就是她那上到高中的儿子，小时又何尝有过虹表妹那个丑娃娃的待遇！

但不管怎么说，唐老的生活中如今弥漫着芝麻的芳香，总是一桩西瓜般甜美的事。

节 拍

他抱着那节拍器，走进了楼区。

在经过绿地时，他见合欢树下的石椅空着，便坐上去，且歇一时。

他打开包装盒，取出节拍器，摆弄着。他让节拍器打出很急促的拍子，那声响让他觉得很可笑。他换成舒缓的节拍，把节拍器放到石椅上。

过来个老头。一见就是个爱跟陌生人搭话的唠叨人。他赶紧把目光移开，老头却仍然在他跟前站住，并且躬着腰，和和气气地问："……学琴……几岁啦？"

他把节拍器挪到自己膝盖上，老头便坐在了他旁边。老头还问："……没上学呢吧？……"

他含混应答着。老头很高兴，认为总算找到个谈伴了，便跟他絮叨起来："我们晶晶学三年啦，都通过五级了！……啊，晶晶是我孙女儿，我闺女的闺女……以往只把儿子的闺女当孙女，闺女的闺女得挂个'外'字儿……如今男女平等……一样的骨肉，分什么内啊外啊的，您说是不？……您的是闺女还是小子？……现在是弹汤普森呢还是弹车尔尼？……晶晶他们最近在东城少年宫那边有汇报演出，我从报纸上看见的广告……唉，可惜我这儿没琴，所以他们就来得少了……我还是挺高兴！……您家老人那边有琴吗？……如今学琴的一多，钢琴的价没见有落，倒是居高不下啦……"见他没个回应，老头这才"唉"出了一声来。

夏阳透过合欢树枝叶的间隙投射到那节拍器上。节拍器还在击出舞步的节拍。他忽然感到那节拍声有一种诉求的情调。他心软了。不再把那坐在身边的老头视为厌物。他偏头望老头，老头正偏着头望他，显然老头那样偏头望他已经好一阵了。他对老头笑笑，老头一直保持着的微笑更浓酽了。

然而他一时还是找不出话来跟老头说。老头却又开口了："……您倒是个沉稳的人，还能跟这儿坐，听我唠叨唠叨……晶晶他们一家子，特别是我那女婿，别说跟这儿他不会坐，就是到了我那屋，也忙得顾不上往沙发椅子上坐……也不是他存心不要坐，他坐得下来吗？要么，腰上 BP 蛐蛐嘟嘟了；要么，手里握的大哥大马蜂嗡嗡嗡了……他来是一阵风，走是一道烟……也不是对我不孝顺，他两边都孝顺着啦，可他会把给他妈买的睡衣撂在我这儿，把给我买的 T 恤搁在他妈那儿……闺女和乖孙女儿倒愿意跟我多坐坐，可两人都要考证儿，考了这个证，又考那个证，到了这个级，又要奔那个级……都是忙得恨不能生翅膀的人！……您倒沉稳！……"

他其实也未必有多沉稳。他关上节拍器，把节拍器放进包装盒。他对老头儿笑笑："今天真晴……也不算热……我该走了……回见！"

他便走了。边走边惊异自己没像一阵风或一道烟。他是不会把节拍器撂错地方的啊……想到这儿他笑了。

……他上了楼……按了门铃，门里是欢快的声音……门开了，露出喜容的是个老太太……老太太接过了那节拍器……

……屋里靠墙摆放着崭新的钢琴。打开包装的节拍器马上被放到了钢琴上，在一只仿唐三彩马旁边……乐谱架上是一本合拢的《儿童钢琴简易教程》……

他环顾着，露出惊奇的表情。屋里原来的窗帘、沙发套、沙发上的腰枕、桌布什么的，要么是棕色的调子，要么使用的是蓝地白花的蜡染布……而现在都换成了淡粉与鹅黄的基调，也还使用着蜡染布，不过都是白地艳红并配以翠绿图案的那种了……

他不禁赞叹："妈，您这儿一切都变得年轻了！"

妈妈把那本《教程》取下递给他："今天邮局才送来的……"他接过，翻开，在扉页上看到妹妹那熟悉的"凤舞"："给开始第二个童年的妈妈……"

……妈妈坐到琴凳上，用上节拍器，看着《教程》上的"蝌蚪文"，弹出了一条最简单的练习曲……

他发觉自己居然一直站着……他害臊了……他把自己安稳地沉落在沙发中……他从侧面看到母亲那双粗糙的手在琴键上爬动，并注意到母亲眼角流溢出的异样光彩……

退休的母亲倾其积蓄，圆了几十年隐藏在心灵中的一个永未褪色的梦……无数细微的往事忽然在他心中复活并涌动飘飞……

节拍器指挥着最单纯的音符，那琴音的节拍使他感到自己胸中的那颗心抖落掉了许多的灰尘……

今夏流行明黄色

猛不丁觉悟过来，已经晚了！

珊珊急匆匆地跑过几个自由市场，最后总算在秀水东街那儿买到了一件连衣裙，全黄色！黄得扎眼！

她穿着它去赴约会。

"我差点没认出你来！"男朋友上下打量着，眉毛飞上去。

"你没想到我也能弄着一件吧？唉，都怪我小病了一场，才半拉来月，跑到大街上一看，嗬。时兴上这号亮黄亮黄的了！怎么样，够派吧？"

"嗯——"男朋友的眼光分明不怎么能赶上趟。

穿着那连衣裙去上班，刚一进财会科，几位女伴就围了过来。

"哟，你这不对劲儿，眼下时兴的是明黄，不是这号杏黄！"长着一双丹凤眼的吴淑丽警告着她。

"当年不是只有皇上家才能用明黄色吗？这年头，个个姑娘都想当女皇了！"韩大姐一边叹息着。

珊珊不计较韩大姐的评语，可淑丽的话却让她全身冒着汗。

回到家，妈妈责问她："怎么刚穿两天的新衣服，就让你这么一卷巴扔到了一边？"

"您懂什么！它黄得不对！"

妈妈耸耸肩膀。这年头，姑娘们竟敢一身黄地摇来摆去。她当姑娘那阵，连"黄"字也不敢说哩。"你这人真黄"那就离坏分子不远了。

再一次赴约，珊珊转着身子让男朋友看清楚："是正经明黄的，不是错色的！"转完了，她指点着远处的黄衣服姑娘向他宣谕："瞧，不对，又一个不对，她们都没弄着正庄货，杏黄，多怯！浅黄，太嫩！土黄，老气……"

男朋友想表现一下独立思考能力："我觉得柠檬黄不错！"

"柠檬黄？！还橘子黄呢！"

　　珊珊得意地把明黄色穿到了财会科，吴淑丽头一个尖叫起来："新潮！这回够新潮了！上下分开两件套，比那古古板板的连衣裙洒脱多了！"

　　珊珊正笑成一朵花，淑丽凑到了她身前，没想到用手指头一捻她的料子，一双丹凤眼就"开了屏"："呀！你这料子不对！如今时兴的是光面软缎，你这个——"

　　珊珊的笑容枯萎了。

　　再一次赴约，她把伸脖瞪眼的男朋友后背一拍："你瞧哪儿呢？"

　　男朋友扭过头，一瞧："你——我以为你还是明黄色呢，让我好找，满眼净是明黄色了！"

　　珊珊这天穿的却是一件淡紫色的连衣裙。

　　"你怎么不黄了？"

　　"什么话！你才黄呢！"又"扑哧"一笑："算了算了，反正也撵不上了，活该了！"

　　两个人摽得紧紧的沿着湖边发腻。到了一棵大柳树下，男朋友买蛋卷冰激凌去了，忽然有两个姑娘走过来问："您这连衣裙哪儿买的？"四只眼睛来回打量，把珊珊给弄糊涂了。

　　……珊珊和男朋友吃着蛋卷冰激凌朝前遛，若干明黄色姑娘与他们交错而过，不时地回过头来。

　　今年秋天该流行淡紫色了。等着瞧吧！

1986 年 10 月

韭菜泥

十三楼住了个小伙子外号叫查米，豆芽菜身材，刘易斯式板寸发型，下身没冬没夏总穿罗伯水洗裤，上身只要天儿不凉便只穿彪马牌 T 恤衫。他在一家合资企业当差，每天早出晚归。他进楼等电梯的时候，邻居们跟他打招呼，他毫无反应，原来他耳朵眼里总塞着蚕豆大的立体声耳塞。

十三楼还住了个小伙子外号叫炮锤，倒锥形身板，陈真式不开缝发型，腰里没冬没夏总围着条大板带，上身只要天儿不凉便只穿一件雪白的普通圆领衫。他是园林局绿化队的花木养护工。每天早晚，人们常可以看见他在楼下绿地一角练拳。

查米和炮锤既住同一层，难免不磕头碰脸，不管查米有没有反应，炮锤总主动跟他点头。这天两人又在电梯口遇上了，炮锤习惯地一点头，查米冲着炮锤"哎哟"一声，倒让炮锤吃了一惊，不由得问道："你怎么啦？"

查米对于炮锤，一向"忽略不计"，这回因为病魔袭来，不免破例对话，也算是利用倾诉痛苦来一点心理自疗。原来查米右手的拇指、食指和中指，全都屈伸困难，得了腱鞘炎。他在合资企业天天守着计算机键盘工作，这毛病可害他不浅，头天因为工作效率降低，已吃了经理微笑警告。炮锤要捉住查米的手看看，查米躲开了。

这天炮锤下班时候听开电梯的姑娘说，一过中午查米就回来了，说是已经没法子工作，到医院去本要打封闭针，可他有过敏反应，又没打成，现在连拿筷子吃饭都困难了。

晚饭后炮锤头一回去拜访查米。查米人儿锃光瓦亮的，住的那间屋子却乱七八糟像个鸡窝。炮锤说给他发发功试试，查米回绝了，说他只相信现代科学所精确验证的东西。炮锤就介绍他一个偏方——用中药九分散拌新鲜韭菜泥抹到手上，一天换两次，预计五天之内能好。查米只是冷笑。

第二天查米又去医院，大夫说打不成封闭只好让体内抗体慢慢把炎症化掉。

查米在医院往工作机构打了个电话，人家说已派他人上机，给他半个月的时候把病治好。查米苦笑着回楼，他半个月内将"颗粒无收"，半个月后倘手病不愈还很可能有"笑面清炒鱿鱼卷"在等着他。

谁想一进电梯，电梯姑娘就递给他一个木碗，里头喷出一股浓烈的气味。电梯姑娘对他说："快拿去！是炮锤给你配的药，如今韭菜都下市了，炮锤骑车到老远的红桥集贸市场给你找来的，还不快抹上谢谢人家去。"

查米到家把药抹上，嘿，不到一小时发炎的部位就阵阵发痒。查米去敲开炮锤家的门，跟炮锤道谢，这才发现炮锤住的那间屋子整个地是一个文化气氛极浓的雅致书屋，炮锤正挥毫作画，见查米来了高兴地迎上去。

五天后查米上班去了。午间休息时间他对经理说，他有一位好朋友使他坚信，莱布尼茨与八卦推演的二进位与现代计算机之间确有某种内在缘分，而楼里的人们从那天以后都发现，即使查米耳朵里仍有耳塞，他也变得乐于主动跟大家打招呼了。

卡通熊与胡姬花

最近遇到两桩蹊跷事。

一次在我出差前。傍晚散步，路过我们那个小区五号楼下，忽然有一样东西从前方三楼窗内抛出，一方面那东西是斜向我所在的位置迎面落下，另一方面事出突然我也躲避不及，结果那东西砸到了我肩膀上，把我着实吓了一大跳。那东西从我肩上滚落地上后，我才把它看清楚——那是一只比婴儿还大的卡通熊；我拣起它来，弄清楚它是绒布缝制的，芯里大概填的是泡沫塑料，怪不得砸到我肩上只是让我受惊，倒并没有造成什么伤害。卡通熊通体乳黄色，内耳壳、圆鼻头和四只熊掌土黄色，嘴巴咖啡色，两只眼睛用鼓鼓的黑纽扣体现，煞是爱人！熊耳朵上，还挂着标志品牌的硬纸卡，显然是刚从商店买回来不久。这么好的一只卡通熊，怎么会被人从窗户里抛出来呢？我纳闷地抱着熊朝那抛出它的窗户望去，并没有人从打开的窗扉俯身朝下寻视……啊，我想，一定是那家的"小皇帝"耍脾气呢，可不能这样溺爱啊！……

从那窗户的位置，我分析出那家该住在五号楼的301室。于是，我便上楼，去按301室的门铃。门开了一条缝，是个年龄比我大的，奔花甲的男士，他一眼就看见了我手里的那只卡通熊，可是，他那表情，却古怪得难以形容。紧跟着，他身后露出一位摩登女郎，总有二十好几了，已经完全脱掉了学生气，双眉竖麌地瞪着我问："您……找谁？"我举起那卡通熊，还没说出话来，那女郎便朝我连连摆手，喊出声来："不要不要不要……"那男士很为难，想接我手中的熊，却又很是犹豫；我说："这该是你们家的啊……"那女郎把那男士推开，冲我嚷了句："该是你们家的！……"说着砰地合上了门。我抱着那熊，既尴尬，也气恼。这算怎么一回事儿呢！

我去了居委会，向他们讲述了我的遭遇见闻，并把那只卡通熊交给他们处理。据他们说，那单元里住着小两口，结婚没有多久，还没孩子呢；我看见的那男士，该是那新媳妇的父亲；父亲鳏居好几年了，很是疼爱闺女女婿，常来看望他们，平时感情挺好的，不知怎么今天闹上了别扭；也许，是那女儿嫌父亲还把她当小姑娘看待，所以不高兴，可，那也不至于就把卡通熊扔出窗外，人家拣起来给送上去，还硬把人家给轰走啊！……

后来我就出差去了。因为我好歹也算有高级技术职称，所以坐的软卧包间。回家没几天，忽然有人按门铃，开门一看，首先落进眼帘的，是一盆胡姬花，那是极昂贵的一种兰花，原来只有南洋才能生长，现在大概我们这边的花卉公司也引进栽培了……美丽的胡姬花上方，是一张微笑的脸，未等我开口，那送花的女士便笑吟吟地对我宣布，她是某花卉公司的，给我送花来了，又问我可以进屋吗，把花放在哪儿。我忙对她说："您一定搞错了！我没订过你们公司的花……"她微笑得更加灿烂，对我说："是您的朋友给您订的……"这让我更加糊涂，我的什么朋友会送我这样贵重的花呢？何况这天离我的生日很远，我家也没什么该庆贺的喜事……我说："您一定弄错地址了！"她拿出送货单给我看，上头明白无误地写着我的名字和详细地址，可是，却又没有赠花人的姓名和地址……开头，我坚持不收那花，可是，送花的妇女竟慌张起来——她本是个下岗女工，好不容易才谋到这么个差事，那天又是头回跑外送花，她怕我退回去会影响公司经理对她能力的怀疑……于是，我只好收下了那盆从天而降的胡姬花。胡姬花虽美，于我而言却仿佛是偷来的东西，我望着它只是发愣……爱人回到家来，问起，我解释不清，她虽笑笑，没再追究，但从她那眼神里，我能感觉到胡姬花确实引出了她的狐疑……

第二天我一下班便直奔那家花卉公司，非要他们提供送花者的信息，他们找出一张名片，递给我看，咦，很眼熟嘛……我想起来，我前些时出差，回来的火车上，同包间的一位戴大钻戒的老板，曾主动跟我交换名片，正是他！我立即借花卉公司的电话，给那老板的手机打过去，居然马上接通了，我开门见山地问他："你送我那么贵重的胡姬花干什么啊？"他那边也开门见山地回答我说："不好意思不好意思……那天我们聊起来，互报了属相，回来一想，不对头啊；您属鸡，我属兔，俗话说，鸡兔不同笼啊，鸡兔同了笼，账目难算清啊……我们生意人，不能不避邪啊……其实，您就只当是个玩笑嘛……您多包涵……"电话断了，我气呼呼地把那老板的话学给花卉公司的经理听，花卉公司经理并不以为奇，帮那老板开导我说："糊鸡糊鸡，把鸡烧糊，鸡兔同笼的晦气就破掉了嘛……反正您这样的人又不信这个，白得那么好看的一盆花，有什么亏吃？……"我这才彻底明白！

也不知怎么跑出那花卉公司的，气呼呼地回到我们那个楼区，迎面遇上居委会的王大妈，她抱着乳黄色的卡通熊，叫住我，那意思是该特别跟我交代一下："这熊确实是五楼 301 他们家的……父亲还按原来的想法，以为闺女小时候喜欢熊，这回生日就还给她个熊，谁知道那闺女两口子都是股民，今年被套得牢牢的，怎么做也翻不过身来，所以一见这熊，就觉得不吉利，人家盼的是牛市不是熊市么……人家坚决不要，老搁在我们办公室也不是个事儿，现在决定送到托儿所去，您看合适不？……"我一听，本来就发涨的脑袋，一下子更大了……

看倒影

S君的油画越来越引人瞩目了。那天我去他在农村的画室，迈进去就看见一幅接近完成的大画，那画上显示出一个倒立的人形，比例与真人相似，很不规整，觉得飘飘忽忽的，不禁说："这画为什么倒放着？"不待他回应，我又说："啊，故意倒着画人——你又在玩什么新花样？'后现代'不过瘾，又玩'后后现代'？"他迎过来，笑道："您再细看看，这幅可是完全写实呢！"我立住脚细端详，看明白了，却还要问："你这画的是谁的水中倒影？"

S君招待我喝下午茶，细说端详。他出生在南北交界地的一个小村庄，在乡里上的小学，在上到四年级以前，他说他都还没有开"眼窍"，就是他完全不懂得审美，直到有一天，他们的班主任老师，他记得姓蔡，那时候大概才二十出头，活泼泼的，像是同学们的大姐姐，既教他们语文，也教他们算术，又教他们唱歌，也带他们做操，那一天，蔡老师跟同学们在河边做游戏——那个乡村小学没有围墙，迈出操场不远就有一条小河，蔡老师说不玩"老鹰捉小鸡"，大家都来当老鹰，她当带头的大老鹰，我们是一群小老鹰，大家一起飞飞飞——就是她身后的那个同学拉住她衣裳的后襟，然后其余同学一个接一个地拉住前面同学的衣裳后襟，大家步调一致地沿着河边的草丛跑呀跑、跑呀跑，笑语喧哗，快乐非常，蔡老师高声宣布："注意注意，老鹰要休息啦！"然后逐渐放慢脚步，最后停了下来，后面的一些"小鹰"仍免不了失去平衡，跌倒在地，蔡老师就回身检阅，关切地问："跌疼了吗？"跌倒的和没跌倒的就嚷成一片："不疼不疼！"后来蔡老师就跟同学们一起在河边小土坡上坐下休息，就在那个下午，蔡老师亲切地跟同学们说："要学会看风景啊！不要光往岸上看，要懂得看倒影啊！看呀看呀，小风吹过来啦，河里的倒影怎么样啦？……"S君强调，蔡老师指点倒影的那一刻，对他来说，是生命中最宝贵的审美启蒙，从那一刻起，他开了"眼窍"，能够发现现实世界里，可以被称作"美丽"的事物了。当然，这种理性的归纳，是多年以后，才提炼出来的。而且，蔡老师的这种审美启蒙，也不是每一个同学都能理解与吸纳的。S君承认自己早慧，他说当许多同学仍然懵懵懂懂的时候，他就不仅能飞快地领悟蔡老师的指点，而且，还能主动地去求教："蔡老师，除了河里头的倒影，还有什么是好看的呀？"

他至今还记得蔡老师跟他说的话："那些一般人没感觉的东西，你要产生感觉才好呀！比如我宿舍外头的那架丝瓜，有的人看见，他会想着，瓜棚好遮阴啦，嫩丝瓜好做菜啦，老丝瓜成了丝瓜囊好拿来用啦……你出去细看看，你看那瓜藤上的嫩藤尖，它好想往竹竿上攀呀，它在微风里颤悠悠呀，它多可爱呀，多耐看呀……"他就真的跑出蔡老师宿舍细看那瓜藤尖，他说，那半透明的带有小绒毛的最尖端凝出一粒细水珠的丝瓜藤的嫩尖，第一回唤起了他作画的冲动——虽然老早就有美术课也画过许多给老师去评分的东西，他意识到那些都不是"美术"，也算不上是"画儿"……

他说蔡老师相貌平平，但有时候蔡老师让他觉得很美，比如有一次蔡老师教他们算术，做一道例题，忽然蔡老师脸红了，连连摆手说："哎呀错啦错啦，不好意思，算错啦！"于是再从头做起，还告诉同学们，她为什么算到那一步出了错，提醒同学们吸取教训——蔡老师纠正自己错误的那几秒钟，在他心里产生出一种不光有颜色、线条、光影、动感的形式美，还有一种更深层次的美感，当然这也是他多年以后才提炼出来的感悟。

我问："这位蔡老师教你们的时候，该是改革开放初期吧？那时候她就能注意对学生进行美育，真不简单呀！又过去快三十年了，她已经桃李满天下了吧？"S君说，他小学毕业以后，到镇子上初中，毕业前回老家小学去找过蔡老师，人家告诉他，蔡老师考上大学，离开好几年了，究竟是哪所大学，谁也说不清，这让他无比惆怅。后来他到县里上完高中,到省会读完大学本科,毕业后又到国外闯荡了几年,一直没有忘记蔡老师的启蒙之恩。现在他画这么一幅《倒影中的启蒙者》,正是为了抒发胸臆中的一汪情愫。

我和 S 君探讨,蔡老师的美学意识,是她读了一些美学著作产生的,还是天性中自发的?她对学生进行美育,是自觉的,还是无意的? S 君说他无从判断,但他将在那幅大画里表达这样的意蕴:这样的一个生命,必是快乐而有福的!

客厅里的嗡嗡声

高耸的塔楼,窗外是车水马龙的环路——这是京城新居住区的典型景象。春风吹绽了楼下绿地的白玉兰,灰喜鹊跳跃在水池边,孩子们尖叫着荡秋千,老人在桃花与迎春花之间摆开棋阵⋯⋯有人在问:云老怎么不露面?

云老前些时不慎摔倒在卫生间,还好,无大碍,只是扭肿了脚踝,到医院检查处理完,在家中静养。

最近云老家中,时不时有关于什么是真正的朋友的议论。

议论之始,自然是因为得知云老脚伤,有上门探视的,有电话致慰的,一时间,家里又热闹起来。儿媳妇就说,老爷子还真算人离了,茶未凉。儿子说,礼数而已;望望在南窗边躺椅上闭目养神的老爷子,又补充说:那年请老爷子当评委,主办方把老爷子的一幅画儿也列入参评之作,结果,一位评委打头炮,说举贤不避亲、选优不讳友,力主老爷子拔头筹,其他评委一听,哄然称妙,就让那奖杯,成了咱们家一个装饰品,陈列到如今,可是,半年以后,背靠背评一个级别更高的奖项,老爷子那幅画,仍被提名,评委呢,主体还是那几位大仙,结果怎么样呢?⋯⋯说到这儿,老爷子也没睁开眼睛,就从南窗那儿掷来爽朗的笑语:"也不过是,少拿回一个装饰品罢咧！"儿子儿媳妇就跟着笑。

孙子从他那贴着大幅跑车手海报的屋子里，一身运动装走出来，他妈就问他："又会网友？你就不怕上当受骗？"那孩子不屑回答，他爸就嘱咐他："想想爷爷那天说的！"孙子临出门回应道："先加才能后减，是不是？"

孙子这样回答，是因为那天餐桌上，爷爷有所感叹："不要轻易地朋友长朋友短，你们说的朋友，其实，仔细想想，有的只不过是同窗，有的只不过是同事，有的只是熟人，有的只是利益伙伴，有的不过是爱好相同……朋友这两个字，分量很重，嘴吐此二字，务必多掂量。我原来也总觉得朋友不少，后来，自觉做减法，仿佛在胸膛里设一面心筛，筛下多余的，留下最珍贵的……当然啦，过去有职务，人际交往，需首先顾及工作需要，反倒是不能把朋友跟工作混淆起来，甚至有时候还应该回避朋友，以求行权公正，但是，现在退休啦，公事莫找我，享受友情正当其时，有那主动将我从人际交往中删却的，说真心话，感谢！他也省事，我也快活！我自己呢，筛去减掉一些，剩下的，多乎哉？不多也！但余生之中，也足可沐浴真情厚谊了，快哉！快哉！"那天老爷子话多，孙子头回没觉得厌烦，下午爷爷铺纸作画，孙子难得地去给爷爷研墨。

孙子在互联网上与他的朋友网聊，儿子却还在用信纸给外地的朋友写信，儿媳妇呢，有空就跟她的朋友煲电话粥，且听她怎么说："你们小旺也是那样？你说这互联网，真让人揪心，可我也不能对儿子实行专政呀？毕竟现在是这么个时代啦……还好还好，他品位倒高，主要是跟他的网友聊体育，看盘嘛，最近看的是《通天塔》，好像还能理解……我那口子呀？他表面上比我开通，还跟儿子讨论过什么'后街男孩'的歌，其实呀，私下跟我谈，也够焦虑的，怕哪天孩子冷不防踩歪了难挽回……是都得注意呀！……老爷子吗？还硬朗，基本上不再参加抛头露面的活动……他的画嘛，凭良心说，我觉得跟来客一样，也是少而精了！……"

那一天，孙子、儿媳妇、儿子陆续回家的时候，刚打开门，就都听到了一种嗡嗡的声音，定睛一看，是很少露面的胡爷爷，在他们家大客厅里，给倚在沙发上养伤的云老抖空竹呢。抖的和赏的，偶尔交换一个眼神，脸上全放着唤回青春的红光。

孙子记得，爷爷说过，跟胡爷爷是贫贱之交，就去取数码相机，来把两个人都照进去。儿子就再下楼去买二老爱喝的二锅头酒和酱肉。媳妇到厨房里，一边系上围腰一边琢磨今晚该添些什么菜……

鸟瞰夜晚京城，万家灯火，环路上黄前灯红尾灯形成两条逆动的彩带，红尘滚滚，繁华落尽，云老家中景象，不过是沧海一粟，但尝滴水可知海味，敢问春风楼群：真情且向何处寻？

空　盒

李涓是大学二年级学生，她每周去崔钢家辅导一次算术。崔钢现在进入六年级了，家长为他请的家庭教师已增加到四个，除李涓外，还有语文、英语、钢琴方面的教师。

中秋节后不久的一个晚上，李涓去了崔钢家，一进崔钢的屋，便吃了一惊：钢琴边上，用许多的盒子，垒成了一座比钢琴还高的塔。胖嘟嘟的崔钢拍手笑着，命令李涓："你快说：一共是多少个盒子？不许一个个数！要马上说！"李涓说："总有十多个吧！"崔钢哈哈大笑，蹦着脚说："还辅导我算数呢！真没眼力见儿！一共是二十三盒！"

真是二十三盒。都是月饼盒。最底下的，盒面比脸盆还大；然后依次缩小着个头；有扁圆的，有多棱多角的，有长方的，有正方的，还有心形的……最上头的一个是提篮形的；绝大多数是铁皮彩印的，金碧辉煌，也有木制的、竹制的和瓷器的……

如今的中秋节，一户人家有好多月饼本不足为奇，可是，崔钢家的月饼盒竟能垒成一座高塔，这不能不说是一个奇观！

"这么多月饼! 你们家才这么几个人, 咋吃得了啊? "

"吃它? 我们才不吃这些玩意儿呢! "

"不吃, 买来做什么? "

"买? "崔钢斜着眼笑, "我们家还用得着买这个? ! "

李涓心里便明白: 都是送的。崔钢的爸爸是个官。当官的,总有人给送东西。这也是中国社会的实情。李涓望望那座塔,不由得说: "你们自己不吃,总可以送给别人吃呀,比如附近的鳏寡孤独,残疾人……也可以直接送到幼儿园、敬老院嘛! ……"

崔钢脸上现出一种他那个年龄实在不该有的表情,直愣愣地望着她,毫不拐弯地说: "李老师,你心里头其实一直在想,既然你们家有这么多的月饼,怎么中秋节那几天我来家教,你们也不端出一块半块的给我尝尝呢? ……"

李涓感觉一股热血冲到了脸上,她气得几乎挥手打崔钢一记耳光……她咬咬嘴唇,忍住了,并且把冲到喉咙的一句"我才不稀罕呢"也吞了进去……她觉得眼前这个学生说这些无礼的话时,神态表情酷似他的妈妈……孩子毕竟是幼稚的,她需要耐心地予以调教……稍平平气,她问: "你妈呢? "

往常崔钢的妈妈这时总会出现,叨唠些自以为有用其实无用的话,今天怎么不见身影?

崔钢这时脸上现出顽皮的神气,仿佛李涓不是老师而是他的姐姐,踮起脚凑拢她耳朵小声说: "她文眉去啦! ……"

文眉? 李涓从未特别注意过崔钢妈妈的眉毛,似乎并没什么缺陷嘛,文什么眉呢?

"……那家美容院,连我妈也得预约才行……预约到这个时候,我可开心啦! 我妈让唐姨今晚就别来了,给了我二百块钱,让我在麦当劳吃个够……"

二百块钱吃麦当劳,不得把肚子吃爆!

"……我回来,闷得慌,想玩,就垒了这么个塔……好玩吗? ……不过,咱们先别上课,你得帮着我,把这塔拆了,盒子都再搁到阳台上去……不能让我妈看见呀! ……"

看见了又怎么样呢？这又不是偷来的，不都是人家自己送上门来的吗？中秋节嘛，送盒月饼按说也算不上多大的问题……

崔钢拆上了那塔，李涓拦不住他，只好帮他拆……她发现盒子都很轻，都空了，不由得问："你说你们没吃，又没送人，那怎么会……都空空的？"

崔钢很亲昵地说："嘿，我告诉你，你可别跟别人说啊，这些个月饼呀，都让我妈她一个人……"

"一个人都吃了？！还不吃出病来？……"

"……那些天，她天天晚上，等唐姨跟老师什么的都走了，就坐在饭厅餐桌那儿，一盒盒地打开，一个一个月饼地掰开切碎了检查，还把所有的衬纸什么的都翻个透……"

"怕有毒？"

"不是！……妈妈说，前几年的经验，有的月饼里，藏着金戒指，还是镶水晶的啦！……有的那衬纸底下，搁着美元……这样的月饼，能送幼儿园、敬老院什么的吗？……"

"会是这样？"

"……妈妈说，这都还不算珍贵呢，最珍贵的，你知道是什么吗？……嘿，有一个'七星伴月'的大月饼盒里，藏着几张照片！……"

"谁的照片？"

"……是一男一女，光着身子，搂搂抱抱的照片……"

"月饼里怎么还藏黄色照片？"

"不是黄色照片，是跟我爸争位子的那个家伙，他一不留神，乱搞的时候让人给偷偷用照相机留下证据了！……我妈我爸得了这照片可乐坏了！后来他乖乖地给我爸让了路……送我们家这盒月饼的叔叔，头年不是跟我爸欧州七国考察去了吗？……"

李涓心里头直翻秽气。她问："今年怎么样？这些月饼盒里都有些什么？"

"嗨！把我妈气疯了！"

"为什么？"

"都是只有月饼，除了月饼还是月饼……"

这时忽听有人在用钥匙开崔家单元那防盗门的锁，一定是崔钢他妈回来了。崔钢慌作一团，跌坐在空月饼盒堆里不知所措；李涓直起腰来，等待那面对面的一刻，并迅捷地作出了决定……

老袜皂

棠棠家要从小单元搬大单元了，一家好高兴！

棠棠爸妈都是"70后"。都是大学本科学历。都凭一门专业技术在社会上立足，扎扎实实地奔小康。尽管现在房价不菲，经过多年积累、精心挑选，棠棠爸妈还是把从过世的爷爷奶奶那里继承来的一个没有厅的小二居出脱，买下了一套两室一厅的宽敞二手房。

这天全家做搬迁前的最后一些事情。常年在小区里设点收废品的胡叔叔，来帮忙搬走一些废弃物品。

妈妈让胡叔叔先把两大包旧衣服搁到楼道去，跟他说："知道现在你们不收购衣服了。不过这些旧衣服当垃圾扔掉实在可惜。你跟你爱人挑一挑吧，能留着穿的就当工作服吧。我知道你们孩子也是要买新衣服穿的，棠棠的这些衣服其实也没旧到哪里去，只是她抽条穿不了啦。你们尽量利用吧。实在无法利用再帮我们扔垃圾站去。谢啦！"爸爸一边收拾东西一边感叹："如今连农民工也不穿补丁衣服了。电视上出现还没脱贫的农村景象，房子破旧，但人们衣服总还看得过去，小姑娘也有穿木耳领子的连衣裙的。改革开放的好处，从衣服不再属于废旧回收物资这一点上，也能体现出来啊。"妈妈就笑："你别光歌德。现在咱们这儿缺德的事少吗？你看小胡身上的阿迪达斯T恤衫——假名牌满天飞！"胡叔叔也笑，还拍拍自己的裤子："这 KAPPA 裤也是假的！嘻嘻……您还别说我大摇大摆，比起那些贪官奸商来，我心里头塌实多了，对不？"

　　爸爸正检查一大匣子药品，把过期的药瓶子里的药片胶囊哗哗倒进大垃圾袋里。胡叔叔就说："您费那个事干吗？连瓶子扔不得了？"妈妈帮着解释："怕有人捡去当好药骗人。也怕那没钱到医院看病到药房买药的人捡去乱吃。"棠棠也说："咱们楼下人行道上贴着好些小广告呢，写着'高价收药'，还有手机号码。我懂，不能让那样的药贩子捡到带瓶子盒子的药！"胡叔叔抬杠："真要黑了心，他就不怕麻烦一粒粒归总起来再装进瓶子里，卖给黑诊所害人去！总有那图便宜的糊涂蛋上他们当！"爸爸就说："能黑成那样吗？真不敢想象！不过，反正这么处理总比连瓶子扔强！"

　　妈妈处理厨房里的东西。胡叔叔装起一口袋瓶罐。胡叔叔抱怨这金融海啸连废品收购也深受影响，比如啤酒瓶易拉罐什么的，收购站降价一半。妈妈就说全白给他。胡叔叔把妈妈捡出的接近过期的酱油瓶醋瓶料酒瓶直接往垃圾袋里放，妈妈说还是要把瓶里剩余的液体倒进地漏才妥，胡叔叔边笑边往外挪那垃圾袋，说："现在没有连你这剩醋也捡去喝的穷人。"但是，他把垃圾袋扔在楼道时，不知里头什么瓶子磕破了，一些褐色的液体很快渗了出来。妈妈赶忙过去看。胡叔叔让棠棠闻是醋味儿还是酱油味儿。妈妈有点生气了，说："小胡，你还乐！棠棠，快把拖把拿来！"棠棠给妈妈取来拖把，妈妈就挪开那垃圾袋，认真地把渗出的污渍尽量擦净。胡叔叔说："咳，这是楼道，又不是单元里头！再说，你们明天不就彻底搬过去了吗？"爸爸也到单元门外来了，听了就说："改革开放这么久了，经济上起飞了，大家都分了些好处，可是，遗憾呀，公德心还是进步不大啊！"胡叔叔不大高兴，但一时没说什么。

　　胡叔叔搬了几趟淘汰的旧家具，包括淘汰的旧电脑显示器什么的，付了钱给妈妈。又帮着扔了几趟垃圾。他见有一纸匣里头是些废掉的电池，就要顺手也给扔到楼下垃圾车里，爸爸制止住了，说："前两年那边商场大门里头还有个专门接收废电池的圆桶。现在到处都不见专门的接收器物了。只好先带到新居去再说。"妈妈也说："现在人们又多半把废电池跟一般垃圾一起扔。这东西的污染恶果怎么形容也不过分。咱们家要守住这个公德！"棠棠注意到，胡叔叔这时脸上的不高兴消失了，露出了钦佩的神色。

棠棠带胡叔叔到卫生间去洗手。棠棠递给他一样东西——是旧袜子里塞满若干肥皂、香皂的剩核儿，跟他说："胡叔叔，这是爷爷奶奶给我们留下的好传统——老袜皂。我们家总把洗烫干净的老袜子，装起剩下的皂核儿，浸湿了拿来当液体皂用！"

胡叔叔把那老袜皂举在眼前观看，心里想："嘿，这家人的文明，有根基啊！"

两规相遇

婷婷过生日，约了三个女生两个男生中午到快餐店聚会。事前她征得了爸妈同意。爸妈头天晚上已经在家里为她庆生，丰盛的大餐后，有好大的蛋糕。爸爸说，她越过十五岁，可以有一点自己的社交活动了。妈妈说，暑假里，白天跟同学聚聚，天黑前回家，当年自己也有过类似的行为；何况那几位同学，都知根知底，可以放心。

下午三点多，婷婷妈妈手机上来了婷婷的短信："我很快活。会按时回家。"妈妈习惯性地给她回拨电话，手机却关机。妈妈当时在医院上班，抽空给婷婷爸爸打去电话，那边的回应是："我马上要进会议室开研讨会，你别疑神疑鬼。"婷婷妈妈倒也没有再分神，忙着自己担负的医务工作。但是四点半以后，忽然来了个电话，打电话来的那位妇女声音急促，情绪激动。婷婷妈妈原以为是哪位患者或患者的家属，虽然一开头简直听不明白对方说些什么，也依然蔼然回应："您别着急，慢慢说，我听着哩……"对方却好几分钟点不到题，只听气喘吁吁地说："……坏人能不防吗？你是要负责任的！"婷婷妈妈如坠云里雾中，不得不问："您是怎么知道这个号码的？"对方迸出一句："亏得他们汪老师告诉了我！"再耐心交流，才弄明白来电话的是跟婷婷一起去聚的玲玲的姥姥，玲玲也是发回去一条短信，说"今天很快活，会按时回家，放心"，然后也是关机。婷婷妈妈就说："他们说好七点回家的。现在还不到五点。估计他们六点以后会打开手机。"玲玲的姥姥却无论如何不能安心，宣布："你不管你闺女，我可不能不管我孙女，我这就去那快餐店找他们去！"接完这个电话，婷婷妈妈心也乱了，就拨爱人手机，也关机。想了想，就搜索出婷婷他们班主任汪老师的电话号码，打过去，汪老师听了，劝慰说："孩子们给家长发短信后再关机，享受他们的青春时光，恰好是成熟的表现。当然，玲玲姥姥的担心也是可以理解的。还有康雄他爸爸，也从他那公司打电话来，要求提供婷婷爸爸或您的手机号码，经我劝说，后来他又放弃了跟您们通话的打算。不过，他提出一个建议，就是让学校组织孩子们学习《弟子规》，他说他就专门请人去他那公司讲了《弟子规》，强调下要服上的规矩，效果很好。"婷婷妈妈坦白："我还真没读过《弟子规》啊。"汪老师说："我们也还没讲这个。要先研究一下。不过我们都先看看《弟子规》还是有必要的。"最后商定如果到六点半孩子们还集体关手机，再通电话看怎么处理。

那天到了五点四十，事情闹大了。玲玲姥姥找到那家西式快餐店，冲进去找了一圈，全无婷婷玲玲等的身影，问值班经理，回答说中午是有六个中学生来过，而且确实预定好座位的，但是前面那拨从十点开始聚餐的人本应在十二点半离去，却拖后了，于是那六个中学生就表示放弃，离开了。问是不是有争执，闹了个不愉快？回答是绝对没有，店方一再道歉，经提醒前面那拨人也开始吃甜点，可是订座的人还是自己放弃了在那里面就餐，是说说笑笑地离去的。问究竟去了哪里，值班经理只能耸肩摊手。于是，玲玲姥姥就打110报警，说是孩子失踪。

事实是，婷婷自己忽然改了主意，她说："昨晚吃了好大的蛋糕，现在真不想再吃这些。"康雄说："咱们在这种地方聚过多少次了，还这么过生日，不是太小儿科了吗？"婷婷就说："我想去划船！"于是，六个孩子就欢呼着去了附近的公园，他们买了些饮料面包，两位男生充当勇士登船掌舵，每船两位公主安享和风拂发……起航前，他们相约给家长发去"安民告示"的手机短信，争取起码有五个小时的"绝对只属于我们自己的不受干扰的浪漫时光"。划完船他们又在岸边花阴下随意漫谈，那本是他们记忆中最完美的一个片段……

他们在六点钟纷纷开通手机，玲玲的手机率先爆响，不久，竟有警察叔叔和玲玲姥姥出现在他们面前！第三天，五个孩子家接到了康雄爸爸快递过去的精印小册子《弟子规》。

那晚，正当每家的家长展读《弟子规》的时候，忽然他们手机前后脚发出提醒音，打开看短信，是六个孩子攒出来的《父母规》："爱我心，深领之。爱勿溺，禁勿宽。子女包，莫乱翻。手机信，勿搜检。我渐大，非囡囵。父母教，虽敬听。有意见，容探讨。虽关爱，莫纠缠。自尊心，尤莫伤。问必答，答可简。偶沉默，勿躁恼。忌攀比，少叨唠……"还注明"未完待续"。哎，两规相遇，家长们反应不一，后事如何，笔者不敢贸然分解。

六瓣梅

他热爱文学，但从事的是最不需要文学想象力的一种偏僻的技术工作。他很忙，没有时间阅读任何文学作品。但他会在难得的休闲时间里，同妻女侃文学。也不是对文学进行评论，而是对小说进行复述。他复述的小说，都是几十年前出版的。他的复述极有可听性，甚至可以说具有特殊的魅力。他不单是复述那些小说的情节，他会把细节、对话，乃至某些描写上的精致处，全复述出来。

他承认，他复述的某些小说，自己并没有读过。是当年他的老师复述给他的。

他在南方一处穷乡僻壤度过从少年往青年蜕变的生命时段。他所上的那所镇上的中学根本没有成型的图书馆。但是有位曾老师，是从北京去的，曾老师的宿舍里也见不到多少书，但是曾老师肚子里有个图书馆，会把一些书的内容复述给学生。除了在课堂上有所复述,曾老师还常给他"开小灶",复述一些小说给他听。

他长大了,要去省城上高中。他伯伯在省城工作,可以给予他经济上的资助和生活上的照顾。他还会考大学,争取考进曾老师就读过的那所大学。跟曾老师告别时并不伤感。那是在曾老师宿舍外的葫芦棚下。结出的葫芦形状很奇特,曾老师说叫做"鹤首",仔细观赏,从下面膨胀部分往上面细长的部分去联想,确实像是鹤头和鹤喙。曾老师说要送他一件礼物。他本以为是要摘一个"鹤首"给他。没想到却是另外的礼物,什么礼物呢?复述一篇他从未听到过的翻译小说。师生二人对坐在葫芦棚下的小竹椅上,他听了终生最难忘的一篇小说。

他貌不出众,却娶了一位美丽的妻子。妻子后来跟长大的女儿承认:他追求自己的最大俘获力,就是他对小说的复述。女儿也就坦言:爱爸爸,最爱的是复述小说时的爸爸。

他的妻子从事会计工作,并不阅读文学杂志和文学书籍。他的女儿和他一样,选择了一种无须文学想象力的科技行业。那么多年过去,他所能复述的小说早已讲尽。但是重温熟悉的小说仍是他们生活中的一大乐趣。有时候面对电视机,把几十个频道全搜索过,还是觉得无一可观,于是他们就关闭电视机,往往是女儿求爸爸再复述某篇精彩的小说,爸爸复述起来,当中被女儿打断:"不是这样的,那只跑过草地的狐狸是跛脚的……"爸爸就微笑:"跛脚的吗?对,跛脚狐狸它就……"虽然听过很多遍,女儿还是觉得跟才绽放的鲜花一样芬芳,而妈妈也在一旁边织毛衣边惬意地颔首……

女儿交了个男朋友。那小伙子不仅喜欢读小说,自己也写小说,写了就搁到网络上任人点击阅读。小伙子希望女朋友从网上在线阅读,女朋友却总让他复述,他试着复述,效果很糟,女朋友说:"你讲出来都不精彩,读起来能有味吗?"小伙子就说:"讲和写,看和听,是不能互相取代,也无法类比的。"

他女儿从网上下载了小伙子的小说,读过以后复述给爸妈听,爸妈很满意。"其实他写得很糠!"女儿说。"真的吗?"妈妈不信。

有一天小伙子跟他女儿说:"你爸给你们讲的,有的是经典,有的算得精品,有的只不过是他个人偏爱。"他听女朋友把从未来岳父那里听来的几篇小说复述给他以后，到网上去搜，没搜出来，就跑到图书馆去借，借到了一篇，印在一本很久没有再版的老书里，那本相当厚的书当年定价居然是 0.68 元。小伙子把那本书呈现在女朋友面前，拍着封面说："你自己看吧！人家写的跟你爸和你的复述不对榫啊！"

他女儿翻书细读，读完发愣。后来想办法借到不少旧书，书里的小说，跟爸爸的复述，差别都不少。简单来说，是他的复述，似乎更精彩，所增添的，所省略的，所夸张的，所渲染的，所回避的，所凸显的，似乎都是写那小说的作家——有的是人类公认的文学大师——该那么写而竟没那么写的。

女儿把这个发现告诉妈妈，谁知妈妈早就晓得："梅花只有五个花瓣，你爸开的是六瓣梅。他不过是给亲人讲讲，算不得问题。不仅不是问题，实对你说吧，我当年相中他，这么多年喜欢他，能开六瓣梅，是个关键哩！"

不久前曾老师故去了，曾老师儿子根据父亲生前的嘱咐，给他寄来了一个"鹤首"葫芦，上头刻着这样的句子："不必去当优秀的作家，却一定要当优秀的读者。"

楼道里的笑声

老苗心神不定。开头还不过是忐忑不安，在屋里转悠了几圈以后，越寻思越觉着邪乎，以至于一把抓起电话，仿佛捻死臭虫似的按着键……

电话很快接通了，那边老魏问："怎么样？你都准备利落了吗？"

他一直羞于把那念头说出口，可事到临头，他不能不说了："……哎呀老魏，飞机这玩意儿……要不，咱们还是坐火车去吧！……"

老魏不以为意："你开哪门子法国玩笑？……你怎么回事儿？是你说的那个'恐机症'又翻腾上来啦？"

　　这回出差，一起头老苗就跟老魏嘀咕过："我可比不了你，坐飞机跟坐公共汽车似的……我可有'恐机症'！一想起来离地面那么老远，魂儿飘得那么老高，心里就发怵……要不是这回事儿急，又非我跟着去不可，我可不冒那个险！……"可是，毕竟这是工作需要，一般情况下，领导还不批你坐飞机呢！当时老魏听了只是笑笑，机票什么的都是他一手办妥的，约好了今天各自去机场，在候机厅里会合。

　　老魏那边似乎就要挂上电话了，老苗急吼吼地跟他说："哎呀你别不当个事儿！安全第一嘛！把机票退了，改坐火车，也就晚到一天罢了，能误多少事儿！我这可真不是跟你逗！实说吧，这几天我一直在查资料……就是命运测算……在街上买的……不非法！是有名有姓的国家出版社印的嘛……还有挺有名的人给作序呢！……你等我说完嘛！人家指出来，不能光信西方的那些个理性科学，东方的神秘主义也是个知识宝库嘛！……你听我说，我查了嘛，今天是个凶日，大凶，'诸事不宜，尤忌远行'！……迷信？人家是有根据的嘛！是干支、星宿、建除、飞星、属相……多种因素综合起来，很慎重地作出的判断嘛！……唉唉，宁可信其有，不可信其无啊！……"

　　那边老魏生气了："你怎么回事儿？没想到你竟然真的相信那一套！……你是什么意思嘛！难道你真的不去飞机场了？你像话吗？有你这么对待工作的吗？……"

　　听了这些话，老苗心里不是不惭愧，可他心里塞满了大凶不吉的预感，总觉得这一回如果去坐飞机，不是个凶多吉少的问题,而是个必定会"赶上"的问题……从电视里所看到那些飞机失事的镜头，快速、杂沓、重叠却又凝酽、明晰、生动地飞动在他的心头，撞击着他的魂魄……他嚅嗫地说："……我确实产生了严重的心理障碍嘛……我跟你讲出来，正是对工作……负责嘛……我真的憋不住了，不能不跟你打这个电话……特别古怪的是，我收拾完箱子，想把那本书找出来，再研究一下，嘿，邪门儿了，怎么也找不着它了！……你知道我爱人孩子这一阵子都在我丈母娘家嘛，家里就我单拨一个嘛，你说这是怎么一回事儿？……不由我不唯心嘛！……"

　　老魏在那边叹了口气，反而不那么生气了，然而语气严肃起来："……既然这样，那你自己给王局长打个电话，说明你的心理障碍，改坐火车赶着去吧……你那张机票我到机场给你退了吧……不过你哪天坐火车？今天零点以前的是不是也不能坐？……如果你那本预测书上标明这好几天都不宜出行，那你就干脆甭去了！……真没想到，受了这么多年教育，愣让这么本新攒出来的黄历给唬住了！……"

　　老苗又犹豫起来："我……我也不是说……绝对不能……只是我心里头实在闹腾得慌……你先别批判我嘛……你知道全世界都有那么一些个人，不管受过多么好的教育，到头来还是害怕坐飞机啊……"

　　老魏跟他说："时间不多了，你自己快拿主意，我也不勉强你……"这时老魏从听筒里忽然听到一种很突兀的声音，那是一种背景音，虽然模糊不清，却很明显，不由得问："你哪儿怎么了？有人来了吗？怎么好像在笑？……"

　　老苗当然也听见了那声音，就在他那单元门外；天热，没关上原有的密封门，只锁着有镂空花栅的防盗门；声音就爆发在门外的楼道里，是笑声，很响亮，很真率，很开心，也很好听的那么一种银铃般的笑声……

　　谁？谁在那儿笑？为什么笑？

　　是老苗邻居家的闺女，一个长挑身材，面貌娇俏，穿着时髦的女郎；她平时很少出现，只有在自己轮休的时候才偶尔回来看看父母；她是个"空姐"，也就是民航班机上的服务员；这天她出了电梯，往父母家单元走去时，忽然脚底下踩着了一本书，不知是谁不小心掉在了那儿，她拾起那书，随手翻阅，原来那是一本所谓讲"预测学"的书，后头附着好厚一沓当年逐月逐日的吉凶预测；她拿眼睛一扫，便看见若干"不宜出行"、"诸事不吉"、"是日大凶"的字样……当她再一细看，那几个标明"不宜出行"的日子，恰是她在飞机上值勤的日子，往往一天里要在两三个空港里来回穿梭两次……她回忆起那几天里的情况，恰恰是气候最好，航行最顺，不晚点，不延时，空中颠簸度最小……而某个标明"是日大吉，利出行嫁娶入伙"的日子，那天分明是因为受暴雨影响，光北京天竺机场就有十多个航班停飞……可这书印得好漂亮啊！是谁的？还给包上了书皮，有些个地方还画上了圈圈杠杠……她本已忍俊不住，当她翻到自己已定下的那个结婚日期下面用粗黑的字体注明"不驻吉时，诸事勿用"时，便实在憋不住，笑出声来，并且一笑而不可遏止，终于，那银铃般的笑声充盈于整个楼道中，形成一派欢悦的共鸣音……

楼前白玉兰

　　他特别喜爱玉兰花。除了迎春，玉兰大概是北京初春最早开放的花了。迎春比较常见，玉兰相对而言要金贵得多。以往北京人时兴开春以后到颐和园去看玉兰花，那里乐寿堂侧院里有两株极品玉兰树，春来花开，玉雕神琢一般婀娜，香气淡雅而氤氲，观之沁腑爽心。这些年玉兰树种得多些了，长安街中南海红墙外，以及许多公园里，初春也都有白的或淡紫的玉兰花开放。

　　他这些天忙于一篇学术论文的最后定稿，但观赏玉兰花的心理需求，依然是"当春乃发生"。从报上看到记者拍的新闻照片，说是中南海红墙外的玉兰花苞已然绽开了，引得春阳中的路人欣喜观望；他家离那里颇远，但他家附近的公园里，近年来栽种了几株白玉兰，每逢初春花期，他总是要去瞻仰一番；于是他两次抽空去了公园，但也许是因为这公园的地气还不够苏暖，或与中南海红墙外的品种不同，竟都只还是枝头上刚刚冒出毛笔头般的花芽；他这天在整理论文的间隙里，伸腿舒臂，听着窗外骤起的风声时，脑际不禁闪过这样的念头：啊呀，玉兰花的花期是非常短暂的啊，说不定我这儿一忙，顾不得再去，这风再一吹，那玉兰花便都香消玉殒了啊！……

　　他确实没工夫再去公园。那天他应邀去参加一个学术会议，会议假座于一所公寓式宾馆。那地方很不好找，他下了公共汽车，绕了好一段冤枉路，才终于找到。

进了那宾馆大门，绕过堆得并不怎么好看的太湖石屏障，他寻找那大院落中的三号楼，学术会议便租的是那楼里的会议室。他边走边观望，忽然，有美丽的东西落入他的眼睛，令他惊喜不置——那是三株虽不算大，但非常秀气的玉兰树，就栽种在某座楼大门的侧面；三株树的花都烂缦地开放着，有一株枝头上的玉兰花完全可以称之为怒放！他激动地走过去，在那楼前的玉兰树边贪婪地鉴赏着那些洁白、光润、秀挺、芳馥的花朵，他都几乎忘记了自己所来为何了！

忽然，他听到有人大声地招呼他，他转身定睛一看，啊！原来是大秦！大秦是他中学时的同学，他早知道大秦"下海"发了大财，并且前些时他还在公园边上，一个高档俱乐部门口，十分凑巧地与大秦邂逅；进那个俱乐部的人，据说是一个晚上从吃潮州菜起，到看夜总会表演，再洗桑拿浴，全身按摩，最后到KTV包房喝洋酒，享受跪式服务直至凌晨四点离去，最低的消费额是一万二千元！当时他只同大秦随便寒暄了几句，分手后也便"相忘于江湖"。他对大秦既不羡慕，也不鄙夷。他觉得只要大秦是按正当的"游戏规则"赚钱，那么大秦怎么消费他所赚的钱，便只是大秦个人的私事。

他没想到在那儿会又遇到大秦。大秦问他："你怎么在这儿？"他同时也在问大秦同一问题。俩人便互相解释。原来大秦在这个宾馆里常包了套房，就在他们所站的那栋楼里，并且大秦伸手一指，所包的套房简直就在那三株玉兰花后面的窗户里头。他不禁艳羡地说："大秦你可真有福气！有玉兰这么守着你！"大秦显然是把玉兰听成一个女子的名字了，跟他说："咳，别提她了！……我也用不着她守着我！……她跟着个老外远走高飞啦！跟你说吧，别指望这号娘儿们能跟你动真情，全是逢场作戏！……"他便笑说："你说些什么啊！我是说，你这窗户外头……"大秦便说："是呀，这一楼的房确实不够理想，窗户外头老有汽车发动的声音……我们院里各人自己的车，多一半是大名牌，那还好说，讨厌的是外头开进来的，尽有那十几万一辆的低档车，噪音实在大！……"他说："我是说你那窗户外头，这楼前的三株……"大秦竟还是听岔了，回应他说："我没把这楼全租……租一套，一天是七十美元，算相当优惠了……等我公司再扩大，那我可就不在这儿租咯……我得挪到高尚点的地方去……"于是他便指点着，更大声地说："你看呀，我说的……是那个啊……难道你不觉得……非常美丽吗？"这回大秦的目光确实对准那三株玉兰树了，可是大秦瞳孔的焦距却越过了那些玉兰花，落在了所租用的房间的窗户上，那玻璃窗里，显露出大秦挂在窗边的一个很大的镀金的吉祥物，那是一个把"招财进宝"四个字写成为一个字的菱形挂件……大秦说："美丽吗？……这是我从香港带回来的……你以为这边也有卖的？跟你说吧，这边的都是铜皮做的假玩意儿，我这可是实打实镀了金的！……"

他觉得心里发堵。正在这时又有人过来招呼他。大秦便告辞，奔自己的那辆宝马车而去了。来招呼他的是学术会议的工作人员，跟他说："都在等着你啦！快，跟我去吧！"

他边走边忍不住回望那三株玉兰花树……开了好几天了吧？就在楼前头，就在那套房窗外啊！……

领他去三号楼的人以为他是在回望大秦，便对他说："常住这里头的人，听说个个都是大款啊！……那是您熟人吗？……他一定也非常有钱吧？"

他扭回头，闷闷地说："不，他其实很穷很穷……"

轮椅第一天

霍兄女儿霍琪来电话，说她爸爸第二天就要从医院回家，开始轮椅生活了，请我一定去一下。

霍兄本来身体不错，却突遭车祸，经医院救治，虽然活了下来，却从此只能凭借轮椅活动。他住院期间，我去看望，那时已经脱离危险，却十分嗜睡，见我去了，霍琪要将他唤醒，我忙制止。霍琪不想详细叙说爸爸伤情，我也自觉绝不多问，活着就好，大家保重！

第二天起床后，我边洗漱边想，去霍兄家，见他坐在轮椅上开始余生第一日，该怎么安慰他呢？他本是个喜动不喜静的人，"人是地行仙"成了他的口头禅。霍嫂前三年去世时，他虽悲痛，半年后依然参加旅行团去游览了柬埔寨的吴哥窟，他说曾和霍嫂一起看电视里介绍吴哥窟，当时霍嫂说了句："要能在那里头捉迷藏该多好！"他没言声，心里发愿，霍嫂的病好了，一定去那里返老还童，捉一番迷藏！同游嬉戏的愿望未能实现，但霍兄游了吴哥窟，用数码相机拍了许多照片回来，我去他家，他打开电脑让我欣赏，我说："空镜头居多啊！"他告诉我："没有一张是空的，你也许看不出来，我就都知道，她藏在了哪儿，从那个缝隙里跟我眨眼呢！"……但是，现在霍兄坐上轮椅了，虽说坐轮椅周游列国的例子世界上也是有的，但霍琪跟我说了，医生很明确地告诉她，她爸爸今后再不能各处旅游，必须习惯轮椅上的小半径生活。

我决定给霍兄带去非同寻常的礼物。营养品，水果，想必别的亲友都会给他送去，多半会出现供大于求的局面。想来想去，我去了西单图书大厦，我精心挑选了一批编印精美的旅游类图书，还有若干这类光盘，我大体上知道他以前旅游过哪些地方，哪些地方则想去还不曾去过，我尽量选择那些跟他还没有去过的地方相关的图书光盘，我想他一定会非常喜欢，他虽然坐在轮椅上已经不能身体力行亲履其地，但他在"坐游"中一定也会产生出飘飘欲仙的感觉！

我拎着一大口袋礼物去了他家。

霍琪开门把我迎了进去。我还没看见其人，声音已经响起："画家来啦！欢迎欢迎！"这开的什么玩笑！我虽然业余偶尔画两笔，哪里称得起画家！我看清了轮椅上的霍兄，他比以前瘦了很多，车祸连他脸上都留下了痕迹，他伸出双臂表示要拥抱我，我忙弯腰搂住他，我感觉到他拥住我的手臂柔如柳枝。他剩余的生命是多么孱弱啊！我有些鼻酸，但站直了以后，我忍住了泪水，怕他看出，忙环顾四周，我有些惊讶，从房间布置上说，怎么有些跟过生日似的？餐桌上分明有个蛋糕！霍兄把一位四十来岁的男子介绍给我，黑黑的，一看就是来自农村的，原来那是家政服务员小张，霍琪两口子虽然跟爸爸同住，但是他们各有各的工作，霍琪先生已经去上班了，霍琪一会儿也要去公司，她告诉我："张哥在医院就是爸爸的陪护，照顾得非常好，我们非常感谢他答应来我们家，继续照顾爸爸。"霍兄先对我说："新生活！新开始！你是见证人！"又对小张说："你先别推，让我自己来，人是地行仙，我要先周游列屋！"他就启动轮椅，让我们跟着，在单元里巡游起来。霍琪提醒他："医生说了，一般情况下，都应该让护理推着您！"霍兄就哈哈笑着说："今天是特殊情况！是开学第一天！是开业大吉！是新长征的第一步！是生命新篇章的第一页！"

回到客厅里，霍琪跟我说，爸爸立下了个志向，就是要从这轮椅生活第一天开始，尝试画油画！之所以特特地把我请来，霍兄接过去说："因为你画过油画，不是要你费好多工夫教我画，你看，画架画布，调色板，画笔，修改刀……全准备齐了，只需要你就最基本的技术性问题，耐心回答我的可能是非常愚蠢的咨询……"我惊呆了！眼前这个人，经历了那么严重的生命危机，他在轮椅上的第一天，竟然要开启一支新画笔！他满心欢喜，一脸憧憬，他的声音点化着我的灵魂："我要凭印象先把游历过的五十个美景画下来，第一幅：在吴哥窟捉迷藏……"

马尾巴

蕙表妹比我小五岁，是搞文学翻译的，这个星期天下午忽然给我来电话，我一接听她便问我："你有空吗？我想多占用你一些个时间……"令我很惊异，我一边告诉她恰巧没什么事儿，请她尽管说，一边飞快地猜想，她遇到什么难题了呢？是那作为交流学者的表妹夫在美国得了病？是浸透她多日心血的译稿被出版社以难以获利的理由退了回来？……听她主动提到了博飞，我不由得急着问："大卫他出什么事了吗？"

博飞是她的儿子，我的表外甥。表妹夫姓考，给儿子取名考博飞，不消说，是受到了英国古典作家狄更斯那本著名的小说《大卫·考伯菲》的影响，因此，虽然他们并没再给儿子取小名，我却总打趣地叫博飞大卫。大卫头年已经上了大学，学理工，那个专业据说将来很容易进外企。他们一家在我们大家族中应该说是最圆满的一例。

我这表妹家可谓改革开放的急先锋，尤其在对外开放，引进西方种种生活时尚方面，真是处处领先一步，事事令人刮目相看。比如说，家中墙壁天花板上都不安装灯具，照明只用台灯或戳灯；排斥一切假花，而室内恰到好处地放养着喜荫观叶植物；餐厅里总氤氲着现磨现煮优质咖啡豆的香气等等。当然，这和表妹及表妹夫两口子都搞文学翻译有关。博飞受他们熏陶，还在上中学时就在自己住屋的墙壁上贴满美国球星的巨幅照片，穿印满英文字母的 T 恤衫，放送蓝调和摇滚乐，我虽去他家次数不多，留下的印象很深。我不曾羡慕过表妹家的洋气，但也不曾对之有过腹诽。中国人的生活趣味多样化了，只要不对他人形成妨碍，各家各人爱怎么过就怎么过吧！

表妹在电话里说，最近她很苦恼，是为博飞的事。大卫究竟怎么啦？交上女朋友，不认真念书啦？沾染不良嗜好啦？心理状态明显地不健康啦？或者，是身体上出了什么毛病？……显然，表妹对这诸方面都很悬心，但又说不出个所以然来，我细问了半天，她能以指明的，只有这么一项："他……脑门后……扎了一个马尾巴！"

嗨！我当出了什么泼天大乱，闹了半天，不过如此！忙对表妹说："你叶公好龙了不是？这些年，你们对大卫熏呀熏，不就是往全盘西化上熏他吗？在西方，包括香港台湾这些地方，男性留长发，扎马尾巴，女性留短发，甚至剃板寸，这些年不是一直在时髦吗？大卫他现在上了大学，不比中学生时候了，可不是想扎马尾巴就扎它个马尾巴吗，这算得上个什么问题呢？……"

表妹却在电话里大吐苦水："……问题并不是那马尾巴本身……你知道我是最主张个性解放的，何况他已然十九岁，我不想干涉他什么……可是他毕竟还没有正式离开我这个家啊……最近，每周他回到家，倒也不是跟我没礼貌，也不是懒得跟我说话，甚至也会说，妈咪，你做的色拉真好吃……可是——"说着竟是不胜欷歔的声气。

"那不是一切都正常吗？你究竟还希望他怎么样呢？"

"他就一直没有问过我一句：妈咪，你看我这发型，怎么样？……"

"你怎么会忽然有这样一种企盼？"

"是的，我就是有这么一种企盼！……他刚刚出去，约着他的朋友，一起去什么地方打保龄球……临出门时，他晃动着他那马尾巴……我多盼他问一句：妈咪，我这马尾巴，帅吗？……当然，更好是这样问我：妈咪，我这样，你不介意吧？……我会回答他，我不介意，只要你自己喜欢！……"

"不，你其实是想跟他说，这马尾巴难看，它并不适合你，真的不适合！你为什么非扎这么个马尾巴呢？这是模仿什么人吧？为什么要盲目模仿呢？……你是想给他提建议，建议他换一种对他更合适的发型……"

"是的，我心里最想说的，是这些话……"

"那你为什么不直截了当地对他说出来呢？"

"我总希望着，由他主动引出这个话题……可是，两个多月了，每次他回来又离开，我的期盼总是落空！……"

"这说明他长大成人了，或者说，他在生活意识上已经全盘西化了……我没想到，你的大卫的这种状态，竟会在你心头引出这样的酸楚！"

我使用的"酸楚"这个文诌诌的词儿，显然她不仅听清楚了，而且马上感到了难堪甚至不快，她与我通话的兴致竟顿时衰减，改换口气问了问我的近况，以示关怀与礼貌后，便挂断了电话。

在这个急剧转型的大时代中，表外甥脑后的马尾巴以及他母亲内心的苦闷，实在连一朵浪花也算不上吧，可是放下电话以后，我默坐很久都做不了事。

卖指甲的老人

那天到一家老字号的，称"堂"的药房去买药。原先这样的药房叫中药房，柜台后面，几乎整面墙都是装中药材的小抽屉，抽屉上贴着白色的标签，标签上用墨笔字写出些中药材的名字。中药材都是天然的东西。买化学合成的药剂，则应去西药房。西药房柜台里则多半摆着些玻璃柜子，柜子里是些大大小小的玻璃瓶，玻璃瓶上也贴标签，但上头净是些洋文。现在药房都中西合璧了，也有不少药是天然材料与化学合成制剂混合配制的。那天我去的那个"堂"，算是中药房老字号里，最有古风的一家，它仍有一大面墙，安放着嵌有重重叠叠小抽屉的药材柜，抽屉上的那些写着药材名称的标签，氤氲出一股浓浓的传统文化的气息。

这家老字号信誉历经百年而不减，来这里持方抓药的人不仅有本地的，也有大老远坐火车乃至乘飞机而来的，只要是营业时间，那中药柜台上总铺开着些包药的纸，里面的配药师不停歇地在开合抽屉、用十六两制的小秤称分量，配好一份，又总要耐心地再照着方子检验一遍；偶尔缺某味药，便向抓药的人说明，或者建议以另外的相近的药材替代；有一回我还听见一位抬头纹密密的，瘦高的老师傅对取药的人谆谆叮嘱道："童溲不能要晚上的，要一早的；不要用塑料碗接，一定要用瓷碗接；兑入不要过量，以一酒盅为度……"我一旁听了暗笑，中医疗法真是什么都可入药啊，这家老字号的"堂"，它的抽屉里也真是无奇不有，倘若童溲能保存，它一定也会卖的！

我那天要买的，是一种西药。买完了，顺便转身到卖中药的那边看热闹。一眼又看到了那位抬头纹密密的，瘦高的老师傅，穿着雪白的大褂，戴着雪白的圆筒帽……啊，他像是在柜台一角，又在跟哪位顾客叮嘱着什么……还是在提醒童溲要早不要晚、不能用塑料碗接？……

我凑过去，伸长脖子一看，呀，那师傅和顾客之间的柜台上，打开的纸包里，是些……乍看不明其所以，再看，兼听他们对话，啊，是些人指甲！不是完整的指甲，是些指甲长长了，用剪刀铰下来的，新月形的指甲边……这也是药材呀！……再一细听，敢情不是药房在配药，是那柜台外的顾客要把那些指甲卖给这个"堂"，那抬头纹密密的老师傅，正在验货呢！

这回我不是暗笑，是忍不住笑出了声来。指甲入药，倒不算太可笑；可笑的是那卖指甲的人，你拿这么些个指甲——倘是完整的指甲也罢，却不过只是些指甲边儿——即使用十六两制的小秤来称，又能称出多大的分量，能卖出几个钱来！唉，唉，人想挣钱，钻缝觅隙到了这个份儿上，真真是，让我怎么说好呢！

蓦地回忆起，"文革"当中，当时我所在的单位，有位老陈，当时大约接近花甲的年纪，他一非当权派，二非"反动权威"，没有历史问题，更没有"现行反革命"的言论行为，平时也无民愤，可是，却也在斗争最狂热的阶段，给揪出来游斗了；为什么呀？就因为有人揭发出来，他每回剪下手指甲，都细心地留着，用纸包好，攒起来，拿去卖给中药铺……他对此供认不讳，立即激起万丈民愤，在批斗他的会上，一位"红卫兵"边扇他耳光边义愤填膺地喊："你这个资产阶级唯利是图的小丑！你这个暗藏的复辟资本主义的炸弹！……"虽然对那样折磨他的肉体，当时是不以为然的，但也觉得他灵魂丑恶内心卑琐，确实应该深批痛斥……

难道真是"三十年河东,三十年河西"？昔日的卑琐行为，如今竟堂皇重现……我不禁细看那卖指甲的人，是位年逾花甲的老人……咦，怪，难道，他是……老陈？那眉眼儿，活脱脱地……可是，掐指一算，不对，老陈到如今，该是九十岁的人了啊……那柜台里的瘦高的师傅，经检验后，把那些指甲过了秤，付了款——似乎很少一点——那卖指甲的老人转身离开了柜台，我尾随着他……到了药房门外，我招呼那卖指甲的老人："您可是……贵姓陈？……"他停住脚步，上下打量我，客气地回答："正是，免贵姓陈……"我于是提起那位当年曾同过事的老陈来。他现出一个吃惊的表情："正是先严……"啊，那老陈已然作古了！我道了几句致悼的话，便不由得好奇地问："您家……好像有个……到药房卖指甲的传统？"

那老人便耐心地对我说："正是。晚清时，先祖曾患一急症，药方里非配足人指甲三钱，要剪下一月以上的，遍寻内外城各堂，未能凑齐，只能以家中诸人现剪下的充数，结果不幸过早仙逝……由此，我家就形成个大小人等剪下指甲都留存下来，定期卖给药房的传统……除了'文革'中一度被迫中断，可以说几十年如一日……"

我心中的暗笑戛然而止。可还是忍不住问："人指甲真能当药治病吗？"

他很认真地回答："那是《本草纲目》上写的有的……"

我知道问这样的问题不太礼貌，但骨鲠在喉，不能不一吐为快："指甲能卖出几个钱来呢？如果觉得自己和家人的指甲能当药材，捐献给药房不就得了吗？"

他竟并不生气，娓娓地给我解释："先严也曾捐献过，后来发现，你捐献，他就不大检验了，也不认真分类保存……还是卖比较好，双方就都比较认真……你看刚才那师傅，他就很懂行，哪些是不大健康的，要细心地用镊子搛出去；手指甲和脚指甲要区分开；童指甲又要专门归类……统共是多重，一一较真，这样逢到要配药的病人，就能保证那药力恰如其分，阴阳调燮起死回生……这也是咱们中华文化传统的一部分啊，能不继承吗？……"

跟那卖指甲的老人握手告别以后，我彳亍在街头，心里盘算着：回家后是首先翻查《本草纲目》，还是坐在沙发上，翻查一下以往所忽略的，陈氏父子那样的，最普通的中国人心底里的，那些能养育我们民族生命的，最细微的元素？

没 问

社区的老年大学开张八年了，他退休后已经上过书法班和绘画班，如今在家里挥毫，号称是自修完硕士、博士进入博士后阶段，但是听说老年大学要开个识字班，不由得又去从头学起。

那个识字班，招生广告很有意思，是把头几天的报纸头版贴出来，把几条新闻里的词语画上红线，问怎么读，什么意思。他只看了"三审定谳"一个词语，就决定报名进班。说起来他有大学本科文凭，当过几十年的工程师，但直到现在，还是搞不清"定谳"究竟该怎么读，究竟是个什么意思。

老年大学许多班是要多少收些费的，这个识字班却完全免费。俗话说"免费无好货"，但上得第一堂课，他就觉得实在是快乐无涯。千金难买一刻乐啊！

那老师比他大不了几岁，胖墩墩的。见面就在黑板上写出自己的姓氏：亓。问学员们："怎么称呼我呀？"一位老大姐就乐呵呵地高声唤出："卞老师！"他带头大笑，纠正说："要叫齐老师！"他大学同学里恰有姓这个的，他知道"亓"要读成"齐"。亓老师就说："中国人姓名里怪字最多。比如去杭州，在岳庙，跟秦桧夫妇一块儿跪在那里接受千古唾骂的，有叫这个——"在黑板上写出三个字是"万俟卨"，问大家："要叫着这位奸臣名字骂他，怎么出声？"包括他在内的学员全傻眼了，亓老师就教给大家，"万俟"是复姓，发音是"莫其卸"。

亓老师说，这个识字班主旨还是解决大家平日在读书看报、听广播看电视里遇到的那些疑难词语。于是他明白"定谳"不能读成"定献"要读成"定验"是定准罪名的意思。又明白"差强人意"不是"让人觉得差劲"的贬义而是"大体上还让人满意"的褒义。

亓老师从第二堂课起，就让学员自带疑难问题来，由他解答。虽然每次上课都带着一摞字典，却很少翻查，差不多总能脱口而出地教大家发准读音理解对词语含义。亓老师失去了一只手掌，往黑板上写字的那只手挥洒出的笔画具有独特风格。几堂课过去，大家熟了，课前课后也就有先来后走聊上一阵的，于是知道亓老师是从外地一所大学中文系语言专业毕业的，1962 年分配到北京一所中学担任语文教师，退休后一直在撰写一部内容冷僻的语言学著作，尚未完稿。

但是亓老师的这个识字班的学员越来越少，离约定的三个月结业考试还差一个来月的时候，能坚持来上课的就只剩五个人了，他是其中风雨无阻坚持得最好的。在家里，跟老伴，他时常炫耀从亓老师那里学来的。比如电视里播《红楼梦》的节目，老伴问："贾琏，字典里'琏'只有一个读音'脸'啊，怎么电视里总'贾连贾连'的啊？"他就得意地解释："亓老师说了，国家文字改革委员会有一个关于读音的规范，当一个词语是两个第三声相连时，允许第二个第三声的字轻读，所以，贾琏可以读成'贾连'的！"老伴笑："你学来这么些细腻的学问，究竟有多大用处啊？"他就答："起码我不会得老年痴呆，劳累你伺候啊！"老伴抬杠："那我要脑萎缩呢？"他笑："你搞的那十字绣，越绣越细腻，除了咱们家儿女家摆满了，亲友家几乎送遍，你更不会脑萎缩！"

虽是免费课程，跟小孩子过家家似的，结业考试那天，五个学员自带纸笔陆续到达，亓老师在黑板上郑重写出试题，第一题就问"三审定谳"怎么读怎么讲。他是第二个进入考场的，一进去，只听见一位学员大姐正在跟亓老师热情地表达关于安装假肢的建议，直到学员们到齐，亓老师宣布考试开始，那位大姐才终止她的热情表达。

考完后亓老师当场阅卷，他得了满分。别人都散去了，只剩他和亓老师两个人时，亓老师忽然跟他说："我要特别感谢你……"他吃了一惊。只听亓老师幽幽地说："你是来上课的人里，唯一的一个，始终没有问我，为什么失去了一只手掌的……在我一生里，到目前为止，能跟我在相处里刻意不问这个的，很稀少，你是第三位。"说着主动用那独一的手掌，把他的两只手掌拢到一起，紧紧地握住。

回到家，他对老伴讲完这件事，低下头，惭愧地说："其实，跟他告别前，我那问他究竟怎么失去一只手的话语，都涌到喉咙口了啊！"

没用的故事

一个母亲带着八岁的儿子，坐在公园的长椅上。母亲疲惫地仰靠在椅背上，身边是竖靠在椅背上的提琴盒，她拼命抑制自己，却还是把养神变成了沉睡。儿子坐在她身旁，另一边是一个大画夹子。儿子轻轻推推母亲，母亲没有反应，他跳下长椅，四面张望，仿佛一只小鸟，想飞，却不知道往哪边飞好。

那是星期日的中午。公园里人不多。一个老爷爷恰好散步到那里，看见了那睡熟的母亲和就要跑开的孩子，一瞥间，老爷爷意识到，这对母子肯定是上完了上午的特长班，还要赶下午的特长班，因为家住得远，所以只能到这公园里来小憩一下。

小男孩就要拔腿跑开，老爷爷轻声叫住他："小弟弟，别跑远了！"

小男孩仰头望望老头，心想你管得着吗？我要能飞，飞得老远老远的，天那边，才好哩！

老爷爷指指长椅上的东西："别让人顺手牵羊呀。"

小男孩歪歪头，意思是：哼，都让人拿走了才好哩！

老爷爷笑了。他把小男孩引到对面花丛中的甬道上，指着那些花跟小男孩说："你把最美丽的一朵，找出来吧！"小男孩问："那有什么用呢？"老爷爷说："不是为了用。你能找吗？"小男孩就找，他指着一朵，快活地宣告："那朵那朵那朵，它最美最美最美！"老爷爷点头。两只蓝喜鹊叽喳叫着，掠过花丛，升腾到那边大柳树上去了。老爷爷说："你知道它们为什么这么高兴吗？因为那边湖里，新来了一对野鸭。""那跟它们有什么关系呢？"小男孩问。"朋友多了呀！"小男孩还问："野鸭能给它们什么好处？"老爷爷眯眼俯看小男孩，小男孩仰起的脸上，一双黑眼睛很亮。老爷爷就让小男孩跟他坐到甬路上的没有靠背的石凳上，隔着花丛，斜对着小男孩母亲打瞌睡的那个长椅。

老爷爷说，他要讲些故事，不过这些故事没什么用，也给不出什么好处。老爷爷讲了起来，小男孩开头精神不集中，可是，没多久他就越听越入迷，"后来呢？""还有呢？"小男孩正缠着老爷爷再讲，那边他妈妈忽然惊醒过来，先是左右一望大惊失色，然后就跳起来锐声叫唤他。

小男孩回到他母亲身边，那母亲不由分说拍了他脖子两下，指指手表说："晚啦晚啦，快走快走！"母亲背起提琴，小男孩背起画夹，匆匆往公园外头走去。老爷爷望着他们背影，小男孩并没有扭过头来张望。

一个多月过去了。又是个星期日的中午。公园附近派出所来了个报案的母亲。

她一个肩膀上挎着提琴，另一个肩膀上挎着画夹。她哭着报告，儿子丢了！情况是：带儿子上午去提琴老师那里上完课以后，到麦当劳里吃午餐，准备休息一下以后，下午好去美术老师那里上课；为了防止自己犯困，她还特别要了一杯咖啡；谁知到头来自己还是趴在小餐桌上睡着了！以前是吃完麦当劳以后到公园里去休息，后来觉得公园里的安全性不如快餐店里，没想到快餐店里也出问题！……民警只能先安慰这位母亲，她一把眼泪一把鼻涕地大哭诉：每星期六上午是带孩子去补习英语、下午去补习电脑，每到"双休日"她是比上班还累，为的还不是这孩子的前途？没想到这孩子竟越来越难管教，根本不懂得做母亲的一片苦心！而社会又是如此险恶，拐子竟拐到快餐店里去了！……

她的宝贝儿子究竟哪儿去了？原来，他和妈妈在麦当劳里坐在靠大玻璃窗的座位上，妈妈打盹的时候，他忽然看见了那回在公园里遇见的老爷爷，正从窗外走过，他犹豫了一下，就溜了出去，尾随着那老人，原来那老爷爷就住在附近的居民楼里，他一直跟着老爷爷进了那楼，眼看他开锁进了自家的单元门。孩子在那门外歪头想了想，就踮起脚尖去按门铃。门开了，老爷爷看见他大吃一惊，他大声提出要求："我想听您讲没用的故事！"……

正在派出所里一筹莫展的那位母亲，她的手机忽然响了起来。不久就在派出所里呈现了大团圆的场面。当天晚上，那孩子把他记得的那些没用的故事讲给母亲听。母亲惊异万分。为什么这些故事孩子会记得那么清楚？孩子睡熟后，母亲还在枕上琢磨，一时也理不清头绪，但那些故事里的那些小鸟、云朵、伸长缩短的树影、飘落在湖心的鹅毛、抱着毛栗的松鼠、只露出半个脸蛋的狸猫……却分明粘在她的意识上，让她疲惫的心，感受到一种意外的温柔与熨帖……

没有拒绝

"还听得出我是谁吗？"

虽然作家 K 如今最讨厌来电话的用这类话打头，一般碰到这种情况，他甚至会粗暴地应声答曰："我没有时间猜谜！请你也节约自己的生命！"但这回他却马上热情地回应："苏姐！哎呀，好久没听到你的声音了！你怎么样？好吗？……"

苏姐是区教育局的副局长，十年前她还在一所重点中学当校长的时候，K 为了让自己的儿子上那所中学，托关系找过她，后来儿子很争气，考分够录取线，所以虽赖苏姐的关照，率先录入了该中学，却也算不上"走后门"，大家都很坦然。那一段常来常往的，K 和苏姐颇谈得来，双方彼此都留下了不错的印象。K 觉得苏姐挺懂文学，苏姐感到 K 富有平民意识。岁月匆匆，K 的儿子如今已在美国一所大学攻读硕士学位，苏姐忙于本职工作，基本上已不阅读文学作品，他们好几年不曾联系，没想到苏姐突然给 K 打来了电话。

苏姐给 K 来电话，是希望他能到他儿子母校，采访一位优秀教师，写一篇报告文学。那是一位在中学岗位上，默默无闻地工作了三十多年的数学老师，苏姐一提那位李老师的名字，K 也就想起了李老师那黑瘦而抖擞的风貌，儿子考大学前，还专门请李老师来给儿子"吃"过几回"小灶"，K 和爱人要给他一些报酬，他晃着"骄傲的头颅"，爽笑着说："为那个我就不来了，不过我也还是有所图……"原来他是一个集邮迷，他要求 K 在他带来的首日封、邮折上签名，K 当然乐于效劳，其实，在签名时，内心里也很为自己具有"名人"价值而欣悦……

虽然 K 和苏姐在电话里言谈极欢，临到最后，他还是没爽快地揽下这个"瓷器活"，他跟苏姐说，他过两天就得外出，跑老远的地方，那是早约好的，他答应回来后再跟苏姐联系。苏姐满怀希望地说："你可别贵人多忘事啊！"

他确实过两天就去了远方。那里接待得极好，宴请、参观、游览、卡拉 OK、桑拿浴……不过，回来他得完成五千字以上的报告文学，人家一次性付他五千元，这等于他按常规给国家级出版社写一部严肃的二十万字的长篇再扣掉税款的收入，写一部长篇得用去多少生活积累，用多少精力构思，吭哧吭哧写多久啊，再按部就班地让编辑部审阅，碰上多事的总编辑，你还得改这儿删那儿，就是一次性通过，都发排，有了校样了，你还得等新华书店的征订数字，等来等去不够三千，人家就不给你开印，好不容易印了，发行了，稿费左等右等终于发出来了，你也差不多精疲力竭、意趣全无了。现在人家请你，借你大名，好吃好喝好玩，不过要你大笔一挥……还付款在先，何乐而不为？

有的同行说，这种文章"不过一个晚上的活儿"！K却是个认真的人，他不仅保证达到人家提出的内容上要求，还尽量把结构、文采弄得有一定的可读性。当然，写这样一篇东西，他也用不了三天以上的工夫。

从远方回来一周，他便把那"订货"寄给人家了。但所拿到的五千元也很快"送出"：三千多元"送"给了卖台式音响的商店，所买的虽是日本原装货，却只是中低档次，不过是为自己增加了欣赏CD唱盘的乐趣。另外一千多元"送"给了几家高档购物中心，两口子买了几件名牌服装，也只是"大众名牌"而绝非"高级名牌"。另外的几百元买了点速溶咖啡、洋点心，吃了回"必胜客"的比萨饼，兼来回打"的"，也就荡然无存。正当他喟叹"哪儿能再挣个三千五千的就好了"时，忽又有人找上门来，这回约去另一个方向，"老规矩"，也是写一篇五千字以上的报告文学，题目材料都现成……

所以当苏姐又来电话时，他真是厌烦不忍、应承不欲、拒绝无词、强颜实难……

不过，他说他忙，千真万确是又要外出……对苏姐在电话里所举出的李老师的几个事迹，他说确实值得写，如采访深入一点，会激发出创作热情来的，他怎么会拒绝写这样的一个在"清水而非衙门"中竭诚奉献的普通园丁呢？

他又从外面回来了，又把"订货"完成寄去了……一天他参加一个活动回到家里，爱人说苏姐来过电话，可能过一会儿还会来电话……他在屋里转悠了一阵，坐下，给一位熟悉的编辑打电话，他说他要写一篇关于中学教师的报告文学，对方不等他讲完便说："哎呀，现在离教师节还早着啦……你是怎么着？孩子要转学到人家那儿呀？……"他刚具体化了几句，对方又截断他说："哎呀，你要是写个偏僻山村的领不上工资的穷教师，也许还能招人看，你这个……"他急了："你们就知道猎奇！"对方一点没脾气，坦然地说："现在我们确实欢迎两种报告文学，一种是爆冷门的，一种……怎么说呢？当然也不是瞎来，搞赤裸裸的'有偿'……"他叹口气说："是呀是呀，明白明白……是'三点式'的，哪能赤裸裸呢……"搁下电话，他也不想再试别的地方。

一晚上他不舒坦。他在心里头组织着跟苏姐通话的逻辑："……文学创作是不能出题作文的……恕我现在只写自己选定的题材……有的素材，听起来很动人，写出来，不一定有人爱看……我这阵对报告文学的兴趣也开始转移了……现在真是越写越难了呀……我这也不是拒绝……文章本天成，等'文缘'到了，你不找我，我还要上赶着找你们呢！……"

可是，那晚上苏姐并没再来电话。直到今天也没再来。

美丽的胡萝卜

亲爱的女儿，今天是你20岁的生日，继你爸爸上周出差，今天我也要出差，我把这封信留在生日蛋糕旁边，这样你一回家就可以先读它了。你上月整整一个月没有回家，却来了封信，你在信上问：妈妈，究竟什么是爱情？你是大学生，你们这一代人有些是不屑于向我们这一代人请教这类问题的，但是，从你闪烁的字句和颤动的笔触中，我感觉到了你的困惑和焦灼。我亲爱的女儿啊，你一定是遇到了任何书本都没专为你准备的现实问题……

什么是爱情？老实说，我答不出。但我想到了20岁时候的自己。那一天，我在师范学院的大门口转来转去，活像热锅上的蚂蚁。我在等他，可他没有在预期的时间范畴里出现。我觉得太阳是绿的，而树木是红的。从我身边经过的熟人或生人全都惊异地望着我，有的还过来说几句询问或打趣的话语，但这一切对于我来说都没有丝毫的意义。在那一段时间里，我心头充满不祥的预感，我想他搭乘的那一趟长途汽车肯定半道翻车了……我觉得自己心里空空的，我突然前所未有地痛楚地意识到他对于我的极端重要性。

他竟突然出现了。我感到太阳依然是红的，树木依旧是绿的，我的心因为过分充实而显得有些憋闷。我把他引到校园的一角，他从挎包里，取出一根胡萝卜，塞在我手中，对我说："原谅我，原谅我，原来是三根，可只剩下这一根了……"

他高我一届，毕业后分配在远郊县一所农村中学教书。他乘长途汽车进城途中，汽车抛锚了，那车足足修理了两个多钟头才重新行驶。当乘客们坐在路边田坎上等候时，有个妇女晕倒了，是饿晕的。亲爱的女儿，那年头在我们共和国历史上被称为"三年困难时期"，因饥饿而浮肿而晕倒的事并不罕见……当人们摇醒她以后，他给了她一根胡萝卜，而她立即嚼着吃了，脸上恢复出一个笑容……没想到另一位看去并不虚弱的老人伸手向他要胡萝卜，他不愿给，他说："您知道吗？我们一个月只发十五根胡萝卜，这是我带进城……给我妈的礼物。"他妈妈其实早去世了，他是为我带来的。但临下车时，他心里过意不去，他又主动把一根胡萝卜给了那老人，而那老人也就道谢着收下了。他只剩下一根胡萝卜给我，那真是世界上最美丽的胡萝卜……亲爱的女儿啊，对于我来说，爱情是和三根胡萝卜联系在一起的，而后来所出现的爱情结晶，你猜到了，就是你。

你成为一个独立的个体了。你们一代对于爱情一定有许多新的发现和新的理解，然而，依我想来，既然自古就有爱情这么一种东西，那么，它那最恒定的内核，一定是单纯而质朴的，犹如一根通红秀美新鲜结实饱含汁液的胡萝卜。

女儿啊，掀开蛋糕边盘子上的餐巾纸吧，希望你不但细细地看，深深地想，而且希望你吃上一根，那本是可以生吃的，富有特殊的营养……

米 宝

这对夫妻在炎夏来临时，相互间的感情都降到了冰点以下，从赌气沉默、恶声拌嘴，发展到摔砸东西、肢体揪撞，那天雷雨将至时，竟至于在詈骂后相继冲出了家门。

丈夫在雷声里拿IC卡给妻子指认为情妇的那位打电话，话筒取下放回再取下，磁卡插入拔出再插入，倒腾好多回，就是没人接，于是把话筒一扔，青着一张脸冲进了那边一家饭馆，还没坐下就让上整瓶的白酒……

妻子淋着雨茫然疾行，头脑里一片空白。有个在街头推销简易雨衣的小贩先在她身旁叫，再跟在她身后追着喊，最后甚至跑到她身前请她买，她两眼直直地没有任何反应，小贩只好跺下脚，叨唠着"精神病精神病"，另去招徕顾客……

半小时后，饭馆里那位丈夫独占的餐桌上面，菜只一盘，啤酒瓶却已空了半打，而一大瓶白酒也只剩了个底儿，值班经理在收银台那边小声嘱咐服务小姐："他再要酒，你就含含糊糊应付吧，这人就是扛着金元宝来的，咱们也别赚他的了……"

三刻钟后，疾行的妻子全身湿透，终于不得不停下脚步，因为她鼻子前是一面灰皮剥落的老墙，上头还有围着大白圈的一个"拆"字。她是走到一条死胡同的尽头了。她愣愣地瞪着鼻子前面裸露的旧砖，费力地问自己：这是哪儿？我找什么？……

他们居然都忽略了一个重要的存在——米宝。

米宝是他们的儿子。马上要十岁了。他们相互詈骂时，米宝正在自己那间小屋里做作业。他们相继冲出去时，都把单元门摔得仿佛地雷爆炸。前些时，他们夫妻冲突还是尽量地避着米宝；一般是在他们那间卧室里开战，把门关得紧紧的。后来，战场渐渐扩大到厨房，但争斗中他们中的一方，也还会在瞥到惊怕发呆的米宝后，火力稍减，转身把米宝轰进他的小屋，嘴里连珠炮似的命令"去去去去做你的功课去"，接着就把小屋的门重重地拉上。再后来则会在厅里爆发激战，甚至一家三口已经坐在饭桌周围，不知怎么就忽然战火纷飞，比如这天，先是言语冲撞，米宝还没听懂那些古怪的争吵，父亲站起来就把一碗热面猛地扣到地板上，母亲随即暴跳起来，冲过去要跟父亲拼命……米宝钻到饭桌底下，想哭，没哭出来，父亲母亲就都在地雷般爆炸的摔门声中相继消失掉了。

大约一个小时以后，母亲想到了米宝。她的心头蓦地浮现出米宝惊恐的面容时，也就仿佛自己扎了自己心口一刀。她往家里小跑。跑了一段路，恍然大悟地到路边拦了辆出租车，坐进去以后，司机侧目，心存疑惑，到了她家楼下，她才发现自己没有带钱包，司机立刻表示免费，她也没道谢，下车以后就直奔自己家。到了单元门前，才又发现她也没带门钥匙，立刻按门铃、敲门板，居然不见米宝来开门，她觉得自己的心爆裂开并且堵住了喉头……

父亲竟然一直没有想起米宝。他招呼饭馆服务小姐埋单，但小姐走拢后他也发现自己并没有带钱包，值班经理马上过去表示不要紧不要紧，把他扶到门口，他用臂肘把经理推开，理理衣领，郑重其事地宣布："我没有醉！我明天会把钱送过来！"

夫妻二人在楼门口迎面相撞。都没有想到会这样地相撞。丈夫是本能地大步流星往自己家里去，妻子是叫不开屋门绝望地往楼外跑，脑子里的念头是去找公用电话打110。这一撞把俩人都吓了一跳。妻子认出冤家，攥紧拳头大叫："米宝没啦！"丈夫意识里立刻仿佛有滴浓墨洒入，顷刻洇润开来，凸现出一个米宝，不由得也大叫："怎么啦？米宝在哪儿？"妻子歇斯底里地嚷："他死家里啦！"丈夫立即冲进楼里，跳跃着经过楼梯，来到他们家单元门前，他带着门钥匙，立刻打开，旋风般来到米宝房间，开灯一看，啊，米宝和衣睡在床上呢！一口气还没落下，妻子从他身后扑到了儿子床边，跪在地板上，搂着儿子失声痛哭……

夫妻那晚再没过话。妻子去卧室睡，丈夫在厅里沙发上睡。米宝在他们回来后一度醒来，但似乎不是清醒而是迷迷糊糊地，只能算是半醒。母亲给他脱衣、盖被，发现他右手里捏着张报纸，费大劲才把那张报纸拉离他的手指。把报纸扔到一边，也没太在意。

妻子一夜没睡好。天从黑变灰时就起来了。本能地去厨房坐壶开水。眼睛觉得灶台柜有点生。愣了愣，发现菜刀没有了。奇怪。

丈夫半夜还打了呼噜，但天从灰变粉时坐起来，只觉得自己浑身疲惫。跟妻子对了个眼，马上扭头，讪讪的。明知水开了，也不去冲热饮。打开冰箱取出一纸盒牛奶一只面包一罐果酱，打算就着冰奶吃面包片，习惯性地到饭桌的盘子里取西餐刀，咦，哪儿去了？

妻子紧接着发现了更奇怪的事情——还没睡醒的米宝，右手里又紧紧捏着那张报纸。一定是他半夜醒过来以后，重新抓回去的。这是为个什么？

天从粉变白以后，儿子彻底醒过来了。分别问儿子，儿子并不能用完整的话语把心事讲清楚。那张报纸他们分别看了，促使儿子紧紧抓在手里的是那篇占据半版的社会新闻——夫妻之间的冲突发展到动了刀子，酿成血案，家庭毁灭，无法挽回。儿子仰面对他们说："你们别……"那双眼睛像谁的？都像都不像，更像天使……

于是，都明白，是儿子把菜刀和西餐刀藏起来了。明白以后，两个人眼睛对视的时间稍长些了，眼里的怨恨凶戾衰减，胸臆里有些温柔的东西涌了出来。都跟儿子说："怎么会呢？……别胡思乱想！……"都问："你藏哪儿了？过日子还要用啊……"

儿子开始不愿意说。一再地保证，一再地问，这才说："你们给我取的什么名儿啊？"

米宝！那是还把他怀在肚子里的时候，夫妻两人逛商场，发现有一种用无毒也无任何副作用的合成材料制作的，水桶般的储存大米的容器，叫米宝，立刻买回了家，很喜欢，并且决定孩子出生后就叫这样一个很朴素很有生命内涵也很有趣并且不容易与别人重复的名字……

丈夫去到家里那米宝跟前，揭开盖子，眼里全是莹白的大米，拨开面上的大米，露出了那两把刀。刀子露出后，夫妻对望，这回眼光仿佛被粘住了，充满了和解的愿望……

儿子米宝仰望着他们，问："妈，爸，今天早点咱们吃什么？"

蜜月后礼物

他边走边问："今天你妈又会给咱们做些什么好吃的？"

她微嗔："什么？谁的妈妈？光我一个人的吗？那你干吗跟着我走？"

他便笑："瞧你！都说'蜜月一过，老婆吆喝'……果不其然！"

她便伸手打他，他便躲，俩人嘻嘻哈哈地跑动起来。

他们的新房在 3 号楼，她的妈妈即他的岳母在 4 号楼。这真是"最佳布局"！

跑拢 4 号楼了，他说："我猜妈妈今天准给咱们烧了一条她最拿手的豆瓣鱼！"

她娇喘微微，用小手帕揩着额上细汗，撅着嘴说："那是我妈，你算老几！烧了豆瓣鱼也不喂馋猫！"

……俩人便牵着手进楼去。

她妈妈守寡几年了。就这么个宝贝闺女。送走了老人，又送走了丈夫，终于女儿也出了阁。当妈的在厨房里煎着鱼，听着锅里吱吱的声音，不知怎么搞的，忽然几十年来的生活浓缩在了心头……她为一家人煎过多少次鱼啊！……她觉得自己心脏里满是热乎乎的豆瓣辣酱……

小两口进得妈妈家，不由得欢呼："万岁！豆瓣鱼！好香好香！"

妈妈把烹得的豆瓣鱼移到长圆的盘子里，说："别忙……"她问女儿，"你说得出这条鱼烧出来的工序吗？"

女儿说："看也看熟了！忘记点什么……反正可以请教您呀！"

妈妈又温和地问女婿："你呢？"

女婿坦然地说："抱歉，我只会冲方便面！"

妈妈淡然一笑。暂且不说什么。

这一餐大家都吃得很香。

吃完，小两口自觉地说："妈，您歇着，我们来收拾！"

妈妈却说："且不忙。"问，"你们忘了吗？……你们旅行结婚，临走的时候，我说过的……？"

女儿马上拍手说："对呀！对呀！妈妈你说过，我们度完蜜月回来，你要送我们'蜜月后礼物'！……哎呀我们都回来一个礼拜了，居然把这么一件天大的好事忘记了！……"

女婿便说："其实妈妈不必再送我们什么了！妈妈给我们的已经太多太多了！……我们单位里那些个人，对我真羡慕死了！把新房换到了妈妈旁边，随时能到妈妈这儿来蹭饭……还是这么香的饭！……我们也能就近照顾妈妈……这真是难得的福气啊！"

女儿却催促："妈妈妈妈……快快快……快把那'蜜月后礼物'拿出来！"

妈妈便进里屋去。小两口交换眼色，都在猜，猜得不一样，可……妈妈出来了——他们都没猜对！

妈妈提出来好大一个藤篮，往饭桌边的空椅子上一放。篮子里是些什么？妈妈一一指点着对他们说："这是食用油，这是酱油，这是醋……这一罐是盐，这一罐是糖……这是花椒，这是八角大料什么的……这是辣椒油，这是香油，这是色拉酱，这是番茄酱，这是芝麻酱，这是豆瓣酱……这是料酒……这是几种不同用途的锅铲……这样的大长筷子是不能少的……还有，这是一本家常菜的菜谱，还有一本是厨房小窍门一千例……"

女儿心里仿佛被撞击了一下："妈妈！……"

女婿望着篮子里的东西，傻呵呵地说："这里头……有的我们厨房里有呀……"

妈妈便坐下来，语重心长地说："我知道你们厨房里差不多都有……可你们认真地用过吗？……你们成家了，你们有了自己的家，你们就该从此自己开伙……当然你们忙的时候，来不及自己做的时候，尽管到我这儿来，事先来个电话更好，没打电话就来也好，我都会保质保量地供应你们……节假日，或者你们来，或者我竟到你们那儿去，要么我们一起下馆子……但那种自己永不正经开伙的生活方式，随着你们蜜月结束，也该结束了！……所以我要送给你们这样一篮子礼物，我是祝福你们，真正开始了独立的家庭生活……"

女儿望着妈妈眼角的鱼尾纹，忽然开悟。她再望望那一篮子厨房用品，心里说不出的感动。她觉得那是第二次断脐。是的是的，一种新的，平凡而扎实的生活，该有个正儿八百的起点了……

女婿说:"妈,确实,我们不该还把您这儿当做食堂……您太辛苦了!"

妈妈微笑着说:"我虽然是一个人,又退休两年了,可我觉得自己也还是一个完整的世界……你们开始了独立的生活,我呢,其实,送走了他们,又分出去了你们,我这也才又获得了独立……在这世界上,没有亲友、群体的照应、扶持不行,可没有独立自持的精神那就更不行……孩子们,你们接受我的这'蜜月后礼物'么?"

小两口真诚地点头。

明星泪

听说那位她从小崇拜的大明星也迁到这个新建居民区来了,于是萌生了拜访之念。心想大明星那里一定是门庭若市,而且凡明星架子必大,自己这么一个区区售货员,能让进门么?

不过童心未泯,有一天饭后便对丈夫和已经上初中的儿子说:"我想去见见那位明星哩!我拿着那本电影画报去,她兴许能让我进门吧?"那是一本快满30年的旧画报,封面上正是那位女明星,当年不时兴妖艳奇特的化妆和服饰,一派青春焕发的本色面目,画报虽已陈旧得发黄发脆,那凝固住的青春却依旧鲜花般开着……

丈夫和儿子是棋迷,不好电影,尤其不好老片子,丈夫虽说也熟悉那位女明星,但估计该人早已"人老珠黄",所以对妻子的怀旧只是微笑;儿子却只知道时下的歌星名字,对那位年近花甲的女明星简直毫无印象。

她便去闯明星府。楼下没停着小轿车。单元没装防盗门。怯生生地按了门铃,门开了，也并不是保姆什么的——而是明星本人。那么多年过去了，明星的容貌竟与那旧封面上的玉照无大差别！而竟想不到的是明星对她的"突然袭击"一点也不愠怒，拉着手亲切地把她引进了客厅……

到底是明星之家！她环顾着四周，东西嘛倒不见得比自己家的那些个值钱——例如彩电还是二十吋鼓面卧式的，而非平面直角二十一吋的时髦样式；但色调淡雅，格调高档，还有些个显见是出国访问带回来的纪念品，更有许多便装照和剧照，嵌在原木色的相框里，挂在墙上、摆在各处……

她们竟谈得十分投机！从三十年前那期电影画报，谈到那时候各自的生活——明星那时正一部接一部地拍戏，她刚刚上中学；她们回忆起那时候社会生活当中许多给她们留下印象的种种事情，还情不自禁地共同哼起了那个时代流行过的歌曲《俺是个公社的饲养员》……

她不由得艳羡地说："您多了不起啊！不像我，一辈子站柜台……"

没想到大明星却突然一脸愁云，而且竟至于满眼泪水，向她倾诉说："唉，你哪里知道，我内心好痛苦！算来我已经拍过四十多部片子了，可是，你替我想想看，哪一部能算我的代表作！像白杨，一提她名字，人们就能想到《一江春水向东流》、《祝福》；一提谢芳，人们就能想到《青春之歌》、《早春二月》。可我呢？我呢？……"

她愣住了。她头一回受到一种意想不到的震动——她原以为明星们不会有事业上的痛苦和烦忧。

"……我是一个没有代表作的明星，替我想想，多可怕！你会劝我——赶紧拍出一部代表作来，可谈何容易！得有合适的本子、好的导演……更重要的是机遇！"明星拉住了她的手，一滴泪水落到了她的手上。她头一回顺着那样的思路去想。于是，她也悚然地有所悟。"更何况，我已经老了！"明星的泪又滴落到她的手上。

回到家中，父子的棋局正战犹酣，她赶紧回到里屋，把那女明星刚签过名的画报放在床头柜上，坐下来，细细消化这人生中头一回大出意料的遭际。

摸 书

去医院看望佟兄，在他那单人病房门口，正遇见护工大康，大康把我引到离门较远的地方，告诉我："老爷子昨晚受刺激啦，到今天血压还高！"我不免责备："怎么搞的啊？你们就不能注意一点吗？"大康一脸无辜地跟我解释，我才大体上明白，既不是他，更不是医护人员，是电视得罪了佟兄！佟兄视网膜早就脱落，根本看不清电视画面，他有时让大康打开电视，只是听，他曾跟我说："眼福没有了，耳福要保住！"他老伴早已仙去，抱养的儿子儿媳对他挺孝顺，在病房里给他安置了一套音响，他每天至少要听一小时音乐，我也曾给他带去过几种版本的《二泉映月》，还给他推荐波切利和苏珊大妈，他的耳朵并不只是怀旧，也还能接受新的音韵。我询问大康，昨晚看的什么电视？大康记不清，只是说熄灯前发生的情况，老爷子忽然大怒，提高声量让大康"快给我关了"！

我进屋去，佟兄合眼斜倚在大靠枕上，也不睁眼，也不招呼，他听气息就知道是我，也不等我问候，叹口气嘱咐我："快拿几本书来，我要摸摸。"

我跟佟兄是同代人，他只比我长三岁，我们读过同样的书，唱过同样的歌，沉浸过同样的狂热，怀有过同样的困惑，经历过同样的反思，收获过同样的憬悟，我们在任何生命时段都不追随极端，我们自信对时下杂驳的世相还有较强的消化能力……我们算是发小吧，几十年保持着联系，可谓心有灵犀一点通。没交谈几句，我就全明白了。

昨晚那个时段，我也在电视机前，看完预定要看的戏曲节目，偶然转换到某省卫视的相亲节目，正遇上一个小片段，出场待众女挑选的男嘉宾表达对今后的生活向往时，说要在居所的书架摆满了书，一位所谓美女竟勃然变色："别跟我提书，我听见书就烦！"佟兄在医院，我在家中，同时受到刺激，好在我身体尚好，气愤中关闭电视，去窗边望望夜色，也就依然淡定。佟兄可是患绝症的人啊，哪还经得起导致血压升高手冰凉的刺激！

我不跟佟兄谈那档节目。我跟他漫忆当年我们喜欢的那些书。我们的青春期里，当然会遇到许多只具有短时宣传功能的书籍，但是，我们善于淘书，发现了某本超越宣传功利具有恒久欣赏品质的书，就互相推荐。我们还常读"冷书"而热议，其乐无穷。记得佟兄借给我一本叶永蓁的《小小十年》，作者把自己亲身参与上世纪初大革命的体验融汇在质朴的文本里，读后使我们深切地意识到个人在时代洪流中的渺小。我还买到一本只印了500册的《罗曼·罗兰革命戏剧集》，其中那出《罗伯斯庇尔》，令我们讨论了很久：为什么推崇极端的人最后会被极端浪潮葬送？这样的书，时下谁还记得？以至于堂堂省级卫视节目，还是先期录制可以剪辑的，却偏偏要把"美女"那"别跟我提书，我听见书就烦"的"嚎言"特写播出，似乎到了今天，不管是什么书，骂杀为快，不以为耻，反以为荣。

佟兄说要给儿子儿媳打电话，让他们给他送书来。但是他估计儿子儿媳妇至今还不熟悉他的藏书，难以找出，因此托付我去帮他顺利找出带来。佟兄入院前，我确实熟悉他那些书架，但我不好跟佟兄说破，实际上他入院两个月后，因为知道他是难以从病房返家，而且他也明确表示把住房及附属物品悉数交由儿子继承，他儿子儿媳就已经把他们原来合住的单元重新装修了，有一回我遵佟兄之嘱去他家看望因小病在家暂养的那儿子，未进门之前，发现门外过道里两边堆满了捆扎得很整齐的待处理的一摞摞图书，从地板一直堆到天花板，蔚为大观。我随意看了几摞的书脊，颇有当年我和佟兄钟情的旧书。我在他家获得了热情接待，小两口"叔叔"不离口。他们把那单元装修得无论哪个细部于我都完全陌生了。书柜只剩一架，随意一瞥，赫然呈现的是一大排精装厚重的《谋略大全》。他那抱养的儿子是个生意人，倒也不难理解。后来我再没去过他家，估计那些捆扎好的一摞摞的旧书早被处理净尽。我望望病房里佟兄儿子儿媳看望他时提来的满坑满谷的水果和营养礼盒，就告诉佟兄我会把他提到的旧书取来让他尽情地抚摩。

第二天，我从自己的藏书里选了几本给佟兄拿去，他只以为是他自己所藏的，闭着眼，用布满老年斑的双手动情地抚摸着，脸上现出无尽内涵的笑容。

母鸡吃蛋

小杨在我家服务已经六年多了，她三年前回乡结婚，一年后生下个胖大小子，今年又来我家，继续帮助我们。她动身前来电话，说要给我们带东西来，我们一再嘱咐她千万不要客套，路上安全第一。但是，我们估计她还是要带来表达心意的东西，记得四年前春节后，她曾提来一篮柴鸡蛋，估计这次还会是那样的礼物，她一定记得我们说过，柴鸡蛋就是比工业化养鸡场的那些蛋吃起来香。

那天小杨到了，她这回给我们带来的不是一篮鸡蛋，而是一只活鸡。她把那只鸡装在一个蛇皮包里，拉紧拉锁，但在包上挖了一个洞，让鸡能探出头来透气，以免闷死在长途大巴上。她把那只鸡连同那只包搁到了我们阳台上，又告诉我们，这老母鸡是她出嫁时的嫁妆之一，特别能下蛋，她坐月子时和儿子聪聪成长时，每天都离不了这只柴鸡的蛋。老伴就说，我们阳台上可不能养它啊。小杨笑，说那当然，我把它带来不是让它下蛋，我明天就宰了它，给你们炖老母鸡汤补身体！老伴眉毛动了动，我知道，她最怕宰鸡的场面了，但小杨已经把那鸡老远带了来，我们也不好再说什么。

小杨仿佛看出我们有疑虑，就说，为了让这鸡不再拉屎，她上路三天前，就不给喂食了，所以现在那蛇皮包一点不臭，鸡也饿得只知道睡觉，如果我们怕鸡半夜饿死，她今天就先宰了它。我们就说不必。

那晚小杨在她那屋里睡得很香，从门缝里传出吟诗般的鼾声。我们却睡不塌实，因为那只鸡晚上忽然折腾起来，好像是在那蛇皮包里拼命挣扎，咯咯乱叫，稀里哗啦乱响，我们也不敢擅自去处理，只好等到天亮再说。

第二天小杨很早就起床了，情绪特别好。我们因为一夜失眠，临晨才终于迷瞪过去，都起晚了。小杨见到我们就报告，说快去阳台看看，真好玩！我们就跟她到阳台。那只蛇皮包已经完全敞开了，小杨指点里面让我们细看："这家伙，几天不喂它，它还下蛋！昨晚下的这蛋，它饿极了，就自己啄开，给吃了！"我们俯身细看，破裂的蛋壳内外确实没剩多少东西，那只已经奄奄一息的老母鸡微张的喙上，还挂着一缕蛋清！老伴见状紧紧捏住我的手，可是小杨却笑得几乎喘不过气来。

那天早晨下楼遛弯，老伴就说她无论如何不能喝那只老柴鸡炖的汤。我说这可怎么跟小杨解释呢，我们跟小杨处得很好，但我们生活在不同的文化里啊！

我们回到家里时，小杨已经宰了那只鸡并且清理完毕，只等下锅炖了。老伴就支使她下楼去买青菜。小杨走后，老伴就把那只在生命最后关头，不得不吃自己下的蛋的老母鸡的尸体，像处理一位不幸去世的亲人那样，先用保鲜膜包起来，再搁进一个空蛋糕盒里，扎上彩绦，暂存进冰箱，说等天黑了，拿去葬在楼下小花园。我说，小杨回来，怎么跟她交代呢？老伴就说把咱们冰箱里的西装鸡搁锅里炖上，能混过去。

小杨买菜回来，说遇见她表姐了。老伴随口问：她不是在远郊鸡场打工吗？小杨就笑，说原来鸡都是一样的呀！表姐那天干活，不知道为什么那天有只鸡没给电死，扑腾着满车间飞，一翅膀把她眼睛差点扫瞎了！表姐就说什么也不在那儿干了……

后来呢，老伴把小杨带来的老母鸡也炖来吃了。我也再不说什么我们跟小杨他们属于两种文化了。

拿破仑蛋糕

开饭了，三菜一汤，三样菜三个人的手艺三种风格，青椒肉丝是爸爸的杰作，妈妈的素烧茄子这回并非最高水平，朋朋的西红柿炒鸡蛋色泽艳丽，汤是用现成的汤料冲出来的，聊胜于无；朋朋正布筷子的时候，姐姐菊菊回来了，一脸的疲惫，一身的辛劳，一进门便歉然地笑着说："又是我一个吃现成的……"

爸爸、妈妈、朋朋都绝不埋怨菊菊晚上回来吃现成饭。她工作的那所医院离家太远了，上正常班，下班紧往回赶，怎么也不可能赶回来做饭，她能正常地吃饭就好，谁忍心让她忙了一整天再回来张罗晚饭呢？

菊菊洗完手，坐到饭桌边，瞧，又没胃口！这就让一家人犯愁了。

爸爸说："青椒肉丝最开胃，我用的全是最青最尖的南方椒，在锅里一煸就铲出来了，你先夹一点吃，吃了这个，就想吃别的了。"

菊菊夹了一口，吃下去，却依然扒不下几粒饭，别的菜，也不能积极地吃。

朋朋有点生气了："我的西红柿炒鸡蛋，难道有什么缺点吗？姐姐你自己炒，不也这么个水平？以前我吃你炒的，哪有你这么大架子？"

妈妈便叹口气说："今天病房里头，又有那血里乎拉、恶心巴拉的新病人进去吧？你看你，非上卫生学校，当护士；当时我也没大反对，总以为学护理，跟学医疗也差不到哪儿去；现在你分到医院，我去看过几趟，才明白过来，医生接触病人，不过是诊断、手术、查房那么一阵，你们当护士的，越是不忍看、不忍听、不忍闻、不忍接触的病人，越是要没完没了地护理，难怪回了家，连饭也吃不下……菊菊，你就别想病房里的那些个情景了，快吃，我今天烧的茄子，太烂了一点，但味道是绝对地好，你尝尝……"

菊菊终究还是提不起胃口。

菊菊一天天瘦下去。

爸爸有一天，打电话给医院的院长，反映了菊菊厌食的问题，提出来希望院长给她调换个岗位，比如换到药房或者化验室。

菊菊那天回到家，满脸的不高兴，吃饭的时候，使劲地多吃，尽管咽起饭菜来挺费劲儿，但大有"谁说我不能吃"的赌气架势。喝完汤，她宣布说："院长找我谈了，说考虑调我去药房，我拒绝了，理由很简单，我在学校里，就立志专门钻研病房护理业务。这项业务，就是要面对血里乎拉、恶心巴拉，有时候便要面对狰狞的死神，我想我得有一个适应的过程，一时心理上不适应，导致一点生理上的不适应，就打退堂鼓，那怎么行呢？我要努力，争取拿到南丁格尔奖！"

朋朋就问："什么奖？"

菊菊告诉他："你不是喜欢文学吗？一天到晚吵吵，怎么还不把诺贝尔文学奖发给中国作家！南丁格尔奖，那荣誉就相当于文学上的诺贝尔奖，专发给我们这一行中的优秀分子，我们中国，已经有好几位护士得到了这个奖。"

"但愿你以后也得到这个奖。"爸爸说。

"但愿你以后别再往医院打那么糟糕的电话！"菊菊回答。

妈妈和朋朋就都朝爸爸望去，爸爸只是低着头嘿嘿地浅笑。

菊菊不愿总受照顾，总上正常班，她也开始值夜班了。

有天晚上，爸爸从海南岛出差回来，带回来四只大芒果，因为是坐飞机从海口直飞北京，所以芒果金灿灿的，没生黑斑。妈妈说留一只给菊菊，存在冰箱里大概坏不了，爸爸顺口说那难说，搁冰箱也可能出现黑斑，因为那芒果熟透了，朋朋便自告奋勇，骑自行车给菊菊送去，爸爸妈妈同意了，妈妈还用一只提盒，盛了半盒新煮的皮蛋瘦肉粤式粥，说一并带去当菊菊的夜宵。

朋朋去了医院，才知道医院跟演通宵电影的电影院差不多，多晚都有顾客，急诊处灯火通明，朋朋只穿过一道走廊，便目睹了好几个血里乎拉不住呻吟的车祸受害者，躺在担架床上待作进一步处理；他转到后面住院处，找到了菊菊她们护理人员值班兼休息的房间，见到了菊菊的同事，却不见菊菊，说是菊菊正在病房里，处理一桩紧急情况，朋朋不听劝阻，搁下带去的东西，钻到病房找菊菊去了。

那是一间安置危重病人的病室。靠墙的那位病人，脑栓塞一个多月，始终处于昏迷状态。栓塞在大小脑之间的脑桥处，所以在点滴中加了许多最先进的化淤药，也还是化不掉那关键的一块。病人现在已处于非常危急的状态，呼吸道又受到感染，痰堵，满脸痛苦的痉挛，虽有家属陪住照料，但他们不能正确使用那电动吸痰器，所以吓得六神无主，菊菊闻讯赶来，正在亲自踩动那吸痰器，做正确吸痰的示范……

朋朋随菊菊回到值班休息室后，问："姐，那病人看上去，就跟我在电视上看到的，非洲饥民的那种皮包骨头、活骷髅的样子差不多，怪吓人的！你们天天见着这种形象，难怪吃不下东西！这样的病人，还能治好吗？你们为什么还要费尽心机，给他吸痰什么的呢？"

菊菊说："这位病人刚送来的时候，体格还很健壮呢！病魔就是这般的无情！说实话，以现在的医学状况，就是在医疗条件最好的国家最好的医院，这病到了这个份上，也很难说还能痊愈，可是我们医生护士，还是要为他尽到最后的责任，这也正是我们工作的神圣之处：对于生命，我们充满了最博大的爱，哪怕是垂危之中的生命……"

菊菊喝了皮蛋粥，那芒果，她剥开皮后用小勺子把果肉分成了三小份，让另外两位值班的护士跟自己一起分享，因为她们也都没吃过鲜芒果哩。那两位护士都赞菊菊有个好弟弟，朋朋却在心里想：我姐姐真不错！

菊菊的二十岁生日就要到了。菊菊不那么厌食了，但她胃口依然没有恢复到工作之前，她还是显得偏瘦。爸爸、妈妈、朋朋在菊菊不在家时一起商量，给菊菊的生日宴究竟该准备些什么，爸爸说他可以烧个嫩嫩鲜鲜圆圆大大的狮子头，妈妈说她可以烧条川味豆瓣大鲤鱼，另外还可以配些现成的熟食和素菜，像全素斋的素什锦和月盛斋的酱牛肉，栗子白菜和清炒通心菜等等，汤可以烧一钵粤式粟米羹；朋朋的主意，则是要买一个好的生日蛋糕。爸爸妈妈听后都说："生日蛋糕当然要有，你这算什么新鲜主意！"朋朋就说："姐姐最不喜欢吃饼干点心什么的，一般的生日蛋糕，不论真奶油的还是麦淇淋的，她准都没胃口。我记得，有一回在姑妈家，表哥过生日，我跟姐姐去了，吃的是一种巧克力生日蛋糕，烘得酥酥的，一层层像云母片似的，外头还粘着好多花生渣，看上去没有奶油和麦淇淋那种油腻腻的样子，到嘴就化，味道特别好，那回姐姐一气儿吃了两块，显然她很喜欢。所以，我想，这回一定要给她买个那样的蛋糕，我记得表哥说过，那叫做'拿破仑蛋糕'，法式的！"

"我怎么没见着过？"爸爸说。

"哪儿有卖的呢？"妈妈问。

朋朋就打电话去问姑妈和表哥，他们说当年他们去的那家店，如今拆了正盖新楼，还没盖好；别的什么地方还卖，他们不知道。

朋朋来劲了，他说不怕，他将骑上自行车，转遍全城，为二十岁的护士姐姐，为中国下一批南丁格尔奖获得者之一，去寻觅拿破仑蛋糕。

朋朋一定能找到！

1991 年 8 月 31 日

那天，你丢失了什么？

没有呀，你说，那天参加完"派对"回家，什么也没丢失呀！钱包、手机、项链、手表……一样也没少，就连以往最容易忘记带走的太阳镜，这回也没落下啊！

可是，你确实丢东西了。

就在那个"派对"上，你对阿莽说："包在我身上！我叔叔就是个大公司的总经理，他们那儿正招聘你这样的人才，我去跟他一说，准行！"你并没有那样一位当总经理的亲叔叔，你家住的那栋楼里有一位邻居，倒是个总经理，但你平日只是在楼门前，见他从小轿车里出来，跟他打个招呼，叫他一声叔叔，他也就对你笑一笑，那么点交往罢了，你怎么可能介入他公司的人事，他又怎么可能轻易接受你对阿莽的推荐？

你对阿莽说大话。你丢失了诚恳。

阿莽把你的大话当真了。第二天他就把自己的简历用"伊妹儿"发给了你，从附言里看得出，阿莽对你的承诺充满期盼，他焦急地等候你或那公司给他佳音。

面对阿莽的"伊妹儿"，你有些尴尬。

你给阿莽回"伊妹儿"。从实招认，那是酒后大话，这个念头在你胸臆里转悠来转悠去，却最终被你抛弃。你在"伊妹儿"里对阿莽说，嘿，急什么，我叔叔出国了，下个月才回来，下个月包给你喜讯！

你从贸然吹牛，发展到公然撒谎。你彻底丢失了诚信。

这类的丢失，如果自觉、及时地把它捡拾回来，不仅可以使他人脱离迷雾，更可获得自己内心的慰藉与平静。

你不是一个故意要误人的坏蛋。但从那天起，你的丢失接二连三。阿莽给你来电话，告诉你一个消息，他发给一家小公司的简历，有了回复，让他去面试，他问你，你叔叔接收他的可能性究竟有多大，如果是百分之九十以上，那么，他就不去那家小公司面试了。"嗨，你去试试有什么坏处？骑着马找马，岂不更好？"这话已经到了嘴边，你却又咽下去了。事后你也曾后悔，倘若阿莽面试成功，去了那家公司，你前面的丢失虽然不能算作找回，但也总算告一段落，不至于越丢越多。但你在电话里回答阿莽的话却是："去那小公司干什么？多寒酸啊！我叔叔那边的可能性？我让我爸也跟他说啊……我爸是大股东哩……百分之九十？九十九都不止！……"关闭手机以后你有点心慌意乱，但喝了一杯星巴克的卡布奇诺咖啡，你竟又把此事忘在脑后。

你的丢失越来越惨重。其中最珍贵的一样，是善良。

绝不能再丢失下去。离那天的"派对"，渐渐快一个月了。阿莽这些天一定会来问你：你叔叔回来了没有？什么时候你能带我去见他？如果正式地面试，该再准备些什么？注意些什么？……

你要设法把所有丢失的，都尽力找补回来。

是的，这已经很难。但不能再犹豫，这是生命的必需。

你信不信

很晚接到一个很古怪的电话。

"喂，您好！我是一个司机，出租汽车司机，上个月您打过我一次'的'，您肯定把我忘了，我可还记得您，您坐在我旁边，一路跟我聊天，我说我在电视里看见过您，您起头还愣说我是认错人了，可后来，我连着说出您好几篇小说来，您看我是个读过您几本书的人，这才承认下来……您想起来了吗？对对，胖胖的，圆脸庞……真对不起，这么地忽然来打搅您，是这么回事儿，今儿个收车回家，出了档事儿，本来应当说不算什么大事，甚而至于，还得算是件好事，能给我带来表扬、奖励什么的……是在我那车的后座上，发现了一个挺高档的女士手袋，名牌货，我当然立马打开了，看里头都有些什么，好发现个线索，及时地送还失主……我后来没马上开车去找失主，也没去车队，您听着呀，我锁上车，拿着那手袋进家了，一进家门我就跟我老婆说，这事怪了，难办了……原来，那手袋里，除了一个化妆盒，一包揩面纸，并没有钱包什么的……您别误会，我能那么想吗？手袋里不放钱，这也是可能的，没放钱，光这包也值不老少，也该及时给送去，对不？可在屋里灯光底下一细查，我就傻眼了……那钱包里，还有张飞机票！是呀是呀，有了飞机票，那不就有失主的线索啦？我仔细地辨认，名字是英文，认不大准，航班呢，是今天下午七点多的，那班飞机早飞走啦！在我发现它的时候，想退票都退不了啦！您说这没关系？上交公司没关系？唉，要是没底下我跟您说的这条，那兴许确实没关系……

"您想得到吗？那张机票是撕成两半的！……没错，我哪儿顾得上吃饭，我老婆也陪着我瞎琢磨起来……当然，我们也是那么估计，准是有人劫了那机票主儿的手袋，来打我的'的'，他那里头的钱，兴许还有首饰什么的，全取走了，又把机票撕了，然后下车的时候，存心把手袋留在了车上……那么，是哪位打'的'客干的这缺德事呢？我老婆说多半是最后的那一位，那最后一位我倒还记得，是个老头儿，知识分子模样，挺面善的，不会是他！当然，知人知面不知心，这事也难说……可就真是他，现在到哪儿去找？再说找窃贼也不是我的事儿，我要决定的是，要不要马上把这手袋送到有关部门……老婆劝我吃了饭再说，倒也是，又没钱，没首饰，机票也过期了，急什么呢？可胡乱地吃着饭，老婆忽然问我：今天打'的'的，全是男的吗？我说，全是男的怎么样？她说，全是男的，那就赶紧去交，因为，显然只有那么一个可能，就是有男的，劫了那女的……我想了想说，不，也有女的，有单个的女的，好像，还有点妖里妖气的……我老婆就把碗一撂，用筷子拍着桌子，连说'不好'……

"……您不明白吗？到底女人家心眼儿细，我老婆说，这很可能是那女的搞个诈骗，你上交了这个手袋，根据那机票找到了她——其实她正等着找她呢——她会说，那里头原来有多少钱，多少首饰，机票倒在其次……到时候你跳进黄河也洗不清啊！所以，咱们万万不能上交！当然咱们也别留下，干脆把它扔进护城河算了！……是呀，我也跟她说，要是那女的记下了车号，通过公司找上门来，哪怎么办呢？我老婆就说，咳，那还不好办！就说没发现，你想，你一直坐前头，跟后头用隔离屏隔着，她又不是最后的客人，后来又拉了那么多拨人，肯定是后来有人顺手牵羊牵走了呗，找不着你！……

"就这么着，我就直到现在，也没上交这手袋，当然，也还没扔护城河……都几点啦？深更半夜的了，可我怎么睡得着呢？明天去交？我怎么解释？人家能信吗？特别是，机票为什么撕成了两半？怎么证明那不是我撕的？……可要真不上交，我良心上又过不去……就这么着，我忽然想到了您，您们作家，最能理解人，帮助人，又有威信，说话一句顶一句的，大伙儿听了都不疑的……是呀是呀，我是要您给我拿主意……您说得不错，我是产生了心理危机，是，是信任危机，就是呀，这日子头，谁相信谁呀？特别是钱财上的事……当然当然，无论怎么着也还是该交上去……可要是真招来怀疑，您能帮我说说话吗？……"

听到这儿，我没作出肯定的回答，我很犹豫。我说："毕竟，我其实并不了解您……我们只见过那么一次……"而且，我忽然生出一个很大的疑团，并且非常地不痛快起来，我有点严厉地问："对了，你是怎么知道我这电话号码的呢？我总不会在打'的'的时候，把这号码告诉你呀？"

他在那边说："就是您告诉我的呀！当时，我说，您以后有急事要用车，您就呼我，我就把呼机号跟您说了，当时您还笑，说这号码真够吉利的，就也把您的电话号码说了……"

我像被烫了一下，眉头拉钩，这可能吗？我会记他的呼机号吗？怎么我现在一点印象也没有？更离奇的是，我会把自己的电话号码随口告诉他？告诉一个萍水相逢的出租车司机？而他根本也没拿出笔来记，开着车也不可能记呀……

这件事，发生了，就在昨夜。你信不信？

拧床单

按响门铃，门一开，开门的潘大姐身后，照例传来先到客人的笑声。

潘大姐是出版社的老编辑，经她手发出的书稿能堆出一座小山，经她手签出的稿费累计已在百万元以上，许多作者给她送去稿子的时候只是个无名小卒，书出来一两年之后俨然已成社会名流，然而潘大姐却永远只是个没有社会知名度、只靠有限的固定工资过生活的穷编辑。她那两室一厅的单元里永远是那么些老旧家具。我也是潘大姐调理出来的社会上称为"新秀"的人模狗样的那么一位。尽管这一二年我稿子净往别处送了，人却还是常往潘大姐家跑。

这天我一进到厅里，立马发现了一位英国剑桥《世界名人录》年年修订辞条的知名人物，还有两位好眼熟的陌生人——坐到潘大姐家那弹簧塌陷的木扶手沙发上，随着身子往下一沉，我猛孤丁意识到——这二位不是时下轰动京城的电视连续剧里的角儿吗？瞧，潘大姐家的客厅真是蓬荜增辉。尽管她家的茶水只是粗淡的香片，在那儿一坐、一聊、一听、一笑，收获能小吗？

虽说是"谈笑有鸿儒"，倒并非"往来无白丁"，那天在我之后，就有一位大冷天额头上满挂汗珠子的小青年上门来，把一摞已经是第三次修改的长篇小说稿子递到潘大姐手中，潘大姐乐呵呵地招呼着他，又把他组织进我们已经开展的谈话中。我提到一位"白眼狼"，经潘大姐费老大劲帮助，出了书、成了名，前些天的一次茶话会上却只顾往主桌前凑，装成不认识潘大姐的模样；潘大姐听着拊掌呵呵大笑。

潘大姐就是这么爽气。前年她老伴突发心肌梗塞去世之后，我赶到她家吊唁，一屋子的人在安慰她，她痛痛快快地大放悲声，任泪水像小溪般往下涌流，等到有那心软的陪她落泪，她却又擦干泪水来劝人家："他这样去倒也没受大罪，是不？"

几位客人陆续都走了，潘大姐留我多坐了一阵，她忽然对我说："小严，我想再找个老伴哩！"我嘴里说："对呀！"心里嘀咕："她这日子不也热热闹闹的吗？

要说追求情爱，儿女都自立门户了，关起门来结一点露水姻缘也没人干涉，何必再自我找约束？"潘大姐仿佛看穿了我的心思，就对我说："以往洗完床单，总是我跟老伴，一人一头拧床单；有了洗衣机，不用拧水了，可还得一人一头抻着抖平才好往绳子上晾……我现在越来越觉着，生活里缺个站在对面跟我抖平床单的人……"

回到家，我把这事跟爱人说了，她先一愣，又忽然眼一亮，微微一笑。我在想：怪不得潘大姐有那样细腻的文学感觉；爱人在想什么呢？不得而知了。

1992 年 11 月 8 日

僻路上

从音乐厅回到我们那个楼区，天已经黑净了；从汽车总站拐了几个弯儿，进入我们那个楼区深处，我回味着那晚音乐会上的曲目，悠悠自得地朝我住的那栋楼走去。忽然，一种刺耳的声音冲击着我的耳膜，我不禁驻足张望。

离我驻足的地方不远，有一条僻静的道路，我望过去，昏黄的路灯光下，有人正在练习骑自行车。那刺激我耳膜的声响，不过是骑在车上的那位未能控制住车子，狼狈地摔倒了而已，帮助练习的那一位，自然马上赶过去扶起前者——一种完全不值得大惊小怪的景象。

也许是刚听过清丽动人的音乐的缘故，面对这僻路上平凡的一景，我忽然不能掉转头去，不愿拔步前行，我竟痴痴地望定了那一辆旧车的两个人影，心中荡开环环的涟漪。

在这楼区已经住上八年了。连这条僻路我也感到异常亲切。七年前，我教女儿骑自行车，也是在这样一个静静的夜晚，在这条静静的僻路上，我也是一会儿扶把，一会儿抓紧车座，一会儿当她的"拐棍"，一会儿撒手让她自己前行，一会儿耐心地告诉她如何掌握平衡，一会儿不由得焦躁地跺脚向她嚷："你蹬呀！蹬呀！越蹬越不会倒！"一会儿她偏因为不继续往前蹬而"叭哒"连车带人摔个结实，一会儿她兴奋地尖叫："我能往前骑啦！"一会儿她又因为不会煞车而"唉哟"连天，一会儿我又紧跑几步上去帮她定车……我还记得那几天里她腿上摔出的青紫和擦破的肉皮，还记得我比她更急切地期望能驾轻驭熟的心情……眨眼间我女儿已经从一个稚气的小学生成长为一名秀丽挺拔的大学生了，如今她能从很远的西郊自如地蹬车回家，还扬言要在暑假里跟几位同学骑车到白洋淀那边去搞社会调查！

我脑中闪过的这一串回忆是平凡无奇的，却令我觉得如美好的乐曲般甜蜜。瞧，又有一对男女在这僻路上练车了，静夜中，路灯下，一会儿扶一会儿放，免不了的摔倒和一定会有的再次尝试……岁月悠悠，人生如流，而练习骑自行车的两情相依相助，却意味着某种人世的永恒……

骑的人摇摇晃晃地骑过来了，护车的人气喘吁吁地跑近来了，我一眼认出护车的原来是同楼的老郑，不由得招呼他："老郑，帮闺女练车啦？"

我这一招呼差点把骑车的吓得横摔到地，幸好老郑一把扶住了，我听见老郑和骑车的都发出一阵意味深长的笑声。

老郑招呼我说："你好呀！吓我们一跳！你细瞅瞅，我有这么大的闺女吗？"

我一细瞅，忍不住也笑了，原来骑车的不是他闺女，是他奔五十去的夫人。

不管怎么说，这晚上回到家，我还是把听到的乐曲，同七年前我自己和女儿，以及当晚僻路上的一景，交融到一块儿细细地品味……

1992 年 11 月 1 日

"泼水节"

不是傣族的那个民俗节日，所以要加引号，而且，那只是他们老两口独享的节日。老两口跟我很熟，我眼看着他们把独生女儿送进大学、送出国去，并且终于传来喜讯，他们把她"泼出去了"，说到这事，外孙女都能跳芭蕾了，老两口还是眉飞色舞的，几次我都在场，他们跟新客人说，先有意提到海峡两边两位红星，说到她们所嫁的，"到头来还是中国人"，意思就是其丈夫无非是持有洋护照罢了，而他们妞妞呢，说到这里总会取来镶在镜框里的照片，递到来客手中，不等来客开腔，先就笑了："典型的洋男是不是？乍见他那把大胡子，我们也吓了一跳，其实妞妞披婚纱跟他进教堂的时候，他还不足三十岁……呵呵呵……"

他们第一次出境，是去参加妞妞的那场完全洋式的婚礼，回来乐滋滋地拿出一摞照片给我看，尖顶教堂，彩色玻璃镶嵌的玫瑰花窗，管风琴，拖地白纱，鲜花，草坪上的餐棚，码成塔形的香槟酒杯，独栋洋楼，客厅里的三角钢琴……确实美不胜收，我真为妞妞获得幸福，为老哥老嫂心满意足，由衷地高兴。

但是嫂子不在场的时候，老哥对我讲起，他们飞到那边，女儿女婿开车来接，他们以为是接进那栋小楼，却不曾想车子停到了一个连锁旅馆门口，让他们住进客房，当然啦，安顿下来，老哥就对嫂子解释，洋人婚礼，时兴到时候父亲把女儿交到女婿手中，从这里前往教堂，比从那栋小楼里出发，更合理。嫂子开头也觉得无所谓，因为男方的母亲和继父，以及另外几位亲戚，自己开车到达那个小镇后，也是住进那个绿树鲜花掩映的旅馆里。但是，婚礼结束后，男方的亲戚很快全开车走了，女儿女婿也还是没把他们请到家里去住，只是请他们去喝了一次下午茶，他们那栋小楼起码有四个卧室啊！女儿女婿给他们买了乘大巴旅游的票，让他们到风景名胜地转悠了一圈，回到那个小镇，倒是请他们在家里客房住了一夜，但第二天一早就把他们送往机场，飞回中国。

老哥不在场的情况下，嫂子也曾跟我讲起，妞妞嫁给洋人，确实变洋了，比如他们没觉得那是什么重要的日子，女儿会半夜打来越洋电话，问他们平安，后来才知道那是个女婿那民族祖传的一个吉日，而这边春节，女儿竟会全然忘却其重要性，你再忙，偷闲来个电话总不难嘛，就是没音信，初二看着邻居家女儿女婿拎着大包小包"回门"，多少有些觉得自己家里冷清。外孙女苏珊出生后，他们老两口总希望她能具有双语能力，女儿却说："我在这边不去唐人街，不进入华人圈子，今后苏珊也一样，不吃双语饭……"说着说着，夹几句洋文，他们跟女儿的交流变得不那么顺畅，而女儿女婿带着苏珊回国探亲，苏珊完全不会中文，祖孙之间的交流只能是微微一笑。那时老两口刚大大改善了居住条件，尽量布置得"跟国外不相上下"，为女儿女婿和外孙女准备了两间舒适的住房，坚持要来探亲的三口住进来，谁知住进来的第二天，女儿一家三口去看长城，老两口在家里厨房大动干戈，准备了一桌色香味酽的中国菜，三个人回来，吃得也还高兴，第三天早晨却宣布要去住旅馆，女儿跟他们解释：丈夫和苏珊都受不了中国式厨房派生的大煎大炒的气味，说是晚上睡觉被头上都是那种"令他们窒息的气息"……唉！虽说叹息很深，但嫂子仍然为自己闺女嫁给了"地道的洋男"自豪。

他们的心理状态，其实也满复杂。那天请我去喝酒，落座后老哥对我说："今天是个节日。"我说："都退休了嘛，哪天都能当节过。"后来知道，那天是妞妞十三年前披婚纱入教堂的日子。"真是泼出去了啊，三个月没来一个电话了！"老哥呷一口酒，长太息。

去年我出国旅游，在一个派对中邂逅了妞妞，万没想到她主动告诉我，其实三年前她就离婚了，她意态优雅地右手举着饮料杯、左手托住右臂肘，嘱咐我："别对国内的人说，尤其是我父母……没有什么故事，很平静地分手，苏珊跟他住……在这边是最常态的生活……"她又叽里咕噜说了几句洋文，我没听懂，咳，不懂也罢！

掐辫子

　　一对白领情侣长假携游,去到一处近年开发出的山野景点,见到瀑布深潭,她高兴得跳起来欢呼,山风掠过,将她草帽吹落潭中,她还没回过神来,他已经跃入潭中,捞起草帽,游回潭边,跃到岸上。她还没做出反应,周边的游客已经响起掌声,还有人说:"跟电影镜头似的!"

　　他们躲到僻静处,他把上衣脱下,晾到灌木上。她说:"吓死我了。知道你要表达,可也犯不着这么冒险。"他说:"除了对你表达,其实,还有另外的内心秘密。"她狐疑了:"什么另外的秘密?"他告诉她,掉在潭里的,是草帽。草帽是用什么做的?她随口说:稻草。他告诉她,不,是麦秸。把麦秸用水泡过,然后用双手编成辫子,他们老家妇女几乎一年四季都会在做完别的活计后,来顺手干这个,叫做掐辫子,一挂辫子大约弯成五圈,近年来的收购价,是一挂一元钱,一个能干的妇女,一天掐辫子能出五六挂……她听到这儿放心了,明白他内心里,有区别于她这样的城里生城里长的人的眼光和心思,草帽对她来说,不过是一种便宜的遮阳物品,可是对他来说,是他到城里来上大学以前,奶奶、妈妈、姐姐们日常掐辫子变化成的产品。她引他聊得更多。他细细叙说。他告诉她,他们那个家乡,离交通枢纽远,历史上属于兵家必弃之地,如今则属于商家缓争之处,无山无水,开发不成旅游区,离最近的一处古迹也还有百里之遥,他也曾苦苦查阅过,竟找不出自古到今各方面的名人有出生在他们那个地方的,总之,那是一处平凡、平淡、平庸的所在。但是平实之地也有平安之福,城市化的浸润,离得还远,村庄虽然盖起了新房,却仍有古朴风貌,有人问城市膨胀耕地减少,为什么粮食还有得吃?他说,那就是因为还有他家乡那样的存在,每年还种大片的小麦,小麦收过种大片的玉米。而大田劳作之余,妇女们就维系着久远的传统,掐辫子。她在秋阳下听他讲家乡,心里仿佛陆续注入一缕一缕的光亮。他没想到她爱听这些。他进一步告诉她,他大学四年的费用,学费是爸爸供,生活费呢,全是奶奶、妈妈和姐姐掐辫子掐出来的。她把玩着那渐渐变干的草帽,忽然觉得,那是有生命的东西,她把草帽像宠物般拥在胸怀。

他们原来的计划，是顺那山谷跋涉到最深处，据说那谷端有更高更奇更美的瀑布，那里有开发出的农家院接待游客，在那里可以吃到若干特别的鲜鱼山蔬。但是，她提议改变行程，转而去他的老家，她说她想看掐辫子，甚至想学着掐辫子。他很高兴。他们交往并不久。这是他原来幻想过却不敢贸然提出的。是的，这个假期很长，他们完全来得及转换目的地。

她随他前往他的家乡。绝对距离并不远，却要先坐火车，慢车站票，熬过一夜，再换长途汽车，再换三轮摩托，车载的终点是一处大集，从那大集镇再徒步一小时，才到他家那个村子。确实无特点可言，就是不多的树，模样雷同的房舍，不甚整洁的村道，一种只能以农村命名的混合气息。他把她引到自己家时，已经夕阳西下。一进院，不用他指点，她就看到好几个盆，有塑料盆、铝盆，还有一只陶盆，里面浸泡着大体等长的麦秸，散发出一种香臭之间的暧昧气息。他妈妈迎面出了屋，手臂上有几挂刚掐好的辫子，不是知道他们来了表示欢迎，她是地道的不速之客。他叫完"妈"就介绍说"这是我女朋友"，她赶忙称呼"大妈"。进屋以后又见到他奶奶。姐姐已经出嫁，但就在邻村，他说明天或许就会回来见面。奶奶坐在那里掐辫子，弄明白她的身份后咧开只剩几颗残牙的嘴无声地笑了好久。她随即听见院子里鸡在拍翅狂叫，她到门边往外看，是大妈在抓鸡。那只母鸡显然一贯得宠，万没想到今天风云突变，因此拼力挣扎，他知道她的心思，怕她跑出去拦阻，就站到她身边轻轻搂住她的腰，但是她懂得，大妈听见儿子把她介绍出来时，并没有什么强烈的表情，但是此刻她那满院抓鸡的肢体语言，把她面对意外之喜的满腔热情表达得淋漓尽致，一个人对另一个人如此看重，并且以如此淳朴的形态表达出来，是她职场生活中不曾经历的。

晚饭后和大妈聊天，才知道如今四季都有人进村来收妇女们掐好的辫子，除了去做草帽，广东那边又有盘成"黄金条"的，没多久是下元节，祭祀亡魂，要给他们烧"黄金条"。她发现东厢柴草间堆了不少废弃的辫子，大妈悄悄告诉她，那都是奶奶掐的，老人手劲不够，掐不出合格的了，可是，掐了一辈子，喜呀悲呀什么心思都掐进去了，所以不告诉她人家不收，还由着老人掐……她意识到这里的妇女掐辫子其实更具有超出换钱的生命意蕴，眼睛潮湿了。

他的爸爸是兽医，那天到远村去服务，第二天一早才回来。她和他一起站在院门外，远远看到那乡村兽医骑着自行车从白杨树下过来，她忽然想大声召唤："爸爸！"

千叶瓶

那只花瓶是他二十几年前从农贸市场买来的。造型一般，素白，底部连瓷窑标志都没有。花瓶陪伴他度过整个青壮年时期。见证了他娶妻生子，也接受了他"哎，我退休啦！"的招呼。花瓶随他搬了两次家，在家里的位置更多次变易，近些年则一直搁放在书桌一角。花瓶插过鲜花、干花和假花。最后所插的是三根孔雀翎。

退休以后，他试图圆多年来写回忆录的梦。为此他专门购置了一个精美的十六开簿册，还准备了一盒十二支的绿色签字笔。为什么要选择绿色？完全是下意识驱使。在出售文化用品的货架前，他本是要拿黑色签字笔，忽然眼睛扫到了这种绿色的，好奇地抽出一支，在店里提供的试用纸上画了画，笔尖滑动的感觉和呈现的绿色都让他愉快，于是买了下来。

但是，翻开簿册，拿起绿笔，郑重地宣布："别打扰我，我要开笔啦！"却愣在那里，满脑子飞花飘絮，却不知该如何写出第一句来。好不容易写出了几行，却实在是不能满意，狠心用左手撕下那一页，却不料纸张挺括，反弹力使他握笔的右手杵到花瓶，花瓶一斜，忙去扶正，结果签字笔笔尖就在瓶体上画出了一个弯线。拿抹布擦，去不掉，又找来去污粉，还是没用，涂上衣领净再擦再用水冲，那道绿痕似乎更加分明，于是想到汽油，想到是否该去化工原料商店买某种稀料……

传来了妻子的声音："你把弄脏的一面朝墙，不就结了吗？"又传来正好回娘家的闺女的声音："爸，又不是什么值钱的宝贝，您干吗着那么大急？还是写您的回忆录吧，写出来，我给您录入电脑……"他望着破了相的花瓶，只是发愣。

第二天他用绿色签字笔，把那涂不掉的一个弯道，勾勒成了一小片绿叶，看上去，顺眼点。但瓶体和那么小一片绿叶，在比例上实在不相称，于是，他决定从那片绿叶开始，再连续勾勒出更多的，形态并不雷同，而又凹凸锯齿互补的叶片。

勾勒第一个叶片时，他当然是一种后悔的心情，责备自己把素白的瓶体，不小心给玷污了。后来，不知怎么的，心理态势的惯性作用吧，勾勒别的叶片时，接二连三，全是后悔的思绪。后悔小时候，不该为了贪摘树上的果子，急躁地把整个枝桠扯断。又后悔上小学时，同桌问自己借圆珠笔用，死活就不借给人家。

再后悔到上山下乡的时候，队里培养自己当"赤脚医生"，却没有能把常见的草药形态认全。回城进工厂，先开大货车，后开小面包，再当上司机班长，更调进科室，好赖算是个干部了，就不免神气活现起来，给一起进厂的"插友"，取不雅的外号大呼小叫，后来人家下了岗，找到自己借钱，虽说也拿了一千给人家，却又跟人家说了一大车便宜话，仿佛人家困难全是不争气造成的……

闺女又回门，听见小声在问妻子："爸的回忆录写出多少了？怎么抱着个花瓶在鼓捣？"妻子小声回答："着了魔似的，每天总得花两三个钟头在瓶子上画树叶……不过他脾气倒好多了，下楼一块儿遛弯，还总跟我回忆以往的事儿，动不动还说，哪件事上对不起我，又是哪一回的吵架请我原谅……咳，其实我早忘啦！不过听他那么说，心里倒是挺舒服的……"

渐渐地，他那只花瓶，半壁外表都画满了绿叶，那些单线勾勒的叶片，大大小小，连续不断，看上去，仿佛当初入窑出窑时，就已经有了，而且，是工艺师事先就构思好，精描出来的，显得非常自然，也非常和谐，堪称雅致秀美。

他继续在花瓶另一面上勾勒绿叶。妻子说："难道你非得把叶子画满吗？铺满怕得上千片叶子，你累不累啊？"他边慢慢画，边沉吟地说："我还真怕那画满的一天到来呢！"

画另一面时，他已经意识到，画绿叶的过程，于他来说，就是书写忏悔录，就是魂魄的热水浴，也就是自我心灵的飞升……从中，他获得大感悟、大欢喜。

有一天，一位现在迷上古玩收藏的"发小"来看望他，忽然眼睛一亮，吼出一声："老兄，你从哪儿收来这么个千叶瓶？"他且不做声。那"插友"走近，小心捧起细看，哑然失笑："原来根本不是古董，连当代高级工艺品都不是啊！"他让来客小心轻放，说："对我自己而言，这是无价之宝！"他只简单解释了几分钟，来客便肃然起敬，并感叹："如果那些对社会负有更大责任的人士，都能有你画千叶瓶的心思，该多好啊！"

情调餐

女儿大了，眼看要出嫁了，那女婿看着挺不错……不算老的"老两口儿"心满意足。

这天是"情人节"，"老两口儿"从没过过这节。对女儿他们来说，这却已是个"老节"了，不过以往他们都是在外头过，今天，因为眼看就要化"情人"为"爱人"了吧，他们说要在家里过。头两天女儿一宣布出这个决定，当妈的便兴致勃勃地计划上了今天晚餐的菜谱，并且自告奋勇，要到挺老远的那个最大的菜市场采购——女儿打小爱吃炒鳝糊，当妈的认定只有那里的活鳝来路正、肥而鲜；当爸的也宣称要烧一道自来最拿手的红烧狮子头……可是女儿却坚决不要他们"插手"，并给了他们两张这天下午的电影票，说是"你们也该过过这个节——我给你们买的可是情侣座呢！晚餐由我们来弄，你们回来吃现成吧！"

好！那就吃一回现成吧！

可是，在电影院的那猴老贵的情侣座上，不算老的"老两口儿"可真是如坐针毡，且不说那电影里的床上戏、野合戏虽经审查删减而仍颇"露骨"，银幕下，周围情侣座上的"青春花朵"竟也放肆开放,搂的搂,啃的啃……当银幕上打出"剧终"字样时, 他们俩真仿佛如聆大赦。

出了电影院, 两人一边往公共汽车站走, 一边猜测女儿女婿会烧出什么菜来。女婿是从湖南大学毕业后来北京的, 估计会炒个辣子鸡丁, 只怕他那辣椒会放得太多, 让人吃不消呢! 女儿自己炒鳝糊, 能把握住火候吗? 她该知道, 爸爸最喜欢红烧狮子头, 妈妈最爱豆豉炒腊肠, 也许, 今晚餐桌上会有这两样佳肴? ……

下了公共汽车, "老两口儿"慢慢地走回家, 虽未手挽手, 倒底肩挨肩, 也算这"情人节"的街头一景吧? ……走拢他们住的那栋楼, 抬头朝上望, 哪扇是他们那单元的窗户? 这个说: "怎么唯独我们的灯, 那么不亮呢? 是该换灯管了吗? "那个笑: "老眼昏花! 那是咱们家的灯吗? "

回到家里, 女儿女婿迎上来问好……可"老两口儿"心里都有点别扭, 怎么屋子里光线暗暗的? 啊, 原来根本没开电灯……不, 开了, 开的只是几盏这里、那里的台灯, 有的台灯, 还把灯头扭向了墙壁……在屋里起照明作用的, 主要是一些蜡烛, 也不知他们从哪儿变出了那么些个蜡烛台……女儿房间里, 音响里放送着也不知是哪国的音带, 是没有乐器伴奏的人声, 算是唱歌吗? 好像也没具体的词儿, 只是在那儿变着调儿地"吧吧吧吧……"是男声还是女声? 也闹不清, 阴阳怪气的……

……进到厨房, 咦, 怎么好像就根本没用过火? 几口锅也都不像刚献过身……

"爸, 妈, 你们吃吧! "女儿招呼着。

到餐桌前一看, 有一个美丽的花插, 有一钵生菜色拉, 有一碟开心果、一碟美国大杏仁, 另外就是一盘自制三明治, 里面夹的无非是火腿肠、干酪、西红柿、洋葱的切片……还有一瓶长城干红葡萄酒……怎么只放了两套餐盘、刀叉和两只高脚玻璃酒杯?

"爸, 妈, 我们吃过啦, 你们面对面地享受吧! "女儿微笑着……女婿也恭敬地说: "我们给您们煮咖啡去……我们搞到鲜奶油了……还有特别适合您们的木糖醇! "

"老两口儿"面面相觑。这叫晚餐吗? 这能吃饱吗?

女儿仿佛看出了他们的心思，把三支的银烛台移到餐桌当中，笑吟吟地说："这叫情调餐，情人节嘛，最要紧的是情话绵绵，对吧？……爸，妈，你们坐下，慢慢地吃吧，吃情调，情调是一种精神营养，人生不可缺啊……"说完同女婿一对眼，两人进女儿那屋去了，还随手关上了门……

"老两口儿"呆呆地站在餐桌前，一个想，还不如冲碗方便面呢，一个想，还是到厨房炒盘豆豉腊肠吧……

清粥小菜

这真是难得的一天！他们全家决定去饭馆打牙祭！

说实在的，像他和妻子这样的工薪族，上有老（岳母与他们同住），下有小（儿子才上高中），平日是没有勇气下馆子的，不要说那些门脸儿珠光宝气的什么"渔村"绝不敢进，就是最一般的门口拉着些瀑布灯的，标榜"家常菜肴，丰俭由人"的小馆子，也是屡过其门而不入。

偏偏最近他们街口新开张了一家川菜馆，门脸儿非常体面，却在晚报上几次刊登出大幅的广告，那广告的最蛊惑人之处，是详细开列出各种冷热菜肴的具体价格，并且申明"不另加收服务费"；当然他仍然不敢百分之一百地信任那广告，但有几位经济状况与他相差无几的邻居去试过以后，回来说那广告上的价格确实没有虚假，并且盛赞其鱼香肉丝、三鲜锅巴不仅色香味俱佳，而且量也不少，这便引动得他终于作出了"这个周末咱们家去打回牙祭"的隆重决定！

呼应最热烈的是儿子。儿子不仅闻之欢呼雀跃，甚至于说："也是该慰劳慰劳我啦！"竟是面有得色的模样。儿子言外之意是：我凭自己努力，考上了个重点中学，为你们省了起码两万块的"赞助费"，难道我还不该大快朵颐一回么？

妻子这月的奖金比往常多出了五十元，因此在下回馆子这一点上与他很有共识，但限定这一餐的花费至多不能超过八十元；他于是拿着那晚报上的菜单反复推敲，看点哪些菜才能既经济又实惠；他并且边点边报出菜名来，以寻求支持，也期待争鸣。

岳母的态度最冷静。她说："依我说，三鲜锅巴太贵，也未必好吃，不如点两客麻婆豆腐，又便宜又下饭……"却立即引起外孙子的反对："下馆子就是要吃点荤的嘛，干吗总是豆腐豆腐的！"……

最后，终于议定了一个最佳配置的菜单。一家人的欢欣，真是不亚于已进了一回"渔村"。

谁知天有不测之客。就在他们准备开赴那家餐馆之前，忽然钟钟来了。钟钟是他们两口子的老同学，姓钟名钟，进得门来也确实像口座钟。钟钟前几年便开始官运亨通，如今已然是副局级干部了。钟钟在任上，工作很有成绩，并且也确实并没有"人一阔，脸就变"，他这些年只要抽得出空，总愿到老同学这里来打一头；他和妻子，乃至儿子和岳母，都挺喜欢听钟钟讲些官场内外的新鲜事，那真是听来大开眼界！

钟钟落座后，立即言谈极欢。聊了一阵，他便说："钟钟，一起吃晚饭吧！咱们一起去街口新开的……"钟钟一听便说："我来你这儿，我还客气什么？……我已经让我那司机把车开走了，也不要他再来接我……正是，咱们一边吃一边还能细聊聊！可是餐馆我是绝对不要去！唉唉唉……这些天连续不断的外事活动，还有什么庆典、招待会，可把我吃怕了！你看你看，我这肚子，是不是又鼓出些来了？像座大笨钟是不是？哈……快别去什么餐馆！嫂夫人，劳您驾，就随便准备点清粥小菜，那比什么山珍海味都强！……昨天他们是安排在'鱼翅皇'……那一海盘鱼翅啊！整扇的鱼翅，弄熟了都没变形，手艺是真棒，可油浸浸的，谁能吃上几口？……那天在'潮福楼'，大龙虾刺身倒清爽，可是我一不小心多蘸了些个日本淡绿色儿的芥末，吃了那个难受啊！直到鲍鱼端上来，用鲍鱼压下去，才好受点儿！……可是前两天那个蛇羹，还有烤乳猪，还有那天西餐的红酒牛肉……我现在想起来就膺饫得不行！……唉唉唉，所以我只求你们一碗大米粥，一碟小菜……非要炒菜，那就炒素菜，绿叶子菜！……”

他和妻子听了，面面相觑过后，便只好“恭敬不如从命”。儿子和岳母待在两居室的那个小间里，儿子嘟囔说：“哼，他想吃清粥小菜，我倒想吃山珍海味呢！……今晚倒血霉了！”岳母却说：“也好！省得去那餐馆浪费了！”

他陪着钟钟神侃。妻子去备饭。家里恰好只有面没有米了。妻子本想支儿子下楼买米，可是心里估摸儿子正没好气，好面子的她遂自己下楼去买。

粮店倒是就在楼下不远。可没想已关了门。旁边的自选小超市是营业到很晚的，她进去，忍痛花于她来说是很高的价，买了一袋丝苗米，因为那里面只剩那么一个品种。出了小超市，拐个弯就有菜摊，但凡平庸点的菜，都只剩下一些别人挑剩的次货，不得已，买了一斤符合钟钟要求的“绿叶子菜”——豌豆苗，到付钱的时候才意识到，比到那餐馆点一盘鱼香肉丝贵多了！这还只是原料！……清粥要配小菜，路过鲜族人卖辣菜的小车，于是又买了些辣桔梗……回家上楼时一心算，这样的投资，其实比上那餐馆，甚或还更昂贵！因为自己一家人，本是想去那里多添些油水的啊，这下只能陪着贵客吃素了！……

那晚钟钟离开他家，在街上叫了辆出租车，坐进去以后，格外地心旷神怡，心里不住地说：“多好的清粥小菜啊！多可爱的普通人家啊！多愉快的周末之夜啊！……”

然而，他家在那一个月内，再无下餐馆的动议。

请来吃晚餐

在一个很不雅的地方与中学同学 M 君邂逅——那是一个收费的公共厕所；但我们还是很高兴，多年不见，一见，当年一块儿往数学老师粉笔匣中放“臭大姐"的情景，蓦地重现眼前，哈哈地畅笑着，我们出得公厕，漫无目的地沿着大街边聊边走；M君对我的情况虽不能说是了如指掌，却也基本门儿清，特别是近几年有几篇批判我的文章，那他是从标题到那所署的化名——道来，绝无一丝舛错，令我既尴尬又惊诧；我问到他的情况，他走了好远才终于给我个透明度——他递我一张名片，一看，才知道他开了一家饭馆，他告诉我是他独资开的，生意嘛，"马马虎虎"，那当然也就是相当不错的意思。

我以为他马上会请我去光顾他那家饭馆，没想到他且问我的家庭："你那……嫂夫人，还是……当年那位吧？"

我笑了："是何言语？难道你已经换了好几个了？"

他也笑了："不瞒你说，情人换了好多个，可我还是个没结过婚的独身男子呢！"

我说："你真伟大！"

他点头："那是！咱们这个年纪，有几个能像我这样！"

我看看表："啊呀！我还有事，得分手啦！"

他就很爽快地同我握手告别。

临到他转身走了，我心里头还在纳闷：他怎么就没一句请我去他那餐馆品尝的客套话呢？我的意思不是说想到他那儿白撮，我完全可以像其他顾客那样付款——我是觉得他有些不近人情，总之，怪怪的！

不过，一分手，我也就很快把他忘记了，相信他把我忘得更快。

不记得过了几时，忽一日，我的朋友老V来电话跟我聊天；老V那一阵正跟老婆打离婚，法院把他们调解得死去活来，不过，终于还是离成了，他在电话里跟我说："你猜怎么着？如今这世道，赚钱的人真会见缝插针！也不知他是打哪儿得的消息，打哪儿得的地址——多半是法院和街道办事处有他的'托儿'——我今天接着一封信，是个饭馆老板寄来的，啊，其实算不上信，算是请柬吧，也算不上请柬，因为真正的请柬是不收费的，这上头却开着三种价格，任我选择——是请我和我原来的老婆去他那个饭馆吃'好散餐'，就是离婚餐，你听听他想出来的那些个菜名：'忆旧无怨'，后面注明是'酒酿方茄'；'以礼相待'，后面注明是'香菜里脊'；'还是朋友'，后面注明是'铁板牛柳'；'互祝幸福'，后面

注明是'腐竹香菇';'一路平安',后面注明是'一品火锅'……上面还用金字
印着：请你们二人同来吃晚餐！你说你说，生意做到这个份儿上，让我们说什
么好呢？……"

我听得目瞪口呆，本能地问："这饭馆在哪儿？叫什么名字？"

V君就念出了那地址牌号以及经理的名字。

"啊！他呀！"我忍不住叫了起来。

"怎么？你认识？你……是你告诉他我的事儿，我的地址的？"朋友在那边
大吃一惊。

我费了九牛二虎之力才把自己择清。

"原来这样……我猛一听，还以为你也是他的'托儿'呢！"

我好懊丧。

那以后有一天我决定去那"离婚餐厅"吃一顿晚餐，当然，是自己一个人去，
并且不配合他那个营业宗旨。

到了那儿才发现，那餐馆不仅所在的街区本已属于偏僻，而那门面的具体位
置就更吃亏——处于一个死角，不是特别往那儿去的人，一般的路人，几乎都不
大可能从它门前经过；怪不得我那老同学要挖空心思来招徕顾客了。

我进到餐馆，马上有一位穿连衣裙号服的小姐满面春风地迎上来问："先生是
预约好的吗？"

我故意点点头，煞有介事地"唔"了一声。

那小姐又问："您定的是蔚蓝厅还是霞光厅？"

敢情那饭馆面积不大，名堂还不小。

我说："都行呀！随便吧！"

小姐先是一愣，后来就为难地说："先生您……您带我们给您寄的约束了吗？"

我后来才知道，那约束有蔚蓝、粉红两种颜色。

我想，到你这儿来吃饭，哪个厅还不是一样？难道价格有所不同？一边是中
餐，一边是西餐？一边想，我就一边拿脚往粉红色的霞光厅里走，小姐忙抢到前
面为我领座；那厅也就二十几平方米，座位布置得倒很别致，大都是双人座，也

有四人座，也有一张大圆桌；我进去时大约有两对中年男女已在进餐。

我在一处紧挨橡皮树的双人座那儿坐下，小姐问："您夫人随后就到吗？"

我笑了："你这称呼不妥！我们既然离了，她怎么还是我夫人？"

小姐脸上的笑容枯萎了，她很困惑："您……您不是来复婚的？您……您是来吃离婚餐的？那……那我们一般给安排在蔚蓝厅呀！"

见鬼！哪儿来的那么多花样！

我就干脆说："你们经理呢？我是他老同学，你给我把他请出来！"

小姐这才松了一口气："您原来并没预约吧？啊，不要紧，您先坐，没预约的随便坐……经理他平时并不来，不过，我可以马上打电话跟他联系……您能告诉我贵姓吗？"

……过了一小会儿，小姐就请我去接电话，是经理打来的，他在那边说："恕罪恕罪，事情缠身，实在赶不过来……你该早打过招呼！我已经跟他们交代了，所有的好菜都给你端一份，酒水你也敞开喝……完全免费！你多指导，不吝赐教！……改日再亲陪你痛撮！……"

我说："你可真有花点子！掏人家离婚男女的钱包还不过瘾，又打人家复婚男女的主意！天下人的钱，都让你算计了才好吧！"

他在那边说："嗨，我这也是急中生智，原来光做那蔚蓝色生意，从年初开始，发现他妈的如今又时髦上了复婚，所以又隔出来了个霞光厅不是……也邪乎了，有了线索，寄去约束，复婚宴的生意挺火！你老兄无论是离是复是不离不复，今后想撮，你就尽管到我这馆子里来！"

我说："别逗了！你当我是馋疯啦？我不过是想见识见识如今的买卖都做到什么份儿上罢了……"

跟他通完话，我就出了那饭馆，一边走远，一边不禁摇摇头，笑笑，摇摇头，笑笑。

1993.7.5

秋千座

走到过街天桥前头，她提醒自己：怎么还是那么快？不是特意要享受慢的乐趣吗？

于是，她款款登上天桥引梯，缓缓迈到天桥上面，顺着护栏悠闲前行，到达天桥正中，她停步转身朝前望去，啊，原来站在此处可以看到大街笔直通向那么远的地方，车流仿佛两条逆向飘拂的彩带，延伸得那么神气，而城市那个方向的天际轮廓线，令她感到无比新奇，特别是，她认出了自己加盟的那家公司的写字楼，她虽然经常从这座天桥穿行，却从未停步朝那个方向观望过。

她痴痴地站在天桥上，望了许久。

手机彩铃响了。出门前她已经改换了彩铃，是一首慢歌。接听，阿瑟从机场打来，还是那么急促的语速，她笑了，特意放慢语速回应："你好容易歇下来去旅游，为什么还是那么忙忙慌慌的呢？消停点不好吗？我在做什么？我——正在——城楼——看——风景……"阿瑟并没什么要紧的话，只不过是等候登机无聊，打发无聊，为什么也不能慢下来呢？

阿瑟是和她的男朋友去韩国济州岛作深度游。那还是她给出的主意。深度游的精髓是什么？就是慢慢悠悠。看来阿瑟根本抓不住这个要领。孺子不可教也！

她把手机关闭，溜溜达达往天桥那边移动。心里有点乱，像一间好久没有打扫的房间。整理一番吗？急什么？房间乱，把窗帘合拢，不开灯，坐到沙发上，不，躺到沙发上，房间也就无所谓乱不乱了。她合拢心帘，再不深想，缓缓走下天桥那边的引梯。

她是一个典型的白领。丽人不敢说。年龄不堪问。十年前刚上大学，看一部电影，剧情全忘，却记得那些街景——几乎所有的人都脚步匆匆，那是一部西方电影，当时很羡慕，现代化么，速度就是 X，这个 X 可以理解成业绩、财富、活力、机遇……"我们什么时候能够过上这样的高速生活？"毕业后经过几次跳槽，终于基本稳定在这家大公司，参与高速运转，工资不菲，贷款买了房买了车，月月还贷月月累，天天缺觉天天撑，就连第一次恋爱，也是高速度的，破裂分手，舐尽感情伤痕，也都匆匆忙忙。孝敬老人也是速度第一，进商场匆匆买一样东西，停下车小跑上楼，进了门急忙先宣告："爸！妈！我回来啦！"爸妈问长问短，她的手机彩铃声声，频频跑到阳台上接电话，好容易坐下来同吃一餐，节奏快得二老瞪眼相劝，而在用餐巾纸揩嘴唇的时候，就一边道保重一边到玄关换鞋，"拜拜"声则被一溜烟跑下楼梯的鞋跟声淹没……

这就是她的生存状态。这次长假前聚餐会上，大家互吐衷肠：最向往什么？答案基本一致：痛睡三天！有的说世界上最奢侈的事物就是任兴酣睡！她却产生了一个想法，她没有向大家宣布，她对自己强调了：受够了快，现在她要利用假期，痛痛快快地享受一番慢！这才意识到，人类社会最奢侈的事物，应该是任兴地慢慢悠悠……

她下了那过街天桥，顺街道朝一家茶餐厅慢步而去。那家茶餐厅临街的大玻璃窗内，设置了一些秋千座。她路过很多次，产生过多次坐在那秋千座上，眯着眼，慢悠悠摇晃，把心态调整到介乎什么都想和什么都不想之间，彻底放松，痛快享受，却一直被这样那样的事情驱使于快速之中，不得实现。

此刻，她的全部人生愿望，凝聚在秋千座上的慢悠悠，慢——悠——悠……

不知不觉，已经来到了那家茶餐厅外面。她意态怡然地煞住脚，缓缓抬眼朝窗里望去。一连四组秋千座全坐了人。起初有点扫兴，问自己：急什么呢？平静下来。细观，发现有一对白发老人，两位各坐一架秋千，两架秋千全微微晃动着，二老对望，喁喁闲谈，他们之间的茶桌，小银炉上，是透明玻璃壶沏的水果茶，氤氲出缕缕淡淡的水气……

因为总是太快，她忽略了多少生活中那些平凡而琐细的美人美事啊！今后她该快时肯定还得快，但可以不必快时，她就一定要自觉地享受慢的赐予。

她站在那里，生命在慢赏中，得大欢喜……

取消悬赏

单元楼的电梯口旁贴着一张用电脑打出来的告示，是楼里老张贴的，上面写着："本人不慎将一个小记事本丢失，该记事本约一般扑克牌大小，封面深咖啡色，不厚，里面已有约一半的篇页记了一些资料，但该记事本上未写本人姓名；因所记资料对本人至关重要，故恳请拾到者将此物送还本人；因本人有时不在，故亦可将所拾此物交电梯班人员转赐；对拾物赐还者，本人定有重谢！……"

这几天不但老张自己一进电梯便问："有吗？"楼里的邻居们有的也爱问上一句："老张的记事本找着了吗？"开电梯的姑娘们总是笑着摇头。有时候大家挤在电梯里，跟老张比较熟的邻居还跟他开玩笑："嘿，你那记事本就在我兜里啦！你给什么谢礼呀？"

"你先说说你那奖赏高到什么份儿上吧！重赏之下必有勇夫！你真给重奖，我就真给你当一回福尔摩斯！"也有的邻居劝他："算了吧！也许你是丢在大街上啦！哪儿还找得着呀！是个通讯录吧？是呀，要是没副本，一旦丢了，想全给恢复起来，谈何容易！光那些个电话号码，就且得重新搜罗一气……误事啊！不过，吃一堑，长一智，以后你那记事本上的资料，一定要留个备份！……"

电梯班的人员——一色的娘子军——对老张的这件事挺重视，班长是里头年岁最大的，其实也不过三十出头，其他的小姑娘小媳妇都管她叫嫂子；这天嫂子在班组会上就说："按说，这不是咱们分内的事，可是为人民服务，学雷锋做好事，以高标准要求咱们自己，那就不能再分什么分内分外！……"小齐听了，发言说："咳，只要有人给送来，咱们转交他，那费什么事儿？怎么说来着？对了，那叫'举手之劳'……"小玲子跟着说："上回七楼的'空姐'在楼道里拣了一本书，叫什么'预测学'，不就交给我了吗？嗨，其实就是七楼老苗丢的……没过一个钟头，他带着旅行拉箱一进电梯，自己就认出那书来了……嘻嘻，可是真逗，他说那是他的书，可他又不拿走，说是他要去飞机场，书先留我这儿……"小齐咯咯笑，补充说："我知道我知道……老苗出差回来那天是我值班……他跟我说，他是捏着鼻子去上的飞机，又是炸着头皮坐飞机回来的……敢情他那本书，让他不敢坐飞机哩！……"其他姑娘就问她和小玲子究竟怎么回事儿，嫂子拿起个不锈钢饭勺敲搪瓷饭盆，严厉地说："谁让你们说故事啦？现在可是开会！"……

也真巧，几天以后，正当小齐和小玲子交接班的时候，楼里一个中学生交来一个小本子，说是往地下室自行车库放车的时候，在旮旯里拣到的。中学生出电梯回家以后，暂时无人呼叫，小齐和小玲子便翻开那小本本检验起来；小本本已经弄得很脏，里头有一半的篇幅记着些……小齐拿给小玲子看："这是通讯录吗？"小玲子歪头看，也不懂："这是怎么回事呀？名儿也不全……这些个数字也不像电话号码呀！……"有人呼叫了，她们也便合起那个小本本。

小齐休息去了，小玲子开电梯，她一直盼着老张回楼，那天老张却回来得非常之晚。

小玲子在一楼一见老张走进电梯，便高兴地告诉他："哎……您的记事本……是您的吧？……"老张接过记事本，翻了翻，对着某一页，仔细地看了看……小齐本以为他会喜出望外，没想到，老张脸上的表情很古怪，紧抿着嘴，瞪着那记事本上的某一页，牙筋直颤……小齐虽然吃惊，还是把早准备好的话说了出来："是十二楼上中学的小明，在地下室存车处捡着的……您打算怎么奖励他呀？"

"哼！……奖励！……奖励个屁！……"老张气急败坏地说，"我先不回家！你再开下去！下去！下去！"

小齐莫名其妙。只好且再把电梯往下开。电梯又停在一楼，门一开，老张便冲了出去，把等在门外的几个邻居吓了一跳。他们问小齐："他怎么啦？"小齐委屈地说："人家帮他找着了他那个小记事本……可他……就跟人家犯了什么错误似的……谁知道呢！"

是的，谁也弄不懂。只有老张自己清楚。原来，他那个小本本上，有他辛辛苦苦搜集来的资料：王书记的生日，其爱人的生日，其孙子的生日，其母亲的生日……汪主任及其爱人的银婚纪念日，其 1979 年彻底平反从监狱里出来、重新得到任命的纪念日，其母亲的祭日……藤总的生日，其第一篇文章见报的日子，其机要秘书赵小姐的生日……冯司长的生日，其动大手术切除胆结石的日子，其宝贝闺女赴美的日子，其家中那只名叫"拳拳"的板凳狗的生日等等，等等。这些资料派什么用场？都是些"战略资料"，并非"战术资料"啊！……不是马上都拿来用，有的只是"以备不时之需"……然而，从已利用过的来看，那真是"立奏奇效"啊！那都算不得什么重礼，简直谈不到是贿赂，而且，他往往并不当面提及任何比如说关于职务、职称、理事头衔、发表文章、出国安排……一类的公事与"俗务"，只是与人家促促膝，谈谈心，提提关于那个日子的联想、感慨……谁能拒绝温情、同情、多情、细腻而周到的感情呢？……你看你看，平日勤于浇水施肥，一朝花开果熟，能不落我怀中？……

谁知正在非常关键的时刻，他那小小而宝贵的记事本竟不翼而飞！真后悔没留下个备份！……然而他的有关"工作"仍需继续进行！这天下午，他便去了王书记家，送上了一大束黄白各半的菊花；王书记不在（他有意在其不在时造访），他将那花和一封短信，留给了保姆；那信上绝不提最近增补理事的事，只是说，想起了"王妈妈"的慈容，不胜怀念……

然而，当他做完这件事，回到自己所住的楼，迈进电梯，与那失去的记事本重逢后，一翻查，才惊悚地发现，他凭着记忆，竟把王书记和汪主任的资料搞混了！这天该是"汪妈妈"的祭日而非"王妈妈"的祭日！王书记的母亲分明还活着！只是这一阵可能住到别的子女家去了！天哪！

……

却 步

他骑车出了胡同，骑到地铁车站，存好车，下到地铁，坐了五站地铁，出地铁，过马路，等候招手即停的小巴，小巴过来，停下时，他问了两遍："过雅皇花园吗？"得到肯定回答后,他上了车,小巴一直开出了四环路……约二十多分钟后,他断定马路边就是雅皇花园,叫停,车刚一停,他便灵巧地跳下……

他找入口,一时没能找到,忽然发现那卷花的铁栅栏里,草坪中有个标识,啊,里面不是雅皇花园……他想起唐莉说过,雅皇在这个山庄的北边……这个叫山庄的别墅区,里面的那些小楼已经让他觉得非常地豪华,可是他想起唐莉提起这个山庄时的表情,轻蔑得鼻子上都起皱:"……那里头尽是些连体楼,楼距小得吓死人……"现在他走在山庄铁栅外,所望到的那些连体楼非常可爱,楼间的距离并不算太小,他没有被吓死,而是羡慕死了……

他步行了五六分钟,才走出了那个山庄的范围,于是雅皇花园开始显现,确实,头一眼便让他感到气度不凡,围墙半遮半露,那石料和镀铜栅栏构筑的围墙令人想到弗洛伦萨,记得当年徐志摩把这个意大利古城的名字翻译成翡冷翠,啊,这译名多好,三个方块字里充溢着丰沛的意象……

大门豁然在前,又让他联想到从荧屏上看到过的凡尔赛宫……这叫什么风格来着? 洛可可式?……

他走过去,有穿制服的保安员在站岗,腰上吊着电警棒,他对保安说,他要进去找人,保安客客气气地问:"先生,您的车呢?"

他老老实实地回答:"我坐小巴过来的。"

保安上下打量他,对他说:"这个门只进汽车。"

他想争论,忍住了,问:"那我该从哪儿进?"

保安和气地跟他解释:"请您走西门。那儿有传达室。"

他只好去西门。西门离这座凡尔赛宫式的大门挺远,他走了好半天。

西门比较小,果然有传达室。

他说,找唐莉。传达室里,一位画眉涂唇的半老徐娘问他:"预约了吗?"

没有预约。他跟唐莉很熟。她亲自把地址告诉他的,并且,就在前天,他们两个在红狮西餐厅消磨时,唐莉双眼闪闪地,在烛光映照下恍若两颗宝石,亲昵地对他说:"……你是例外……你随时可以来……无论什么时候,我都会像今晚一样,满心满意地愿意跟你待在一起!……"

他说:"要不,我现在给她打一个?"

传达室的徐娘满脸微笑,告诉他:"您尽管打。我们雅皇花园,任何时候都会在'全球通'的网络覆盖下……"说完,便等着他掏出"大哥大"来。他并没有手机。他说想借传达室的电话打进去。徐娘听了双眉微颤,但稍愣了一下后,同意了。

电话通了,出来的声音是事先录好的,而且绝非唐莉的声气:"……请您听完一段音乐后,留言,或留下您的电话号码……我们会尽快地同您取得联系……"

他很扫兴。但是唐莉给他留下的电话号码不止一个。他试着拨另一个号码。这一回那边居然传来唐莉的声音:"……哪一位?"

他很高兴:"我呀! ……就在你们西门呢! ……"

唐莉似乎比他还高兴:"……哗! 你真坏! 让我好惊喜! ……! 快来快来……你别往喷泉那边走,要穿过小凯旋门,明白吗? ……"

……他往里走。不去喷泉那边,尽管那有天使雕像的喷泉非常地诱人。他望见了花坛簇拥的小凯旋门……

他张望着……有一辆宝马车从他身旁飕地驶过……确实,这雅皇花园里的空间感,非那个什么山庄可比……但是,很显然,一多半造型别致的小楼都还空置着……是些什么样的"成功人士",入住在了这个花园中呢? ……

……尽管他和唐莉在一家公司共事三个来月,可是直到前天唐莉辞职不干,他们约着到红狮西餐厅,AA 制地共进晚餐以前,他还并不清楚唐莉的家庭状况……

在吃西冷牛排的时候,他问她:"你说你并不是跳槽,那你干吗辞职? 老板好像并没有炒你鱿鱼的苗头啊! 你也没必要炒他鱿鱼呀! 现在找这么个公司的白领窝儿,难道容易吗? 你以后怎么谋生?"

唐莉只顾笑,笑得险些噎住。于是他忽然想起,电视里播过一部意大利肥皂剧,剧中一个角色问另一个角色:"那位女士怎么谋生?"被问者彬彬有礼地回答说:"先生,那位女士很富有,她不用谋生!"……

……他穿过小凯旋门,抬头间,忽然一愣——他发现那凯旋门镂花的顶檐下,安置有小巧的摄像机,显然是整个花园闭路监视系统的一部分……他的心往下一沉。

……是的。唐莉家，属于"先富起来"的那一部分……可她家究竟是怎么样
地先富起来，以至富成这个样子的呢？

他在那小凯旋门下，默然站立了好一阵。

后来，他转身，急速地返回那西门，几乎是小跑着，出了雅皇花园……

热情似火

火车没停稳，便看见接站的人群簇拥在我们这节车厢前的站台上。我们一行
十多人鱼贯而下，每一位甫下车，手中的行李便被热情地接了过去。我的全部行
李只是一个小型旅行袋，分量颇轻，可是我刚迈下车厢踏板，一位小伙子便迎过来，
死活要帮我提旅行袋，我抓住提手不放，他强盗般跟我抢夺起来，那火一样的热情，
令我只好松手。

大家随着人流进入地下通道，涌向出站口。我们一行人都空着手，迎接一
方则除了两位头脑，其余的都双手无闲。迎方的头脑与我方的头脑并肩而行，
说些走在后面的听不见却可以想到的客气话。我则与一位迎方的人员恰巧走在
一处，他殷勤地问我累不累，我详细地询问该地的天气，最高温度，最低温度，
一周来的降雨量，常刮东南风还是西南风等等，并且不时与我们所来处的天气
作些对比……这样不知不觉地出了站。我用眼搜索自己的旅行袋，不在身边这
位手上，在……？竟始终未能搜索到。而在这过程中却又已被引到了站外停车场。

迎方热情地请我们上车。这时我忽然看到了我那旅行袋，它可怜巴巴地被放
在了中巴的一侧，我觉得那被烈日炙烤的地面很脏，不由自主地迈腿去救我的旅
行袋，然而同时我的一只胳膊被火辣辣地攥住，并且耳边响起了锣鼓般的邀请声，
原来是热情的迎方非要我上头脑们坐的一辆奥迪，我忙推辞，说自己坐中巴就很

好，但攥住我胳膊的那手以不容抗拒的牵引力，硬是将我塞进了小轿车里，我不由嚷了一声："我的行李！……"我那旅行袋当然并没有被遗弃，我从小轿车的车窗望见，它很快被迎接的人提上了那辆中巴。

与双方头脑同车使我十分地局促。迎方头脑客气地询问我所毕业的大学，我方头脑代我作答，答错了，我不知该不该纠正，正犹豫，好在他们已聊起了与我无关的话题，这时我的思想非常地猥琐，就是嘱咐自己，一会儿到了住地，无论如何要尽快与自己的手提包团圆。

到了我们下榻的名为培训中心，其实比宾馆还更宾馆的所在地，也是车没刹住，便见有人已迎于转门之外……下车便要握很多张手，说很多句道谢并且声明绝不疲乏的话……又不知不觉地便进了转门，来到大堂……坐中巴的人也都进来了，迎方很多人提着很多行李，一瞥之间，见到我那旅行袋，然而我的团圆梦，跟着也就破灭——又有火烫的手，把我胳膊攥住，引向电梯，说是"快进房间休息"……于是上得五层，也不知我们一行是否都安排在五层，便被极热情地带进了房间，并听到"抓紧洗一把，一会儿下楼，给你们接风……"的嘱咐，跟着引我进房的人显然是忙着招呼别的人，飘然引去了……我去看门上，没有名签……走廊里有几间屋敞着门，朝里探头，是同行者，忙进去问："有我的包吗？"得到的回答是"你看这是不是你的？我的还不知道在哪儿呢！"还有一位跟我开玩笑："急什么？里头藏着啥宝贝？"……我只好回到房间，走进卫生间，不敢贸然用那里面的毛巾，便以手掬水，洗了洗脸……T恤已汗湿紧贴在身子上，想换一件而不能，正焦躁中，迎方又有人来招呼下楼……到得大堂，才知接风宴并不在这培训中心那其实也蛮堂皇的对外餐厅进行，需再乘汽车到一个什么"渔村"去……

……那"渔村"实际上是一座奢华得没有道理的宫殿。冷气非常足，可是这令我那被汗湿的T恤箍身的肌肤格外难受。我像思念恋人般地思念我那旅行袋，那里面有我可以洗浴的毛巾和干净柔和的T恤……然而那接风宴不仅有"南非鳄鱼煲"、"澳洲鸵鸟羹"等骇人听闻的菜式，还穿插着没完没了的卡拉OK，直到果盘里只剩下用胡萝卜刻的凤凰了，主方与客方的头脑们还在轮流"卡拉"《爱江山更爱美人》，以及逼哄着在场女士与他们合唱《夫妻双双把家还》……

这可真不 OK！

我实在按捺不住，离席去另桌对引我进房间的那个人说："对不起，我不舒服……能不能让我先回住处……不用送，只要告诉我地址，我自己打'的'……"他立刻站起来说："我送您回去！"我想，这也好，还可以让他帮我找到我的旅行袋……然而，一石激起千层浪，我的动向，马上被双方的头脑所知，主方头脑便立即部署：把我送往市里最好的医院！我连说并不要紧，我旅行包里有自带的小药……可一片热情的火焰裹住了我，我身不由己地被那火热的云朵裹往医院……我在临出包间时听见我们的头头正在大声地说："哎……现在的年轻人，真比我们还娇气……对不起对不起，头一天就给你们添麻烦！……"

认错人

小芸是在电梯里跟波娃邂逅的，原来电梯里只有小芸一个人，波娃是从 3 层进入的，见到小芸表情那个丰富啊，至今小芸都消化不了。在小芸到达 22 层要出去之前，波娃不仅完成了自我介绍，而且递给了她一张自称是"有编号的哟手写的哟"只有芳名和手机号码的毛边名片。

后来小芸知道，波娃为了跟自己结识，那天是看到小芸在大堂电梯口跟正要出去办事的部门领导作简短交谈，故意从楼梯跑上 3 层，再进入电梯的，而且，波娃工作的那个部门其实在 17 层，根本无须随小芸升至 22 层，当然，小芸出电梯时波娃摆手跟她"拜拜"，使小芸觉得她是要到 22 层以上去办什么事情。

小芸虽然保留了那张毛边名片，却并没有给波娃打电话，而波娃偏掌握了她手机号码并发来短信，"恳求抽暇到星巴克一晤赐教"，小芸也就在那不久后的某一天跟波娃在星巴克喝摩卡咖啡聊天。

"同是本科生，求职共尝艰，虽然成白领，合同有期限，续签或不难，发展如登山，小车凑合买，房贷压双肩，工作太忙碌，常有透支叹，却又难割舍，夜夜暗盘算，人际最关键，结交添机缘，但愿能长久，步步得高攀，假日海外游，人前有颜面……"机构里某帅哥的顺口溜，自然成为她们的首选谈资。但波娃斜睨着小芸说："我可知道，你本是不在其内的！"小芸问："那为什么？"波娃狡黠地点着下巴说："你的秘密我全知道。你原来并不叫这个名字，对不？"小芸说："现在中途改名字的人本来不少嘛。"波娃哪来那么一种极其戏剧性的表情，而且故意用蹩脚舞台腔，道出一串所知道的机密来：她的爷爷常年住在海滨，她哥哥在加拿大温哥华，她妈妈钟爱的狗狗叫奔奔，她最喜欢的歌星是波切俐，她曾经和一个天蟹座的帅哥好过又分了手……而且断定，她所最关心的国际新闻，是英国哈里王子在军队服役的种种情况！

天哪！小芸惊叹，尽管波娃没有完全说对，但小芸从未与外人道及的这些方面里，说对的已经有好几条，"你应该去当侦探！在咱们大楼里你屈才了！"她们两个笑成一团。

那以后波娃对小芸更加亲密。她当然主动没说，波娃却不知从哪里知道了她的生日，送给她一个价格不菲造型优雅的八音盒。有天上班，到达自己那个格子里面，一眼看见工作台面的电脑旁多了一小盆碧绿养眼的蕨草，盆底斜压着一张纸条，以娟秀的笔迹抄录了一个警句，原来是波娃一大早搁上的，她原以为波娃会赠她西哲的慧语，因为波娃跟她说过，其父母都崇拜萨特和波伏娃，这也是波娃这个名字的来历，但那天那字条上却抄录的是一句"当代猛人"的豪言。

本来机构各部门的人员是不能串工作面的，也不允许在办公桌面上放小摆设，但没想到部门领导却破例允许她保留那盆蕨草，不过扫过她身上的目光有点怪怪的。

更怪的事情不久就发生了。她先在电梯里，波娃从5层进来，她热情地招呼："你这几天怎么回事？打你手机总不接。"波娃表情淡淡，话也淡淡："我手机改号了。"她期待波娃递她一张新的"有编号的哟手写的哟"毛边名片，但是，没有，到17层，电梯门刚一开，波娃就挺直脊背走了出去。

没多久部门领导把她约到玻璃隔音门的小办公室谈话，大意是她并没什么问题，而是别的部门的波娃说认错人了，原以为她有某种背景，敢情不是。让她别在乎波娃的冷淡。"哪个地方哪个人群里都会遇到这类的事。你就当是上了人性的一课吧！"不待部门领导嘱咐，她把那盆蕨草扔进了楼梯间的垃圾桶。

回到家她大哭一场。哭畅快以后，她平静下来。是的，认错人了。她爷爷是海滨的普通退休职工，她哥哥技术移民温哥华以后一直没有找到理想工作只是一个蓝领，她父母养的狗狗叫笨笨听去接近奔奔，她最喜欢的歌星是维塔斯，她没有跟什么天蟹座帅哥拍拖，更没有去关注什么有关哈里王子的新闻！

她和波娃又一次迎面相遇，这次波娃干脆节约表情达于极致，仿佛从未认识过她，擦肩而过。她遍体清凉。这人生的一课很宝贵。从此她不仅要防止别人错认，更要磨炼出认准人的处世真功夫！

日本娘

那是一次表彰大会，轮到给 K 女士发奖，K 女士上得台去，未走到发奖的首长前，先转身向着台下，高举两臂，使劲朝台下挥动，这做派让台下的人大吃一惊；及至她领了镶镜框的奖状，又高捧那镜框，跑到台口，向台下展示，在台右展示毕，又游动到台左展示，台底下就给她鼓掌，还发出阵阵笑声，那时别的领奖人早都下台去了，独她留在台上，司仪眼看要宣布下一个项目了，她却又跑到主席台前，从第一位开始，逐个跟人家握手，那些首长虽觉惊讶，却也只好被动地又一一站起来跟她握一遍手，台底下一些小伙子就使劲拍巴掌，分明是有点起哄的意思……K 女士的这一系列做派，成为那次表彰会人们经久不忘的花絮。

且说那次表彰会驻会期间，一次在食堂吃饭的时候，会议的一位工作人员——

年龄跟她相近的 Z 女士——坐在她身边，等着服务员上菜，也是没话找话，望望她说："你这眉眼，挺像真由美哩！"真由美是日本电影《追捕》里的女主角，那演员叫中野良子，用这样的话搭讪，自然不会惹人不快，谁知 K 女士想了想，满脸不高兴起来，Z 女士不得其解，还是 K 女士自己说了出来："我确实有日本血统……我娘现在还在日本哩……也不知道母女何时才能相见……"Z 女士才知失言，忙道歉，K 女士倒也宽宏大量，菜来了，且吃菜，后来笑笑，胃口显然没倒，香酥鸡上来，她吃了好大一只鸡腿。

会散了，Z 女士回到机关，午休的时候，偶然提起这件事，她的同事，一位负责那次表彰会表格资料的人就说："她跟你开玩笑吧！我记得她填的表里没这么个内容啊！"说完也就完了，因为 K 女士的母亲是不是日本人，对他们来说都无所谓。

但不久就有个日本的什么访问团来访问，因为有这么个话茬儿，Z 女士他们机关就决定在宴请访问团时，请 K 女士来作陪，又责成 Z 女士去接 K 女士赴宴。

Z 女士那天按响了 K 女士家的门铃，门开了，开门的是一个老太太，穿着很陈旧的衣服，不消说，应是她家的保姆；但在一照面间，Z 女士产生了一个强烈的印象，于是进去以后，待 K 女士迎出来，老太太退进厨房，Z 女士就笑说："刚才开门的……我以为就是你妈呢，你们俩眉眼儿真像！"K 女士一皱眉，不接这话茬儿，又一展眉，顿着脚说："你看我这裙子，怎么样？真丝的，三百多块，在昆仑饭店里买的哩！"Z 女士便看那裙子，忙说："当冤大头了不是！一模一样的，外头几十块就能买着。"K 女士乐呵呵地转动身子，把那裙子转成一朵花，说："我就爱当冤大头嘛！"

那天宴会上，K 女士很活跃，提起她的日本娘，眼泪汪汪，就有日本客人问，她娘现住日本何处？她说早就离散，失去联系，如果这么多年没大挪动，应该还在京都……都跟她说现在两国关系很好，又已进入电脑时代，其实不难查寻，她感动地点头。

后来有一天 Z 女士给 K 女士打电话，说关于她和日本生母至今尚未团圆的事，引起了普遍关注，有关部门希望她提供详细线索，以便帮她寻找联络；又有报纸记者想采访她，都找到 Z 女士他们单位，所以给她打电话，约个时间，Z 女士愿陪记者前往，并取材料，代转有关部门。K 女士在电话那边，一个劲地表示感谢，但又说她最近实在太忙，要到外地转一大圈，所以这些事，都以后再说。Z 女士就打趣地说："你娘是不是日本的啊？你别跟大家闹着玩啊！"K 女士在电话那边大怒，说了句"废话！"便摔了电话。

谁知没过多久，Z 女士接到 K 女士一个电话，从招呼的声音听得出，K 女士心情非常愉快，Z 女士就问："咦，你不是到外地转去了吗？这么一小会儿就转完一大圈啦？"K 女士在那边说："哎呀！你为我高兴吧！我娘从日本看我来啦！……"这消息把 Z 女士弄蒙了，她也没听清 K 女士又讲了几句什么，脑袋瓜里转了几个弯儿，便一愣神，说："那太好啦！祝贺你们母女团圆！我一会儿就去你家，见见日本阿姨，分享你们的快乐！"K 女士在那边忙说："不用啦！不用啦！我们白天要旅游，我得带我娘各处看看呀！"Z 女士就说："那我晚上去你家吧！"K 女士接上去说："哎呀！你糊涂！我妈她住北京饭店呀……"Z 女士紧追不舍："几号房间呀？我给送花去，是个意思嘛……"K 女士水来土挡："哪儿能让你破费呀！不用啦不用啦……我娘她这回来，好多的事，特忙……她后天就回日本啦！"Z 女士还不罢休："怎么这么快就走啦？后天什么时候走呀？我去送行吧！"这回 K 女士倒挺痛快："后天下午的飞机，一点离开饭店，你来，真不敢当，我跟我娘先谢谢你啦！咱们一点以前大堂见面吧！"

那天下午一点以前，Z 女士真去了北京饭店，花二十块钱买了一束石竹花，可是她在大堂里转来转去，直到一点半了，也没见到 K 女士的影儿，心中正为自己的某种猜测被证实而产生出一丝快意，忽见 K 女士急匆匆朝她快步走来，一到她跟前就主动从她手里取过那束石竹花，连连道歉："真对不起真对不起……我娘的机票改成上午的了，也来不及事先通知你……瞧，我怕你在这儿傻等，所以送完她就往这儿赶……"

Z 女士目瞪口呆。

1993.6.27

三室九床

退休后，他教的几个拉小提琴的小学生里，数力力最让她吃惊。他问过她，既然是女孩子，为什么那名字写出来不是丽丽、莉莉、俐俐什么的，而是这么两个字？她回答说："妈妈喜欢这两个字。"

别的几个孩子，每天总有家长接送，或母亲或父亲，有的间或还由祖辈或姑姨陪同，对他极为热情，嘘寒问暖，送些小礼品，他却总报之以不咸不淡的温开水般的回应；而且，他一开始就立下规矩：琴盒一定要让孩子自己背来，如果让他看见是家长替背来的，则不但那家长会遭他白眼，对那学生也会格外严厉；他教授时，严禁家长在场，甚至站在窗外聆听让他发现了，也会惹得他停止授课，直到那家长知趣躲开。起初，教完后家长总缠着他问："我们孩子进步大吗？"他总淡淡地回答："您回家自己听，如果听不出所以然来，我说了就算数吗？"

家长们后来都不再问，因为随着课时的积累，回家一听孩子练琴，最迟钝的耳朵也能感觉到，那琴声不仅愈见优美，里头还一点一滴地渗入了让人感动，而又难以说出来的那么一种音韵。都传说这位教授退休后不在自己家里收徒，也不在自己任过教的那所学校开设的业余班授课，非跑到离其居所颇远的这个民营学校来担任课程，是出于一种很纯净而浪漫的原因，但究竟是怎么回事，传说的版本不一，谁又敢去直接问他呢？关键是都知道他教得好，其门下的桃李，获得过各种奖项的，已不下十个。

虽然学生不多，他却记不大清他们各自的家长。尽管有的家长给他留下了颇深的印象，比如一位母亲身上总是老远就冒出一股浓烈的香水味，一位父亲跟人离近了说话时，总是很优雅地用手挡住嘴里的呵气……但他们究竟是哪位学生的母亲和父亲，至今还是有点拿不准。力力让他吃惊，也是因为有一天他忽然问她："你妈妈呢？"力力说："没来。""她为什么不来？"问题一出口，对视中，他感到力力在吃惊，他自己其实也吃惊，他不是一直在强调"你们不是为家长而学琴，你们是为自己的灵魂而亲近音乐"吗？

"她来不了。她……在医院，在病房里……"力力这样解释，他不由得再问了一句："很久了吗？"力力回答："好久了，一直在……"她说出那医院的名字，并且更具体地说："内科病房，三室九床。"他就对力力充满了同情，他想，这孩子只提妈妈，不提爸爸，估计是父母离异了，而她妈妈又长期住院，她能坚持自己来学琴，也算难能可贵了。那次问答后，他对她的指点，比对其他学生，就略多些略细些。

那天他去医院探视一位老友，探视完心里觉得软软的，有柔曼的琴音，他款款走出那长长的走廊，都走到前面的圆厅了，忽然，他想起来，这也就是力力告诉他的那所医院啊，而内科病房的标识，就指向另一侧的廊道，瞬间他作出一个决定，他往那方向走去，去往三号病房，去跟那位长期卧在九床的母亲说，她的女儿现在不仅指法、弓法都趋娴熟，而且，丝丝缕缕的灵气，开始从弦上旋出……也许，他的出现，他的报告，不啻灵丹妙药，能够大大促进她的康复？

他找到了三号病房，三个床位，七床和八床的病人大概还能走动，去花园里散步去了，九床上是个一下子看不清面目的妇女，一位护工正在谨慎地帮她翻身。

他努力地想从那病人身上发现出力力的哪怕是很淡的影子，那侧身的病人似乎发现了他，并对他微笑，他觉得心中的琴音和诗意戛然中止，但既然来了，也就还是报告吧，他就告诉她力力最近琴艺确有长足的进步……但他刚把话说完，就立即觉得不对头，那床上病人脸上的微笑，细看竟是一种病态的懵然，而且，其年龄作为力力的母亲，似乎也过大，更让他没想到的是，忽然一声欢叫响在了耳边："力力真有那么好吗？谢谢老师，谢谢啊！"他偏头一看，惊呼热中肠的，是那位护工！那是一位黑红粗壮的妇女，但眉眼间，分明有与力力相通的韵味！

这些天，他的心弦一直颤动着。他知道了，医院里的护工，百分之九十五左右全是外地人，但力力的母亲，却是那属于极少数的本地下岗职工，作为护工，他们的工作极为辛苦，特别是接屎尿洗便盆和为病人擦身按摩对付褥疮，全天候地侍候，晚上只能支个折叠床，在病房里迷瞪一时，侍候到病人出院或者去世，才能回家暂歇一时，但也焦急地等待着医院的通知，好再去侍候一位挣到点钱……

他一直在构思一阕小提琴曲，原来乐思只在小时候记忆深刻的那首儿歌的素材里转悠，现在，他觉得仿佛泉水涌出了泉眼，那些活生生的蝌蚪，跳跃在了他谱纸的五条线上……

沙锅豆腐

附近的这座公园上不了旅游手册，可在老王夫妇心目当中，它简直就是他们生命的一个组成部分。在公园西北角的松树林中，他们头一回紧紧地依偎在一起——那时他们都才刚刚出师；婚后他们推着婴儿车来湖边散步，得意地把儿子王抒展示给人们；王抒长大了，他们常把孩子带到这公园来，一人牵着王抒一只手；后来王抒上了小学，有一回他们一起来公园，王抒用小罐头瓶捞上了一只小虾米，简直像玻璃做成的，完全透明，带回家，过两天虾米死掉了，王抒哭得好伤心！

一眨眼二十几年过去了！老王当上副厂长，爱人成了劳资科的"老前辈"，儿子大学毕业分配在一个科研部门，整天跟电脑打交道。

这个星期日，一大早儿子忽然建议说："爸，妈，咱们上公园转转去吧！"

声音又熟悉又陌生。

熟悉，是因为打小他就总有这么个要求。陌生，是因为小时候他总用一种稚气的口吻："爸，妈，带我去公园吧！"可今天听去，那口气倒像是："爸，妈，我带你们去公园吧！"

老王细一想，这二年来忙来忙去，确实没怎么上公园了。当妈的尽管有时还去练练气功，但说实在的，也早淡薄了当年那种到公园玩的心境。

去吧！三个人到了公园门口，王抒很自然地去打票。尽管一张票只要五分钱，可老王夫妇望着一身笔挺西服的宽肩膀儿子，心里都不禁一震：人生中的那样一个转换时刻，终于来到了！

这公园太熟悉了！可又仿佛是头一回来——是的，是头一回。王抒带着他们转悠，自自然然地成为了他们的照看者和施爱者，转悠得兴正浓，王抒说："该吃点东西了。还去门口那家吧。新装修了，据说是粤厨主理、丰俭随意哩！"

到餐馆里坐下，服务员递上菜单，王抒自然而然地接了过去，一边打开看着，一边问："爸，您想吃点什么？妈呢？啊！还有沙锅豆腐，好！总算没有'全盘粤化'。您二位不是最喜欢吃沙锅豆腐吗？……"

老王夫妇对望一眼，心里漾出了幸福的涟漪。王抒小时候，总是他们打开菜单，边看边问他："想吃什么？"因为点过一次沙锅豆腐，小王抒吃得津津有味，所以从前每回进来他们才总点沙锅豆腐啊！

美美地吃过一餐，王抒招呼服务员过来，从西服里兜取出一只漂亮的钱夹，自自然然地准备付账，这时，当妈的忽然别过头去，老王小声问她："你怎么啦？"她用一种异样的鼻音回答："没什么，没什么……我高兴哩！"

山溪听蝉

书法家萧宽先后接到两位大姐电话，都跟他要字。先说孟大姐，她要的是"山溪听蝉"四个字。萧宽知道她住的那个楼盘内外并无河渠溪流，夏天虽有蝉鸣，在她那15层的高度恐怕也难听见。因为欠缺，所以向往，乃人之常情。再说邝大姐，要的是"在于争取"四个字。乍听真不知何所立意。两位丧偶大姐都退休数年了，都搬进了那新楼盘的宽敞新居里，儿女均有成，虽另居自过，也都能像那歌里唱的一样，开着小车"常回家看看"。难道是邝大姐欲开二度梅花？也不好意思细问。萧宽就认真地给二位挥起毫来。

　　写好了，分别送上门去。两位老大姐楼号楼层不同。先去的孟大姐家。开门就看见两个人。一位自然是孟大姐，另一位富态谢顶的男士，孟大姐大方地介绍："我对象，叫他许先生吧。"萧宽展开裱好的横幅，两位退休者歪头欣赏，都赞好道谢。坐下喝茶，萧宽问："敢情是你们俩合要这四个字呀，是不是跟你们的恋爱史有关，要留个纪念呀？是在哪儿的山溪听的蝉鸣？樱桃沟？白龙潭？"孟大姐笑，说："你再猜不到！你知道，自从住进这楼，别的都满意，只有一样，这起居室和卧室的阳台窗户，全对着楼下那边的小学跟幼儿园，年轻的业主反正一早就进城上班做生意，晚上才开车回来，双休日学校幼儿园也放假，所以他们无所谓，可我们老年人呢，且不说那小学课间的喧哗，每天十来点钟的课间操，放送的音乐声，还有体育老师的口令声，我有一阵真烦透了，那段时间得把所有窗户全关严实，要么就用那段时间下楼出门去超市买东西，可人家还有体育课呀，也掌握不好人家的课程表，以为能安静会儿，窗户一开，一、二、三、四……人家正跑步吼号呢！学校还经常在下午把全体学生集中到操场上开大会，搞活动，要么是麦克风里呜哇呜哇地传送校长老师讲话的声音，要么是学生在念什么发言稿，有时候更搞歌咏比赛诗歌朗诵什么的，也听不真切，只觉得呜哩哇啦锯耳膜！好不容易小学生入课堂了，那幼儿园老师却带着孩子到院子里玩滑梯转椅做游戏了，嘻嘻哈哈闹嚷嚷！就算我把所有窗玻璃都换成特别贵的高级隔音玻璃，那我也不能不开窗透气呀！你知道我心肺没什么大毛病，但是需氧量比一般人大很多，就拿坐车子来说，越是高级的小轿车，我越觉着闷，倒是大面包车坐着觉得挺舒服……"许先生两眼弯成翘角豆荚，说："离题了不是？"孟大姐就说："那你切入正题！"许先生却又摆手："我那是无意栽花，你是有心绽放，还得你来说。"萧宽觉得他俩挺有趣，然而一时还是不得要领。

　　忽然电话铃响。是邝大姐打来的，措辞虽客气，其实是催萧宽快些去她那里。孟大姐就说："你赶紧去吧。我们是真退休，凡事喜欢退一步，而且现在觉得人生忙碌了半辈子，难得如今能休息、休养。"许先生一旁颔首。

　　萧宽就告辞孟家赶往邝家。一进去吃了一惊。哪里像个退休老人的居所，那客堂简直就是个办公室。长桌上有电脑、电话、传真机，连茶几以至沙发上都搁着些卷宗、报纸、刊物、打印的纸张什么的。邝大姐可不像孟大姐那样穿宽松的休闲服，而是一身中规中矩的白领妇女的套装，头发在脑后扎成一束再挽起盘住，仿佛正在上班。萧宽展开写好的字请她验收，不禁问："您究竟是要争取什么呢？"邝大姐就推开一扇窗户，外面幼儿园孩子嬉闹的声音飘了进来。邝大姐指指楼下说："这还算小打小闹。等一会儿小学在操场开会，那就足能让人太阳筋疼！"萧宽小心翼翼地劝道："一个楼区嘛，有幼儿园、小学那不是好事吗？倘若您的孩子现在还小，那对您不是挺方便吗？"邝大姐说："第一，以既成事实而论，这样的配套设施，不应该离居民楼如此之近；第二，经查明，我们这几栋楼的地皮上，原来在规划上是建会所和带池塘的花园，但是开发商捣了鬼，会所、花园全没建，却造了公寓楼往外卖；第三，我们这些业主，在购房时全上了广告的当，按那广告上画的比例，这几栋楼与那学校、幼儿园之间，有八十米的绿地，而且学校操场是在尽那边，学校、幼儿园是我们搬进一年后才盖起来的嘛，现在你看，这跟广告上的宣传差得有多远？……"大概邝大姐还要列举第四、第五以至更多的道理，但电话铃响了，从旁听来，那仿佛公务电话，邝大姐严肃地"唔""唔"接听，又威严地回应："那不行。如果那样，也不怕，咱们奉陪到底！"又指示："发个电子邮件来，我要详细资料。"萧宽后来终于明白，这几年里，邝大姐联合一些业主，先是跟开发商直接对阵，闹僵后，到有关部门投诉，又向媒体反应，光电视台就来录过几次像，最近发展到对簿公堂，她全身心地投入，乐此不疲，但听那要求，开始竟要求学校和幼儿园搬迁，后来又提出改建学校，将操场移到教学楼后面，再后来综合各业主的总体利益，提出所有被噪音干扰的业主家的窗户一律由开发商出资改装高级隔音玻璃，并给予这些业主一定额度的房价赔偿和精神赔偿。萧宽这才理解"在于争取"四个字的分量。邝大姐听说孟大姐要的四个字竟是"山溪听蝉"，冷笑道："逃避主义，在咱们中国也算个老传统了。应该懂得：自己的公民权益，不能等待恩赐，必须行动起来，据理力争！跟你求这四个字，正是为了挂在这面墙上，激励我自己，以及联名起诉的业主们，挺起脊梁做真正的公民！"

回到自己书房不久，萧宽接到孟大姐电话，再次感谢他的字，又告诉他，并不是因为跟许先生在什么山溪的流水声与蝉声里定的情，是头一回约许先生来家，过了约定时间竟还没门铃响，不禁往楼下望，只见人家坐在那幼儿园的栅栏外的长椅上，也不靠着椅背，双手放在膝盖上，出神地看那些闹麻了的娃娃们嬉戏呢！后来大概猛然想起，看了下手表，才赶快往楼里来，来了问起他，他的感想是："你这居室太好了，时不时地就能听见活泼的山溪水在潺潺流动，这可都是些最稚嫩最鲜活的生命之声啊！"孟大姐就跟他说："你听见那小学里的喧哗，就不这么形容了，有时候那可是瀑布一样吵人！"正好小学操场上有一堂体育课，跑步的吼号声一阵阵传来，许先生居然不烦，还走到阳台窗户那里俯身观望倾听，还说："这好比夏日蝉鸣，是生命成长的天籁，为什么要烦他们呢？"又让孟大姐跟他一起侧耳细听，竟隐约听见了音乐教室里的风琴声和孩子们的合唱声，在许先生的启发下，孟大姐渐渐也就不觉得那些声音全是噪音，甚至还渐渐喜欢起其中的许多声音来，"是的，有时我听着，就仿佛回到了学生时代，又想起了当年到学校给孩子开家长会的情景……人们就是在相互容忍，相互磨合的过程里，凝结出被叫做生活的露珠的啊……"萧宽问孟大姐参与邝大姐带头的争取权益的官司没有，回答是，非常钦佩邝大姐，希望他们能胜诉，但自己并没有参与联名，萧宽就以自己的身份提出质疑："您这是不是逃避主义呢？"孟大姐说："不是逃避，而是化解。解除焦虑大体有两种办法，一个是向外，一个是向内。我和许先生的性格比较适合于取第二种。"萧宽默然。

萧宽在书案前，一边回想着孟、邝二位大姐的神情言谈，一边不知不觉地又提笔在宣纸上顺手写起那两组字来，当然不是写大横幅，而是中楷游动，或直或竖，或左起或右行，也不知那么沉吟了几多时，等到他回过神来，忽见那八个字在纸上一处竟连缀成了"取蝉在山于溪争听"，他一个激灵，落身沙发，心中仿佛亮了一盏灯，那是无法用语言文字表达的一种禅悟。

山寨小球星

一对中年夫妇开车往家走，沿路想找个餐馆或酒吧进去边吃边喝边看世界杯。从车窗朝外望，中意的餐馆和酒吧门外都没停车位了。有的地方出现露天啤酒座，摆放的大液晶屏幕艳丽诱人，但是根本没有空位。他们一路听关于世界杯赛事的广播，一位名嘴正伶牙俐齿地评论昨天那场最惹人眼的比赛。

"真好像世界杯在咱们这儿举行似的。"男的说。"是呀，我们同事，一个个球队球员的名字，说起来满嘴滚珠，就跟是他们家亲戚似的。"女的说。

还是回家靠在沙发上喝着啤酒果汁吃着零食看球吧！他们的车进了小区，刚在车位上停住，人还没下车，"砰"，一个球蹦到了前盖上，把他们吓了一跳。

男的马上下车，捡起那落到地下的球，拿起来一看，居然是个"普天同庆"！女的也下车凑过去，"谁干的？"呼啦跑来好几个孩子。这对夫妇属于"丁克家庭"，对孩子素来嫌闹腾。男的看清楚了那球，原来是用普通的足球画出来的南非杯赛球，掉颜色，忙扔到地下。"你们是哪号楼谁家的？"几个孩子居然这样自报家门："我是梅西！""我是鲁尼！""我是卡卡！""我是 C 罗！"女的就责备："怎么能在小区里踢球？"男的就说："不在家里写作业，瞎闹什么？把车砸坏了怎么办？砸着人更不得了！"几个孩子满无所谓，一个嚷："好容易全考完了！"一个叫："我们脚痒痒！"说着拿着那球蹦跳着呼啸而去，又往小区那面积有限的健身区模拟杯赛去了。

男的就用手机给物业打电话。女的就跟旁边几位路过观望的业主说明情况："亏得没砸到玻璃上。车玻璃也好，窗玻璃也好，砸碎了都是麻烦事对不？"女的先提着东西往楼里走，男的站在那里跟物业反映情况，要求他们马上出面禁止这几个孩子那"危险的游戏"。

那天傍晚，小区庭院里、甬路上、楼厅和电梯里，都有关于小学生在院里踢球一事的议论。反对的声音当然占了上风。但也有同情的议论。

有的说："眼下咱们这儿，表面上确实是足球热。可是都热在眼球上、口水上。

据说中国看世界杯的人数好几亿。可咱们这儿究竟有多少孩子、青年人平日在踢球？"

有的说："是呀。听那侃球的，怎么发挥的都有，又是什么哲学高度，什么东方西方文化对比，什么民族性问题，还有扯到基因上的。可是，就缺说说怎么开展群众性足球运动的。"

有的跟上去议论："我家老爷子，五十多年前，不过是百货公司售货员，他们那个系统，就有水平很高的业余足球队，休息日练球、比赛，他踢前锋，不是吹，一年的正式比赛里，就灌进过五个球！"更有帮腔的："二十八年前，我那时候是车工，业余也踢球。那时候城里能踢球的地方比较多。"也有尖酸刻薄的："现在有那么块地面，没等你抱着球去，开发商早盖楼去了。"有的就问："学校里不都有操场吗？孩子们踢球为什么不到他们学校操场上去？"有的就自以为是地说："如今学校放学就锁门，讲究校园安全。"……

那几个踢着山寨版"普天同庆"的山寨"梅西""鲁尼""卡卡""C罗"被物业工作人员厉声制止了。"梅西"说："我们就练练盘球不射门。""卡卡"哀求："我们就在这儿颠颠球还不行吗？""C罗"说："我妈放假就让我报这个班那个班，可我就喜欢踢球。""鲁尼"说："我家也一样，报的是以后能加分的特长班。"

可是，物业威胁如果他们再"乱来"就会找他们家长去，几个山寨"球星"只好悻悻抱球而去。

那对"丁克夫妇"坐在沙发上看电视里主持人和嘉宾侃球，女的说："你听听，比那些在南非的参赛队的教练们都高明！可中国足球怎么还那么低能呢？"男的想起那些被他告发到物业的孩子，叹口气说："足球水平不是靠嘴巴侃出来的，也不是靠博客文章就能提升的，一句话，足球足球，你脚得沾球，用脚发威……哎，看来市场化也不灵，最重要的是，你得有脚沾球的数量庞大的后备军啊！"他心里多少有些后悔：对那踢山寨版"普天同庆"的"球星"们，是否态度过于严厉了？

赏花时

　　他教中学，她教小学，每晚对坐在各自书桌的台灯下备课。他一抬眼，发现她正托腮望着书桌一角的文竹出神，竟是一副懊丧的表情。

　　"怎么啦？"

　　"这两天陈艳丽有点不对头。"

　　他自然知道陈艳丽，她总提，得意门生嘛。他问："怎么不对头？"

　　"躲着我。不高兴。我自然问了她，不舒服？家里出了什么事儿？都摇头……现在我忽然悟出来，都怪我！"

　　"怎么？"

　　"星期一我给他们讲了个俄罗斯民间故事，讲巫婆怎么骑着大扫帚飞来飞去……"

　　"这有什么！整个欧洲的民间传说里巫婆大都有这么一手……丰富点他们的知识和想象力有什么不好呢？"

　　"是呀……可是今天中午放学，我在河沿绿地边遇上了陈艳丽她妈，她妈是清洁工，天天头上戴个草帽，两只胳膊上套着红黄两色的统一标志，肩上背个箱式簸箕，手里握着一把大竹枝扫帚……

　　"那又怎么样？"

　　"我们俩站在那儿说话，这时候，我们班上两个调皮的男生打边上走过，我发现他们盯着陈艳丽她妈手里的大扫帚看，还用手捂着嘴笑，完了还互相挤眼睛……"

　　"啊！"他也恍然大悟，"瞧你！副作用！"

　　"这可怎么好呢？"她使劲地一耸肩膀，眉毛尖直打颤。

　　"是呀……"他搁下手里的笔，搓着双手替她盘算："公开批评那几个男生不合适，正面解释又只能增加心理暗示……"他也一筹莫展。

　　她重重地叹了口气，勉强地继续批改作业。他却一直在搓手寻思。

　　"有了！"他猛地一拍手，"咱们求救于《红楼梦》！"

　　他是个业余"红学家",思路一撒开总跑到《红楼梦》的辙道里,对此她并不感到惊奇,但这回,面对一班小学生,难道能讲《红楼梦》?她望着他发愣。

　　"六十三回,《寿怡红群芳开夜宴》,芳官给宝玉祝寿,刚唱了一句'寿筵开处风光好',众人都道:'快打回去……'于是芳官就唱了一支《邯郸记》里的《赏花时》:'翠凤毛翎扎帚叉,闲踏天门扫落花',说的是何仙姑在蓬莱山门扫花……'他如数家珍地引用着。

　　"噢!"她一点就透,双眼放光。

　　第二天两人又对坐备课时,她进一步求教:"中国仙女的故事讲了,我故意把拿大扫帚扫地的形象描绘得很美;明天我想借另外一个故事说明,有的东西好人坏人都能用,所以不要光凭穿着打扮和所拿的东西就瞎联系瞎判断……"

　　"咦呀,这你可得有技巧,讲得太直容易产生心理抗拒。必须讲得不露痕迹,自自然然……"他们切磋着。窗外的月光洒进清辉,为这一对园丁助兴。

生日无照片

　　几乎每回有客人来家,爸爸妈妈总要拿出那个织锦封面的照相册来,主动翻开,指点着跟人家炫耀:"我们小昆,从零岁开始,年年生日拍照片,看,看呀……多逗!多皮!……长得多快……变化不小吧?……"

　　很多父母都发过这样的宏愿:一定要在孩子的每个生日给他拍一张"正式的生日照",这样一年年积累下来,一张张的照片,便构成了孩子的"生命画册",是多么有意义呀!

　　可是,发愿的父母当中,能够认真地坚持到十年以上的,并不多。且不说这期间可能会有婚变;可能恰巧在孩子生日那天,有某种难以避免的干扰出现;可能忽然派生出技术上的问题……就是什么条件都具备,也很可能因为心情欠佳,因为觉得"咳,过两天再拍有什么关系",而终于漏拍。

小昆的爸爸妈妈却一直坚持着给小昆拍生日照。头两年,是专门请搞摄影的朋友来拍。后来有几年是到最好的照相馆里去拍。生活日渐富裕,家里置了照相机以后,便由爸爸来给小昆拍。这样一直拍到了去年。

今年的这一天到了。恰逢星期五。小昆的爸爸妈妈全都赶早回了家。两人回家时都以为小昆已经到家,头一声都唤:"小昆哪!"都为儿子居然并未回家而遗憾。

小昆爸爸正给照相机装胶卷。小昆妈妈就说:"还是到照相馆拍吧!十一岁了,这回拍个低调的,显得成熟点儿!"

小昆爸爸说:"双管齐下吧!你说得对,过了十岁,上了个坎儿了,是别光拍成个乖娃娃的形象了!"

两人不禁都望了望壁上的挂钟。五点半了。

小昆爸爸说:"如今我们有了双休日,当学生的明天倒还得上学……"

小昆妈妈跟他心有灵犀一点通,知道他这样说是为了平息心中泛起的焦虑:小昆应该回来了;当然不可能是出了什么问题,例如因为犯错误被班主任留下(笑话!他们的小昆?从来只有被表扬的份儿!)……或者,过马路的时候(岂有此理!什么假设!)……

小昆爸爸忽然义愤起来:"现在的老师,就知道加重学生负担!"

小昆妈妈也埋怨:"……恐怕又是补课!你平时教得好,还用得着这么疲劳轰炸么?"

快六点了。两口子也没细商量,便急如星火地赶往了学校。

校园里静悄悄。那气氛很恐怖。小昆他们班主任已经离校,找到一位已经推上自行车的年级主任,她听了小昆父母焦急的问询,笑着安慰他们说:"也许是到同学家里玩去了……都十一岁了,难道孩子不能有他一点自己的社交活动吗?……啊,是过生日,要先照相,再跟你们一块儿吃麦当劳去啊……那他倒是该早点回家,不过,会不会现在他倒在家里等你们呢?"

他们不得要领，只好再找别人问。传达室的老大爷说："放学以后，有群男孩子吵吵着出的校门，提着装足球的网兜，兴许是去那边大学操场赛足球去了吧……"

两口子赶紧往那地方去。那是一个圈在大学校园外的足球场，常有中小学生放学后跑去玩。

找到那儿时已经天擦黑了。一群土猴模样的小男孩正拎着书包散伙。两口子大叫小昆，没人应，倒有人笑。仔细认，都不是小昆。一个小男孩意识到他们是谁后，挨近他们说："叔叔阿姨，大昆先走一步啦！"

怎么会是"大昆"？也来不及细问，知道是回了家就好。

急匆匆赶回家。小昆却并不在家！

两口子真成了热锅上的蚂蚁。都差点往公安局打电话。

小昆终于回来了，进门就先检讨："我知道你们准得着急……我跟你们道对不起！可是我今天真开心！……他们选我当了足球队队长，都管我叫'大昆'！……我们跟五年级的赛，愣灌了他们个二比零！……我说好玩完了去二牛家给他讲讲数学题，所以才回来！"

妈妈责备说："你忘了今天是什么日子啦？"

爸爸责备说："照相馆早关门啦！你不照生日相啦！"

小昆轻松地说："今天我特别有长大了的感觉！我特高兴呀！照相，爸你就用你那相机给我照不结啦！麦当劳也甭去了，咱们一块儿吃康师傅碗面，不也挺好的吗？我还能给你们炒盘鸡蛋腊肠呢！"

倒也是。一家三口热热闹闹地吃上了寿面。当然不是方便面。妈妈变戏法似的变出了非常可口的打卤面。小昆确实炒出了一盘鸡蛋腊肠。

吃完面，吃早准备好的黑森林蛋糕。小昆吹蜡烛的时候，爸爸照相。然后是分别和爸爸妈妈照，又用了三角架，照全家福。

但是第二天一早，小昆爸爸就发现，头天他装胶片没装好，小昆的生日照片全落空。

小昆爸爸简直是痛不欲生。

小昆妈妈只觉得太不吉利。

倒是小昆满不在乎。临上学前，他问爸爸妈妈："世界上，哪个有出息的人，他年年生日都留下照片呢？"

两口子面面相觑。还真想不出。

剩　花

她出生那年，有部电影《小花》演得红火，电影里有首插曲《绒花》，爱看这部电影的父母就给她取名绒花，小名绒绒。绒绒在蜜窝里长大，上学一路顺风，大本毕业后读研，获博士学位后，求职过程有些曲折，但终于成了白领，从事矮格子里电脑前的案头工作，工资待遇不菲，按说父母可以不必为她操心了，谁知却比以往更为焦虑——绒绒不善交际，岁数到了不便说出口的地步了，却还待字闺中。

公司白领确实体面，但那活动空间仿佛水族箱，堂皇有余接触面狭窄，同仁诸男皆已有妇，绒绒虽因性格安静被誉为"公司睡莲"，这非绒制的真花却无人采摘，三年前父母就亲自出马，还动员起诸亲友，为绒绒张罗对象，到前些时总算找到一位，个头相貌虽然弱了一点，年龄还略小一些，但难得的也是白领，且性格也属内向，牵线后两人见过数次，彼此还都愿发展，这不是形势大好吗，谁知那天绒绒家掀起了轩然大波。

那天是绒绒姥姥生日，舅舅舅妈三个姨妈一位姨父全来祝贺，到饭馆订了个单间，济济一堂，亲情浓酽，祝寿之余，话题渐转，绒绒婚事，终成主题。二姨爆了个冷："绒绒大概也还不知道，你那对象每次见你，必送一把鲜花，那把花总不是单一品种，总由几种花拼凑——那是怎么回事，知道吗？你那对象，总去那家花店，每次总要女老板把各个品种的剩花给他凑成一把，这样便宜不是吗？……"大姨听了赞："有经济头脑啊，勤俭持家，会过日子啊！"三姨却尖叫起来："他算个什么人啊？拿剩花糊弄咱们绒绒！那不是等于骂咱们的绒绒是剩下的姑娘吗？真跟他好了，那以后的日子怎么过？他不得总压人一头？"妈妈听了着急："那可怎么好啊？好不容易才有这么个愿意回回送花的！"舅舅问二姨："你是侦探呀？你怎么打探出来的？你跟踪人家呀？"二姨很激动："绒绒的事情你们谁真舍得投入呀？打从他们第一回见面，哪回不是我近处远处满张罗？我倒想跟踪那小子，我有那么多闲工夫吗？还不是因为去买花，好看望那刚动完手术的同事，看见那小子背影，才跟那花店女老板套出那么个底细来吗？"舅妈发表看法："这其实不算什么问题，花儿漂亮，有香味就好嘛。"二姨父问绒绒："他送你花，你感觉怎么样？"爸爸特别专注地望着绒绒，大家都等她回答，她却低头一脸羞涩，姥姥耳背，听不清众人争议些什么，只是说："倒是那豉汁鲴鱼味道还成！"

那天从饭馆回到家里，绒绒耳边还是充满了对她的婚事关心到极点的种种议论，焦点还是关于对象买剩花送她究竟该怎么看，可怜她连续读书十九年，博士头衔在身，却觉得解答这个问题比求证"哥德巴赫猜想"更难。

那夜绒绒失眠。亲友们的嘈杂议论里，筛下两句，杵着她的心，一句是舅舅说的："你究竟爱不爱他？"一句是妈妈说的："你可千万不能真成了剩花呀！"她知道舅舅那话，实际意思是"如果你爱他那么他送你什么花你都开心还管那花是怎么来的"，可是，她真的不能确定，也许渐渐地会爱上……她觉得妈妈哀怨的眼神整夜滞留在她心上，难道，她搞对象结婚，到头来是为了满足妈妈爸爸的心愿？……后来许多往事丛聚心头：爸爸妈妈从她上小学起就不准她跟同学有"超常来往"，比如应邀去同学家或把同学邀到自家来；中学时有个男同学帮她把坏掉的自行车推去修理，被妈妈知道盘问了她许久；甚至在大学本科时期，她每次回到家里，妈妈还坦然地帮她"整理"背包，而爸爸对她上网调看其实已经很老旧的好莱坞言情片，也还要规劝："时间最好都利用到考研上。"都读硕了，假期跟几个同学去看海，不仅爸爸妈妈不放心，二姨认为"男女混杂不合适"，舅妈嘱咐"天天要往家里打电话报平安"，有天去玩把手机忘在宾馆房间，家里人跟她联系不上，竟报110异地寻找……

绒绒又跟对象在公园见面，人家把花束递给她，她满心杂念，竟没有及时接过，人家跟她说话，她竟只是低头沉思……

吹了！三姨那天说："咱们不是剩花！去他的，才不可惜呢！"

最新消息：那小伙子跟那花店未婚的女老板对上象了！

手绢传奇

"你现在怎么还在用手帕？"这是我常遇到的善意询问。我总是回答："打小随身带手绢，习惯啦！"

半个多世纪以前，上小学，老师每天要检查学生带没带三样东西，一样是手绢，一样是茶缸子，一样是口罩。手绢，这是当时我们习惯的叫法，不叫手帕。"丢手绢，丢手绢，悄悄地丢在小朋友的后面，大家不要告诉他……"那时有"唱游课"，"丢手绢"和"老鹰捉小鸡"是进行次数最多的"唱游"，记忆里形象最鲜明的，一位是"小脸老师"，一位是同桌的"方子"。

"小脸老师"，自然是因为同学们觉得她脸小，给她取的绰号，她听见我们背后低声那么窃叫，并不生气，有时甚至还会闻声回头，微微一笑。那时候开展"爱国卫生运动"，不走过场，非常认真。老师就要求我们上学时除了书包课本文具外，一定还要带手绢、茶缸和口罩，每天头一堂课，先检查这三样。

手绢和口罩，那时候真正用它们的时候，并不多。到教室外走廊里的开水桶接水喝，一天总得好几次。我妈给我买了一只很漂亮的搪瓷把缸，还给缝了个蓝布套子，我用起来很得意。但是"方子"——北京话发音是"方扎"，他姓方，个头跟我差不多，宽度却几乎比我阔半倍——头一次让老师检查时，拿出

的却是一只吃饭的粗瓷碗，我带头笑，惹得全班哄堂，可是"小脸老师"却没笑，
她和蔼地跟"方子"说："很好。洗干净用。也该配个布套儿。"其实更惹笑的
应该是"方子"的那方手绢，可惜大家看不见，我是看真切了的，那根本就不
是买来的正经手绢，而是不知从哪件旧衣服上裁下来的一块灰布。不过"方子"
的口罩让人无法挑剔，比我们任何一个同学买来的大都好，后来知道，"方子"
他爸是水泥厂的工人，那口罩叫做"劳动保护用品"，厂里一发就是半打。

我和"方子"都很爱国，都极愿意听老师的话讲卫生，我们真的不随地吐痰、
擤鼻涕、打喷嚏，放学排队离校时乖乖戴上口罩，偶尔因为玩弹球、拍"洋画儿"
口渴难忍，就近在自来水龙头对嘴儿喝了凉水，被多事的女生告状，我们就在"小
脸老师"跟前认真地检讨，现在回忆起来，有点奇怪，"小脸老师"怎么从来没
有批评我们男生玩弹球、拍"洋画儿"不卫生呢？她自己有时还跟女生一起玩"拽
包"、抓（发音是 chuǎ）羊拐呢，她只是强调玩完了洗手而已。

有一次"小脸老师"出作文题《我的妈妈》，大家都埋头在写，"方子"却只
是发愣，"小脸老师"就走到他身边，弯下腰，嘴离他耳朵很近，跟他说悄悄话，
但是我听见了，当时非常惊讶，因为"小脸老师"说的是："对不起……我考虑不
周到……你不用写这个题目，你自由命题吧。"

忽然"小脸老师"不给我们上课了，来了个代课的男老师，他的脸未必大，
却被我们叫做"大脸老师"，他一来就给"方子"一个"下马威"，说"方子"
的茶缸不合格，还拎起"方子"的手绢让全班看："这是手绢吗？这是擦脚布！"
他和我们没想到"方子"的反抗是那么强烈，"方子"当即跳起来，抢回那块"小
脸老师"从没奚落过，甚至还表扬过他洗得干净的手绢，大声骂出了一句最难
听的话。

"方子"要被记大过。"小脸老师"出现了，她的脸小，面子却很大，不知道
她怎么跟校长说的，反正"方子"免予处分，换了另一位女老师来代课，她其
实也挺好，但是没办法，我们还是要给她一个绰号，"中脸老师"，这绰号当然是
太古怪了。"小脸老师"不在的时候，男生们总在为"她丈夫是干什么的"打赌，
女生们总在私下嘀咕"什么是坐月子"。

后来我转学，小学毕业后上中学……形成自己的人生轨迹。那所小学所在的区域早已改造成一片公共建筑。我至今没有跟"小脸老师""方子"邂逅过。但是，近十几年，倒从当年老邻居、老同学那里，听到一些无法确证的传说。"文革"时"小脸老师"被丈夫牵连，也给当"牛鬼蛇神"揪了出来，但是"方子"装作"红卫兵"，把她救出藏匿起来，一直供养到"四人帮"倒台。"小脸老师"后来从小学校长的岗位上退休。"方子""顶替"父亲进水泥厂当工人，一直到水泥厂迁往远郊后才退休，现在跟儿子儿媳妇开了一家"方手绢小吃店"，不但供应的品种多味道好，而且，以卫生状况特别好著名。据说，在当年所有的同班同学里，别人早都使用上了各种揩面纸餐巾纸消毒湿手巾，只有两个"老顽固"还一直使用着手绢，一个是"方子"，一个就是我。

手绢现在不大好买了。最新消息，是"方子"已经在一家大商城里，开了一家"方手绢"专卖店。真该抽工夫去那里逛逛，我会喜出望外地遇到"小脸老师"和"方子"吗？

水 祸

侄女儿侄女婿两口子开了一个小超市，生意说不上有多红火，却也天天有赚头。当然，人家收入保密，我也不该多问。他们有回来看我，给我提来的水果，是从美国进口的布朗，开头我还不大懂得布朗是什么东西，只见个子肥大，紫色薄皮，咬一口，汁丰味美，才知是美国大李子。有天我逛大商场，在卖进口水果的柜台那儿看到了布朗，标出的价格吓了我一跳：合八块钱一个！前些日子他们又来看我，带的水果是从泰国进口的红毛丹。交谈时，我看小两口一脸疲惫，便劝他们说："赚得差不多就行啦！别太玩命儿！"

谁知我所担心的事儿，今天果然发生了！

那是我刚吃完晚饭的时候，忽然接到侄女儿的电话，带着哭音说："姑妈！羊子出事啦！……"我一听心就乱了，眼睛直发黑。

侄女儿跟我说，羊子，就是侄女婿，大约五点多钟——马路上车流量处于最高峰时——开着他们的小运货车去取货，在一个路口，跟另一辆车撞上了……

她说得我一颗心堵到了嗓子眼儿。忙问人怎么样？她说送医院了，没生命危险，可损失极其惨重……我这才喘出一口气来；忙再问是哪个医院，说我这就打个"的"过去，侄女儿却说："您先不用去医院……其实我本不想把这事告诉您……给您打电话，是因为，新光中学的王校长，他不是您当年师范大学的同学吗？您能不能跟他联系一下？……"这话真让我丈二和尚摸不着头脑了，羊子出了车祸，跟那王校长有什么关系？

我问侄女儿："你们平时不都是躲过高峰期开车进货吗？这回怎么非挑这么个时候？就算有哪样货一时售缺，请顾客到别处去买不就结啦？非赚那个钱干吗？羊子他急个什么呀？你也不劝劝！"

侄女儿说，昨天她下午整个儿不在买卖上，她是六点左右才到他们那个超市去的，刚一去挺高兴，因为店里店外顾客很多，这是平日那个钟点少见的情景；后来她发现顾客大都是在等着羊子取货回来；她们店里雇了两个安徽农村来的姑娘，一个监理货架，一个当收银员；她正想跟两位雇员问个清楚，电话铃忽然响了，是从医院打来的，她一听撂下话筒便直奔医院，医生不让她进急救室，她冲了进去，听见羊子昏迷中在喃喃地说："……新光中学……王校长……"现在医生护士把她劝了出来，她猛然想起，接到医院电话之前，那些在他们店里等货的顾客，有的也在叨唠新光中学和王校长，口气很不满意似的；她打电话回店里，雇员告诉她顾客已经散尽，大概是到别处买东西去了；雇员也跟她说，听到顾客里有埋怨王校长的……

咦，真可谓咄咄怪事！我百思不得一解。想了想我问："羊子那么急着出车拉货，他是要拉什么货？"侄女儿告诉我，是去拉矿泉水、纯净水。这可就更怪了！因为前些时校庆日返校，我见着了王校长，聊起来，他还特别提到从不喝矿泉水、纯净水什么的……

　　佫女儿不能跟我说得更多，她面临的善后事宜实在棘手。她只求我尽快跟王校长联络，帮她搞清楚究竟是怎么一回事儿。

　　我马上给王校长挂电话，他听了好一阵儿才听明白我所表达的意思，他说，这才知道离他们学校不远的那个小超市，是我佫女儿两口子开的，但他并不认识我佫女婿，因此对我佫女婿出车祸昏迷中会提到他，亦惊诧莫名……但他说容他仔细想一想，并且作些调查研究，再尽快给我回电话。

　　大约晚上九点多钟，王校长给我来了电话。真相大白。

　　原来，他们新光中学，第二天要组织初中二年级的学生下乡参观当年抗日战争的地道遗迹，这事其实好几天以前就布置了，但这天傍晚不知是哪几位家长忽然担起心来，怕自己的孩子到了农村没干净的水喝，在那里也买不到矿泉水什么的，于是便到超市去买矿泉水和纯净水，他们中学是就近入学，我佫女儿两口子的小超市恰是那些家长们经常光顾的地方，而且口碑不错；学生们都是邻居，家长们都是熟人，这个买了，那个看见，一想也该买；有的家长开头还说，现在农村也有卖的，可有的家长一撇嘴：那儿尽是灌井水的假货！于是惹得更多的家长担心，便使得我佫女儿他们的小超市一时爆棚；有的家长一买买一箱，说是不光要带去喝，那地道里多脏，出来进去，饭前厕后，还得用来洗脸洗手呀！这样，很快便把小超市里所有的瓶装水都买尽了，我佫女婿见有这样好的生意，岂能放过，便马上开车去进货……有的家长们一边抢购一边埋怨新光中学，特别是王校长，认为不该让孩子们去钻那个地道，有的更埋怨他"隐瞒了那里没有清洁水的真相"……而在一片埋怨声里，我佫女婿却哼着小调："新光中学……王校长……财神爷……真叫棒！……"

　　我听了发愣。可怎么跟我佫女儿说？

朔望澡

自搬进楼里以后，这家人就为洗澡的事争论不休。当然不是争论要不要洗澡，而是争论安装个什么家什便于洗澡。儿子主张安电热器，他是这家的"电气化"先锋，刮胡子、刷西服不消说早用上了电动剃须刀和微型吸尘器，还力主集资买红外线电烤箱，说赶明儿除了烧开水就甭开煤气了，省得增加屋内的污染度。儿媳妇却最怕触电。头一回把用干电池带动的放音机耳机套到脑袋上，还紧张得直缩脖子。她力主安煤气热水器。她到同事家里参观过，觉得人家那煤气热水器真是爱煞人儿。儿子跟她争论时吓唬她说，煤气热水器安装不妥会造成一氧化碳中毒，危险性远远高于用电。当婆婆的听了这话可两头为难，向着儿子不合适，同意媳妇又怕真的惹出祸来——以往住大杂院时可真见着过让煤气熏死的邻居，想起来怪瘆得慌的。公公一听他们争论就浑身刺痒，自打搬进这楼以后，三个月里没洗过一回澡，光拿湿毛巾擦过身子，算是怎么一回事儿！公公倒也不是没见识，他建议说："搞个射流吧！我见人家安得有那个，一边水龙头，一边搁壶热水，接起来凑着巧劲儿，倒也哗哗的挺温和，电不着也熏不死，凑合着冲冲不结了！"

到头来还是"鹿死"儿子之手。安了个东门子牌的电热水器。用的时候采取预热的方法，热好了就拔下插销，这样就绝无触电之虞。但儿媳妇抱怨说水流太细，浇花也犯不上那么秀气，预热一次根本就不够她洗一个头的，常常凑合着洗完了还要叨唠半天，说人家用煤气热水器哗哗地享受，怎没听说谁熏着过找醋喝？老太太一贯知足常乐，儿子或儿媳妇替她预热好了，试好温度，她坐在个木凳上享受着细雨般的暖流，觉得也算是自己一贯的好心得到了好报。

老头多年形成每逢农历初一、十五必洗澡的习惯，自称洗朔望澡。自打安上电热水器以后，儿子儿媳搭上才五岁的孙子，逢朔逢望都孝顺地为他预热洗澡水，在地漏边铺防滑垫，还特为他拿出"紫禁城"牌高级老人皂，但他洗完以后，却总有点闷闷不乐，儿子问他是不是嫌没有池子泡，他说知道淋浴更加卫生；儿媳问他是不是嫌水流太细，他说秃脑壳儿倒更喜欢"润物细无声"；孙子问他是不是胳肢窝痒痒，他摸摸孙子头不言声。

有一天上街回来，老头儿忽然满脸喜气，说是楼区的浴池开张了。第二天逢望，老头儿捡出换洗衣物，要去浴池，全家都上前阻拦，他却毫不动摇地说："自打搬到这块儿以后，一直想去澡堂子洗澡，以往没去，是合计着来回换四趟车，洗净的汗一挤又给捂了出来，等于白洗，所以忍了。如今咱们这儿有了澡堂子，我能不去？你们要问我图个什么？我不惯一个人独闷着洗澡，我喜欢澡堂子的热闹。"说完竟昂首挺胸而去。儿子发愣，媳妇捂嘴窃笑，孙子只顾摆弄"变形金刚"，只有老太太追上去，把一小扁盒茉莉花茶叶塞进他的尼龙提兜。

苏俐电话

电话铃响，我拿起听筒，里面是一种漱口般的声音，找我爱人。

自然又是苏俐，她每天必打电话来，一个电话，打得很长，爱人对她的来电，有时极为欢迎，有时接起来勉为其难；比如前些时电视里正播《唐明皇》，爱人就很盼她来电话，她们在电话里絮絮不休地议论头天所看到的几集，并对晚报上的那些小豆腐块的评论文章或不以为然，或竟耿耿于怀；当然，还有许多的议论，是创作者和评论家听见，一定会认为乃匪夷所思的，如她们慨叹，林芳兵固然不错，但何不请日本的山口百惠来演杨贵妃？因为小报上曾有花絮文章，说山口女士乃杨贵妃的后代……爱人有时正在做饭，苏俐也挂来电话，爱人提着锅铲去接，苏俐会申明："就一句话……"但其实也不是一句：她刚从广播里听来，有一种新型的灭蚊器，叫什么什么，看来我们都应该去买……爱人慌慌地应着，直怕锅里的油燃开；爱人放下电话，我和儿子就说："她怎么这样不懂事？像这时候就不该来电话！"但如果她还不懂事，如在我们正用餐时来电，我和儿子先接听了，我们也还是作不出请她"过一会儿再来"的决断，少不得把听筒递给我爱人："苏俐！"
爱人便使劲咽下一口饭，且跟她对话。

苏俐是个病人，她年龄比爱人还小一点，不到五十岁，却得了一种怪病，据
说是一只耳朵后面的血管出了问题，医生无法给予解决，只能采取保守疗法，这
样她就成了一个有行为障碍的人，有一回我们在街上遇见她，是她爱人陪她去医
院看病回来，她那情景儿，真让人惨不忍睹——她不是一般偏瘫病人那样，移动
时吃力，需别人从旁搀扶，她可以独立行走，但她的一只胳膊，却不能抑制地要
来回狂舞，这样她也就不能保持直线前进，需得爱人帮助她把握"航向"；她打
来电话时总是强烈的漱口声，也就不奇怪了。

苏俐不是我们的亲戚，她也不是爱人的同学或同事，她住在我们那个楼区，
算是邻居吧。我也没闹清苏俐怎么跟爱人熟识的，苏俐病后自然无法来串门，爱
人也难得去登门看她，她们就是通电话，一天起码一回，有时好几回。

她们通话的内容，大半是关于猫的。我家养了两只猫，苏俐家养了一只。爱
人自病退回家后，喂养这两只猫的精神头大了，严格相比，对我和儿子的"饲养"，
还不如对它们那样精心。苏俐的爱人白天还要上班，晚上才回来，他临出门前，
要为苏俐准备好中午饭，就放在苏俐座席前的桌上，桌上有个电烤箱，苏俐到时
候自己给饭菜加热。一般也就用那饭拨出一些喂猫，但另外也准备了进口的猫饼
干——苏俐和爱人都是"清水衙门"里的科技人员，苏俐又遭了这么个怪病，经
济上自然拮据，但听说在国贸大厦、燕莎中心一类的超级市场里卖二十几元一
盒的美国"伟奇"牌猫饼干，苏俐便一定要爱人去买，每天除了与猫共享正餐，
抓一点猫饼干给猫吃，是她极大的快乐，往往那也就是她打电话过来的时候。
她和我爱人絮絮地在电话两边介绍各自那猫的身体状况、食欲，特别是种种憨
态乃至于抓破打坏东西的"可爱过失"，不时咯咯发笑，若是哪家的猫蔫了病了，
那就会互致慰问，还提出许多的建议——有的听来亦匪夷所思，如给猫灌白萝卜
汁等等。

"苏俐她活着，有什么意思啊！"对儿子有时随口发出的这种残酷之论，我
虽同爱人一起厉声将其喝退，心里却也不免酸楚。

苏俐却有滋有味地继续打电话来，最近的一次电话，是告诉我爱人："你说我多逗！今天我把碗掉地下了！我这手它连这点指挥都不听了！这不是闹无政府主义了吗？哈哈哈哈……"又说："还有逗哏的啦，我坐到窗前，看咱们外头的那条护城河，你猜怎么着，大夏天的我看见有人在河上溜冰哩……"原来，她的眼睛，已经复视到了如此地步——她把在岸上行走的人，看成在河里溜冰了！我们听了都为她悲哀，而她给我爱人来电话，却实实在在只是当做一桩趣闻！

今天中午我一个人在家吃"康师傅"方便面，她又来电话，我告诉她我爱人不在，她说："就一句话，我那块电子表，又走上了——昨天掉恭桶里，捡出来以为不能用了，没想到搁窗台上晾干了，它又好了……就这个事儿，她回来，你告诉她……"

她说话那漱口般的声音，更严重了，但为一块表的复活，充满了那样强烈的喜悦，没得说，这样一桩大事，爱人一到家，我便要对她郑重宣布！

碎

又是那一对，手里又已经拎着大包和小包，那女的又满脸欢喜，那男的又把领带松开了……

淑芸默默地注视着他们，心里说不清是什么滋味。

在这个大商厦二楼一隅，淑芸被雇为某种品牌女装的售货员。就这么个岗位，她还是从几十个竞争者里面脱颖而出的。那女老板是个《红楼梦》迷，《红楼梦》里曾把四个美女形容为"一把子四根水葱儿"，当女老板从应聘的姑娘里淘汰到只剩下四个时，就这么说来着："这一把子四根水葱儿，可让我把哪三根拔去啊……"淑芸当时就说："那您就都留下不好吗？"结果，就因为她这句话，女老板把她留下，把那三位打发走了。为此淑芸内疚了好久。

　　这种女装虽说还算不上大名牌，却也小有名气，不少逛商厦的女士是专门冲着这品牌来的，淑芸总是耐心地接待她们，百试不厌，百问不烦，这样的顾客，一般总会终于买下标价不菲的应季女装；当然顺便逛到这个区域的顾客也不少，淑芸对这样的顾客一般采取退避策略，就是任她们观看、摩挲、比较、忖度，直到有的考虑购买，拿眼睛寻找售货员时，她才主动笑脸相迎，这样的办法，比人家刚走过来就缠着去介绍、推销，效果好多了，往往是本来犹豫再三，最后却慨然买下。

　　女顾客常常由男士陪着。接待多了，淑芸总能精确地判断出来，哪些是"老夫老妻"，哪些是新婚不久，哪些是情夫情妇，哪些还只是在"对象"阶段……当然，绝大多数对她来说都不过是过眼烟云，相逢开口笑，过后不思量；但那一对，自从那回以后，却让她一直忘不了……

　　那一回，那一对游动到她那一隅，那女的毛手毛脚，挑选新到的翠绿色春装时，把一件掉在了地板上，偏又没站稳，一只高跟鞋踩了上去，那天商厦外下雨，鞋跟把污迹明显地印在了那春装上，她还没反应过来，那女的先叫喊起来："你们这儿这么滑！崴了我脚脖子你们要负责任的！"她拾起那春装，心里正乱着，只听那男的对她说："小姐，不要紧，我们买下。"那女的反对："买下？怎么穿？"那男的却贴近她说："小姐，我看清了，你们这样的款式一共来了两件，我们都买下。现在你只需要告诉我，这楼里什么地方能干洗这件弄脏的衣服？"那女的还在那里嘟囔，那男的就对那女的说："一切图的是个高兴，对不对？什么责任不责任的，别误了咱们下一步计划，不是还要赶四点一刻的那场《幸福时光》吗？完了去吃日本料理，恰可胃口好！"真跟做梦似的，晚上打烊前，女老板来视察，她报告说两件款式最潮最贵的春装一次卖了出去，女老板笑逐颜开，说："年年月月都如此才好！"

　　那一回后，在过往的人流里，只要那一对出现，别的人就都仿佛模糊成了影影憧憧的一片，那一对则凸现为清晰鲜明的形象。她暗中羡慕那女的，甚至于嫉妒，一个女人，能有那样一个男人娶她，幸福两个字，还用得着再解释吗？

今天，拎着大包小包的那一对，又转悠到她这儿来了，她笑吟吟地迎上去。忽然，那女的喊了声："咦，我的手套呢？"不等那男的答话，把手里拎的装商品的纸包搁在地板上，对那男的说："你等着，我去咖啡厅找回来！"转身就疾步而去。那男的也就把自己手里拎的几个包搁拢一起，恰好都放在了她那一隅的展示架下，那展示架上端放着一玻璃钵仿真的百合花，下面三层是叠放着套头衫的梯形平台。她对那男的笑笑，那男的也对她笑。

她弯腰去整理被前面顾客弄乱的套头衫。那男的一直在看她。她弯腰时，饱满的胸部线条凸现。水葱儿正茁壮地拔节，氤氲出天然的青春气息。那男的伸出手，仿佛是要取一件套头衫看，却把手背重重地摩擦了她乳房一下，虽然隔着衣服，但衣服很薄，使她仿佛被灼了一下，她直起身，抬头惊异地望着那男的，那男的两眼却只是直勾勾地盯着她起伏的胸部。她猛地转过身，试图去整理前面衣架上新到的裙装，却手臂发抖。那块地方本不大，她拂了拂裙装，转回身，那男的还在盯着她的胸部。她听见那男的问："小姐外地来的吧？府上哪里？"她脸上僵着一个淡笑，不去看那男的，站到展示架前，张望别处。那男的却又凑到她跟前，在她右耳边小声说："明天你下班时候，我一个人来，请你去明树园咖啡厅坐坐，好吗？"她大惊，身子本能地一躲，重重地碰着了展示架，顶端的花钵砸到地板上，跌得粉碎。

这时那女的找回手套走过来，对男的喊："快走快走！她这地方怎么总这么晦气！难道这回咱们还成全她吗？走！"那一对于是拎起那些包很快消失了。

那晚淑芸跟女老板辞工。女老板说："碎了个玻璃钵算不了什么呀！"淑芸心里说：碎的是报告不出来的东西啊……

胎　网

表妹来电话说："我要把孩子生到你那儿！"

吓了我一大跳。

表妹从来不跟我乱开玩笑。何况，玩笑也没这么个开法。

"嘿，你说话呀！"表妹在电话那边催我表态，"这个忙你还不帮吗？"

我说不出话来。我爱人，也就是她表嫂，正好出差在外；否则我把电话耳机转移到她表嫂手里，让她们俩对话去，也就算了；可此刻我却无可逃遁。

"哎呀，其实我基本上把网子都织好啦……也不过只是要你有个态度罢咧！……"

什么网子基本上都织好了？

我知道表妹他们从青蛙实验一呈阳性，就开始为小生命准备一切能够想象到的东西，从最高档的婴儿车，到成套的婴儿服、四季被褥、成摞的"胎教"磁带、尿不湿、进口奶瓶与奶嘴、"伴睡"的玩偶、德国婴儿洗浴液、美国婴儿爽身粉、法国婴儿防蚊水……乃至于赫然抬进他们育婴室中的钢琴，并且还附有琴谱与节拍器。

至于医院、病房、接生的大夫、护士长，等等，他们也都事先该联系的联系，该联络的联络……甚至于到时候农贸市场的活鸡，也跟那儿的常年鸡贩子打好了招呼，月子里要每天一只不轻不重刚好六斤的母鸡——那是他们从一本什么杂志上的文章里看到的，据说过瘦与过肥的鸡都不适宜用来为产妇炖汤。

"哎呀，怎么求你丁点儿事，这么难呀！"表妹像真是生气了。

"不，不是……我是，还没弄明白啦……我哪儿会不为你效劳呀！"我赶忙表态。

"有什么难明白的呀？那个……托儿所，不就在你马路对面吗？……"

表妹层层剥笋地给我说明：我家马路对面的那个托儿所，他们调查过，也跟另外两三个原来考虑过的托儿所比较过，现在有了最终结论——确实好！不仅"硬件"好，"软件"，就是所里的阿姨，大都是幼儿师范的科班出身，也好……就是有条规定，孩子户口得在我们这个街道办事处辖区内；当然，户口在"外头"的，非想进，也成，那就至少得掏两万块"赞助费"……所以，他们打算把孩子的户口，先在我这儿"过渡"一下；至于技术上如何完成"过渡"，完全用不着我操心，他们"自有办法"，对我们两口子的要求只是：一，同意；二，有人问起来，"口径要统一"……

我听了还是头大。依我想，他们一个在进出口公司，光年终奖金，那数目就比我两年的薪金总和还大；另一个在外资公司，开出来的工资全是外币；要进我们这儿的托儿所，就赞助人家两万块不结啦？……表妹在电话里教诲我说："有钱也不能乱用，每分钱都要用到刀刃上才是啊！……再说，现在他们要两万，等我们宝宝该上的时候，指不定又涨到几万了呢！"

我还是觉得表妹他们的思路有些个离奇。我说："怎么你们现在就想着几年以后的事情了？难道说，现在就要为你们的宝贝儿准备好最好的小学和中学了吗？"

谁知表妹很坦然地说："可不现在就得为他把网织好么！能织多大织多大，能织多远织多远……对了，那个……附小，最好的，你不是认识他们校长吗？"

我说："是呀，怎么，你要我提前七年就把他织进你那网里去吗？"

表妹便很认真地问："他今年多大岁数？"

我说："五十五六吧！"

表妹"啊"了一声，表态说："那就算啦！那时候他退休啦……"

……

烫 金

老鲁当上"一把手"以后一再地给我来电话，让我到他"寒舍"小叙，我一推再推，春节将近，他又来电话热情邀请，作为大学时睡上下铺的老同学，再不去似太绝情，于是坐上他派来接我的奥迪车，到了他那"寒舍"。说实在的，跟"下海"发了财的老同学们相比，他那四室两厅的单元房确实显得素净。我俩坐在沙发上以后，没叙上几句旧，他就骂上了腐败现象，其激昂程度令我感动。我相信他那都是真情实感。老鲁从来都是个中规中矩的人。他现在虽然比一般工薪族住得宽，出门天天有轿车，宴请顿顿有海鲜，但都是依照有关规定，从不超标，就是一年起码要出一次国，也都有经得起推敲的由头，他不仅绝无把公家钱往家里搬的劣迹，还常常有意识地为公家节省开支，比如，最近总务部门打上来的为会议室租摆凤尾竹的报告，他就没批准。我说："老鲁，你确实是个挺不错的大公务员！"老鲁笑了，拍着我肩膀说："你呀！还是老脾气！吃硬饭，拉硬屎，连挺不错的大公务员你也不联络！你每天除了敲电脑，都跟什么人来往？心里头还梗着个'底层情结'么？……"我只嘿嘿笑，不想跟他抬杠。我眼光晃到茶几上，那满茶几的请柬都是艳红烫金的，顺手拿起一张打开看，是我家旁边那个公园春节庙会的请柬，持柬者可一柬三人在开幕式上到贵宾席就座，并在整个庙会期间可当通票使用。老鲁说："你随便拿，都拿走才好！"我接着翻看，还有好几种联欢会、联谊会、茶话会，以及演出、展览、展销、首发式、开业典礼……的请柬，一时烫金的字儿满眼跳动，我眨眨眼，望向老鲁，他笑眯了，脸上放着光。是啊，他过的是一种烫金生活。这是他多年奋斗的应有所得。我不羡慕，也不觉得应该鄙夷。

门铃响，有人来给老鲁送果篮，果篮上别着卡片，上头也烫着金字。老鲁家阳台上已然有了三个果篮，跟这个果篮一样，都绝非不正当的馈赠品。老鲁除了本职以外，还兼有好几个完全不违反规定的社会性职务，这些机构春节时以送果篮表示拜年，实际上已是革除了往昔豪华宴聚的从简新风。老鲁一定要我拿走一只有火龙果、红毛丹、山竹、布朗的大果篮，我坚辞不受。

和老鲁又闲扯了一会儿，我告辞，老鲁不坚留，叹口气说："本该请你吃饭，可是晚上有个招待会不能不去……唉，不好干呀！现在真是越来越不好应付方方面面啦！"他又让我拿果篮，还有那些烫金字的请柬，盛情实在难却，我便揣了两张我家旁边那个公园的春节庙会请柬在衣兜里。

老鲁的司机用奥迪车送我回我们那座居民楼。到了我们楼下，车还没停稳，我便隔着车窗看见了老韩。老韩是绿化队的临时工,我们楼下的小花园归他管理。他来自四川农村,我们成为朋友已经半年多了,跟他在一起用家乡话聊天是非常快乐的事。我跟老鲁的司机道完谢下了车,老韩一把拉住我,高兴地说:"哎呀,你总算转来啦!"看来他在我们楼门口等候我多时了。我问:"你啷个不上楼到我家等我?"他说:"传达室的老魏说,你出去了……"我知道他一向不大愿进我们楼,传达室老魏知道我们的关系后,对他还客气,电梯工有时为了楼内住户安全,尽责盘问他,他便觉得极不自在,所以他总是被动地在楼下小公园或他们宿舍里等我找他"摆龙门阵"。我想起来,这天他该休息,我们也没约好,怎么在这儿候我?问他:"是不是有什么急事,要我帮忙?"他两眼笑成两弯新月,望去跟刚刚告别的老鲁那笑容竟既形似也神似,有种"烫金"的意味;他说:"哪儿有总让你帮忙的道理!这回,是我要给你一样东西哩!"说着,便把手伸进贴身衣兜,曲曲折折掏出一张纸片,递给了我。那是一张窄长的门票,我细看,是我们旁边那个公园春节庙会的入场券,背面有"赠券"的印章,明白了,一定是他们绿化队发的;他在寒风中久候我多时,为的就是要把他的这张赠券送给我啊!我忙说:"你留着自己去逛逛嘛!你们每人发一张……"他叫起来:"每人一张?你想得好安逸!我们八个人才五张,抓阄儿,我这手好香啊,一抓就抓着了!一张四块钱哩!……我可是巴巴地给你送来……"当时,我一瞬间差点犯了天大的错误——我衣兜里就装着得来全不费工夫的两张烫金的请柬啊,凭那请柬不仅可以在开幕式时坐前排看表演,还可以免费进入一切入园后一般门票不能通用、需另购票的场所,例如入场费三十元的茶座(内有苏州评弹、京韵大鼓轮番演出)、参观费十元的"恐龙世界"、入门费五元的"热带植物大棚"等等;我掏出一张,甚至把两张请柬都送给老韩,岂不是他还可以另带两个人甚至五个人到庙会去尽兴游玩么?——我与老韩对视着,我从他眼里看到的是,他因终于等到了我,而能圆满地将那张来之不易的"福利券"递拢我的手中,而心中充溢着牺牲自我、给予朋友的极乐,我怎能以烫金请柬粉碎他对那张普通赠券的无限珍爱,辜负、亵渎他的一腔美意?于是忙向他热烈地致谢……

庙会开幕了,家里谁都懒得去"吃灰"、"挨挤",过了初六,我决定还是要去逛逛，我当然没拿那请柬去，而是用了老韩给我的那张普通赠券，当收票员撕去一角时，我感到有一种无价的金光射进了我的心中……

替课阿姊

那天小时工阿芝又来为我住处打扫卫生，我说起临街嫌吵，想加装一层隔音窗的事，她扬起头说："那还不简单，让我弟弟阿虎来给你装好啦，保你满意，价钱公道！"我们就约定一周后的今天下午，她跟她弟弟一起来给我的窗户量尺寸。

阿芝按时来了，她弟弟却没有一起来，阿芝说她弟弟生意很好，现在正在另一家安装，很快就完活，半个钟头后一定到我这边来。阿芝一边收拾屋子，我一边跟她闲聊。说起她弟弟阿虎，有文化，念到高中毕业呢，所以到北京发展得很好，先是给人家当制作安装塑钢窗的小工，现在自己当小老板，租了门面房，生意很红火；阿虎闲了就读书，口碑好，装了这家介绍到那家，家家满意。谁知说着说着，阿芝挺直腰肢略事休息，却叹口气说："哎，那时候啊，我总盼他得病，盼他腿摔断了一百天才好净！"这让我大吃一惊。

正想跟阿芝问个究竟，门铃响，阿虎到。一位虎虎有生气的小伙子，出现在眼前。

阿虎细心地量完了尺寸，跟我商定好价格和上门安装的时间，阿芝也把卫生打扫完了。我就说，如果他们下面没有事情等着急办，请坐下，大家剥橘子吃，稍微聊一会儿。我说看他们姐弟二人很友好的样子，可是阿芝的话却古怪，说什么盼弟弟生病，甚至盼弟弟腿摔断了养一百天……阿虎说："是呀，那时候，我愿意为阿姊得病，愿意爬树再摔断腿，好让阿姊高兴！"这对姐弟，让我彻底糊涂了。

后来姐弟俩一五一十跟我讲起二十几年前的事，我才明白。他们家乡，按大区域论，绝非穷乡僻壤，但是具体到某些边边角角的地方，比如他们那个村，直到现在，也还比较穷。阿芝所以叫阿芝，其实是长到六七岁，家里大人还没给她取名字，她懂事以后，就听父母叫她姊姊，意思跟招弟差不多，她也果然招来了弟弟，村里有位老爷爷，据说最有学问，能读古书，知道古书里最重要的四个字是"之乎者也"，就来给他们姐弟都取了名字，姐姐叫董之，弟弟叫董乎，如果再有超生的，则可以叫董者、董也。有了儿子，父母也就不再生育。上户口的时候，户籍警建议，姐姐叫董芝，弟弟叫董虎，当然同意，因为他们乡里管姐姐都叫做姊姊，董芝就是董家姊姊的意思嘛，而董虎确实属虎。那时乡里有很多人家不让女孩子上学，只让男孩子去上学。董芝到了上学的年龄，就正式帮父母干农活了。董虎却满了六岁就去了学堂。那时候，学校有个约定俗成的规矩，就是如果有哪个学生病了，那么，容许他们家里别的孩子，去替他上课。一般替人上课的，多是姊姊，因此，替课阿姊，也就成了他们那个乡里人人听到无须解释的一种角色。阿芝回忆，她第一次当替课阿姊，是阿虎上三年级的时候，因为贪吃山豆——就是野生的无柄樱桃——拉了两天肚子，她背上阿虎的书包，去了学校，坐到阿虎的座位上，她用手摸那坑凹不齐的课桌桌面，心里仿佛揣了块热糕，老师讲的她一点也听不懂，可是她努力地含着一包眼泪听呀听……到董虎上五年级的时候，因为爬到老高的杨树上去掏鸟窝，下来时候不小心摔得小腿骨折，伤筋动骨一百天不能上学，阿芝就去当了足足一百天的替课阿姊！那是替课的第九十三天，老师提问，阿芝第一次高高地举起了胳膊，老师和全体同学的眼光都集中到她的身上，老师迟疑了一下，让她起立回答，她大声地答了出来——错了，可是老师、同学谁也没有笑话她……讲到这个细节，我眼前的阿芝低眉微笑，阿虎的眼睛却湿润了，赶忙把头别向一边……

两姐弟告辞走了。想到他们说起，现在他们那里发生了很多好的变化，但是替课阿姊仍未绝迹，仍有新的文盲、半文盲出现，心里有些发堵。但是又想起阿芝说起，她和进城的农民工丈夫，把自己的女儿送进了大学，如今不止她一个替课阿姊，发誓要让下一代女娃儿受好的教育……当阿虎说出一句"现在大学毕业工作不好找"时，阿芝望他的那个眼神，更深深地撞击着我的心扉，那眼神里意味太多，应是当年她作为替课阿姊，在课堂里高举胳膊的那种迎向命运的勇敢与自信的延伸吧……想到这些，我又心臆大畅。

替　嫂

冯奶奶过春节有三怕：怕常年保姆回乡团聚找不到顶替；怕电话；怕花炮。

常年保姆香香，十年前来的时候还是个小姑娘，现在却已经是有三岁儿子的小媳妇了，以往香香或者春节就跟冯奶奶一起过，或者回乡也不过十来天，这回因为老家事多，告了一个月的假，冯奶奶虽然答应了她，心里却发慌，提前就给各个家政服务公司打电话，都告诉她没有现成的，让她留下电话等待消息。

冯奶奶怕电话，是因为有烦有盼，而总是越烦越来、越盼越无。接近年关，就有来电话拜早年的，人家当然是好意，冯奶奶却最烦以"听出来我是谁了吗"起始的电话，那边一出此语，她应一声"听不出来"立刻挂断。盼的是远在海外的儿子来电，却总是满以为那个时间铃声响，是儿子算准时差打了过来，拿起话筒却还是些不咸不淡的多余来电。香香就要走了，她盼家政服务公司来电话，却总无音信。烦！

到头来，还是香香给她找了个顶替，冯奶奶问姓什么，笑答是跟《沙家浜》里那"态度不阴又不阳"的参谋长同姓，冯奶奶就拐杖杵地板："那我怎么叫？叫刁嫂吗？哼，我就叫她替嫂吧！"

替嫂来了，四十多了，胖胖的，眯缝眼。冯奶奶上下打量她一番，问："你怎么不回老家过年呢？"其实香香走前跟冯奶奶说过了，替嫂丈夫在建筑工地干活，是个钢筋工,替嫂是建筑队厨房的帮厨,原来也是要回乡的,偏他丈夫前些时伤了脚,他们两口子就跟一个留守的工友做伴,丈夫养伤,她正好来顶替香香挣份外快。替嫂汇报完,拿出身份证,冯奶奶摆手:"你那个姓,不看也罢。"替嫂就爽朗大笑。

因为替嫂丈夫脚伤,还需要她照顾,冯奶奶就让她每天午后来,打扫完屋子,或洗完衣服,做晚饭,陪冯奶奶吃完,归置完,再把第二天早、午饭给冯奶奶事先准备好,就回去。几天过去,冯奶奶表扬一句:"替嫂还行。"替嫂笑说:"你家就您一口,事情好做啊。"冯奶奶恼怒:"什么?一口?还有杠杠呀!"杠杠是冯奶奶的宠物,黑白相间的花狸猫,白天陪冯奶奶在沙发上看电视,晚上在被窝里给冯奶奶暖脚,香香跟替嫂交代过,给杠杠加猫粮饮水、换猫砂,要跟照顾冯奶奶一样周到,替嫂其实做得都到位,只是还不习惯把杠杠也当一口子。

三十那天,替嫂送来冯奶奶头天让买的东西,打扫完卫生,冯奶奶就让她回工棚去跟丈夫团聚,说自己能煮饺子吃。替嫂说您那速冻饺子有什么好味道!我来给你包鲜的!我陪你吃完,再回去跟我那背时的家伙聚去!冯奶奶说大过年的,你怎么能那样说你丈夫,替嫂就仰脖大笑,笑完说我每天村他,他那腿伤好得才快呢!

替嫂捏的饺子确实可口。窗外花炮声渐多。冯奶奶让替嫂关紧窗户拉满窗帘。替嫂嘴里说好听好看着哩,手脚却麻利地执行冯奶奶命令。电话铃响,杠杠先跳过去,冯奶奶就坐过去接,这回果然是儿子,"背时的",冯奶奶不由得在心里一声爱骂,她挥手让替嫂回避,替嫂去厨房了,她就跟儿子在电话里抬上了杠。

香香熟悉冯奶奶的性格,她对一个人的爱,往往会体现在找个话茬抬杠上,宠物猫取名杠杠,真正的原因也是出于爱。她有时候觉得香香尽责可爱,就会忽然跟香香抬杠,香香呢,也就故意跟她杠上一阵。

替嫂看冯奶奶握住电话说个没完,腿上没盖毯子,就过去把毯子给她盖上,冯奶奶瞪了替嫂几眼,替嫂就摆摆头,指指自己两边耳朵,原来她懂得主人电话不能偷听,事先在两边耳朵眼里塞了两瓣大蒜。

十五那天晚上,吃完汤圆,替嫂说炮仗声是讨厌,可是烟花实在好看啊,就扶冯奶奶到阳台，先往冯奶奶两边耳朵塞蒜瓣，再拉开窗帘，给冯奶奶指点各处升起绽放的烟花，冯奶奶其实听不见替嫂的形容，却偏高声抬杠："哪里像菊花！真是少见识，那样的花型叫龙爪兰！……"

香香回来了，春节成为记忆，问起替嫂，冯奶奶说："快别提，笑着跟我杠，哼，就她，能杠得过我吗？"香香就知道，她必须更加尽心，否则，将来谁顶替谁，可就说不准了。

天梯之声

樊美的职业有点怪，她在一家典当行当部门经理。这天她开着奥拓车往近郊榆香园小区的路上，脑子里一直盘算着那台佳能相机的事儿。

榆香园人气颇旺。有两根爱奥尼亚式柱子的大门旁，戴贝雷帽的保安见她车子开来便举手行礼。她把车子停在保安身前，摇开车窗问："小王你值班啊？小祁，祁佳运他是哪一班？"小王回答她："祁佳运前天辞工啦，跳了个好槽儿，他还保密，我们都不知道他现在在哪儿哩！"樊美一听，眉毛一跳，把车开进小区，且不回自己那座楼，开到潘姨住的那座楼前，下了车就到门前按响潘姨家的对讲机。

榆香园的业主们一般不互相来往。樊美是在晨练时认识潘姨的，三个月前她每周去潘姨家两次，让潘姨辅导她英语，她要按课时付钱，潘姨执意不肯，说自己原来是大学英语专业的优等生，但毕业以后学非所用，分配的工作根本用不上英语，直到改革开放以后才有机会重操专业，现在已经退休，正怕再次撂生，能跟小樊教学相长，很是高兴，收什么报酬！

本非约定的学英语时间，这回是不速之客，潘姨迎进樊美，却毫不介意，照例热情招待。

樊美还没在沙发上坐定就问："小祁把您那台佳能相机还给您了吗？"

潘姨似乎没听懂樊美的问题，只是笑吟吟地递上一杯香茶。

樊美心里直为潘姨揪心。这天她在典当行的库房里，看到一台新典进来的佳能相机，循例复验，发现后背盖左侧，有道小小的划痕，不禁一惊。那是潘姨的相机啊，而那划痕，正是她有一回自己的相机拿去修理，借用时不慎弄出来的，还相机时特别跟潘姨说明，还表示要予以赔偿，潘姨哪里在意？说又不妨碍拍照，有个特殊标记倒也有趣嘛！前几天，樊美正在潘姨家学英语，保安小祁来了，是潘姨约他来的，原来，潘姨在花园里遛弯时，跟正倒休的小祁闲聊，小祁说自己从家乡来到北京，投靠在这里当保安队长的表哥，第一天晚上从西客站下了车，直接奔这榆香园来，第二天就参加昼夜三班倒的值勤，根本就没休息日，工资还常拖欠，只是管吃管住算个好处；到北京都一年多了，人就没离开过这么个榆香园，北京究竟什么样子？根本没亲眼见过，简直跟没到过北京一样！真想到城里看一看，特别是看看天安门，在那里照张相！保安队里，像他这样的来北京很久却没见到真天安门的，不止一个呢！潘姨就建议他约上队友，请个假，去趟天安门。小祁就说请假根本不可能，只是每回倒成全夜值班时，有个 28 小时的空当，除去 8 小时睡眠时间，还有 20 个小时可用，也许利用那空当，能去看趟天安门。潘姨就支持小祁去看天安门。约小祁来，樊美一旁看得发呆，潘姨在一张纸上画了路线图，怎么坐长途汽车进城，怎么换乘地铁，在地铁里怎么从环线转乘 1 号线，在哪个站下车，看了天安门以后怎么步行到王府井商业街，从那里又怎么到景山公园，登到景山公园顶上怎么朝四面欣赏北京，出了景山怎么回到地铁……解释完那张图，又拿出 100 元，说是赞助的游览费，更拿出那台镜头能伸缩的佳能高级傻瓜机，说是已经装好了新胶卷，耐心地教给小祁怎么使用，告诉他若当天没拍完就且不忙送还，这还不算，最后还给了小祁一张 IC 卡，嘱咐他在城里迷了路，或是遇到什么问题，可以随时使用街头公用电话打过来，她能及时给予指点。当时小祁满脸感动，告辞的时候结结巴巴地说："潘奶奶，我，我都不知道该，该怎么着……"潘姨只是笑，挥挥手说："该好好看看天安门！"

这天樊美忍不住埋怨："您呀您呀，怎么也想不到吧？那小祁把您的相机押到我们典当行啦！典票的底子上，有他大名，还有他身份证的号码，他倒是不怕追查啊！也许，他这名字，这身份证，根本就全是假的！……"樊美替潘姨痛心，抓起电话就往物业保安部查询，结果更令人吃惊，小祁表哥一周前已经离职，那天去天安门小祁也根本没约别的人，樊美就要他们往公安局报案，潘姨一听马上过去阻止了樊美，取过话筒告诉物业情况还不太清楚，以后再与他们联系。

樊美和潘姨四目相对，一时双方都看不懂对方的眼神。

樊美问："潘姨，您就不后悔吗？"潘姨摇头。樊美进一步问："您就没意识到，人性有时候是多么黑暗吗？"潘姨沉吟片时，缓缓地说："也许，小祁是实在没有别的办法可想……也许某一天，他会把那相机赎出来，送还给我……当然，还也许，他就从此消失了……我这人不善形而上，我总是很感性的，在我的生命历程里，曾经听到过一种声音，我把它称作天梯之声，这声音，至今没被岁月消退丝毫，一温习这声音，遇到这样的事，我就不后悔，真的不后悔！……"潘姨就望着窗外的天光，讲起那段往事："我跟你这么个岁数那阵，单位里新分配来个女大学生，我叫她小芸，刚满23岁，她从外地分来北京的，那一年国庆节，单位领导让我们两个值班，国庆之夜，天安门放礼花了，我们那个小单位离天安门不算太远，能听见传过来的礼花爆裂声，能感觉到天安门那个方向的天空，一闪一闪的，但就是一点看不到礼花。小芸强烈地表现出来，希望能看到灿烂的礼花，哪怕只看上一眼！她说她原来只从新闻纪录片里看到过，现在人已经到了北京，赶上国庆节，却偏看不见真的，给家里人写信，都不知道该怎么措辞！每当传来礼花升空爆裂的声音，她的肩膀就禁不住因向往而发抖……我那时灵魂里就充溢着一个想法：要让她看见礼花！我那时也很瘦弱，力气本不大，胆子更小，但情急之下，我就去扛来一架木梯，靠在我们单位院里最高的那所平顶房的屋檐上，鼓励小芸爬上去，站到那屋顶上亲眼感受国庆礼花。要知道，那时候北京楼房很少，我们单位跟天安门之间没什么高大建筑物遮挡，提升到那样的高度，肯定就能看到礼花了。我对小芸说，万一明天领导知道了，责任完全由我承担，而且你一人上去，没多少分量，根本不会有损屋顶，你看够了，下来，我们一起把梯子放回原处就是了……一阵更清晰的礼花声随风而至，小芸就像松鼠一般登梯而上了，那登梯声里，有梯子杈的嘎吱，更有从小芸胸臆里喷溢而出的欣喜若狂的心音，那声音万分美妙，是极乐之声……那算不上什么助人为乐，但后来我每每想起，就为自己那样急切地希望别人快乐，而且因为目睹了别人的快乐，自己也被快乐充溢于灵魂，而深深感动，我觉得，我活着，这是非常重要的一个支点……我一生能力有限，胆识也不值一提，没有真正从大处帮助过什么人，比如这里物业拖欠保安维修人员的工资，我就无力帮助兑现工资，更没能力帮他们跳槽到好的机构，但是，在我力所能及的程度内，给予他们一些快乐，我是心甘情愿的！那天小祁在城里用 IC 卡给我打来电话，背景是王府井步行街的市声，他告诉我已经看过天安门，正打算进东安市场，那是非常快乐的声音，我就仿佛是又听到了天梯之声，再一次感受到极度的快乐，真有飘飘欲仙的感觉！……"

樊美听呆了。潘姨把目光转移到她脸上，现出一个甜蜜而掺有苦涩的微笑，平静地接着说："人性深不可测吗？人性有时令人战栗地显露出黑暗吗？小樊啊，我经过的事比你多，这方面感受何尝少？就是那个小芸，后来对我很绝情，固然那时有那时的客观情况，但她人性中的阴暗面，何尝不令我莫名惊诧！但我却永不为那个国庆之夜，为她搬梯子、扶梯子而后悔，因为毕竟那天梯之声，注入了我的灵魂，至今仍滋养着我的生命……"

樊美忍不住一把抓过潘姨的双手，紧紧握在自己双手里……

退　羞

"的哥"青岭一眼认出了那老先生，忙过去打开后门，还把一只手掌搁在门楣，标准的护驾姿势，请老先生进车，谁知这回那老先生却笑着自己打开前门，坐进了副驾驶座位。

启动前，两个人目光一对接，都大笑起来。

"您还记得我？"青岭问。

"一年多了，你还记得我，我能忘了你吗？"老先生意态悠闲地倚在靠背上，嘱咐青岭："老地方。"

"还是别停得离大门太近吗？"

"坏小子！记性就那么好！"老先生命令，"这回要开进院里去！"

青岭开车启程，说："我看您呀，真不是恭维，越活越年轻啦！"

"哪里哟，年轻不了啦，不过，我现在是真的'退羞'啦！"

"难道去年那是假退休？"

"傻小子，我这'退羞'二字，'羞'是'害羞'的'羞'啊！"

青岭不傻，略琢磨几秒钟，又笑起来："这回，您大摇大摆啦！"

一年前，"的哥"青岭偶然接待了这位老先生。老先生那时从局级职务上退休已经好几个月了。老先生真是不愿意退啊。多盼望继续发光发热呀！但是，到头来一退到底。这一退，别的先不说，用车就不方便了。虽说名义上是"待遇不变"，但机构的奥迪 A6 就那么一辆，继任的当然每天要用，他打电话用车，开头多半只给他派来帕萨特，渐渐地帕萨特也来不了了，说他可以打"的"报销，他第一次打"的"，就遇上的青岭，招手停车后，青岭等他自动上车，他却站着等青岭开车门，青岭打开前门，他脸色铁青，青岭打开后门，他也不马上进去，青岭觉得他怪，他也觉得青岭怪，后来青岭才觉悟，他是等青岭弯腰伸臂用一只手掌给他护头……终于坐进去以后，青岭问："您去哪儿？"他挺直腰板说："回家。"

见车不动，他很惊诧："怎么不开？"青岭也很惊诧："往哪儿开？您家在哪儿呀？"他才恍然大悟，此车非奥迪，此司机非彼司机，不得已，道出地址，车子开动了，他浑身不自在，问："怎么没窗帘？玻璃上也没保密膜？"……车子快到目的地，他忽然急促地命令："停！"青岭把车靠边停了，给他打好发票，扭头递给他，他却不接，缩在后座中央不下车，直到车门外两个站着说闲话的人移动远了，这才付款，青岭去给他开车门，他头伸出车门两边望望，见无熟人，这才下车，一溜烟往那边楼区而去。他害羞，怕被邻居看见他没了奥迪接送，竟然寒酸到打"的"的地步。

那天回到家，稍事休息，他就练起书法来，一连好多天，他用草书抄写唐朝李适之的五绝："避贤初罢相，乐圣且衔杯。为问门前客，今朝几个来？"总不满意，以至纸篓里堆满揉成团的废墨。忽然喉咙痒咳嗽数声。想起了枇杷，对，不是枇杷露，而是鲜枇杷。那时在位，会议上咳嗽了几声，当晚就有人送来鲜枇杷，说是下班后跑遍全市几大鲜果批发市场，才找到那种地道的白沙枇杷……于是在不久以后一次名额有限的评定中，几位报上来的都够条件，他选择了送鲜枇杷的那位，这算得问题么？说起同僚中有的胆大妄为者，他也气得哆嗦啊，他觉得，一篓鲜枇杷所起到的微妙作用，实在是人之常情范围内的效应，无可责人责己啊。这就是在位的乐趣——即使那是含有实用主义因素的人际温暖，也总比当下这纯洁的无人问津强啊。

他渐渐习惯了从坐主席台中间，往两边挪移；观赏位从第三排变成第十三排；宴请席位从第一桌挪到第五桌……终于到根本没有了请柬，连雨伞也得亲自撑打……他羞、羞、羞！

"你是怎么从'羞'里退出来的呀？"青岭问。

"这过程大概有半年吧。你猜我刚才在那公园里干吗了？……对啦，跟一伙老哥儿们打门球呀！都是退下来的，有位副部级呢，可也有工程师，有副教授，有会计，有编辑，有车工，有售货员，有原来杂技团里驯兽的……混熟了，才悟出了许多……平头百姓最自在啊！我那些个'羞'，折射出官场弊病，不光是清官贪官的问题啊，整个儿值得反思，价值观问题啊！……"

到达后，青岭给老先生留下手机号码："以后您多坐我的车，咱们爷俩多聊，兴许，能更彻底地'退羞'，身心更加健康！"

托花所

　　母亲去世多年，父亲早已鳏居。原来父亲白天去机关上班，只是晚上寂寞，头年父亲退休回家以后，他那寂寞可就深厚浑黑了。我们住得离父亲不近，工作忙，小家庭的琐碎事又多，因此不能经常去看望父亲，好容易全家三口去一趟，我总是给父亲带去一些《天龙八部》那样的书，爱人总是一去就卷起袖子下厨房给他弄上一桌好菜，父亲抱着小孙孙也总是抿着嘴笑，但吃完团圆饭，父亲却总是催我们快点回去，我就小心翼翼地对他说："爸，您一个人，该多寂寞啊。我们多待一会儿吧……"父亲却往往不通人情地说："我有我自己的生活……你们去吧！我需要你们的时候，会打电话或者写信给你们的……"每当这时候，我就更痛切地感受到父亲的寂寞——已经达到了他不愿意承认的地步！

　　父亲也到公园里参加过气功班的操练，也买了些纸笔墨帖弄过书法，除了《天龙八部》也看些别的书，也有几个老朋友来来往往，但我心里明白，这些都填不满父亲心灵中出现的那一片空白。

　　有天忽然算出来已经有两个多月没去看望父亲了，忙给他打电话。父亲居室并无电话，得让楼下的公用电话去传，接电话的辛大妈说："他出楼快半拉多钟头了，没见他回来哩；往外走的时候提着个药吊子……"撂下电话我心还直往嗓子眼撞，来不及通知爱人，一个人蹬上自行车就往父亲那儿去了。

　　父亲打开门，我见他满面红光挺精神，这才吁出一口气来，父亲却惊讶地问我："你这是怎么啦？出事了吗？"

　　进屋一细看，父亲屋里增添了不少盆花，书桌上还有一个挺雅致的盆景，我不由得说："啊呀，这盆景挺贵的吧？不过您喜欢它那就贵点也值得！"父亲笑了："根本不是我的！是人家托在我这儿的！"

　　原来，起初由于偶然，出差的邻居把两盆心爱的植物拿到父亲这里来，托他代管，因为管得叶绿花旺，楼里楼外有了口碑，引得附近几座楼里的出差人员都把盆花盆景拿到父亲这里来托管，这显然大大改善了父亲的心境，他书桌、茶几、床头柜上净是关于养花的书；他一边用药吊子往盆景山石上轻轻淋水一边内行地对我说："这是我专门去龙潭湖提回来的，养这个不能用自来水，盛水也不宜用塑料或钢种的器皿……"

一年以后，父亲的"托花所"已然全居民区闻名。甚至有那出差回来时也不把所托的花全取回去，他们说宁愿得便的时候到父亲那儿观览观览；父亲的居室如今分为"喜阳区"、"半阳区"、"喜阴区"，有四季轮流开放的观花植物，更有冬夏长青的观叶植物，他甚至开始自己配制花肥，说起什么 pH 值、希勒尔营养液、图腾柱架养……如数家珍。

父亲有一天打电话来："哎呀，真寂寞，你们全家来看花吧！"我不由得笑了。

1992 年 12 月 11 日

挽　留

因为小健期中考试成绩提高不多，他妈妈决定辞掉来家教的大学生王郦。那天下午是王郦来进行最后一次辅导——分析期中考试的各科试卷。

小健和妈妈去了趟附近商厦，回楼时刚好和王郦相遇在街角。他们互相打招呼时，街角那儿有个突发事件——一辆运送果品的带斗汽车在拐弯时，因为上面堆码的纸箱没有固定好，最高处一只纸箱跌落了下来，并且立刻裂开，滚出了许多猕猴桃来；开车的司机没有发现，车子飞快地驶远了，这时就有一些过路人去捡拾那些猕猴桃，有个骑自行车的男子，捡了不少抱在胸前，摇晃着身子，去往自行车前面的铁筐里装，那自行车就停在小健身旁的马路边。小健驻足观望，妈妈拽着他胳臂拉他回家。后来母子俩和王郦一起进了家门。

王郦和小健在那边屋里，小健妈在厨房里准备晚饭。这是最后一课，事前已经在电话里跟王郦挑明。小健妈跟出差在外的小健爸通电话时，他对她说："现在愿意家教的大学生有的是，物美价廉，任咱们挑选，王郦既然没能给小健提高几分，好说好散就是。"是呀，散是散定了，一会儿怎么个好说，且打打腹稿。

小健妈到厅里餐桌边坐下拆菜，耳朵里捕捉着那边屋里的声息。王郦正在给小健分析语文试卷。

只听小健说："……你跟我说这个干什么？卷子上又没有……"

是不是因为反正就要撤退了，王郦在胡乱敷衍？小健妈把身子侧得更厉害些，拆菜叶的动作仿佛电影里的慢镜头。

王郦在说："……刚才楼下，街角那儿，那个捡猕猴桃的人，离咱们好近，是吧？你注意到他的肢体语言了吗？肩膀左右晃悠，头也一扭一扭的……要知道，人的修养，品格，不仅体现在话语上，也不仅体现在面部表情上，有时候会更多地体现在肢体语言上，那是很微妙的，你从小就应该懂得观察、分析人的肢体语言……你说，他那肢体语言，加上那脸上的表情，是在传达着怎样的意思？……"

"我知道，他是在说：今天真捞着了呀！他高兴得了不得！是呀，买彩票得大奖，总还掏了点钱呀，他那些猕猴桃可是白来的啊！"

"你对他的这种精神状态，作怎样的评价？"

"嗨，他不对呗，这谁不知道？怎么，要我就这事儿写篇小作文么？考都考完了，还模拟什么！"

"……我只是想跟你交流一下内心的感受。你知道我看见他那肢体语言，很受刺激。过去上语文课，老师也给我们解释过这些词语：卑微、卑下、卑贱……那个人也许并不是非常糟糕，社会上一些人比他更污糟，不是还有刑事犯罪的吗？我是想，我们这样家庭的学生，一般对刑事犯罪是深恶痛绝的，但是对人格的自我把握，有时候就不那么自觉，比如看到这样一个捡猕猴桃的人，呈现出那样一种'咦呀，今天可让我捞着啦'的肢体语言，如果只是觉得有趣，或者竟麻木不仁，那就不好了……我觉得应该从心底里生出一种鄙夷，那个人真是太卑下了！……"

"他不过是捡了些猕猴桃罢了，没偷没抢，警察来了又能把他怎么样？"

"……可是我觉得触目惊心。这种事不能做，更不该有这样卑下的心理活动和情感表达……"

"那你又能把他怎么样？抓起来么？狠批一顿么？当时，你不也没去干涉他么？人家骑上车，一溜烟远了去……现在，肯定在他家吃那些猕猴桃呢！"

"是的，我也没能站出来制止他……为这事确实也犯不上去抓他，但是，我心里当时咯噔一声，现在到了你家还想跟你交流交流……我不仅为他的卑下感到羞耻，而且，不知道你能不能懂，我还为他的卑微感到心酸……我知道自己很渺小，连这样一个家教的事情也不能取得明显的好效果，但是我已经决定，一旦走上社会，我不仅要干预卑鄙的行为，更要努力去教化卑下的灵魂，那是上个世纪初，鲁迅先生就开始努力去做的事情……而且，我也相信，在这个过程里，自己的灵魂也会得到净化……哎，对不起，我说这些，你听着吃力吧？"

"我听不大懂，可是很好听……"

"你愿意听我很高兴。其实，怎么才能提高作文水平？对生活，对人，像今天的事情，对那样的肢体语言，能在心里头引出比较多也比较深的、动感情的思考，是第一位的，写作技巧当然也重要，但那只是个技术性问题……"

小健先把目光移向门边，王郦随之也扭头望去。是小健妈系着围裙，一手扶着门框，一手下垂，眼里有湿润的光。

那回没成为最后一课。王郦走后小健妈跟小健爸通电话时说："我挽留了她。你回来我跟你详谈。"

望林石

年轻画家在那块山顶的大岩石上，遇见了那位老人。画家支着画架子，正在写生。老人爬上山顶，就在大岩石上的一块自然凸起的地方坐了下来。老的问少的："我妨碍你吗？"少的说："您来得正好，尽管坐在那儿赏景吧，我这画面上正好缺个有意思的近景，我把您画上去，您不介意吧？"老少二人后来就都不做声，各自沉入自己的内心世界。

周围全是青山。山底下是翠谷。翠谷里有闪着光斑的小河蜿蜒。鸟雀声声，却不见它们飞翔。唯独这块山顶岩石，除了缝隙里蹿出些杂草，是蓝天与绿山之间的一片赭色。虫鸣山更幽，是什么虫躲在石缝里断续地吟唱？它们也有喜乐忧伤吗？

老人把拐杖放在双腿当中，双手叠放在拐杖头上，望着远近满山的树木，眼里闪出了泪光。画家在画面一角勾勒着他的轮廓，不禁问道："您为什么难过？"老人缓缓地说："是难过，也是高兴。难过，是我在这个地方做过很多错事。高兴，是我在这地方做对过一件事情。"年轻画家问："您是个老干部吧？"老人点头："算是吧。不过这里的人，包括今天的干部，都不认识我了。这回我是从千里以外来。""看朋友？""看这周围满山的树林。"两个人就都暂停交谈。一片云柔柔地飘过，山林明暗转换，很高的天际，现出鹰的剪影。

老人在那望林石上，回顾自己的生涯。他曾有过许多当年光彩，现在除了履历表上留有痕迹，连对儿孙也绝不提起的褪色乃至可疑的职衔，如反右运动简报组副组长、四清工作组代组长、县革命委员会副主任什么的，当然，也有一些现在依然属于光彩范畴的职衔。往事究竟如烟，还是并不如烟？在他来说，是仿佛水幕电影，似烟如雾而又分明呈现出某些清晰的画面。真诚地做过错事，半信半疑地跟着做过错事，违心地将错就错过……但上世纪70年代初期，他就只专心做一件事，那就是狠抓实干地在全县开展植树造林，也曾阻力重重，甚至被指斥为"以种树干扰批林批孔"，进入80年代，又出现另外的困难，没同僚说你是干扰政治大方向了，却有大量村民入林盗树只为换点现钱，他以权谋树，以超前于上面即将出台的土政策稳住了局面……他从调至这个县到离开这个县，正好三十年，做对的一件事，就是种树。现在他坐在那望林石上，觉得人生的意义其实就是坚持去做一件对的事情。社会的复杂因素会让一个人做错许多的事，却很难完全断绝一个人做一件对事的机会，关键在于你究竟能不能在某一天认定不放、排除万难、锲而不舍地去做那一件事。

　　老人的心思，是在年轻画家画完那幅画，拿过去给他看，两个人面对面坐在一起，闲聊起来，才让对方大体上理解的。年轻人说他很少使用对和错的概念来思考问题。他没觉得自己做错过什么事需要懊悔，也没觉得一定要做对什么事情来获得心理满足。不光是对错，像美丑、善恶、雅俗等二元对立的思维模式，他也都很少进入，他对老人说，不要因此就以为我们这些年轻人荒唐，我们懂事后社会就已经多元化了，两极的事物当然好辨其是非、美丑、善恶、雅俗、高低……但在两极之间还有非常广阔的中间地带，那里面的事物都是复杂甚至暧昧的，我徜徉其中，凭借直觉，依着个性，撷取能让自己快乐的因素，当然，我要注意，自己快乐，不能令别人痛苦，所以要遵守公共契约。年轻人对老人说，感谢您为这地方出现这么壮观秀媚的山林豁谷，付出过那么多心血，我爱这些山林，我也会亲身参与植树与护林，但这对我来说不是什么别做错事要做好事的问题，这是我生命存在的必然逻辑。画家就又让老人看他画的画。老人原来很不习惯他那带有印象派特点的画风，看不出好来，听了他一番言论，拿起那画仔细端详，尽管仍有些隔膜，却也渐渐生出一些憬悟，最后胸臆里旋出许多的欣慰。年轻画家呢，歪头对画自我欣赏，只觉得画里画外的人物都是天赐的精灵，令他本已摇曳多姿的人生平添了许多的意趣。

　　风吹过来，山林轻柔地起伏，把那一派翠绿的波澜直浸入两个偶然相逢的一老一少的心中。

望门挑眉

　　大蔡是个消防队员，跟我是棋友。我住在一栋二十层的高楼的十四层。我们那楼的形态，雅称是"西班牙式三权楼"，俗称是"大裤衩"——从空中鸟瞰，据说是怎么瞅怎么像。

大葵跟我下棋，每到他那方形势危急时，就会陡地挑起左眉，而且那挑起的眉毛还会微微抖动，十分有趣。跟我下完棋，他总是不坐电梯走着下楼，而且还往往动员我跟他一起走着下楼，说是我尤其应该活动筋骨，多到楼下接接地气。

这天大葵又拉着我一块儿走着下楼，他那个职业习惯呀，根深蒂固，每经过一层，眼光总要盯一下里头有消防栓的那个玻璃柜，其实我们楼落成十多年来，从没报过火警，消防栓外头的玻璃也总没砸破过。有的楼层过道里，堆着些杂物，他眉毛还没往上挑，我马上跟他说："人家暂时放一放，很快会从电梯运下去的。我们楼里的住户都挺文明，没人长期把杂物搁楼道。"我们这座楼每层楼道里都有公用阳台，那阳台还有双开门封住，住户就把它当做公用储藏间，我开头也以为设计这楼时，就是为的弄个公共储藏间，是大葵跟我说明，这样的楼房因为下面只有一个出口，万一上面着了火，逃生的都往下跑不方便，救火的从下面往上跑更不方便，那公用阳台，是供消防队把救火天梯伸过去，当做进出口使用的，所以，他对有的楼层住户把许多高大粗夯的杂物堆满公用阳台，提出过多次警告，说是这样一旦发生火情，消防队的天梯即使靠在了阳台上，也不能沟通内外，非常有害！后来我们居委会接受这个警告，多方劝导疏散，公用阳台的状况才有所改进。这天消防栓、楼道、公用阳台的面貌既然都过得去，我以为大葵的眉毛不至于再往上挑了，谁知路过某层时，望着一家的单元门，他的左眉倏地高挑起来。后来往下走，他的眉毛又上挑了几回。

出了楼门，我俩在楼下小花园里溜达，我问他："你那眉毛怎么还落不下来？那几家都是刚装修完的，你看那新型防盗门，多气派！里头更是富丽堂皇！你应该为人家高兴才是，怎么倒挑起眉毛，好像出了什么纰漏似的！"他说："别看你们原来的那个单元门好像不怎么气派，那可是盖楼的时候专门设计定制的，那是防火门，万一单元外发生了火灾，只要把厚被子浸上水堵死门底下的缝儿，那大火短时间内不能烧化单元门，热浪也一时传不进去，有利于坚持等候消防队来救你们。现在他们把原来的防火门拆了，另装上外表挺华美的防盗门，那铁制的防盗门很可能并没有防火的功能，一旦遇到我上面说的那个情况，很可能被烧化，或者传热迅速，引起单元内物品高热燃烧……哎呀，看来，这真是一个问题呀！"

大葵回消防队后，究竟会怎么对待我们楼的这个问题，尚不清楚。但晚上关闭了厨房的煤气闸门，躺到床上以后，眼前还浮动着大葵那高挑的左眉，我呼出一口长气，在空前的安全感里，很快进入了梦乡。

"卫生王子"

鞠老师教他们班，常强调学习代数几何的重要意义之一，是训练逻辑思维的能力，一次发挥这意思时随口说道："我们的日常生活，都是在一定的逻辑关系里，比如，灶台上不能摆花盆，厕所里不能住人……"没想到说出这句话以后，班上许多同学都情不自禁地扭动脖颈，朝王立民那里望去，王立民虽然望着鞠老师，可表情相当蹊跷……鞠老师莫名其妙，但也没有深究，顿了一下，就继续讲课。

鞠老师没当班主任，因此对班上同学的情况不怎么清楚，一次下课在走廊上，她听见有同学朝王立民喊外号："卫生王子！"觉得很刺耳。"王子"么，平心而论，王立民还真长得有些白马王子的味道，鞠老师模模糊糊知道他是个借读生，父母都是外地来京的农民工，按说从穷乡僻壤来的孩子，该长得像个土疙瘩，王立民却不仅身材颀长，脸庞还挺秀气，最奇怪的是鼻梁高高的，眼窝深深的，眼睛大大的，睫毛长长的，再长大些，登台演个罗密欧，倒挺合适……鞠老师暗想，王立民的家乡，也许很久以前，有欧洲罗马军团的散兵败将流落到那儿，定居下来，与当地人通婚，所以王立民的遗传基因里，说不定有欧洲人种的成分……但这些顽皮的同班男生，偏在"王子"前头冠以"卫生"两个字，真是岂有此理！一顿胡思乱想，也就穿过走廊回到教研室，坐回自己办公桌边，思绪转入下堂课怎么教。

那天是个星期日，鞠老师骑自行车去串了个门，回家的路上，有点内急，就停在了街边一个公共卫生间外面，锁好了车，往女厕所那边去，忽见女厕所门外支了个黄塑料的"暂停使用"的牌子，未免不快，正犹豫时，在里面打扫完的人拿着拖把走了出来，呀，怎么会是王立民？鞠老师不禁问："你怎么在这儿？"王立民说："我妈病了。""你妈病了你怎么还在这儿义务劳动？"鞠老师知道他们班班主任常组织同学参加公益活动，还学美国中学，根据参加的次数和表现给评分……王立民收起"暂停使用"牌，鞠老师进去方便完了，出来看见王立民又拿着大扫帚在打扫公厕门外的地面。王立民暂停打扫，朝鞠老师微微一笑。鞠老师问："你妈去医院了吗？要紧不要紧？"王立民指指公厕男女部分之间的那个位置说："我妈就在那儿。"

这时候鞠老师恍然大悟。如今北京建造了不少这样的新式公共厕所。外观很不错，里面很干净，当中是个宽敞的大门，大门里面有个分流的空间，一边可进入男厕，一边可进入女厕，当中呢，其实还有窗，有门，不过以往鞠老师从未特别注意过那门里窗里是个什么空间……她被王立民引进了那个空间，白布帘子里，居然是个麻雀虽小，却五脏俱全的人家！"妈，这是鞠老师！"王立民妈妈从双人床上坐起来，笑着说："没啥事，就有点发热，身子软……"在那间屋子里，又另有布帘子竖着隔出一个空间，里面是王立民的单人床和小书桌。想起自己在课堂上说过"厕所里不能住人"的"逻辑"，鞠老师有些难为情。

一声"王子！"一位班上的女同学进了屋，原来她是送药来了。那活泼的女孩见到鞠老师一点也没觉得惊诧，只是说："您带来的是什么药？别重复了才好！"王立民妈妈说："原来有病，就硬扛。现在关心的人真多。还有好消息，说是俺们这样的，也要纳入医保哩。"鞠老师坐在床边跟王立民妈妈聊了起来。原来王立民爸爸在绿化队干活，回家吃饭、睡觉，有时候全家一起看看电视，他们的电视机挤放在屋子一角，是被淘汰的制式，也没安有线，但是所能看到的几个频道图像声音都还清晰，他们很知足。

从此鞠老师对王立民刮目相看。觉得这孩子也真不容易。王立民来教研室问问题，她解答得格外耐心、细致。眼看王立民他们初中就要毕业了，那天王立民跟班主任谈完话，又来找鞠老师，说是来告别，鞠老师没理清那个逻辑，有些惊奇："为什么不继续在咱们学校念？你的成绩那么好，中考考本校不成问题呀！"
可是没等王立民吱声，鞠老师又恍然大悟——王立民只是个借读生，他回老家去
念高中，好在那边考大学。

那天参加了那个班为王立民开的惜别班会，鞠老师回到家中，爱人跟她说，
煤气灶盘换了新的，旧的暂搁阳台，她走到阳台去，忽然有了个主意，把两盆花
搁到了废灶盘的灶眼上，偏头欣赏，对自己微笑着先摇头，再点头……

无价的鲜花

"秦老师，有人给您送花来了！"

护士小孙一招呼，病房里的八位病人都兴奋起来。

秦老师是一位头发已然花白的中年妇女，她在一所胡同里的小学任教已逾
三十年；她这还是头一回住院——严重的胃溃疡，医生们正在研究如何给她开刀；
病房里另外的七位妇女或是工人，或是机关办事员，还有两位年近七十的老太太，
她们都喜爱、敬重瘦弱文静的秦老师；大家都没想到在这个"非探视时间"会有
人给秦老师送鲜花来；这个大众化的病房虽说也总有病人的亲友以及单位的同
事、领导来探视，可都只是送些水果、罐头、蛋糕、麦乳精一类东西，没有讲究
送鲜花的。

护士小孙递过来的那束鲜花，是用高级玻璃纸裹住一半、扎着金丝带的十多
枝艳红的玫瑰花，还点缀着雪白的满天星和翠绿的蕨草叶，大家平素只是在西洋、
港台电视剧里见过这种花束，没想到今天如此昂贵华丽的花束竟真的进到了这普
通病房，并递到了清苦瘦弱的秦老师手中。

秦老师捧着那束花，只惊未喜，惶惑地问："小孙，这花真是……给我的吗？"

小孙笑着说:"那还有错!外头询问处老李拿进来时,说您这花是您的学生送的!"

"学生?……嗨,这得花多少钱啊!"秦老师嗅着那束花,仍旧猜疑着,几位病友的赞赏、感叹和议论,她都没听进去。

忽然,秦老师"啊"了一声,脸色大变,两位病友立即凑拢她;原来秦老师从花束下方发现了一张插在那里的卡片,那卡片上写着:"张总经理,恭祝您早日康复……"

一位病友赶忙开门去呼喊走远了的小孙,一位病友便拍着秦老师肩膀安慰她:"嗨,这么大的医院,弄错点事儿难免——显见这花是该送到北楼去的……"北楼和他们这间病房所在的西楼是连成一体呈 L 形的,顺长长的走廊拐过去便可。显然,这束鲜花的得主张总经理是住在那边的……"

小孙被叫回来了。她拿走鲜花时直道歉,可也不免叨叨:"老李明明说有束花是送给秦老师的么!"

病房里一时显得异常安静。秦老师倚坐在枕头摞上,闭眼养神。十多分钟后,小孙又回到了这间病房,她手里捧着更大的一束鲜花,直走到秦老师病床前,满脸喜悦地对她说:"瞧,这才是您的啦!都怪老李,是他指派错了,他只当大把的一定是给那什么总经理的,其实大把的才属于您哩!"

秦老师睁开眼,一束比那玫瑰花束大上两倍的艳白的百合花已经贴拢她的胸膛鼻际,百合花中点缀着几支粉红的鸢尾,下半部也用玻璃纸包着,也有金色的丝带,并且也别着一张卡片,秦老师抽出那卡片,只见上面写着:"秦老师,我们一个人凑了五毛钱,到花店给您买了这一束百合花。花店的同志听说我们是自费送给住院的老师,不能报销,特意多给了我们好几朵。秦老师,您要早点治好病,早点回来给我们讲那个还没讲完的故事啊……"后面是密密麻麻的签名,有她现在教着的两班同学,也有别的班听过她课外辅导课的同学。

秦老师捧住那束艳白芳馥的百合花,头一回当着家人以外的人流出泪来。病友们都来围住她,小孙把那张卡片上的话念给大家听,问她:"您讲的是一个什么故事?"

秦老师任泪水畅快地往下流。她说,讲的是一个童话故事,百合花在里面是非常关键的信物，她曾在讲述中情不自禁地说过："我最喜欢百合花了……"

是的，她要快点治好病，好把那故事讲下去。

无金日

这是一个典型的4—2—1家庭。两对退休的老人，一对中年夫妇，一个他们共同的宝贝疙瘩——初中二年级女生蕊蕊。从去年起，他们在一年的三个黄金周里，总要抽出一天来聚会，并且规定出很独特的主题。比如去年的三次聚会的主题分别是：无车日、无电视日、无电话日。无车日那天，七个人一起步行去美术馆看展览，来回大约八公里，虽然四位老人里有三位笑责蕊蕊步伐太快，突进到前面扭头笑蹦又倒回来搀扶未免添乱，大家到头来非常开心。无电视日那天坚持不看电视，电脑也不打开，广播也不听，蕊蕊连MP3也搁进抽屉，于是有的看书，有的下棋，有的剪纸，有的琢磨食谱，蕊蕊则写成一首诗，晚餐后得意地朗诵给大家听。无电话日那天，最憋闷的是蕊蕊，一直到中午以前，她还不时撅着嘴问：不煲电话粥，发短信也不行吗？第二天，虽然有人来问"昨天你们家电话怎么打不通，手机总关机？"但也真并没耽误了什么事，而蕊蕊第二天读自己头天长长的日记，读到末尾一句"原来人除了跟别人交流，还应该腾出时间来跟自己交流啊"，不禁捧腮良久。

最近这个黄金周的第六天，他们是在蕊蕊姥爷姥姥家聚的，这天被确定为无金日。黄金周，黄金周，人们叫惯了，不以为怪，习以为常。其实，黄金周以外，又有哪天人们避免得了金钱方面的消息呢？聚会前的日子里，蕊蕊的爷爷跟姥爷电话里有所争论，争论是蕊蕊一句话引起的，她问的是"炒股是不是劳动？股民算不算劳动者？劳动节是不是股民的节日？"结果，两位老爷子想法不能统一，一个说"炒股是合法投机"，一个说"好多小股民是退休或下岗的职工，他们付出的身心代价巨大，也是在为国家的经济发展添砖加瓦，本质当然还属于劳动者辛勤劳动"；奶奶、姥姥对两位老头的争论不感兴趣，她们议论的是报纸上刊登的抓捕绑架者的消息，搞绑架的，图的还不就是钱？爸爸妈妈小声计算着什么，蕊蕊走开不听，心里却明白，是在计算自己家的这套房子还贷还差多少，当然，也涉及他们那辆桑塔纳轿车耗油的问题。蕊蕊对大家欢聚"今天不谈金"这一主题非常喜欢。她问：那么，咱们聊什么呀？

爷爷说，建议大家回想，想出咱们之间，那些美丽的瞬间——跟挣钱、花钱无关的瞬间；姥姥说，好好好，像生日送礼呀，一起旅游呀，拍婚纱照呀，都不算，因为里头还是"含金"。妈妈说，我愿意好好想想，可是，我建议，别跟时下电视节目里那样，动不动发射催泪弹，我平日上班太累了，不想流泪，想笑，特别想甜蜜地微笑。

没想到蕊蕊爸爸打了头炮。他说，那时候蕊蕊只有三岁，我记得有一天我们三口子上街，挤公共汽车，我把她和她妈都推上去了，自己却掉在了车外，后来的两辆我也没挤上去，最后我终于挤上去了，也总算摇晃到了咱们要到的那一站，我下了车，就看见蕊蕊她妈正牵着她，在车站后头痴痴地等我，蕊蕊发现了我，她先把一只腿使劲一顿，然后双脚跳起，拍起手来，双眼闪出我没法子形容的光芒，那真是美丽的一瞬——她在许许多多的人里面挑出了我来，表达她那失而复得的一派天真的快乐，哎，就在那一瞬间，我深深地意识到，这两个女人，这一对母女，她们跟我，在这人世间确实建立了一种与众不同的关系，我必须跟她们很好地在人生的路上跋涉下去……

蕊蕊妈妈微笑了，可是她坦诚地说她一点也不记得那个瞬间。她说她想到了那一年那一晚，她正洗澡，突然停电，吓坏了，满身肥皂泡没冲掉，极其狼狈，可是，没等她叫出声来，蕊蕊爸爸就冲进了浴室，手里举着飘火苗的打火机，跟她说："有我呢！你别动，我再去点蜡烛！"她说，那举着打火机的人，那张半明半暗的脸，是刻在她心底里的美丽一瞬。

奶奶说，那次在餐馆吃饭，我也不知道蕊蕊爸妈两口子是为什么，我一瞥之间，正巧看见他们俩互相挤鼻子咧嘴巴，是那种小孩子忘我逗趣的表情，他们都那么大了，当个白领挣的不算少，可每天累得够呛，各自在公司里那社会人际关系也应付得心力交瘁，可是在能松弛下来的时候，呈现出那么样的一派童心，我觉得，那是美丽一瞬！蕊蕊就嚷：咦，我怎么没瞧见呀？

他们还陆续回忆出了更多的与金钱无关的美丽一瞬……

那个"无金日"，蕊蕊躺进被窝以后还在回味。道是无金却有金啊！她后来睡得很甜蜜，因为她意识到自己的幸运——能受到这样的熏陶。

无须探视

别看高楼电梯小，那铁匣子可是个飞短流长的密集地。

这些天先是传出某层某君突发急病住进医院的消息，这类消息原也并不耸听，因为该楼住户老弱居多，不要说因病入院构不成一项重要新闻，就是僵硬着搬将出去的主儿，也不止一例。但这回某层某君因病入院的消息，却在电梯中持续沸扬了好几天，究竟什么病？严重到什么程度？这方面的资讯倒比较模糊，给人印象比较深的，是——

"哎呀！×办来电话问过好几回哩！""可不，×老派医疗组的医生去会诊好几次了！""这回他要缓过来，再不让他总往国外飞了！"……

于是就有几位好心的离休大姐，急着打听某君究竟住在哪所医院，哪间病房，她们想去探视，但一直不得要领，难道某君一病，身分待遇就同血压一样，直线上升，已达于国家一级保密状态么？

一位大姐有一天终于在电梯里遇上了某君夫人，夫人面色红润，容光焕发，对于大姐的慰安，极表感谢，但当大姐提出要去医院探望时，她忙摆手说："不用不用不用……哪好意思呀！放心放心放心……好多了好多了……"偏那大姐心中余热过盛，非要打听出那医院那病房号来，夫人便莞尔一笑，对大姐说："您非要去，这样吧，下回我去的时候，您一块去——司机小王开那辆'蓝鸟'来，咱们一块儿坐去，省得您累着……"

后来有一天某君由夫人、司机陪着，从医院凯旋而归。电梯里，人们不免向某君问长问短，某君白胖得受尽苦难的样子，只现出一个憨笑，倒是夫人话多，唱歌般字正腔圆地报告说："×办来电话，让他千万千万别再一赶二、一赶三地整天奔波了；×老医疗组的王大夫说，他绝对不能再喝酒，可你们给想想办法：净跟那港澳来的、外国来的贵宾打交道，滴酒不沾，你怎么拉到钱？唉唉，下个月他还得带队到意大利去，你们说他这副惨相，能经得住那威尼斯的绵绵细雨吗？……"

于是几位大姐便望某君那副"惨相"，但威尼斯何以必定有绵绵细雨，某君何以经不住一把伞便能挡住的绵绵细雨，她们还是不得要领。

若干天以后，电梯里只有司机小王和开电梯的小媳妇珊珊，两人闲聊起来，小王称他这是最后一次开车送某君回家了，珊珊问为何，小王笑说："自然是要跳到个肥槽儿里去……再有，我真受不了他跟他那老婆的那一套了，也不过是那么大的个干部，可整天拿出比部长还部长的派头儿来，都什么年月了，满心思还是'官本位'的价值标准；他那病，不过是一赶二、一赶三地吃公款宴请，动物脂肪和胆固醇都超标罢了；老'×办'、'×办'地挂在嘴上，其实不过是那在'×办'当秘书的小李跟他个人有些个交往，他夫人往那边打电话，人家听说随口在电话里问问罢了；'×老医疗组'更不沾边，不过是他手下有个办事员的哥哥是位大夫，在那医疗组干过一阵……他住的，也就是一般的干部病房，所以不让外人去探视哩……去意大利本来就没他的事儿，那项业务他又不分管……"

珊珊听了只是咯咯咯咯地笑；"你这人，人一走，茶也不能这么凉呀！实跟你说吧，我就知道跟什么部呀局呀官儿呀一点不沾边，病了住的是小洋楼里单独的一层，多少大医院的名医暗地里去给他看病，光病房里的三大瓶鲜花，就每天都得换一次……那自然也是不经允许，绝不能随便去探望的……病着，还想着到国外投资哩,也包括那'细雨绵绵'的意大利,现在愁的只是人家那边给不给签证……这楼里的人,哪儿懂得外头世界变成了什么样儿!"小王便朝珊珊映限:"他妈的,是你三哥'大改锥'吧?这小子!"

珊珊笑而不答。电梯又到楼底,门开,小王出去,住户们进来,几位大姐说着些咸咸淡淡的话,珊珊沉默着给他们开梯停梯,心底里强忍着那些住户们绝想象不到的鄙夷。

五斗橱

我是一个五斗橱。你问我的年龄?怪不好意思,不是因为我自比为女性,而是因为,我们家具一族,年龄上的讲究跟你们人类不大一样。年轻的家具,用料做工再好,价值也有限,超过一百年的家具,价值那就昂贵了,如果是三百年以上的明代家具,那就往往无法定价,被视为无价之宝了,近些年我摆放在屋里的位置,恰好斜对着一台电视机,那天从电视里看见,一个清朝乾隆时期的雕花炕橱,在拍买会上拍出了一百万的价格,惊得我发出咔吧一声,男主人听见了就跟女主人指着我说:"又热胀开榫啦,这么个稀里哗啦的破柜子,你怎么还舍不得处理呀?"

你这就知道我的年龄了,我们家具处在三四十岁的年头,是最不让人待见的,基本上都属于"该赶快处理掉"的范畴。感谢女主人,她一直坚持保留我。男主人娶过女主人来时,女主人的父母,也就是把我新崭崭买下的那对老主人,先后去世不久,女主人把我带到新居,说我是个纪念物,男主人那时候对女主人百依百顺,别说把我带到新家,就是把老主人用过的旧笤帚带过来,也不会皱眉头的,但他的好脸没保持多久,有一回跟女主人闹矛盾,他不砸屋子里别的东西,专拿脚踢我，一边嚷："你就跟这破柜子一样跟不上时代！"女主人哭了，末了他又去搂着她道歉，我长长地叹了口气，心想踢我我就忍了吧，只要别踢女主人就好。

女主人不仅不嫌我"跟不上时代"，还好几次说我是"时代的活见证"。确实如此。我上面的两个小抽屉，都有锁，那里头锁过户口簿、身份证、结婚证、存折，还有粮票、布票、工业券、外币兑换券什么的，可惜这些票券搬过来的时候基本上全绝迹了，但有一回小主人从抽屉缝里发现了一张布票，那时他已经上到中学，发现那是张一尺的布票，惊喜得跳了起来，女主人说他"抽疯"，男主人却鼓励他拿到一个什么市场去估价，后来估出的价钱是一百块，而且，据说再存它二十年，一千块怕还不止，那小主人就把那张布票夹到他的一个邮票本里了，说那是个小金库，里头所有的小纸片都等着升值呢。"等升值"的观念我确实难以容纳。我记得在我的两个小抽屉里，还存放过红领巾、共青团团徽和入党申请书。我下面的三个大抽屉是装衣服的，当中两个抽屉里的衣服像流水一样，更新得很厉害，最下面的抽屉里的衣服，有的一放就好多年，前些时候有一天男女主人说是要去参加一个什么"派对"，女主人把当中两个抽屉的衣服翻遍了，男主人还帮她把那边新衣橱里挂着的新衣服挑了一溜够，居然就找不出一套够格的，后来男主人就对女主人说："风水流年转，二十年前的衣服现在也许反成了最时尚的！"女主人就赌气来拉我最下面的抽屉，我想那不是瞎掰嘛，抽屉里只有回忆，哪能有时尚，就咬住抽屉口不让她拉开，她费好大力气才达到目的，头一回生了我的气，她边往外掏旧衣服边埋怨："这柜子也真是个老偃货啦！"没想到的是，那天深夜他们两口子回来，竟都为女主人穿出去的那套衣服自豪，说是"派对"上有的女士羡慕地问女主人："这是不是巴黎本季时装呀？哪个专卖店进货这么快呀？"两个人笑得没脱衣服就搂着滚到床上去了……

但是我的命运仍然堪忧。主人的住房要二次装修了，那些比我年轻的家具都面临淘汰，我能继续被保留？有一天男主人趁女主人不在家，把一个农村来的收旧家具的汉子带到我面前，跟他说："随便多少钱吧！"那汉子说："八块。"男主人耸起眉毛："什么？它才值八块？"那汉子说："你这四层楼呢，一层楼算两块，很公道啊！"原来那汉子的意思是不仅我一钱不值，他帮男主人把我这个"累赘"

搬下楼还要男主人付他八元劳务费！那天我气得吱吱呀呀呻吟了好半天。

终于到了这一天。主人们直到天黑一个都没回来。一个贼不知从哪里钻了进来，他居然要撬开我最上头的两个抽屉。尽管这些年主人的首饰、存折、现金什么的都不再搁在我这里，但我的抽屉里所存放的，实在有比金银财宝更珍贵的，干脆说就是无价的东西，比如男主人还没娶女主人时写给她的一叠情书，女主人把它们都搁在了一只磨漆小匣子里，那里面还有一朵已经干燥却依然散发出香味的玫瑰。这样的一些见证物，我怎么能容忍蟊贼劫去呢？他一边撬，我一边愤怒得发抖，他使出一个大劲，我就用尽全身力气跟他拼了——我不仅砸向他的身体，而且像炸弹般解体倒地，发出巨大的响声，结果惊动了楼下的邻居……最后，警察来了，那贼没能跑掉，给逮住了。

碎掉的我，最后的意识里，氤氲着一种甜蜜，那是我发现，女主人的脸逼近着我的碎片，她眼里的一滴泪水，恰恰落到我心脏的位置……

喜鹊妈

陈老太太原来一天里做两桩大事，近来只剩一桩大事，另一桩，缩减为一周一次了。

先说如今每天还必须做的那桩大事。是要到客厅窗边去做的事。那窗外下边有个空调室外机，陈老太太很少使用空调，炎夏时觉得热了就吹电风扇，那个空调室外机呢，她铺上一块橡胶脚垫，就成了一个饲鸟的平台。一年前，陈老太太去开窗透气，看到有麻雀在空调室外机上觅食，就取来面包，丢些面包屑，结果不但麻雀开心，还有些别的鸟也飞落过来抢食。这些鸟儿本来就不怎么怕人，陈老太太连续开窗喂食以后，有的鸟儿成了常客，就更是落落大方，自从有回她搓了些鸡蛋黄去喂以后,有的那雀儿对她扔下的小米,就大有不稀罕的表现,唧唧喳喳地仿佛在催她"给点更好吃的"。她发现体态大点的鸟儿,主要是黑白花喜鹊和灰喜鹊,需要喂大粒些的食物,就煮玉米,掰玉米粒撒下去,又煮红薯搓成跟玉米粒等大的小球去喂。渐渐地,每天除了偶然参与进来的过路鸟,许多鸟儿成了陈老太太的常客。有一只大喜鹊,一天带着三只小喜鹊飞来,那三只小喜鹊显然是刚学会飞翔,尾巴还没长足,鸟喙颜色淡而且单薄,勉强跟着大喜鹊落到了空调室外机顶的垫子上,自己还不习惯啄食,仰着脖子张开粉洞般的嘴巴等大喜鹊去喂,那大喜鹊想必是妈妈,耐心地把食物衔起喂到孩子嘴里。陈老太太对那几只小喜鹊甚为怜惜,后来就专门为它们准备了用玉米糊蛋黄和肉泥糅合成的小丸子,一旦喜鹊妈带了孩子过来,就拿出来让它们专享,当然也难免有别的鸟儿眼尖嘴快,一口抢去的,陈老太太见了就呵呵训斥:"抢什么!你们吃这个,就不怕得痛风!"

陈老太太生活非常有规律,但偶尔也会小小的乱套,那晚是老伴仙去三周年的忌日,虽说一直提醒自己不能伤感必须达观,究竟还是禁不住往事烟云氤氲心头,夜里没睡好,早上起迟了,睁开眼,就觉得耳边十分聒噪,起来朝窗外一望,对面楼上,正对自己的那个楼层分界檐上,密密匝匝地站满鸟儿,都在朝自己住室这边鸣叫。她不得不先放弃洗漱,从冰箱里取出储备的鸟粮,打开客厅窗户,往那喂食台上布食,鸟儿们就蓬蓬地展翅冲上来抢食。

陈老太太原来也是每天必做,而现在减缩为一周一次的事情,则是为孙女儿小莺煲靓汤。小莺从小跟着爷爷奶奶长大。虽说一直有小时工每天下午五点来先打扫卫生或洗衣服再做饭,陈老太太别的事都放心让小时工去做,煲汤却总坚持亲历亲为,而且她有一册专讲煲汤的书,已经翻得蜷曲油渍了,却还奉为经典,根据节气,变换着照那书上指示煲汤来保养她的宝贝孙女儿。今年小莺考上了大学,住校攻读,周末才回奶奶这里,于小莺来说,摆脱了奶奶每天催喝靓汤的溺爱,乃是一件舒心之事,可是对于陈老太太来说,每当与外派中亚的小莺父母通电话时总要频频哀叹:"你们在那里搞工程,没靓汤喝也倒罢了,可怜小莺还在发育期,那食堂伙食我试过一次就难受了三天,她现在一周才能喝我一次汤,长此以往,可怎么得了啊!"

这个周六晚上小莺没回来，直到周日上午奶奶喂鸟的时候才回来，陈老太太听见小莺动静本应立即回身，把头晚的一腔埋怨和奉献靓汤的满心欢喜倾泻出来，可是，那室外机顶上的一幕，却使她惊诧莫名，愣住了。她认出了那只喜鹊妈，前些天她就发现跟随喜鹊妈的小喜鹊少了两只，现在跟着来的一只，身量尽管小，尾巴却已经长长的了，喙也颜色深了厚实了，可是，这只小喜鹊挤在喜鹊妈身边，还是张大嘴巴，希望喜鹊妈把上好的食物喂到它嘴里，喜鹊妈呢，却不但不衔食喂它，还生气地啄它的脖颈，甚至用自己的身体，拼命地把那小喜鹊往平台边上挤，一直把那小喜鹊挤得掉了出去，最后只能勉强展翅朝远处飞去……

陈老太太感觉小莺搂住了她一边肩膀，显然孙女儿也看到了那惊人的一幕。她听见小莺柔声地跟她建议："奶奶，您换两桩事做吧。这样喂雀儿，它们渐渐都不会自己去捉虫儿了。我喝了您十几年的靓汤，足够了，您也该放手让我自己去生存了，就像这喜鹊妈对待它的孩子一样……"

夏威夷黑珍珠

姚老师每周三下午来教老伴弹钢琴。她虽然上过音乐学院，但主修的是声乐，毕业后分配在乐团合唱队，一唱几十年，六十岁以后，在合唱队排练时兼任钢琴伴奏。老伴弹琴只为自娱，姚老师指导她非常得法，两个人很合得来，两年多下来，她已经成了我们共同的朋友。

我从美国讲《红楼梦》回来，带回一些纪念品，其中最贵重的是三件首饰，全是在夏威夷买的，一件是绿宝石坠链，给了老伴；一件是黑珍珠坠链，送给了姚老师。姚老师开头不收，我就解释说，夏威夷有三宝，一是火山熔岩里开采出的绿宝石，老伴最喜欢绿颜色，几件最常穿的衣服，跟这绿宝石坠链很般配；夏威夷的第二宝是黑珍珠，姚老师爱穿灰黄调子的休闲服，配黑珍珠更显高雅；第三宝是红珊瑚，我买回一个珊瑚须尖串成的手链，留给儿媳妇。我如实报出购买的价格，让姚老师知道那由一颗黑珍珠构成的坠链绝不昂贵，实在只是为了感谢她两年来给我们家带来的欢乐，她听了觉得我确实是把她当做亲人了，也就道谢收下。

我和老伴都希望姚老师接受礼物后，能马上戴到颈上，她却收进了提包，而且，下一个周三来我家，虽然还穿着一袭灰黄相间的服装，却并没有戴我送她的那黑珍珠坠链，而是戴了一串白珍珠的项链，我和老伴交换了个眼色，没说什么，心里都有点疑惑。难道她忌讳黑色？

姚老师指导老伴练了约一小时琴，大家就坐到餐桌边喝下午茶。我注意到，她那串白珍珠项链，品相一般。三个人闲聊，不知怎么就聊到了一位仍在电视上露面的著名资深歌唱家，老伴就感叹，说那么多唱歌的，能有几个达到那样的知名度啊！姚老师就说，那是她大学同学，毕业以后跟她一起分到合唱团，是一个声部的。老伴就直率地问姚老师：您是不是挺羡慕她呀？姚老师说："为她高兴。一点不羡慕。"讲起当年情况，来了外国专家，让合唱团的人一人独唱一曲，合唱团几十个人，足足唱了三天，专家也听了三天。本来，这样做是为了把合唱水平提得更高，没想到专家却从中发现了一个男中音和两个女高音，认为是三颗珍珠，值得培养为独唱演员，那两个女高音，一个就是姚老师，另一个就是现在的著名资深歌唱艺术家。我和老伴只是听，没提问题。姚老师就笑了。

又喝了一阵茶，姚老师主动接续忆旧，说那时候其实专家对她的潜力更看好，但是，她就是想站在队列里唱合唱，不喜欢站到乐队前领唱或独唱，她把自己的这种想法说出来，大家都感到惊讶，专家通过翻译跟她交谈后，说理解了她，还说，很难得，有这样的歌唱者，从灵魂深处体味到了合唱这种艺术形式的真谛，的确，大合唱是人类走向亲和的一种途径。姚老师说，从那以后她就一直留在合唱队，虽然永远不可能出名，却无怨无悔。"我不想做一颗单独闪光的珍珠，我总觉得，一颗珍珠还是跟别的许多颗珍珠串成链条，更有意思。"

在姚老师再一次来教琴前，我和老伴多次放送她赠我们的 CD 盘听，那是她参与的合唱演出的录音，我们原来提不起兴致听，现在却如闻天籁。

姚老师再来时，戴了一条完全由黑珍珠串成的项链，我送她的那一颗，串在正中间。她没问我们好看不好看。我们也没用语言去评论。确实，我们理解了，有的珍珠，是永远喜欢跟别的珍珠串在一起的。

小短腿

和楼区里的小伙伴们在绿地里追跑打闹自然不是头一回，可是，这天当他截住了洪蓓蓓从那边甩过来的飞盘，使身后的邢大雷落了个空以后，邢大雷先是毫不犹豫地给了他脊背一拳，然后就要抢他手中的飞盘，他拔腿便跑，以为邢大雷会猛追不舍，可是当他扭头回望时，却发现邢大雷满脸从没露过的怒容，并且恶狠狠地指着他大叫："小短腿！喔喔，你是个小短腿！"

小短腿！可从来没有人这么叫过他！

光是邢大雷急红了眼，这么怪叫倒也罢了，他一扭头，看见洪蓓蓓她们几个小姑娘都笑弯了腰，有的还重复着："小短腿！哈……"

他觉得有个什么尖东西刺了他一下，恰刺在心口上。他扔下飞盘，头也不回朝家里跑去。

上楼的时候，他望着自己的运动鞋和洗水裤的裤腿。运动鞋是"十佳"牌的，挺棒；洗水裤是妈妈替他从个体摊上买来的，挺贵；可是——"小短腿"！真的，你瞧，裤腿让妈妈给挽上了一截，而且这也不是头一回了——难道……

回到家里，他却冲到穿衣镜前，气喘吁吁地察看自己。

在人生的旅途上，他头一回意识到自己长相上有着一种突出的缺陷，12岁的他心慌意乱了……

这天爸爸妈妈下班回家以后，他以一种异样的目光，不时打量着他们的身材。

以往他总觉得自己的爹妈自然是好看的，这天，他头一回痛楚地意识到，爸爸不仅没有个头，而且腰身以下的双腿的确是显得粗大短小，妈妈也完全没有比如说邢大雷、洪蓓蓓他们妈妈那种细腰长腿的身材……他想起了从科学读物上读到的关于遗传的道理，顿时觉得眼前的一切都变得灰糊糊的了……

心中的灰云隐忍了好几天，星期六晚上同妈妈一起吃饭的时候，他忽然问出一个问题："妈，你跟爸，怎么一双高跟的鞋也没有呢？"

爸爸出差去了。妈妈停住筷子，惊诧地看着他。母子眼光对视了两三秒钟，分开后，就都又埋头吃饭。

过了几分钟，喝汤之前，妈妈仿佛悟出了什么，微笑着对他说："小汇，你一天天大了。你该听说过，如今男女找对象，你爸那号个头的得算'半残废'哩！我个头也不行啊！可我们俩都觉得，我们的个头、长相，第一都最适合我们自己；第二都最适合我们彼此，所以我们不想用穿高跟鞋那样的办法来修饰我们的自然状态……你爸这回去参加的那个学术讨论会，还有人高马大的西洋人参加哩，你爸爸站到前头宣读论文，质量高人家还不是得给他鼓掌……不过，你长大了，你要觉得个头不过瘾，你净穿高跟皮鞋也行啊。如今男式高跟挺流行哩！"

"谁穿那个？！"小汇快活地抗议，"谁穿那个！小短腿万岁！"

妈妈先是一愣，然后忍不住笑得把嘴里含的汤饭都喷了出来。

小玉米

在美国访问期间，人们问我最多的是国内职工下岗的问题，我只能笼统地回答说，这大概是社会转型期不可避免的现象吧，说实在的，我不懂经济，满心里装的只是具体的人和他们的命运，提及下岗，我既说不出数字，也道不出解决这一问题的良策，只是倏地想到我亲友邻里中那些活生生的下岗者，比如说，我便多次想到小玉米。

小玉米大名叫米玉，不过她一度改名叫过米红宇，据她一次偶然提起，在东北兵团的时候，曾与现在红极一时的某"知青作家"，同被团部表扬过，戴大红花的照片，贴在了同一个布告栏里，但她却从未读过这位作家的任何一部作品，主要是因为她没有读小说的时间，自她回城后，落实户口、争取顶替父亲的岗位、找对象、结婚、生孩子带孩子、补文化课考级定级、争取分房、操持家务、接送孩子上学、为老人送终……一桩桩生活中的紧迫课题，容不得她悠然消闲，而更不幸的是，她的爱人又在头年得癌症英年早逝了！按说像她这么个情况，是不该让她下岗的吧，但她所在的那个厂子，不是部分职工下岗，而是整个儿发不出工资，正等待别的经济实体来收购呢！

小玉米就住在我们楼下一个一居室的单元里。我赴美那天，在楼门口遇上了她，她个头矮小，圆脸庞，细眼睛，耳朵上戴着大红的塑料耳饰，衣着虽看得出是廉价的，样式却颇为新潮，见到我，笑着打招呼，却并不打听拖着拉箱的我要去什么地方，只是踩着坡跟厚得出奇的杂牌鞋，管自匆忙地一溜烟远去了。等出租车时，我和几位在楼前绿地活动筋骨的老大哥老大姐闲聊，他们说起小玉米，同情中也有微词，说是她下岗这么多日子了，也不见她急着找个新岗位，除了接送儿子上学，只看见她满大街逛，甚至在离我们这楼很远的商厦里，也遇上过她，竟是在那儿不买光看，这样闲散下去，坐吃山空，可怎么得了啊！

在美国，看电影时吃浇热黄油的爆玉米花，逛公园时啃烤熟的甜玉米，我心中会飘过这样的念头：回国后，无妨建议小玉米以经营爆玉米花或烤玉米来自力更生！

我得承认，在美国接受了五花八门的新鲜刺激，回国的飞机上又疲惫感骤聚，到家后一顿闷睡，我好多天里完全忘记了小玉米这个邻居。

美国朋友送给我的礼物里，有一个彩色镶嵌玻璃的小挂件，这种挂件需要用吸盘钩子挂到窗玻璃上，我找遍家中各处也找不出吸盘钩子来，到附近的大商场小商店超市地摊也都买不到，令我很败兴。有天我在电梯里偶然提起这件事，电梯里的邻居们异口同声地对我说："你为什么不找找小玉米呢？"

我便去拜访小玉米。她家贫而不寒，比如说，廉价的假花非常抢眼。我本想跟她说说她们那一茬的大多数运气是多么不好，共和国的灾害难处全让他们赶上了；又想把经营烤玉米之类的建议奉献给她；可是她一边招呼儿子做算术作业一边接待我，全然没有吸纳我同情的需求，更不想跟我务虚，几句爽利的话引我直奔主题——想得到吸盘钩子，她拿出一个用旧挂历裁钉成的记事本，记下我的需求，同时以一种充满尊严的语调对我说："这东西我知道哪儿有。您急不急？急，明天帮您买到；不急，三天送上门。不管什么商品，我代买一律收商品码洋5%的跑腿费；二十四小时内加急，收10%……"

第二天下午，小玉米便给我送来了吸盘钩子，那东西只值两块钱，她收我两块二，我给她三块，她硬找回我八毛，跟我说："我这代买业务刚开张，得建立信誉；您要的这钩子码洋低，10%不起眼，可我为7号楼万家代买的吹气床垫，10%可就是十七块……到今天刚巧一个月，算下来我的劳务收入还不足八百……要是下个月我业务好，兴许就该去交税了吧……当然啦，再发展下去，我恐怕得挂靠在居委会，注册一家代购公司了……"细聊起来，我才知道她下岗后的跑远处逛商店，是细心记下了许多我们附近的缺门商品，而许多像我这样的人，有时确实需要代购者帮忙啊……

临告别前，小玉米在我的书桌上发现了那位当红作家的著作，她指着封面上那位名人的照片说："当年，我们俩的照片贴在一个光荣榜上！"满脸满眼充溢着自豪。

丢弃的笑脸

小翠在一家扩印社当营业员。老板很赏识她，顾客来送卷、取相，她的态度总是那么好，有的顾客甚至说，爱到这家扩印社来，除了扩印质量好，小翠的服务态度也是一个因素。老板不断扩大生意，门脸越租越大，柜台营业员从小翠一个增加到三个，新来的两个也是"外来妹"，老板让她们向小翠学习，说小翠经手的胶卷、照片从没出过错误，计价准确，一些特别挑剔的顾客本来气势汹汹，可是到头来都会在小翠的笑脸、软语面前，把拉长的脸还原。

小翠对新来的姐妹说："来扩印的，都特别在乎他们的底片和照片，一定不能给错。"可是，月底清理货架，发现有一包底片和照片，老早可以取走，却一直没人来取。小翠寻思，会不会把别人的照片给了这人？那他就该来退，而且，这一错，也必会牵扯到另一包照片……可是，这么多天没动静，可见我们没弄错，也许，是照片的主人出差了，顾不上来取吧。但是，几个月过去了，这包照片还是没人来取。老板也奇怪了。大家把那包照片拿出来细看，三十六张胶片，有十张或者光线太暗或者拍摄时晃荡得太厉害，只给扩印了二十六张，那些照片上，基本上是两个人，很显然，有的是他给她照，有的是她给他照，少数的，是俩人的合影，合影估计是请生人照的，都没单人照成功。老板说那是蜜月照。两人都很年轻，比小翠大不了几岁。张张照片上都是笑脸，那幸福、满足的笑容，比他们鲜亮时髦的衣衫和背景上的名胜古迹更抢眼，让人联想起节日夜晚升空的焰火，灿烂辉煌。

过了一年，那包照片仍然没有人来取。老板说，就还搁在架子上吧，单摆到最里边那格，好好存着；也许，人家是出国，干大事业、发大财去了，说不定哪天突然回来，取这照片，我问他们要高额保管费，给你们发奖金！可是，有一天老板提起那包照片，忽然紧张起来，说别是什么犯了事儿的野鸳鸯的照片吧，若是警察来调查，咱们还算立了一功，要是他们黑吃黑，找到咱们门上，那可不得了！他就让小翠把那些底片、照片剪碎了，当垃圾扔掉，他说，咱们给顾客装东西的纸袋上印着呢，咱们的责任期就是一年，头天来卷第二天取相，你过了一年不取，那就算自动放弃，闹到法院也是咱们有理！

小翠头一回对老板阳奉阴违，她没把那包照片销毁，而是带回了自己的住处。她租了一个地下室的小房间，那里头除了一副铺板，只有个小床头柜，平时她除了睡觉，简直不想待在那里头，自从拿回了那包照片，在昏暗的灯光下细细地看过一两遍后，对那照片上的两张笑脸，特别是女方的那张比胀圆的玫瑰花还光艳照人的笑脸，竟渐渐地着了迷，每晚临睡前，不一张张温习一遍，简直就没法入睡，而入睡后，一贯无梦的她，竟几乎夜夜来梦，有一回梦见是她在给他俩拍合影，他俩的笑脸从镜头掉进了她心里，她就捂着心口不撒手……早晨醒来，她常迷迷瞪瞪地想：那姐姐笑得多甜啊，人们常说幸福、幸福，那就是幸福吧？可谁会来跟我，拍那样的照片呢？……

小翠每晚看那一撂照片看上了瘾。她把照片上的人唤作姐姐、姐夫。那一天，她忽然隔着玻璃窗，一瞥之中，发现姐姐正从外面走过，顾不得许多，她冲了出去，在姐姐和姐夫身后大声喊："喂——"姐姐扭回了头，啊，绝不会错，肯定是！小翠跑到姐姐身前，告诉他们那些照片还在，二十六张一张也没少……那女的仿佛遇上了鬼，尖叫着说："什么什么？没有的事儿！"那男的耸起眉毛，望望她，望望那女的……女的挽过男的胳臂，躲避瘟疫似的，匆匆地走了。小翠的心仿佛被溅上了玻璃渣……她绝没认错，姐姐脸上的那颗痣，还有那副很特别的耳坠……她也绝不会看错，那男的不是照片上那个……

接连几天，老板都发现小翠没了笑脸，几次问她："不舒服吗？"她只是摇头。

新豆汁记

杜雨生是我们商场的售货员，来商场五年，工作没得挑！可他业余钻研一门名目绕嘴的学问，报考科学院研究生，一家伙考上了！

眼看快下班了，杜雨生有点神秘地凑拢我说："老赵，我求您帮点忙，当个见证人！"

这可把我弄懵了。见证人？！见证个啥呢？恰好这时候下班铃响了，杜雨生边挽着我胳膊往外走边说："吃饭的时候，我跟您细说！"

　　他把我带进了一家专卖豆汁的小吃店!

　　见他一趟趟地端来了豆汁、辣咸菜丝、火烧和焦圈,我采取主动了:"你卖的什么关子? 你不从实招来,我一口不吃。"

　　他呷了一口热豆汁,一本正经地说:"老赵哇,我那女朋友怕我变心,这几天跟我闹别扭呢,我得跟她起誓呀!"

　　我心里顿时不高兴:"敢情你早交上女朋友了,怎么这时候才跟我坦白!"

　　他诚恳地说:"不怪您官僚主义,是我一直跟您'封锁消息'——她呀,认识您。她见我考上研究生了,这几天总说什么:'我可配不上科学家。'我琢磨了好几天,才想出这么个法子,我在您面前起个誓,您给作证,她就放心了!"

　　我觉得好笑,心里琢磨:"她是我们商场哪个部门的呢?"

　　杜雨生只催我吃东西,这小子还有更绝的:"快吃吧,完了您跟我看戏去!"

　　六点五十分,我被杜雨生拉到了吉祥戏院门前,刚站定,就见他请过一位姑娘来——可不,她一准认识我,我倒真有点不敢认她了!

　　姑娘满脸通红,转身要跑,被他一把拽住了,只听他心急火燎地对姑娘说:"丽霞,你别生气——我当着他给你起誓,就是我真的成了科学家,你一辈子是电车上的售票员,我也不变心! 我这个心你要是信不过,你就问他:刚才我特意去咱们头回约会的地方喝了豆汁,这会儿又特意请你们来看《豆汁记》,就是为了把心掏给你——我要成了莫稽,你们就拿铁棒子打我好啦!"

　　我发话了:"丽霞,我看雨生是变不了心。不过你和雨生的约会,我怎么就一直没发现过呢?"

　　丽霞绯红的脸庞上,一双水杏眼闪着幸福的光芒,她操起拳头就往杜雨生背上擂:"你坏死了,坏死了! 谁让你暴露的? 谁让你暴露的?"

　　杜雨生愉快地嘿嘿嘿乐着,从兜里掏出三张票来,请我跟他们一块进去。

　　"爸,您回家吧,没您的份儿!"丽霞冲我满脸娇嗔地说。

　　我让他们进去了。不过望望戏院门前的广告,心里不无遗憾,孙毓敏主演的荀派名剧《豆汁记》,那可是出充满人情味的好戏啊!

1985 年 6 月

选 项

　　老崔红光满面,儿孙们围绕着他。十年前,也是这样,只是那阵还有老伴在座,有的孙辈还被抱在怀里。十年前,老崔花甲,从铁路机关退了下来,退而不想休,决心下海经商,儿孙们围着他,帮他选项。有主张开小饭馆的,有建议到商场里租摊位卖服装的,有鼓吹他承包建筑队的……后来都被否决,而是开了一爿小小的文具精品店。跟老伴通力合作经营了五年,已经进入了良性循环,流动资金再不紧缺;老伴去世后的五年,虽说没什么大发展,但每月刨去纳税、缴费、房租、水电、一位外地打工妹的工资及杂项开支,净利润稳定在三千元上下,足够他过一种自得其乐的生活。

　　现在老崔年到古稀,虽说身板仍很硬朗,却不想再伺弄那爿精品店了。寿宴后,他向儿孙们宣布了第二次退休,儿孙们都很孝顺,一片赞成他安享清福的清脆声音。那爿精品店,他连同流动资金,完整地赠给了二儿子一家;大儿子自己已有服装店,小儿子留学取得博士学位回国在大学任教,闺女是外资公司的白领,对此都没有意见。二儿子和二儿媳妇都是残疾人,一直在一家纸盒厂当工人,如今那纸盒厂被一家大企业收编,面临转产,很可能搞跟微电子技术有关的项目,虽说企业不会让他们二位下岗,但今后他们也只能是被以低薪养着;老崔把精品店交给他们,他们一家的生活可望有所提升。二儿子二儿媳妇都说一定尽快把作为流动资金的本金还给父亲,每年的净利润里,也该各家分红;老崔还没答话,大哥、小弟、小妹,还有大侄子什么的,就都一窝蜂地说那着什么急,我们也不要分红,给了你们就好好经营,别荡光了就好。

　　一屋子人,个个都觉得挺幸福,挺自豪。像这样既达到小康又相处和谐的家庭,未必很多啊!

　　大儿子带头,说要为耄耋之年的老崔,选个最好的消磨项目。虽说消磨的方式不必单一,可以几种项目花插着进行,但他认为老爷子现在应该专攻钓鱼,钓鱼不仅旺神健心、修身养性,而且根本就是一种高雅文化……小弟就说你别形而上了，咱们立刻落实，我给买一套最好的德国鱼杆；小妹就说我给订全年的钓鱼杂志；大孙子说我有了空就开车拉爷爷去远处最好的天然水域钓鱼；小外孙女说爷爷钓的鱼，我给涂墨往纸上留印子，编号保存……二儿媳妇见老崔脸上没添笑纹，就说老爷子兴许更喜欢集邮，我认识月坛邮市的人，能弄到清朝大龙票；二儿子说集邮意思不大，还是养鸟吧，我给老爷子买只画眉再买只八哥，挑最好的有铜配件的乌竹笼子装上；小弟说妈妈在世的时候，还去美国探望过我，老爷子可一直腾不出工夫到海外观光，从今年起，应该每年一次出国游，先去新马泰……小妹就说秋天我有年假，我陪老爷子去，我付款！大儿子又提出来为老爷子置备文房四宝，练字画画儿；孙女儿则建议去她工作的那家高级俱乐部打桥牌，说桥牌这个项目最值得爷爷全身心投入……

任凭儿孙们叽叽呱呱抛满几箩筐的项目，老崔只在那里管自出神。于是儿孙们便纷纷问他，究竟心里选的是什么项目？老崔环顾儿孙们一匝，嗽嗽喉咙，跟他们说："你们给选的项，都好，都可以花插着享用，但是，我自己定下的主要项目，是——我要结婚。"话音一落，儿孙们顿时哑然。原来幸福、和谐得发黏的空气，仿佛一下子被炸成了稀薄的东西——可疑的、古怪的、令人不快甚至让人感到窒息的一些游丝、一些粉尘。

"才五年啊……"大儿子牙缝里挤出一声。

"她是谁呀？"小妹问，"我见过吗？"

"您可得谨慎啊……"二儿子说。

"真没想到。您不是开玩笑吧？"小弟挠着后脑勺。

"是不是每天晨练，总跟您搭伴跳'平四舞'的那位？"孙女儿恍然大悟。

"人家都管她叫孙姨的那位？那可是个老姑娘啊……"二儿媳妇忍不住说，"那么老都没嫁过人……指不定有什么怪毛病呢，光表面上接触觉着好，那可不保险！"

老崔就说："你怎么就知道她光是表面好？"语音虽不严厉，话锋却很锐利。二儿媳妇顿时涨红了脸。小妹马上对父亲反感起来，搂着二嫂肩膀说："爸，有您这么说话的吗？不用我们问，您自己就应该把那一位的情况介绍个清清楚楚！"

孙女儿抢着说:"孙姨啊,原来一直在街对面邮局里,我寄信去老瞅见她,眉心有颗黑痣……"

老崔觉得不该让二儿媳妇难堪,却无妨让孙女儿下不来台,便把脸拉长,冲孙女儿说:"不喜欢黑痣,你别看!"

爷爷以前从没这样对待过她,孙女儿好委屈,顿时眼泪涌到眼眶里。年纪最小的外孙女儿紧偎在表姐身旁,模模糊糊感觉到生活里发生了某种令人害怕的事情。

大孙子立即声援堂妹:"反正,说什么我也不会叫她奶奶!"

小弟出来打圆场:"也是。咱们怎么就没想到,老爷子到了这把年纪还有这个要求。这在美国倒是稀松平常的事……"

小弟的话被大哥打断:"咱们可是在中国。老爷子七十了!"又望着老崔说,"您每天清早跟她跳一顿'平四舞',闲了没事约她吃顿馆子,要么一块儿再凑俩人搓搓麻将……难道那还不能得到满足吗?为什么非得……唉,说句真心话您别觉着难听:您这把子年纪,身子骨可受不住搓揉了!"

孙女儿问出个不能算怪的问题:"您这家里,奶奶的照片还挂不挂?就算您还愿意挂,她愿意吗?我们来看您,墙上是真奶奶,屋里还有个假奶奶,您就不想想,我们心里好受吗?"

老崔暴躁起来:"岂有此理!你们还都是新一代的人呢!你们平时不是最讲究什么'潮'呀'酷'呀,怎么遇到我这个选项,就都变得像是没受过新式教育似的!"

小妹就伶牙俐齿地说:"这叫什么逻辑?我们要受的是旧式教育,那对话也就不会是这样了!旧社会七老八十的老太爷娶姨太太,三房四妾的,谁会觉着稀奇啊?"

老崔气得手打哆嗦。儿孙们头一回如此认真地跟他顶撞,令他震惊……

而这时,暮色中,楼区绿地的雪松下,孙姨站在那里,她仰着头,两只眼睛,以及眉间的那粒黑痣,都远远地,瞄准六楼老崔那个单元的窗户……老崔七十岁时,对生命最后阶段的选项,能够像六十岁时选定开精品店那样顺利么?……

寻找地平线

客人走了以后，莉莉大声问爸爸和妈妈："什么是地平线呀？"

妈妈一边收拾茶几上的汽水瓶，一边不经意地说："什么地平线不地平线的，来，帮我把这些运到厨房！"

倒是爸爸认真地同莉莉对话："你怎么想起来问这个？"

莉莉说："我听赵大大说的，他说：'你们住得真高，打你们阳台望出去准能望见地平线！'"

赵大大当时随便那么一说，爸爸并没在意，现在莉莉这么一说，爸爸倒起了兴致，他牵着莉莉上了阳台。

妈妈双手湿淋淋的，跑到阳台上来叫爸爸："你也不帮着收拾收拾，在这儿闲逛荡什么！"

莉莉很不满意："爸，哪儿是地平线呀？哪儿呀，你指给我看呀！"

妈妈随手一指："哎呀，你往远处看，天边儿上，那就是嘛！"

爸爸却纠正说："那叫天际轮廓线，天际轮廓线可不就是地平线，你指的那儿是远处楼房的剪影，那个最高的是京广大厦，往南是国际贸易中心，夜里头它们顶上的红灯一闪一灭的，为的是怕万一飞机撞上……"

可莉莉还在不依不饶地问："什么是地平线呀？在哪儿呀？"

爸爸只好回屋里查字典，查到了，他读出来："向水平方向望去，天跟地交界的线。"

妈妈收拾完了茶几，坐到沙发上感叹起来："咳，咱们在黑龙江生产建设兵团那会儿，天天眼里不都是地平线吗？一垄垄麦苗儿从脚底下直奔远方，消失在地平线上……"

爸爸也回忆上了："麦子熟了的时候，像一片金色的大海，收割机就像在金海上航行的船，地平线那边挂着镶金边的紫云，一大群大鸟打地平线那边飞过，什么样的景象啊！"

莉莉双脚齐蹦："我要地平线！要地平线嘛！"

爸爸飞快地过去打开电视："这里头常有！"可换了各种频道，都没出现那样的镜头。

这晚上全家看电视合算不看别的，专等地平线镜头，可偏净是些个布置得没有自然味儿的棚内演出和城市剧，弄得莉莉直到上床时还喃喃地问："地平线干吗躲着我呀？"

星期天，爸爸妈妈带着莉莉出去。电梯里的人问："去哪儿玩呀？"他们就让人家猜，有猜去游乐园的，有猜去动物园的，有猜去逛大栅栏兼吃肯德基家乡鸡的……他们只是得意地摇头。

他们去了南郊——谁也不当做风景点的地方，在那里，他们一家三口坐在田垄边上，痛痛快快地欣赏了既平常又不平常的地平线。莉莉脸儿喷红地回到家中，念念不忘看到的麦田、菜畦、水渠、树林……还有野蓟和芦草，还有羊群和放羊的哥哥……

烟灰缸

她实在是按捺不住了，"我本来根本不在乎，可是，这也太离谱了……"接到报告"最新前沿消息"的电话后，她摔掉听筒，冲出房间，仿佛一片蓄满雷电的乌云，随时会毫不顾忌地在任何地方向任何人倾泻下狂怒的雨鞭……

事关明天就要公布结果的评奖。她不仅列在提名单子上，而且经过几轮淘汰依然入围，名列前茅。是的，亲朋好友的那些忠告："关键是你的作品是否拥有爱好者，而不在奖杯能否到手。""别把这场游戏看得那么重要，你的自信就是你的奖杯。""奖杯确实能够带来实惠，可是如今毕竟跟以前大不一样，也可以跟评奖一类事情了无关系，凭自己努力创造出实惠来——那样的实惠享受起来更心安理得！"当然，说得都很对，直到昨天自己也都点头称是，甚至还对来采访的记者说："任何评奖其实都是一场游戏，获奖跟中了彩票也没多大区别！"记者马上近逼诘问："你的意思是评奖很无聊啦？"她知道这种情况下万不可流露出烦躁，于是笑吟吟地回答："游戏有益健康，博彩只要前提正大——比如为的是繁荣某些事业——那就是抱着无妨一试的想法投入，玩一把，也没坏处呀！"记者寸进刺探："那你觉得在这场游戏里自己能中彩吗？"她满脸天真："呀，你也帮我添点运气吧！"这访谈马上刊登在了今天的晨报上，配了她好大一张头像，标题是《不玩白不玩》，还好，比半年前那个《深居何尝简出》的报导，算是客气多了。

应该说，直到中午接到那个该死的报信电话之前，她的心态大体上都没有失衡。尽管流布着个别入围者变相贿赂个别评委的传言，那可能确实会多多少少渗入些不公正的因素，她听了只好比眼里吹进了一粒沙子，揉揉也就罢了。但现在得到的消息是，在"社会群众参与"的环节里，从昨天半夜开始，有关的网页上突然发生异动，"舆情"对她竟大大不利起来，这显然是有人在背后做了手脚！难道，她竟会因为这一因素被彻底排除？她觉得是一枚大头钉已经楔进了心尖……

她这片"乌云"，迅疾穿过街上稠密的人群，连她自己也搞不懂，怎么突然刹住在地铁口旁的一个商亭前，她下意识地抬起头，正对住一双因为她出现而睁大的眼睛，里面溢出惊喜，接着听见那卖东西的中年妇女呼出她的名字，问："是您吧？"她抖擞了一下，没有甩出"雨珠"——无论如何，总不能向这样一位表示崇敬的人倾泻愤懑——于是本能地说："给我来包香烟！"

也不知道怎么就进了地铁，迈进了车厢。车厢里有人指点她，窃议她，她都浑然不觉。但忽然在诸多似有如无的噪音里，有些声音清晰起来并且构成这样明确的意义："……她原来排在前头，现在是倒数第二了！"正好车停，她冲出了车厢，疾跑出站，一阵冷风扑了过来，她激灵了一下，不禁双臂抱肩。猛抬头，前边是高楼的剪影，无数千篇一律的楼窗——啊，不，有扇窗户很特别，大开着，里面长长的窗帘被风卷了出来，那窗帘是奇怪的紫颜色……

她进了那座楼，乘电梯到了有紫色窗帘的那一层，按响了一个单元的门铃。门开了，她叫了声："耘姐！"耘姐穿着一身宽松的休闲服，头发刚洗过，大概其地绕在脑后，见了她并无惊异的表情，让她进屋，随她坐不坐，就像她们每天住在一处似的，平淡地说："水刚开，我冲冻顶茶去。"耘姐端来茶，她已经坐在了沙发上，耘姐坐到她对面，自己先喝，满足地闭上眼睛。她冷静多了，已经不是"乌云"，但还是云，算愁云吧。耘姐是资深名家，前些时刚访问过台湾，所以有台湾著名的冻顶茶。她是不速之客，耘姐以香茗迎客，却根本不问她从何而来，为何而来。耘姐分明还在名利场上，属于一个圈里的，作品一个接一个地往外推，褒贬之声杂陈，并非金盆洗手者，应该最知道她目前的处境。但耘姐只是问她些不相干的话题，又建议她看一本什么新翻译过来的书，还建议她去看一个什么法国摄影家在上世纪初拍的关于北京风貌的展览……她实在是不耐烦了，掏出买来不久的那包烟，打开抖出两支，递耘姐一支，自己夹起一支；耘姐应该知道她是从不抽烟的，怎么也不问一声她究竟是怎么了？她就主动问耘姐："你真是两耳不闻窗外事么？"耘姐只是淡笑，她就说："别以为我是专门找你来的！这不过是鬼使神差。当然啦……哼，你反正以前得过了……你不知道那些家伙有多腌臜！……"耘姐用打火机点燃了烟，把打火机递给她，她还没点，只见耘姐顺手从茶几下面拿出一个高高的烟灰缸来，搁到茶几上面。那烟灰缸又眼熟却又眼生。耘姐往那烟灰缸里抖烟灰，那缸底里已经积蓄了不少烟灰……呀，她不禁把眼睛睁得溜圆，那哪里是烟灰缸，那分明是当年耘姐得到的那只奖杯啊！

她觉得心弦先是猛地一紧，跟着渐渐松弛。她仰脖大笑起来。忽然又停住笑，盯住耘姐问："你这样……也太不尊重人家的好意了吧？"耘姐缓缓吐出一个烟圈，淡淡地说："怎么能不尊重？有个机构专门收藏这种东西，我捐给了他们，他们就复制了一个给我，呐，就是它……"说着，又往里弹烟灰。她便点燃烟，微笑着跟耘姐闲聊起来，不时往那烟灰缸里，弹些烟灰。

眼泪不是水

我流泪了。真的好感动。想想吧，跨越半个世纪的离乱鸳鸯，饱经沧桑巨变，当他终于跪在她弥留的床前，握住她那枯槁的手腕时，她竟忽然翕动着嘴唇，仿佛在幸福地吟唱……他把耳朵贴到她唇边，脸上渐渐现出悲欣交集的表情……他跟她合唱起来——那正是他们青梅竹马时最喜爱的家乡民谣："小板凳啊，四条足啊，自己走啊，吓死吾啊……"唉唉，那最后一段文字的最后一行，杂志上故意用黑体字印出："就这样，晚风偷走了他们永远的秘密……"我紧紧地握住那本杂志，决定以后不必再到街口摊上去买，而要立即到邮局订阅一年。

可是那天阿珍递给我一本另外名目的杂志，让我看一篇惹出她好多眼泪的文章，那的确也是篇令人鼻酸心颤的纪实佳作，写的是一个社会底层的青年历尽千辛万苦，终于找到了将他遗弃的父母；当年父母是由于极端贫困，不得已遗弃他的；没曾想现在的父母已然成了大富豪，而且未遭遗弃的弟妹们也都属于电视广告里所称颂的那种"成功人士"；一家人大团圆，本是欢天喜地的事，谁知父母疑他有诈，弟妹们怕他分割父母财产，竟将他拒之门外……后来做了遗传基因检查，他的身份得到证实……那最后一幕真真是意味深长：他跪认双亲后，并没有到约定的饭馆去吃团圆饭，而是远走天涯，留下的纸条上写着："我知道自己从哪里来的了，我很高兴；我知道自己该到哪里去了，我很幸福。"唉唉，我对那杂志上印的主人公的照片凝视了很久很久，他究竟走到哪里去了呢？会不会，就默默地潜藏在我们身边？……这本杂志也该长期订阅才是啊！

可是大凤对我和阿珍的感动不以为然。她说："全是编的。"阿珍说："编的也挺不错啊。你倒编一个我听听。"大凤说："你们注意署名了吗？这些个杂志，这阵子老有这两个人写的东西，有的文摘性报刊还积极给他们转载，肯定挣了不老少钱！你们就只当是小说，读读解解闷吧！"我说："怎么会是小说？都有真人照片！"大凤笑笑说："谁知道那些照片是从哪儿找来的！老实跟你们说，就这两个惹得你们流'自来水'的故事，我觉得就是从以往别人发表过的小说里套过来的，还有那个什么'板凳走路'的儿歌，我记得就是好有名的作家的小说里，现成的东西……"大凤真能败人兴致，我和阿珍面面相觑，不信大凤吧，都知道她有夜大中文系的文凭；信她吧，可人家卖得那么火的杂志，难道还会以假乱真？

我订的那份杂志上，几乎每期都有那两位作者署名（我知道那一定是笔名，因为都比较古怪）的文章，最近一期上写的是一位美丽的女士，为了鼓舞艾滋病患者战胜疾病、重新生活，主动去和染上了艾滋病的男士谈心、握手，甚至吻他们的面颊，结果至少使得三名患者不仅克服了消极情绪，还改变了原来的同性恋倾向……这篇文章倒确实让我觉得真有些个像小说，除了个别细节让我眼睛猛地有点潮湿，总的来说没那么槌心锥肺的……可文章里分明印着那女士和某几位艾滋病患者的照片，我能不信吗？

唉唉，也真是巧上加巧，那天我在快餐店吃晚饭，店里生意好得出奇，本来互相不认识的顾客也不得不在一张小桌两边共进晚餐，哎呀，我对面那个青年，怎么那么眼熟……实在忍不住，我就招呼他："你不就是……吗？"他听了吃了一惊，吐出嘴里的鸡骨，两眼望着我，仿佛我得罪他了似的；我就问他："你好不容易找到了亲生父母，为什么又非要离开呢？……"他愣了一阵，忽然哈哈大笑，笑得眼泪都出来了，倒把我吓了一跳……

我跟那青年的谈话不堪回忆。原来，是他的表姐表姐夫，两口子如今整天闷在家里，今天编一个弱女子寻匪报仇的传奇，明天攒一篇跛脚父万里觅爱女的故事，大都以赚取阅读者眼泪为目的……为什么不拿到文学杂志当小说发表？因为有的构思、情节乃至细节根本就是从人家小说里偷来的，这样的稿子人家文学杂志的编辑会觉得不够水平，很难发表，再说文学杂志稿费很低……如今满大街的消费者，最爱看真实的奇人异事秘闻内幕……瞎编的怎么让人相信？配"真实照片"是一大技巧，或从旧书报上找素材，或找亲友帮忙充当模特，再用扫描器将图像输入电脑，进行加工……杂志社知道么？反正"文责自负"，杂志关心的是吸引消费者、扩大发行量、增加广告收入……那晚我彳亍街头，不断路过花花绿绿的书报摊，那份我正订阅着，并频频被它勾出眼泪的杂志，正推出新的一期，封面上的提要最粗大的一行是：八十岁老翁湖畔殉情……

我心里很乱，眼睛发涩……我想说：请尊重我的眼泪，它不是廉价的水！

眼　净

那天我坐在绿地柳荫下的长椅东头，有个老头儿坐在西头。开头我倚着长椅靠背眯眼养神，没大理会他的存在。可是他的声音忽然传进我的耳中："考考你……三个木念什么？三个土……三个火……三个石呢？三个水？……那，三个牛呢？……三个马？三个羊？不知道了吧？一个念标，一个念山；三个犬，也念标……唉，现在倒是三个金不用考，差不多人人都认识！……"跟他对答的，是个姑娘的声音。我睁开眼，斜睨过去，看出那姑娘是个刚放学的中学生，站在他对面，趴在支稳的山地车车把上，一副亲昵顽皮的模样。显然，那该是他的孙女儿。我有一搭没一搭地听着，心想亏这老头儿问得出来，也亏那姑娘能答对那么多……

忽然，老头儿的一个新问题冲进了我耳朵眼："……再问你，犬字边一个更加的更，念什么？"那姑娘说："吆，不敢乱念，您再告诉我！"老头儿说："我告诉不了！"姑娘便说："那有什么难的！我回家查字典不结了！要不，明儿个问语文老师！"老头儿说："只怕你查不出也问不出！"听到这儿我忍不住了，睁眼凑过去，也不怕唐突，跟那老头儿说："老教授！您告诉我吧！这个字，我在好几本翻译小说里见着，可一直不知道该怎么念……"老头儿却并不在乎我这个斜刺里杀出的程咬金，跟我点点头，直视着我的眼睛，脸上表情颇有"相逢何必曾相识"的意味，兴奋地说："您也见过这个字吧？查过字典？查得出吗？不但《新华字典》《现代汉语词典》里没这个字的踪影，你就是查新版《辞海》，查它的《语词增补本》，也还是没有！……"我呼应说："是呀！可印出来的书里，偏有这个字，说是有种狗，叫……"他马上接茬儿说:"《简明不列颠百科全书》中文版第七册里,你可以查到,有种苏格兰狸狗;确实奇怪,《辞海》里没狸这个字,那怎么用这个字来翻译人家的狗呢?"我问:"那您说这字该怎么念?念耕还是念耿?"他说:"一字之音,不敢率念……"我说:"您到底是教授,严谨得很啊!"他说:"我不是教授……"他孙女一旁笑说:"我爷爷比教授还棒!"说完,骑上车走了,骑出一段扭回头嚷:"爷爷!别待忒久……"

可我跟这位比教授还棒的老爷子在那柳荫下待了好久,越聊越欢。我说:"您看的书真多啊!"他说:"你信不信?我看的书,老厚老厚的书,一个字一个字地读过去,多了去!可好多看过的书,我对它里头的那些个意思,竟是一点印象没有!有的,简直是对其不知所云!"这让我吃惊不小,有这样的教授么?他终于告诉我,他退休前所干的那一行,是专业校对。当时像他那样的校对,校书时讲究尽量不要进入意义联想,因为一旦进入了"意阅",便很容易把个别与原稿不同的铅字,放任过去;他说,像巳、已、己等字,还有木字边的梢和禾木边的稍,那时候如果书印出来以后,有一个错排的未能由他校出,他能一整天吃不下饭去……他叹息说:"如今我们这一行,快绝啦!现在时兴编校合一,漫说为了经济效益,往往是'萝卜多了不洗泥',就是认真的责编,因为他对那稿子的意思太清楚,也就反而会漏过别字……本不是一种活计嘛!唉唉,所以现在有'无错不成书'之说呀!"还说,"也有的出版社,把我们这样的老校对请去把关,我也真是尽心尽力地给他们一直弄妥到三校对红,可你想得到吗?书印出来,有时错得更让人目瞪口呆!为什么?因为现在讲究用电脑照排,那电脑操纵员,他倒是照我最后一校标出的错,在那电脑上改,比如我校出有个泰字应改正为秦,他肯定是销了泰敲了个秦,可他也没想到,他那个软件里,凡敲秦,一律'联想'为'秦始皇',所以,比如说人家说的是秦怡,出软片,印成书,便成了'秦始皇怡'!……"他说得我哈哈大笑,笑完,心里挺不是滋味。

临分手,我改换个话题说:"您光在这绿地散心,不到那边街上逛逛?"他一听直摆手:"不爱去不爱去!……现在街上该校过来的字太多!你像那个'萍果专卖店',它的商标明明画着个苹果,却偏要写成'萍果'!据说人家就是这么注册的,你还改不了它！啧啧……我不去，眼不见为净！"

回到家，我还一直想着他的话。我的眼，是不是太容得下不洁净的汉字了呢？

眼 砂

那一天本是风和日丽，他的情绪更算得上是心旷神怡；他哼着歌，顺着人行道往前溜达；那不是个公休日，他却偏能"浮生又得一日闲"，而且他上街一不为采购，二不为赴约会，三不为某项特定的娱乐……总之，他只不过是随便走走，真叫悠哉游哉！

那天街心上虽说是车水马龙，人行道上却并不拥挤，而且越往前走，越显得步行者的数目是恰到好处——再多，则令人心为之烦；再少呢，又未免令人感到冷清……他意态雍然地朝前踱去，真是胜似闲庭信步啊！他把往常工作中的烦恼、人际上的纠葛，统统暂抛到了爪哇国……

一阵小风卷过来，他觉得通体欢畅。近来天旱少雨，风过，鼻息里竟有些个湿润的气味，难道是甘霖将至了么？他的心花从含苞待放，竟绽开得如香伞一般了！……定睛一看，前面是一家花店，有些大盆的观叶植物，就摆在了店门外，店主正用喷壶，给那些植株洒水呢；再抬头看看天，灰蒙蒙的，并无丝毫云影，找不到太阳的位置，却四处泛射着白光……原来仍是无雨的旱象！但他心情仍然不错，因为毕竟这是一个安谧的晴天……

忽然又刮来一阵风，是那种最讨厌的小旋风，挟带着一些小纸片什么的……小旋风偏旋向了他，并越过他朝他身后旋去；他本能地扭身，抬起一只胳膊护着自己的脸，但风吹过去以后，他立刻感觉到，右眼中嵌进了一粒砂子！

一粒眼砂，大概是很小的一粒，倘若取出放在手心，甚至会混同于手纹，根本无足道哉；然而它嵌进眼皮——是右眼的上眼皮里，摩擦着眼皮里的黏膜，却构成了他生命史的那一刻中天大的痛苦！他的整个心境，顿时陡变。他先是站在那里，试图用手揉或手帕擦拭来解除这一突然降临的灾难，可是那不仅不能解决问题，甚至反而更糟！他右眼只能闭起，但闭得紧了，便更刺疼；眼睛本身似乎比他自己更急于排异，已然分泌出了许多的泪水，然而还是不能让那粒砂子逸出眼外……

他倏地意识到，在这种情形下，唯一行之有效的办法，是求另一个人，来翻开他的眼皮，尖起双唇，给他狠狠地一吹……这要是在家里，或正好有亲人在身边，那这段砂粒入眼的痛苦史，便能很快地翻过去，使他重获欢欣……然而，他现在是举目无亲啊！

他狼狈地朝前走，他想试着求路人来给他吹掉那粒眼砂……迎面来了一对年轻的情侣，显然不是合宜的救援者……来了一对中年夫妻，他赶忙凑过去，捂着右眼，开始请求："……对不起，我迷眼了……您们能不能帮帮我？……"他的左眼看到，那位丈夫似乎有进一步倾听他诉求的表情，可是那妻子却一脸的冷漠，使劲地一拽她丈夫，先跟他说了句："我们不认识你！"等拽着那丈夫走到他身背后，又显然是故意放大声音让他听见，说道："……现在的社会治安！……谁知道他是想干什么？！……"

他只好另求别人。那边有个报摊，他走过去……卖报的是个长相猥琐的老头，露出一嘴黄牙……倘若吹出一口气来，必是一口秽气……不过只要能帮他吹出那粒砂子，也便是个恩人……他捂着右眼，急迫地冲到报摊前……老头问他："您买什么报？"他说："我不是买报，我是……"老头听明白了他的意思，嘻着一嘴黄牙说："那倒不难！可我要是给你吹出来了，你给我多少钱呢？"他一阵恶心，转身就离开了那报摊……

他发现他是在往回走，他的左眼中映入了一些才喷过水的绿色植株，那是大叶绿萝吧，肥硕的叶片碧得滴翠……难道我的右眼竟会因此而失却这样的感受力了么？他心上涌出恐怖的悲哀……

他冲进那家花店，不待那店主发问，便一口气不停地说："我这只眼里进砂子了！求您帮我给吹出来吧！我可以付钱！……可以买您好多的花！……"那店主是个文质彬彬的男士，穿着一身中规中矩的条纹西服，而且一口雪白而整齐的牙齿……是的，如果付费，那他宁愿付给这位男士的猛力一吹！……

那店主态度蔼然可亲，甚至于移近他身边，观察他缩开手露出的闭住的右眼……然而却决然不拟给他吹那眼砂，只是极热心地指引他说："这事儿您可千万不能掉以轻心！您现在应该立刻去医院！……是呀，这附近还没医院……您到街边拦辆出租车，让司机开到人民医院去……那是最近的！那儿的眼科挺有名的！……"

他失望地走出了花店，他移到马路边，准备叫车……这才意识到，不管怎么说，该对花店老板道声谢，而他竟苦着一张脸径自跑了出来……

那边来了一辆空的出租车，他一手捂着右眼，一手挥动着叫停的手势……出租车明显地是朝他慢驶过来了，可又忽然划出一个离去的弧线，加速而去……啊，明白了，一定是那司机觉得他行迹可疑……我捂着的并不是一只脱出来的眼球啊！我只不过是眼里嵌进了一粒小小的眼砂！……

他无奈地坐到了马路牙子上。他不再捂着右眼。他掏出手帕轻轻揩着右眼，特别是溢出的那些泪水……忽然他有一种异样的感觉！……他简直不敢相信！……他眨眨右眼，再眨眨，睁大，眯起，再睁大……啊！那粒眼砂，竟消失了！一定是终于被泪水带出来了！他激动地检查手帕，哪儿找得出那小小的一粒砂！……

他生命史上这短暂的痛苦一页翻过去了。他站起来，几乎雀跃。

依然可以说是风和日丽。回想起来，也不能说刚才所遭遇的人，怎么样地对不起自己。然而他却从中获得了一个宝贵的启示……

他急迫地回到家里，家人都不在，他坐到书桌前，在日记上写下这样的话："我的家人，我爱你们！因为当我一旦眼里嵌进了砂粒时，唯有你们会毫不犹豫地尖起双唇，用爱的气力来吹掉我的眼砂！……"

遥远的雍和宫

记得刚搬到那座雅称是"人字形"俗称是"大裤衩"的高层住宅楼时，小K站到阳台上一望，一站之遥的地方，一片金碧的古式屋顶在阳光下闪着光芒，他不禁跳起脚嚷："哎呀！怎么故宫搬咱们家这边来啦！"爸爸妈妈全笑了，爸爸便告诉他："那不是故宫，那是雍和宫，当年雍正皇帝登基以前住的地方——雍王府……后来成了个喇嘛庙，那最后一个殿堂里，有个大佛，整个儿用一株白檀木雕成，那法相别提多庄严了……赶明儿咱们得空就走过去看看！"

可是小K一直没进雍和宫。先是学校功课紧，不光平时每天一大堆作业要应付到晚上十一二点，就是星期天也还得再到学校上辅导课——谁让他上的是重点中学，又摽着要考上重点大学呢！那一段全家和他都有个口头禅："咳，急什么！等考上大学，想怎么玩怎么玩呗！"这话也短暂、部分地实现过，小K不负全家和中学老师的期望，考上了重点大学，在那个暑假，他和几个中学同学结伴，去北戴河痛洗了一番海水澡，回来以后，去大学报到的前一天，恰好又在阳台上眺望，雍和宫的黄琉璃瓦顶又在夕阳映照下闪着光芒，他感慨地说："真逗！这么近的一个雍和宫，我竟然还没进去过啦！"

上了大学，除了应付日常功课，小K就玩儿命地攻英语，为"托福"做准备，这样他就比中学时候还忙还累。有个暑假，那天老K跟小K约定了，去雍和宫散散心，爷俩都快出门了，来了电话，是小K同班的女同学，约他去电影资料馆看一部法国文艺片，结果老K只好单拨儿去朝拜那个大佛。后来小K去考"托福"，考完了自我感觉良好，骑车路过雍和宫门口，潜意识里涌出个念头：何不就此进去，朝拜那大佛，感谢佛"托福"中的福佑，同时恳求佛再施荫庇，让下一步的联系学校、申请奖学金，特别是签证，都能一路顺风……可是他一抬头，雍和宫已关闭大门，原来其每日开放时间比别处名胜都短。

再后来，小K已身处美国，有一回参加一个"派对"，他偶然说起："我在北京时，就住在雍和宫附近……"偏一位美国老太太即刻双手紧握胸前，仰头发出一声怪叹，原来她曾参加一个旅游团，游北京时去过雍和宫，她说那真是妙极了！神秘极了！……但她只能有许多的表情与肢体语言，却不能对雍和宫作出更多的介绍，于是，围住小 K 的美国人，便很自然地要他把"这个奇妙的庙堂"形容一番；咳呀，这可让小 K 尴尬透顶，根据爸爸当年那点子简介，还有自己对喇嘛教、雍正皇帝的一知半解，糊弄出一席话来，倒并不难，可自己其实并没进过雍和宫，这可真是撒谎不欲、实话难说啊！

在美国待上了一年，小 K 所后悔的，就并不只是没进过雍和宫，夜深人静，月光如水，小 K 除了能背出李白的那首"床前明月光……"再想多背一首唐诗宋词，居然没有一首能够背全，"慈母手中线……"背满四句，明知下面还有两句，却怎么也想不出来；"野火烧不尽，春风吹又生"前头是什么，也茫然……光是北京的名胜，就不仅没去过雍和宫，也没亲近过钟鼓楼，没去过妙应寺白塔，没观赏过"银锭观山"，没看过一次故宫绘画馆陈列的古画……他很后悔，其实在北京时也不是绝对没有时间，他和同龄人一起，兴致勃勃地去过肯德基炸鸡店，逛过赛特购物中心，跑到全盘西化的星级咖啡厅去喝过柠檬茶，大老远地去购买过西方歌星的唱片……现在他在西方，西方人把他当东方人看待，友好地希望他哪怕是皮毛地给他们讲讲中国的琴、棋、书、画，包括"在你家阳台上就能看见的雍和宫"……他却胸无根竹，惶惑不堪！

小 K 现在发愿：一旦再回北京，甚至于先不回家，也要先去雍和宫！但一时也还难以实现……雍和宫啊，遥远的雍和宫！小 K 在静夜里为之惊悚：那真是最深刻意义上的"遥远"……他的心，隐隐作痛。

夜半钟停

"哎呀！怎么半夜就停啦！"妻子一早就叫喊起来。

丈夫忙跑过去一看，一个崭新的方形电子钟，停在半夜零点四十五分。

"我说哩，你们局可真新鲜，给先进工作者'送终'！"妻子一边准备早点一边唠叨，"要送就送个好的呗！显见是个处理品！"

钟还没来得及挂到墙上，是放在饭桌上斜靠着墙壁的。丈夫把钟拿到手里研究着。

"铜娃！还不起！迟到啦！"妻子去叫还在床上的儿子，"不像话！连床一块儿抬到你们教室，让老师同学都看看，怎么样？"

铜娃坐起来揉着眼睛，一边问："几点啦？"

"半夜哩！十二点四十五！"妻子一阵风地把速溶豆浆、麦胚面包和一碟酱菜豆腐乳端上饭桌，把父子二人一块儿奚落，"你卖了半天的块儿，人家才奖给你个处理品！真是有其父必有其子，铜娃全年级速算比赛得第三，奖品才是个小小的转笔刀！"

"我喜欢那转笔刀。"洗完脸漱完口的铜娃赶到饭桌前说，"妈您没细看，转笔刀又是个小小的魔柱，能帮着人练眼神练脑力……"

丈夫搁下钟吃早点，望着铜娃问："钟半夜里停了。你能想出来它为什么停吗？"

"停了吗？"铜娃望着钟，"我……我没把它弄坏呀！"

丈夫和妻子一对眼，妻子把筷子一搁，冲着铜娃数落起来，"咦呀，原来是你——你怎么半夜里不好好睡觉，起来鼓捣上这钟了！你弄坏的东西还少吗？上回我拿回家的体温表不就是你摔碎的吗？"

铜娃斜眼望了望正蹲在一边用爪子洗脸的花狸猫，他回想起那回用体温表给花狸猫试体温，花狸猫不配合，慌乱中把体温表摔碎了。

"来，你琢磨琢磨，这钟为什么停走了？"丈夫把钟递给了铜娃。

"哎呀，你们还吃不吃了？豆浆凉了，我可不管再热！"妻子不耐烦起来，"他才上三年级，你要他懂多少才行呀？钟坏了拿去修理吧，该着咱们倒霉！"

铜娃把那钟摆弄端详了一阵，突然高兴地叫喊起来："嘿！瞧我，晚上迷迷瞪瞪的！我把电池正负极搁反了！"他赶紧把电池重新装过，分针立刻移动起来。

丈夫笑了："钟根本没坏。现在我的表是六点三刻，你会拨大针么？"

"会！"铜娃赶忙用拇指拨动钟背后电池边的一个塑料部件，兴奋地说："我昨晚研究过了，它的构造挺简单，顶事儿的其实就这一小块地方！"

丈夫望着铜娃，赞赏地点头，满脸是笑。

"可你知道电子钟表的原理吗？"

"嗯——"铜娃睁大了双眼。

"得得得，算我是个劳碌命！"妻子把豆浆锅端往厨房去加热，并暗暗考虑要不要煎两个荷包蛋。

夜的眉

"的士"来到楼前，引得几位热心人，还有几位不冷不热的人，以及站得稍远的几位冷眼人，一齐把目光投注了过来。

"妈，您就甭去机场了。"她晃动着披肩发，轻松愉快地说，"送到什么地方也免不了分手。"

头发稀疏的父亲镇定地站在楼门口。额上皱纹抖动不已的母亲却怎么也掩饰不了又高兴又惆怅的复杂情绪，热心的人们便围上去同她对话。

"今儿个能飞走啦？"

"晚上的班机。"母亲脸上放着光，眼仁里溢出自豪，"一气儿飞过太平洋。

东京不停，直飞旧金山哩！"

"人家华侨都管那儿叫三藩市。"一位邻居盯着司机往汽车后舱里塞带走轮的旅行箱，满脸艳羡："哟，带这么只箱子就够啦？"

"够！"她声音甜脆，仿佛唱歌，"不够到那儿挣去！"

"世界大串联哦！"

母亲朝发出这声音的方向望去，几张脸对着她，或微笑，或嬉笑，或似笑非笑，她一时也难以指认说出这句话的是谁。像有人往心里头撒了撮盐。想起头几个月，女儿的大姨拿着本杂志来，让他们看，还说了好些个泄气的话："这是赶晚集啰！头些年那边时兴吃得意丸，如今听说吃上后悔药！"

"我还是去机场。"母亲扭头同父亲对了个眼，便抻衣裳角，仿佛上那汽车是一桩非同小可的事。

"也好，随您便！"女儿笑着，她扑过去，搂住父亲肩膀，伸出嘴唇在他脸上响亮地吻了一下，"爸，再见！别为我担心！"随即义无反顾地钻进了车内，并对仍在发愣的母亲招手："妈！快呀！还得办出关手续哩！"

邻居里有人发出了"啧啧"声，不知是赞叹女儿那恍若已置身三藩市的气派，还是惊叹那父亲的毫无表情和母亲的表情丰富。

"再见！""再见！"车里车外的声音都不怎么热烈，零零落落的。车子一拐即刻无影无踪，人们倏忽分散不知东西。

父亲不知自己怎么回到的单元，又怎么站立到阳台。天黑得早，空中一眉新月。父亲惊异地望着它。女儿还上着中学，就七竿子八竿子为她在美国找"经济担保人"；毛毛雨里，打着伞轮流为女儿排队领一个考"托福"的号；终于"万事俱备"了，却又为了得一个签证，三次站在秀水东街的树荫底下，等着女儿出来；"又说我有'移民倾向'，隔着门缝看人！"心蓄五味地同女儿走向建国门地铁站……第四次没有陪着去，却突然门"砰"地一声响，女儿一阵旋风似的冲了进来，胜利地喊着："签了！"当时心里猛地一甜，而现在，却不知为什么，忽然一酸。望着天上的那条亮眉毛，父亲的眉毛开始耸动……

一串红辣椒

小安过完春节从老家回北京，返校前来看望我，带来一串艳亮的红辣椒。我不免责备他："跟你说过多少次，不要带东西来。何况你也知道，我虽祖籍四川，花甲后已然戒辣。"他笑嘻嘻地说："不是拿给您吃的。您自己都忘啦？写过一篇《瓜果装饰有奇趣》嘛！您说的，最拙朴的田园果实，跟最现代化的科技产品摆放一起，往往最能在视觉和心理上产生出审美愉悦……"倒也是，我客厅的液晶彩电一侧，秋后总摆放着温榆河那边村友三儿送来的大角瓜，客来无不赞好，小安初见也曾拍手叫妙。小安说着就把那串亮丽的红尖椒，挂在了我书房电脑旁的文件柜上，望去确实别有雅趣。不过我还是坚持自己的诉求："你知道，我要你带来的，是你看到听到特别是经历到的那些原生态的故事！"对坐喝茶，小安搓搓手说："是呀！这回，我给您带来了两个关于这红尖椒的故事啊！"

第一个故事，是他爷爷讲给他听的。故事的核心事物，就是一串红辣椒。半个世纪以前，小安爷爷，也就现在小安这么大。那年春节，他爷爷去外村亲戚家拜年，那家招待他爷爷以后，辈分大的，就拿了一串红辣椒当做压岁钱，他爷爷接过，感激得不行，告别出村的一路上，凡看见的，要么出声赞叹，要么就眼神里露出羡慕。小安说，爷爷讲的这前一段，他还能懂。那属于"三年困难时期"嘛，物质匮乏，一串红辣椒，也算得奢侈品了。但是，爷爷讲出的故事的下一段，他听了就疑惑了，他说给我听，也是为了验证一下"情节的合理性"。简单地说，就是爷爷翻山回家的一路上，望着手里拎的那串红辣椒，离家越近越发愁。发什么愁？辣椒下饭，催人多吃，但是家里存粮有限，经不起辣椒把喉咙增粗胃肚放大……左思右想以后，在下山的路上，爷爷狠狠心，就闭眼一抢胳膊，把那串红辣椒扔到山谷里了。小安引述完爷爷的故事，直愣愣地望着我，眼珠里喷溢出许多"可能吗"的问号来。我问他："你爷爷是个善于虚构的人吗？"他说："打死他他也不会编故事。"我长叹一声："那就是一段事实。这事实沉默在你家乡的山谷里啊。"

第二个故事，是关于他爸爸的。这个故事不用别人见证，故事发生的时候他已经能满地跑动追鸡拣蛋了。当然，那时候他并不明白为什么爸爸在院子外头挖了那么大一个坑，把那么多红辣椒填到那坑里去，而且，爸爸那张脸气得比辣椒还要红。那一阵，他们家顿顿菜里有辣椒，爸爸倒是不怕家里任何一个人因为吃了辣椒就增大饭量。他上中学时才明白，原来他们家乡并非嗜辣之地，但后来听说辣椒市场行情见涨，就一窝蜂地种植辣椒，有的人图便宜上了黑心种子商的当，种出的秧苗要么不开花，要么结出的辣椒又小又薄，小安爸爸买来的种子倒是不错，许多跟他爸爸一样的农民那年都获得了大丰收，却不曾想堆积如山的辣椒竟卖不动，这才知道市场经济的厉害——产量与收入并不一定构成正比。如今他爸爸经过一段市场经济中的摸爬滚打，精明多了，是在大棚里培育四季旺销的大彩椒，艳红、翠绿、玉黄三种之外，还开发出亮紫、橘红等品种，六成供应高级餐馆，四成供应超市。他家在那边，已堪称先富。但是，他家吃的蔬菜包括辣椒，却都是他妈妈在自家院后小菜园里种的，施的全是有机肥，绝不喷农药，他带给我的那串尖辣椒，就是从自家小菜园里采的，"您愿意吃也行，绝对'绿色环保食物'！"

小安告别要返校时，我发现他旅行包里竟有一大玻璃罐的自制油辣椒，不免问："是带去佐餐的？"小安就给我讲了第三个故事：他们舍友里有一位，家乡在更西边，家里还非常贫寒，平时在食堂里经常只买主食不买菜，假期为了节约路费，不回家，也没有手机，还是到校外小店里去给父母打电话，父母要通过传呼，也是到那边的一个小店里，去接听他的电话。这位舍友这回寒假，是到一家咖啡馆打工，估计挣到一些工钱，自己留下一部分，还会寄往家里一些。我说："明白了，你是给他带的油辣椒！"他却说："他是不肯接受别人赠与的。但一路上我已编排好了巧计，这回他必定会自自然然地用我妈特制的油辣椒佐餐！至于我是什么妙计，您就且等下回分解吧！"我就等着小安有空再来。

一个晚上，五个电话

他第一个电话打给一位熟人："……什么？真的吗？你没听岔吧？真要把他换掉吗？都作出正式决定啦？……派谁来呀？还没定准？怎么定不准呀？……一旦定准就宣布他下台？……我早就料定有这一天嘛！……你还不知道，我那一直是敷衍他嘛！他算什么东西！我能当他的'跟班'！他整个儿一个草包，一个浑蛋嘛！……"

他第二个电话打给一位同僚："……我觉得我们还是应该及时地向上面反映一下他的问题嘛！……什么？风声？什么风声？我没听到什么风声，你听到了吗？……我们最好是一起去，不要让上面认为是个人间的矛盾……都是些原则性问题嘛！……对了，他那回滥用公款，在会计那儿报销的那个数目，你过过目的吧？是多少？……我知道你当时是敢怒而不敢言……还有那回宴请外宾，他说的那个话，岂止是不得体！你记录还有吧？……我们一起去！竹筒倒豆子！……要有过得硬的材料才行啊！……要一锤子把他砸死！……那件事？唔，不好不好不好，我们不也拿了一点吗？让他狗急跳墙反咬一口就不好了！……对对对对……那就是个炮弹！你能马上找她查出个真凭实据吗？……狠了点？鲁迅遗训，痛打落水狗嘛！你犹豫什么？放开胆儿！……"

他第三个电话打给一位几年未通话的人："……就是问个好问个好没别的没别的……咱们哥儿们，还有什么说的！你最近发在……上的那篇文章，真提气呀！……什么？提谁的气？你骂的也有我？嗨，骂我那还不是白骂！该骂！该！我确实就是那么一种人嘛！……不过'浪子回头金不换'嘛！你宰相肚里能撑船嘛！……什么？不是宰相？别逗了，都知道了嘛！那浑蛋这就要拿下马了嘛！除了换你老兄，换谁能服众啊！……都说找你谈话了嘛！跟咱们哥儿们还保什么密？……你不感兴趣？……您这是怎么说哩！……好好好，不多打搅，恕罪恕罪！……"

他在屋子里踱来踱去，搓手，咬嘴唇，捋头发，龇牙……这才打出了第四个电话："……本该到您办公室去，详细面谈，实在是忍无可忍，所以不得不先在电话里反映反映……太不像话了嘛！弄得乌烟瘴气！……您说像这样的人，还能让他当一把手吗？……我早就想向您们上面反映嘛，可是，一来是尽量顾全大局……二来，您也知道，其他几位同志，要么是多少跟他有粘连，不那么清爽，要么就光是一团的和气……所以我就做了工作嘛，打算尽快去您那儿，一起反映他的严重问题！……啊，您明天就要到外地考察？……先跟老曹他谈谈？……您月底才回来？……还让他去出席？……我也是为了把工作搞好嘛！……真不好意思，耽误了您这么多宝贵时间！……"

他发了一阵愣，站起来，坐下，又站起来，又坐下……眯眼皱眉，抖动嘴角……终于决定打出第五个电话："……首长，还没睡啦？不是讽刺！你本来就是大家的首长、我的首长嘛！……他们没给你挂电话吗？我打探？打探个什么劲儿？……有屁放屁？好好好好，有屁有屁！……谣言满天飞嘛！唯恐天下不乱嘛！……还能是谁，头一个积极传谣的当然是他嘛！……什么？你知道你早晚下台？你又不是傻子？说穿了……嗨，实话实说，我担的就是这个心嘛！……你可不能疑神疑鬼！我对你还不算忠心耿耿？挨了多少骂，你也听见过嘛！……少来这套？我说，咱们打开天窗说亮话吧，就算你真要下，第一，我留你留不住，给你使劲儿，让你'安全着陆'，这也算是跟你一场的情分吧？第二，别让那些个野心家占了你挪出来的坑儿，好赖让我接替你，你下了以后的利益，也有个保障嘛！……什么？我就是野心家？全是屁话？你瞧你，好心当了驴肝肺嘛！……是的是的是的……听你的听你的……骂吧骂吧……那还用说，不用你首长吩咐，你看我不是一有风吹草动，就赶紧给你通风报信嘛！……好好好你睡你睡，我浑蛋我浑蛋……"

一刻钟

下午三点多，忽然接到尼娜电话，问能不能来我家"打扰一下"，虽然吃惊，还是接纳。

尼娜是她在公司的"叫名"，真名是王爱红，她的父亲是我中学同窗，比我大一岁，我和王兄穿越历史烟尘一直保持联系，我是看着尼娜长大的。尼娜从美国留学回来，在一家美国金融机构做事，前年已获中层职衔。偶尔应邀去尼娜家与王兄晤面，开始我也并不多想，但，"老弟，你看京城的万家灯火！"在他们家客厅落地窗前，王兄一拍我的肩膀，我就禁不住有些惭愧了，自己的儿子不过是介乎白领、蓝领之间的打工仔，哪能提供这种"法式情调、英式管理"的空间来让我独自待客！不过回到自己家里，也就自劝：人各有运，知足常乐，他们过得固然极好，我也并不糟，祝福他们，也祝福自己。

尼娜飘然而至。"你要出远门？"她是跟名牌拉箱一起进屋的，我不由得如此发问。还不止拉箱，她还提着一个大纸袋，那样的纸袋本是装名牌服装的，现在鼓鼓囊囊似乎乱塞着一些零碎的物品。"叔叔，我不出门，我一会儿回家去。我想求您——这些东西暂存您家。"我莫名其妙，她却又说："我先用一下您家卫生间好吗？"当然可以，她匆匆进了卫生间，那临时搁在我家茶几边的纸袋歪倒了，里面有东西滑落出来，我拾起两个小镜框，一个里面是她妈妈的照片，想到王嫂去年仙逝，我一叹；一个里面是尼娜和儿子佳佳的照片，为什么她这个年龄段的白领丽人，多有像她这样成为"单亲母亲"的呢？再一叹。又拾起一个银制小奖杯，上面錾着英文，应该是他们公司为表彰她的业绩颁给她的。我把滑落的东西往纸袋里放妥，尼娜从卫生间出来，又问："能不能喝杯热茶？"我知道她是习惯喝咖啡的，就说："我这里虽然没有现磨的喷雾咖啡，不过速溶的品牌是靠得住……"我一边冲咖啡一边问她："怎么回事？"她把自己身体抛进沙发，双手拢拢头发，简捷地说："我刚经历了人生中最恐怖的一刻钟！"

原来，他们那家公司，全球同步裁员，尼娜两点一刻接到通知：她被裁了。

当时她还正忙着，也用不着她跟谁交接。公司规定，自接到裁员通知后，一刻钟内必须撤离。她想用座机往外打个电话，她那架电话已经撤销；想再用电脑发封"伊妹儿"，局域网已经不允许她进入；她赶紧收拾私人用品离开办公区；到了走廊，想进入茶水间喝杯咖啡放松一下，发现自己手里的钥匙卡已经无法开启那门；想进入卫生间，也一样；到前台，交回钥匙卡，从此她再也无法进入几年来所熟悉的空间了……"这太不人道了啊！"针对我的说法，她惨然一笑："很人道的，我看见医务室的门大开，很显然是为了及时救助无法承受这一刻钟的被裁人士，路过那里我没有停步，但一瞥之间，看见高大的姜森——他比我高一级，金发碧眼，平时很威严，正在那里面一张躺椅上抽泣，周围两个医生也不知是在进行药物治疗还是心理干预……"

我不知道该如何安慰尼娜。但她喝了几口热咖啡后，镇定下来，冷静地对我说："尽管我们早知道公司会有裁员的大动作，也知道所谓'一刻钟撤离'的游戏规则，不过事到临头，还是有些发懵。"我问："你下一步怎么办？"她一时沉吟不答，我就说："如果你有困难，叔叔虽然不特别富裕，总还能……"她没等我说完，抬起头，笑了："我们这种人，遇到的问题，不是没饭吃，而是今后能不能换个小碗吃饭，可是，一旦过惯了这样的生活，放下身段来，那不是一桩简单的事！"她告诉我，公司裁员，按合同，会给她这样级别的雇员一定的补偿，但是，"别的不算，光我那房子的月供，一个月就得两万……把大房子换小，从技术上来说是一个系统工程，从心理上说，纵使我承受得了，老爸现在住我那儿，他能马上接受这样的事实吗？他能接受了，佳佳呢？原来开福特接他，他都觉得'没面'，现在如果把本田再换成福特甚至QQ，不敢想！我只能缓冲一下，把这些东西暂存您这儿，起码一周之内，天天还开车离家作上班状！"

尼娜告别后，我想，于她那样的人士而言，人生中的这一刻钟，是既狼狈而又宝贵的，一切在于今后能不能给生活以更朴实的定位。

一起去看

儿子九岁那年，父亲跟他说："带你去看球！"儿子高兴得跳起来。

到了看台，儿子只顾吃冰棍，吃了冰棍又扭着身子要喝汽水，父亲生气了："你再这么磨人，下回不带你来了！"父亲教给他如何看球，他知道了什么叫角球，什么叫点球。

儿子十六岁了。父亲跟他说："带你去看球。"儿子不吱声。父亲提高嗓门说："带你看球你还哭丧着脸！谁该你二百钱还是怎么的！"儿子晃晃肩膀出门去了。母亲跟父亲说："还记咱们仇呢。那回不让他去电影院看《望乡》。"父亲说："演日本妓女的故事，他看合适吗？"母亲说："后来他不还是跟同学一起去看了。谁让中国演电影不分级呢。能买上票他就能看。"停了停又说，"后来我问他，他说，妈，我能看懂。他白我一眼，说，爸跟你就以为我要看那几个黄镜头。他后来不是又去看了《沙器》？"父亲说："他了得了！《沙器》讲的是儿子杀老子的故事！"停了停说，"都是你惯的！"母亲就叹气："他这阵不知道怎那么大气性。你总恶声恶语训他也不是个事儿。"

父亲独自去了赛场，在门口把多余的票退了。球赛不怎么精彩，双方磨来磨去死不进球。有年轻的球迷乱吹口哨，也不知是跟哪位球员教练裁判置气。中场休息，父亲去洗手间，半道忽然发现了儿子，跟几个同学在一起喝可口可乐，嘻哈议论倒也罢了，肢体没有一刻是正行，手舞足蹈地看着实在扎眼，本想过去吆喝几声，拼力强忍住了。父亲没等散场就回了家。母亲问他谁输了让他脸那么黑，他大嚷："我输了！"儿子很晚才回家，只叫声妈，就回自己那间屋了，还把门关得紧紧的。父亲要冲进去跟儿子算账，母亲拉住他："人家自己去看个球怎么啦？"

儿子上大学了。暑假在家，有天跟父亲说："爸，我有两张票，咱们一起去看球吧。"母亲就看着父亲，父亲想了想，唔了一声。母亲布出一桌菜，爷俩喝啤酒。母亲听爷俩侃球，开头客客气气，后来抬起了杠，再后来语速加快，互相打岔。母亲心里有点紧张。但是最后爷俩一起去看球，一起回了家，回了家又坐在沙发上喝啤酒，把球场上的角色刻薄了一溜够。晚上母亲见儿子老晚还在弄电脑，就先敲敲半掩的门，儿子说："妈，快来！"母亲过去，儿子让她看在电脑上画的画。闲聊几句后，母亲问："你上中学时候，为什么不跟你爸去看球，还老跟他顶牛？"儿子笑了："妈，我那是少年反叛期啊！尤其要反叛老爸！您记得他怎么造句的吗？——带你去看球！——我觉得自己是大人了，他还把我当成个附属品，可以随随便便地把我带来带去——其实那时候您跟老爸也没多大区别，动不动就'把手洗干净！''怎么把衬衫领子竖起来啦？'……就不懂得，第一，我不是上幼稚园的娃娃了；第二，我要有个性呀！……"母亲也笑了，母子肢体没有拥抱，心是拥抱得紧紧的了。

儿子工作了。有天父亲打他手机："咱俩一起看球去怎么样？"儿子问是哪场，父亲告诉了他，儿子直言不讳："他们能赛出什么味道来？整个儿是鸡肋！"父亲就乐呵呵地回应："弃之可惜不是？"爷俩约定赛场门外不见不散。

父亲年纪不算太老，却坐上了轮椅。那天儿子回来看望。吃罢饭，儿子说："爸，我带你去看场球吧。"母亲好高兴："是呀，让你爸再乐和乐和。看电视上的球赛，他总乐和不起来。"父亲却只是淡淡地唔了一声。

那晚儿子开车来接父亲，母亲告诉他："我拦不住，他自己去了。他说他不要人带去。他说他又不是件东西，凭什么让人带来带去的？我说你不是不方便吗？他说现在到处的设计都考虑到了坐轮椅的人士，他完全可以自己去看球赛。他揣着你留下的那张球票就自己驾着轮椅坐电梯下楼了，还死不让我把他送上出租车。我后来从阳台朝下望，他顺利地从咱们楼门外的轮椅道上到了街边，拦住的出租车司机照顾他坐进了车，轮椅放进了后备箱……"儿子没听完就跑下楼，赶紧去开车奔往比赛场地。

儿子在看台上找到了父亲。看台上有为轮椅人士专设的空间。父子俩都若无其事地微笑着打招呼。

中场休息，儿子过去对父亲说："一起去洗手间吧。"父亲点头。人们只见老的自己熟练地操纵着轮椅，少的在一旁同行，两人分明对共同支持的球队的表现有所争议，你一句我一句地抬着杠……

一生十几杯

楼区小店的掌柜喜笑颜开，亲自乘电梯往楼上送成箱的啤酒。往日要的多是价格便宜的瓶啤，这几天多有要罐啤的。十一楼的何大妈乐呵呵地跟问到的邻居解释："他们爷俩也就四年这么一个大乐子，我跟儿媳妇都不吝惜，世界杯期间，罐啤一拉就开，他们边喝边看，够多痛快！"七楼的王先生是个文化人，在大门户网站有自己的博客，常以针砭时事的博文赢来高点击率，电梯里有熟人故意问他："王先生，他们沉迷在世界杯里头，算不算玩物丧志啊？"王先生扶扶眼镜，严肃地回答："你错。世界杯是人类共享文明，观赏世界杯与关怀世道公平不但没有矛盾，还有无形的深层联系哩。记得我 2002 年在西欧，看到那么一个情景：游行示威的队伍散了，拿着卷起的标语旗帜的示威者，停了街头大屏幕前，凝神观看一场世界杯赛的残局……"他还要讲下去，有人提醒他："您到了。"他点头笑着迈出电梯门。其实人们并不常在电梯里交谈，可是杯赛一来，即使互相不知姓氏的邻居，也有了问答：今夜谁跟谁赛？某球星可会首发？看好谁输谁赢？

普通的居民楼，普通的市民，普通的生存状态，普通的悲欢，普通的牢骚，普通的期盼，普通的日子……但是又逢四年一届的世界足球大力神杯锦标赛，这回是在遥远的南非开锣，中国队无缘参与，但对于这些普通的中国球迷来说，依然是为他们平淡的日子镶上了多彩的花边。

十一楼的何大爷年轻的时候就热爱足球，也常看国内的球赛，在单位也曾踢过后卫，但他是直到改革开放以后的 1982 年，才知道世界杯这事儿。他说赶上过什么体育比赛都停顿下来的岁月，后来恢复了，强调"友谊第一"，他现在仍然认为比赛不能伤了和气，友谊确实重要，可是他讲出的事情连他儿子何吉顺都不信，就是后来把一个道理推到了极端，篮球、足球比赛时，为了体现"友谊第一"，为了批判"竞争"，讲究"为对方进球"！开头看球的人们大笑，后来笑声高的被点名批评，于是后来人们看球赛就只会鼓掌，不要说不能化装得奇形怪状，不能敲锣打鼓吹喇叭，不能一大堆的肢体语言，更不能连成一波一波的人浪，就是高声喊叫也犯纪律……儿子听他讲撇嘴，他就说："你不信？一个时候一种命！你要不是生在改革开放以后，我能放心给你取这么个名字？"

二十五年前，何大爷那时候可称爷们还不能称爷，领着七岁的儿子去工人体育场看比赛，那一天是 5 月 19 日。现在回想起来，何大爷还后怕，说要不是吉顺哭，他不能松开吉顺的手，说不定他也拾块砖头砸玻璃，给薅进局子去。可是，也就从那天起，何大爷和许多的中国球迷，开始真正跟全世界的球迷接轨了，并不是说这条轨道就一定好，撞车翻车的事常有发生，但毕竟从此开始有意无意、自觉不自觉、深深浅浅地领悟到了足球文化的真髓。

何大爷退休多了年了。吉顺过了"而立"之年，娶妻生子，不满足的，是还不能自购一套房子另住，两代五口共居一个两居室单元，现在第三代还小，但随着他的生长，扩展这个居住空间的必要性便愈加迫切。因此全家都极其关注相关的时政消息。但是，世界杯又来了，饭桌上吉顺主动宣布："这段日子谁也别提那一时够不着的事儿！"他媳妇先笑了："你不提就好。就是上班的时候防着瞌睡虫儿。"何大妈心顺气高："要不要趁这当口换个大液晶？咱们一时买不起装真人的大匣子，买个装小人儿的好电视匣子不也是个乐子？"吉顺就说："现在这显像管的瞧着挺好，C 罗帅样儿真真的，以后再换吧！再说啦，您就知道液晶的，其实现在有种 LED 上市了，比巴掌还薄，再等等，它降价了，咱们再请进来也不迟嘛！"满桌欢声笑语，真个是平头百姓能自乐。

何吉顺从 2002 年韩日世界杯起开始电视观赛，用他的话说，今年是第三次"痛饮这杯酒"了。他从网上查了世界杯历史，开创于 1930 年的这个世界性体育盛事，在上世纪"二战"中暂停，1950 年才在巴西举办第四届。国际奥林匹克运动、诺贝尔奖的颁发，也都因世界大战而一度暂停。"太平世界才有这杯酒。我能活多少年呢？再活六十年吧，一生也只有十几杯啊！"人生匆匆，欢乐几何？祝愿世界和平，祝愿平头百姓一生至少有十几杯美酒畅饮！

一双真耐克

电梯里遇见他们父子俩，父亲那一身装束，以及身旁的高级拉箱，一望而知是又要出差；儿子背着双肩包，一身校服，脚上一双做工精细的运动鞋，显然是要上学去。

"爸爸要去美国！"儿子兴奋地向我报告。

"考察。"父亲简单地跟我解释。

"爸，你一定要给我买双真耐克啊！"儿子大声地撒娇。想必这要求在得知他父亲要去美国后，就不断地提出过。当着我再一次提醒，既是向我传递一种得意之情，也有让我权当"旁证"再督促他父亲的意思。

我下意识地望了一下那中学生脚上运动鞋的商标，不禁问："你这不就是耐克吗？难道是假的？"

父亲抢着回答："真的，真的。我们家任何人绝不用造假的名牌。"

儿子就晃着肩膀嘟囔："我不要 made in China 嘛！不要嘛！你要给我买真的美国耐克！正宗的！"

我说："Made in China 也是正宗啊。"那儿子也不理我。

电梯落了底，父亲边往外挪边对儿子发誓："好，一定，正宗！"又跟我微笑，算是告别，还说了声："这孩子！"

我跟那父亲道"一路顺风"，儿子却已经一溜烟地跑出楼门去了。

几天以后的傍晚，我坐在绿地边的长椅上晒夕阳，浑身暖暖的。那边来了那个中学生，他边往我这边走边打手机，声音很大。其实何必那么大声讲话，难道那边接收信号不好？他走拢我坐的长椅，也许是专心通话没看清我，也不点头招呼我一下，大摇大摆地在我旁边坐下，接着通话。我不想听也不行。就听出来，他是跟他父亲通话呢。

大概他父亲那边要结束通话了，他很不满意："再说说嘛，再说说嘛……什么贵不贵的，反正又不要咱们家自己花钱！人家莉莉她爸，在巴黎用全球通帮她做作业，连着指导她做了两道几何题呢！……哎，再说说嘛！真耐克，忘了吗？你可千万别买双 made in China 回来啊！……"大概那边还是挂断了电话，他也就嘟噜着嘴把手机关了。这才看清身旁是我，也不先叫声伯伯什么的，忽然指着我夹克的胸口部位问："你这是真鳄鱼吗？头朝里，唔，让我想想，是法国的还是新加坡的？……"那边有小伙伴招呼他，他也就飞快地跑过去了，一边跑一边嚷："嘿，知道拉斯维加斯吗？世界头号赌城！我爸从那儿给我来电话啦！……"

不知又过了多少天，在电梯里遇见那父亲，原来他回国好几天了，问他到拉斯维加斯考察什么，他说："咳，顺便去开开眼罢了，那里的夜光真是恍若仙境啊！我也就是玩玩吃角子机，哪儿敢上那些台面……"问他总体收获如何。他叹口气："一言难尽，现在同行业有的搞恶性竞争，降价降到荒唐的地步……难怪人家要跟咱们闹反倾销啊！"又顺便问他可给儿子买到了正宗的耐克鞋，他笑说："真费大劲了！现在那边凡衣帽鞋袜，还有旅游纪念品，看着洋气十足，仔细一检查，咳，多半是 made in China……我费了老大劲，才找到双他要的那种！"

那儿子穿上老子从美国买来的耐克鞋，真的非常得意。那天我照例坐在那绿地边的长椅上晒太阳，一群孩子在不远的空地上踢球玩耍，闹闹嚷嚷的，望过去倒也有趣。忽然孩子们之间似乎发生了什么争执，只见那穿美国耐克鞋的小子气急败坏地推搡着一个胖小子，厉声叫嚷："你干吗踩我的美国耐克？！"胖小子辩解："我又不是故意的！你也踩了人家的呀！"其余几个小子有拉架的，有打偏手的，闹腾了一阵，我也没太在意，忽然一群孩子都朝我走来，到了我面前，争着说话，我才明白，他们是让我给裁判一下，裁判什么呢？就是那双鞋。胖小子说那双鞋未必是真的美国鞋，穿鞋的就脱下一只鞋来让大家看标签，上头印的确实不是中国制造，但那制造地究竟是美国的什么地方，穿鞋的也说不清，大家争议起来，有的看见了我，就说来问问我，让我翻译出那个地名来。

鞋主光着一只脚站在我面前，其余孩子在他身旁雁翅排列，都用期待的眼光盯着我。我接过那只鞋，用料、做工、手感都非常好，而且也没有我最害怕的脚汗的秽气挥发出来，不由先说了声："地道，是真耐克！"鞋主马上得意地朝两边玩伴挤眉弄眼。我进一步低头细看鞋里那标签，认明写的是 made in

Cambodia，便问那鞋主："你爸爸买回来没跟你翻译过这个制造地的地名吗？"他说："我爸英文一般，反正他们带翻译去的。您告诉我们吧，这是美国的什么地方？"我只好告诉他们："这地方不在美国。Cambodia 是柬埔寨。这双鞋的制造地是柬埔寨。"

鞋主和其余孩子的反应您自己去想象吧。反正他们散去以后，我坐在那长椅上感慨了许久，直到夕阳完全消敛，晚风拂身有了凉意，才站起来离开。

一　赢

春节前，物业公司雇了些农民工给我们这座 26 层的公寓楼擦玻璃。我一个大午觉醒来，发现卧房外大阳台的玻璃分外明亮，心情大畅。起来活动完身躯，坐到电脑前浏览信息，再起来活动，已是夕阳西下。踱至客厅，忽然发现，那最大的一块窗玻璃，竟然只喷了清洗液，而并未擦拭。赶紧给物业打电话，回答是：擦玻璃的农民工已经撤离，正在结算工钱。我赶到物业，办公室门外，盘放着粗韧的缆绳，还有简陋的吊凳。几个高矮不等的农民工，抽烟等候着什么。我进到办公室，正听见物业管理员跟小包工头说："至少有两户投诉你们漏擦，现在天开始转黑，也没法子补擦了，你们又是明天返乡的车票，我只能是扣你们的工钱……"那小包工头很高的个头，很瘦的身躯，尽管下巴上滋着胡须，面容看上去还年轻，说什么也不愿意被扣工资，宣称："我立个字据，过完春节回来，我一定来给补擦！"我本是去兴师问罪的，见那情形，意识到即使是十块二十块，对于他们农民工来说也非常宝贵，就插进去说："其实不是什么大事，我们自己想办法从侧面窗户够出去，用特制的窗刷子去刷那面大玻璃的外面，也能解决问题。"那小包工头摇头："别别别，那么高，你们太危险！我回来一定给补擦！"他果真立下个字据。他走了，物业管理员笑着把那字据递给我看："其实没什么用。他们原是那边新楼盘的建筑工，现在开盘不见人气，二期工程恐怕上不了马，他们节后回来估计工地没活儿。这字据上虽然有他身份证号码、手机号码、租住房地址，到时候他不来补擦，我们也拿他没办法。"我拿眼一溜，只觉得那最后签署的名字很古怪，姓氏这里隐去，只说那名字：一赢。

春节期间虽有亲友来访，无人注意到客厅那面最大的窗玻璃没擦，吃完元宵，我把这事也忘了。前天，我正在客厅沙发上翻书，忽然发现窗外先是有粗缆绳晃动，然后从上方移下一个吊凳，吊凳上正是一赢，他认真地擦拭着那块节前漏擦的窗玻璃，我走近窗前，他发现了我，咧嘴笑……

他干完活，把他请进家来，费了老大的劲。给他倒热茶，他说习惯只喝白水，也不一定要热的。终于引得他跟我聊起来。他说他不是什么包工头，真正的包工头有的已经在北京买下楼房住了。只是因为他们一起干活的乡亲，在没有大活干的情况下，由他牵头，联系一些类似这种擦玻璃的小活路罢了。我说现在北京光环路上就有多少大写字楼啊，哪座楼不需要定期擦玻璃啊，他没等我说完就摇头，告诉我人家一般都会跟专门的保洁公司联系，而他们也试着去那种公司求职，人家说早满员了。他问我能不能帮他找个比较固定的工作，一月一千就满足。我说没那个能力。他现出失望的表情，但也还能跟我继续往下聊。他说他1974年出生的，家乡在南北方交界的山区，他家属于乡里最困难的，他生下来好多年都没有正式取名儿，家里大人就叫他娃来，他四岁就能背几十斤的山草，直到八岁还没去上学。他们那个小村归一个大村管，那八里以外的大村才有一所小学。他没上学，可是非常羡慕能上学的同辈。有回赶集，卖掉一大筐菜，在集上拣回一张报纸，回到家他就自己来读，他先猜出了"一"，后来又猜出了"二"、"三"，可是找不到四根杠的他想象的"四"……终于，有一天大村的小学校长找到他家，跟他家大人说他必须接受义务教育，那校长其实也就是老师，那学校一共才五个老师，他们什么课都教。校长姓田，他去学校第一天，把那张旧报纸也带去了，得意地指点着跟田老师说，他认识"一"、"二"、"三"……田老师很高兴，跟他说：我要教给你笔画更多的字！当时就找出了"赢"字。就这样，他认识的第四个字并不是"四"

而是"赢"。田校长知道他还没有正式的名字,就给他取名为"一赢"。但是他上完小学没有再上初中,初中要到二十里以外的镇子去上。他家的情况,还有村里的整个风气,使得他十几岁就外出打工,最近七年他都在北京,参加过奥运场馆的建设。他在离我们楼盘不远的仍遗留在三环与四环之间的村子里,租一间石棉瓦的砖垒房,月租三百元。媳妇在清洁队扫马路。孩子带到北京,在住地附近的小学借读。我感谢一赢把他的故事讲给我听,他笑:"我这算什么故事?"

我从明亮的阔窗往楼下望,一赢正蹬着放妥缆绳吊凳的平板三轮车离去。他与我的生活轨迹难以再次交叉,但我们却同在一个时代的故事中。

一元折

她听爸爸妈妈讲过那个故事,好多回了……那是十五年前,还没她呢,不,有她了,但还藏在妈妈的肚子里,唉,那时候啊,爸爸妈妈根本不懂得胎教,如果那时候哪怕让她每天能听上一段音乐,现在她也不至于让人讥笑为"五音不全"啊!唉,偏她这么个"五音不全"的人儿,如今却成了超级歌迷,最崇拜的歌星,也就是那位在记者面前坦然承认自己"五音不全",而且不但不认识五线谱,连简谱认着也吃力的……好啦,他红了好几年啦,如今又一次回到家乡省城来开大型个唱会,还要在音像书店为他的新专辑签名售卖,哗,他那新专辑的主打歌,哼起来怎么那么顺口?妈妈说:"那是因为音域窄,旋律简单,所以最适合五音不全的人欣赏。"她懒得跟妈妈辩驳,不过,她倒是还愿意听妈妈再讲一遍那个故事……

那个故事,说简单也真简单。十五年前,那位歌星还只有歌没成星呢,是爸爸妈妈的邻居,年纪虽然比爸爸妈妈小,说话、行事倒挺老成。那是个大夏天,他敲开了门,"大哥! 大姐! "叫得好亲热。他是来借钱的。那时候他跟父母一起住,父母觉得他考不上大学,也不找个正经工作,整天瞎吼乱唱的,很厌烦他,除了供他吃饭穿衣,基本上不给他零用钱。那时候他父母工资也很有限,他想买录音机、磁带,还想拜什么师,那些个花费也确实供应不起。他偶尔跑到歌厅里,在正经歌手临时不能登台时,给补补缺,挣点小钱,但那些钱到手后,过不了二十四小时,就都会从他手里漏掉。那天他说,实在是需要钱,他决不能失掉一个宝贵的机会,他想买点像样的礼物,去拜见一个可能发现他这匹千里马的伯乐……他是犹豫了半天,才终于求上这门来的。爸爸妈妈都觉得该支持他,可是,家里现金都是计划好了用途的,定期存单又不能动,而唯一的活期存折上,只有二十块钱存款……他听了,马上激动地说:"这二十块钱也许就是我的机遇! "爸爸妈妈把那存折给了他,说你取了用吧,不用还了。没想到,不一会儿,他汗津津地又来了,原来,他到银行取了十九块钱,他还回存折,说:"这样好些,存折还应该保留。"

这故事的"戏眼",就在那存折上。那个只剩一元钱的存折,体现着一个借钱人的老成持重。没多久,他来还上了十九元钱。几年后,他被伯乐包装推出,很快红火起来。那时她已经懂得听歌,可以说,她是在他,以及跟他差不多年龄的那些歌星的歌声里长大的,近几年有了更年轻的歌星让她着迷,老歌星里,被她从兴趣领域里淘汰掉的很多,唯独他,始终还在她的"崇拜榜"上,那原因,不能说跟那个一元折没有关系。那个存折难道这么多年始终没再往里续存钱款?就凭那一元钱的自动增值,也不该再称之为一元折了吧? 事情是这样的,借钱的事过去没多久,她家就搬了,搬完家以后,那个一元折怎么也找不到了,不就一元钱吗? 也就没去报失,而且,因为里头有故事,所以提起来,也就仿佛它还存在似的。

奇迹发生了,就在她打算去排队等候他签名售盒带的前一天,爸爸翻晒旧书,从一本书里,抖擞出了那个显得非常古老的一元折!

那签名售盒带的现场秩序很混乱,队伍并不算长,可是夹塞儿的很多,一个姑娘手里捏着张报纸,那版面上刊登着歌星新购别墅的豪华内景,仿佛凭那张报纸,就可以优先往前似的,岂有此理! 一个男孩没能跟歌星合上影,就千方百计从停车场找到了歌星的本田轿车，倚着那车照了相，他把那相片递给歌星，歌星潇洒地在照片上签了名……她终于挤到了歌星面前，她告诉歌星她是谁谁谁和谁谁谁的女儿，她吐字非常清晰，而歌星的反映只是："三个人吗？怎么只有一盒带子？"歌星在她买的盒带上签完名，立即就要接待下一个，她赶忙把那一元折打开送到歌星面前，指指封皮内页上妈妈的名字，又指指那最后只剩下一元以及小数点后很小两个数字的提款记录，大声问："您还记得吗？您那时候取走了十九块钱……"歌星只瞥了一眼，就干脆地告诉她："我不在乱七八糟的东西上签名的！"于是低头龙飞凤舞地给下两位签名，而她也就被旁边的人挤了出来……

签名售盒带的活动还没结束，在音像书店大门外，人行道边的垃圾桶边，她在风里站着，用手背抹着眼泪……

引以为荣

"是我老同学啊！"他一手展开报纸，一手敲打着那报纸上的照片，对电梯里的人们说："看，看，一点不出老，是不是？"又感叹："哪像我啊，你们想得到么，同龄啊！瞧瞧人家！"电梯里有的邻居无动于衷，有的看到那篇专访配发的照片，点头："名人。"开电梯的阿翠很是羡慕，问："你们常见面吗？"他仿佛受到刁难似的，很不高兴，把报纸夹到胳肢窝，从衣兜里掏出钱包，又从那里面掏出一张名片，递给阿翠说："这是我新得着的。"阿翠接过去，只觉上头印得密密麻麻的，也看不大明白，倒是她身旁一位凑过去看的先生感叹："这么多头衔啊……"电梯停了，他那层到了，他从阿翠手里抽回那张名片，临出去时还说："今晚新闻节目，你们注意看团拜会报道吧，准有他的镜头！"

晚上正点新闻，果然有条关于团拜会的报道，镜头里除了致辞首长的大镜头，还有一些摇拍镜头,展示宴桌旁一些嘉宾的面貌,妻子催他吃饭,他急摆手,说:"快了快了……"妻子就知道是等他那名人老同学出镜,但这回不知道怎么搞的,镜头切换来切换去,硬是没看到那位他引以为荣的老同学的面影……结果晚上饭也吃不香,妻子知道他的心事,就建议:"打个电话过去问候问候,别是病了!"他就正色道:"这时候怎么能去打搅!"

是的,他懂,像那位老同学那样的社会名流,如果自己要给他拜年,一定要在初八以后,那之前往往翻翻报纸,就能知道人家忙得不亦乐乎,在若干报道中排列出的名单里,作为名人,那老同学或者是被领导亲切看望,或者是与领导一起到远郊山区看望别人,又或者是参加茶话会,还要接受记者采访发表新春感言,等等。

初八一早他把电话打过去,噫,不是让电话留言,真有人接,"是嫂夫人吧?"对方问明他的身份,热情地说:"他在他在,稍等稍等……"几秒钟后就是名人的声音,他问下午去拜望是否方便,对方说欢迎欢迎……下午出门乘电梯下楼,他对阿翠说:"你知道我去哪儿吗?"阿翠看看他说:"去遛弯儿吧?"他说:"遛什么弯儿,我串个门去!"阿翠说:"串门?您空着个手?"他就笑:"你们就知道俗人俗礼啊……"他告诉阿翠去哪家拜年,训诫似的说:"到了他那个层次,物质上什么都不会缺,需要的全是精神上的享受,作为老同学去话旧,对他来说那是最好的礼物啊!"阿翠只是眨眼,俗心依旧。

确实,坐在名人家那宽敞客厅的沙发上,他把许多陈年旧事拿来翻晒,名人听得高兴,只是说实在都不记得了。他又列举近一年来对名人的密切关注,电视报道中的镜头,报纸报道里的名单,还有专访、题词什么的。名人说:"你真关注我,就该读我的著作。"名人已经很有几年没出新书了,以前的书送给过他,都在扉页上签过名,还盖过章,他确实爱若珍宝,放在家里书架上最显著位置,逢客来,必兴奋展示,但他却一直没有细读——甚至没有粗读,只是大略翻过名人的书。每次来给名人拜年,名人总想问问他的阅读心得,一接触书里的具体内容,他就无从应答。这天亦然。名人对此表面上倒没怎么不悦,心里的不舒服,可想而知。

电话铃不时响起,而且又有客来,他知趣告辞,名人道歉,说不能远送,他把名人往玄关里推，回家路上十分满足。

万没想到，三个月后，那天回家，从信箱里摸出一封讣告信来，名人竟突发心肌梗塞，一命呜呼！他的哀戚，用"如丧考妣"来形容，真是十分恰切，阿翠可以作第一证人。

跟名人遗体告别，那是绝对要去的。路上堵车，晚了近半小时，他真是忧心如焚……进了殡仪馆，啊，还好还好，赶上了赶上了……没错没错，认出好多老同学来，这些老同学多年不见，在这样场合见到，也只能是互相微微点个头。他排在一位女士身后，那女士是不是老同学？不大敢认。只听那女同学哽咽地说："太可惜了……"他立刻泪流满面，却也不忘询问，来的领导，级别最高的是哪位？人家似乎没听清，只泪眼迷蒙地望了他一下……

绕到遗体前，他吃了一惊，人一死，怎么变化会那么大？如今的遗体化装，不是可以做到栩栩如生么？……疑惑中，走到家属们面前，呀，这一惊更非同小可，都是谁呀？怎么全不认识？机械地跟他们握了手，弯腰点了头，走出灵堂前扭头看那横幅，才发现这根本不是那名人的遗体告别仪式！

原来，名人的遗体告别仪式是在另一灵堂。赶过去，早已结束，工作人员正在收拾花圈。

但也不能说他完全走错了地方。他去告别的那位，确实也是他的一位老同学，只是并非社会名流，所以他早已将其遗忘，当然也就多年全无联系。令他，也令本来是来报道那名人告别式的记者奇怪的是，涌向这个灵堂的人竟是络绎不绝，其中还有许多是孩子，个个捧着自费购买的大束鲜花。记者已经询问过一些人士，感觉这位生前默默奉献的逝者很有报道价值，又有人指出他，说他也是那逝者生前的老同学，记者看他脸上泪痕宛然，便过来采访他，第一个问题便是："对他，您是否一直引以为荣？"

他不记得是怎么回答记者的，也不记得自己是怎么离开那殡仪馆，彳亍在大街上的，单记得当他路过一家书店，那摆到门口的处理货柜上，堆着好多还新崭崭的书籍，正是那位名人的著作，那货柜上竖着的大牌子上，有四个字火辣辣地蹦入他的眼睛：一律五折。

营养盒饭

我和老谢都没想到，在那个学校的校门前邂逅。

互问了近来情况后，自然就互问："大中午的，你怎么到这儿来了？"

我是听人介绍，到附近一个盲人按摩诊所治完腰扭，路过那儿，去地铁站。他呢？那么大岁数，还骑个自行车，来干吗？他说是来"吃盒饭"，我一下子听不懂，他就耐心解释给我听。

原来，他孙子在那学校上学。学校给学生统一订了营养午餐盒饭。孙子说，好多同学，说那盒饭太难吃，根本一口都不吃，领到盒饭，直接扔垃圾捅里，然后跑出学校，到马路两边的小饭馆里去吃。那学校怎么不管他们呢？这是多大的浪费呀！据说学校也一再批评倒饭的同学，要求同学们都吃那盒饭，但是，还是无法控制住局面。那学校为什么不灵活掌握，不愿意吃盒饭的，就别让他们订盒饭呀！但是，召开家长会的时候，班主任跟家长们说了，还是都要订，第一，是根据学生发育需求，科学选材，烹制出的营养午餐；第二，比在饭馆吃饭也经济实惠，每月每人20或21盒，只收90元钱；第三，如果允许有的学生不订，那么，无法保证盒饭的足够数量，供餐的地方也就没法实行优惠，而订餐同学交的钱，就得上涨，这是为孩子订餐的家长们所不能接受的；第四，大家在教室里一起用餐，也可以增进班集体的凝聚力……总之，最后是所有家长都为孩子订了营养盒饭，而许多的家长，又给了孩子中午下饭馆的钱。老谢的孙子呢，坚持了一段，每天中午吃那盒饭，后来，回家就跟父母爷爷说："别老问我好吃不好吃，反正，我也不吃了！"于是，也就只好给他一些钱，由他去吃饭馆。那么，订的盒饭呢？老谢每天中午，就到学校来吃，以免浪费。

跟老谢道别以后，看着他推车进了校门，我站在那里，一时感慨颇多。老谢的老伴去世好几年了，儿子儿媳妇孙子跟他一起住，一家人很和美。但是，老谢的退休金有限，儿子儿媳妇都属于最一般的工薪族，能供应孩子上这样的学校，已很不易。现在的学生之间，经济上看不出多大的差距，家长再困难，对孩子的供应，总还是尽力使其与同学们取平。像老谢这样，每天中午来吃这份营养盒饭的家长，不知道还有多少位。

离开学校，往前走，马路两边，分散着几家饭馆，看那门面，也都只是中等偏下的，果然，有些学生进进出出，透过玻璃窗，也能看到些穿校服的孩子在嘻嘻哈哈地吃着饭。还有些也不知道是吃完了还是没吃的学生，在几家小商店外面买雪糕。

恰巧我也感觉饿了，更多的是出于好奇，我就进了一家饭馆，还剩两张餐桌，我就挑了一张坐下。点了八块钱的鱼香肉丝，一碗米饭，等着端上来的工夫里，我就仔细观察，希望能认出老谢的孙子，但是，显然没有。我旁边一桌的四个男孩子点的几样菜端来了，看样子他们是合着吃、均摊钱，我就问离我最近的一位："小同学，你们这一顿，一个人得花多少钱呀？"他立刻机敏地回答："哎呀！这可是隐私呀！"四个就都笑起来。其中一个笑完说："老伯伯，您别生气！我们算节约的啦！人家有的，上地铁口那边的肯德基吃炸鸡套餐呢！"

吃完饭，我刚走出饭馆，就看见一辆拉泔水的三轮车，从学校里拐出来，我站在马路边，等那泔水车过来了，就跟那拉泔水的汉子打招呼，他很惊异，刹住车，疑惑地看着我。我就跟他说："师傅，您辛苦！我就是问一下，是不是那学校里，好多盒饭没吃就倒啦？"他愣了一下，再拿眼睛上下扫了我一遍，才告诉我："是呀！说实话，我要是贪心，连盒子接过来，不用这车，用辆干净车，拉到那边地铁站，三块钱一盒，再怎么也能白挣个几十块！"我说："你倒老实。可是那么好的盒饭，立马就成了猪食，太可惜啦！"他笑了！"可惜什么！手心手背，全是一个人的肉呀！"见我一脸糊涂，他就更大声地说："嗨，算啥秘密！做盒饭的，开这几个小饭馆小卖部的，全是他们学校头头的亲戚呀！"我听了，跟他正色道："你别胡言乱语！这能说着玩吗？"他往地下啐口痰，蹬车就走，还扭过头来嚷："算我没说，您啦！"

有过那次通话吗？

饭局上，有人提到一位中年名家，在座的一位老人忍不住说——

我跟他通过一回电话。海外朋友打来越洋电话，代一位汉学家跟我联系，说有那边出版社请他翻译一本中国当代著作。那汉学家也是我的熟人，当面跟我说过："译书都为稻粱谋。"那边那家颇为有名的出版社，计划里每年只出一本中国当代著作。那一年至少有两三部待选的著作。那汉学家说翻译哪本都无所谓，联系到哪位算哪位。我知道他的作风，他拿到中文著作，往往并不先通读一遍，翻开就照中文在电脑上敲英文，译得飞快。他在那边已经是中译英的名家。

我跟来电话的朋友说，那些待选著作上都有这边出版机构的联系资料，想译哪本找出版机构跟作者联系，搞定授权就可以了嘛。我能起到什么作用呢？朋友就捧我，说那汉学家很在乎我的意见，而那边出版社也很在乎那汉学家的决定，于是，我就在报来的两三个著作里，推荐了一个。朋友就说一事不烦二人，你是不是就帮助联系一下作者。

谁知那位作者当时还不牛。联系起来很费力。我也不知道当时为什么那么着急，仿佛联系不上就犯错误似的。其实也还可以自我表扬，就是心里总觉得能把一位当时外面还不大清楚的中国作者推出去，是做好事吧。绕了好几个弯，我跟那位作者直接通了话，从语音里可以听出，他非常激动。他似乎不通英文，我在电话里把联系那边译者的通讯地址和洋名字一个字母一个字母地念给他听，他记下后我又敦促他核对了两遍。他说他会马上把同意那边翻译出版的委托书寄去。他说了不少感谢我的话，还说他会把自己那个著作签名寄赠我一册。

他没有给我寄来大作。他的著作在那边顺利翻译出版了。那边出版社邀请他去那边访问、推书。不久又有另外的西方文字转译本出现在别的国家。我为他高兴。

后来西方一个国家的图书博览会，邀请一些中国写作者去，我有幸被邀，那位已经开始在西方扬名的人士当然更是被邀的嘉宾。我们是组成一个团去的，当然互相都知道谁是谁。在机场，我们离得很近，他仿佛没有看到我。在那个西方国家，我们下榻于同一酒店，在大堂，我们也离得很近，他还是仿佛没有看到我。我想，他一定性格内向。

那个图书博览会有专门陈列中国作者书籍的展台，我看到展台上有那位作者的书，是相当著名的出版社印行的，而我的呢，则是很小的出版社出版的。我倒也并不惭愧。只是多少觉得有些奇怪——在展台前，他也还是仿佛没有看到我。

后来有个出版商在她家里开派对，邀请了六七个人，我和他都在被邀之列。在那派对上，他似乎含混地跟我点了个头。我希望他多少跟我说两句话，并不需要提及我们曾就他的著作第一次在西方出版通过一回电话，但他宁愿拿着酒杯朝落地窗外看风景，也没有跟我说一句话。

那就算了吧。最好从此不要再见面。但偏偏那以后，我去了南方一个城市，那边一个朋友的朋友，是个商人，说是非常崇敬我（实不敢当），一定要请我吃饭。我和一位忘年交一起去了。没想到走拢席前，那位在西方已有多个译本的作者俨然在座。商人以为我们互不相识，热情地加以介绍。我怎敢说早认识他？他那表情意态，仍仿佛跟我从未有过任何关系。那一餐就我们四个人。我本来就不善交际，那天更如坐针毡。商人问我是不是不舒服，我说确实。于是总算提前退席回到宾馆。我和忘年交分析了一下，懂得那位作者之所以如此对待我，应该是希望我明白，他的著作，是无须我从中架桥，也会在西方打响的。他等于已经几次默默地提醒我，如果我觉得我们曾通过那样一次电话，肯定是我的幻觉。而如果我把这样一种幻觉跟别的人讲出，则是无聊甚至无耻。是呀，人家是实力雄厚的英才，名扬天下势在必然，岂是需要我这么个老朽从中哪怕是打一个电话的？但是，怎么那个商人请客——肯定说了是要招待我——他还要去呢？显然，跟那富商的关系，他是不能舍弃的，而他也谅我不敢主动"造次"，提及当年通过电话的"谣言"。

——饭局上众人听了老人之言，一时无语。老人忙说："全系虚构，如有雷同，纯属巧合。"

雨水洼

伏天阴晴不定，片云可以致雨。那天傍晚，骤雨过后，天色似古代青瓷，夕阳如鲜花绽放，小区里的绝大部分路面很快变干，但中心区一侧的路面靠东，现出一个不小的雨水洼，业主们就都知道，不到第二天清洁工上班后清除，肯定潴留难干。这说明这段路面的施工有问题，没有彻底找平。因为这雨水洼，还发生过业主间的龃龉：一辆回家的汽车车轮把积水溅起，溅到遛爱犬的老太太那边，狗儿先叫，老太太随即尖声抗议："你停下！溅了我事小，溅了薇薇得了感冒那不得了！"开车的年轻人倒是闻声刹住了车，从车窗里探出头来回应："哪有那么娇气！再说你该找物业去，谁让他们没把路铺平！"双方都有火气，话赶话地弄得很不愉快，有驻足旁观的，有上前婉劝的，更有边走自己路边想或边议论的：是呀，这雨水洼的问题也真该解决一下了！实际上业主委员会也曾召开过会议，将议案交给了物业，所开列的七项需解决的问题里，前几项物业都已解决或正寻求解决办法，但雨水洼问题列在最末一项，物业也确实不大重视，使其一直存留到那天雨后。

雨水洼倒映着蓝天晚霞。其实水洼浅浅，但上下形成的明镜效应，令人望去似乎深邃而神秘。那天是周日，孩子们不上学，也都写完了作业，有的连家长安排的钢琴课美术课什么的也上完了，都到户外活动。也不知道是哪个孩子开的头，用拍平的雪糕包装纸叠成了小船，搁到那雨水洼里，顿时使那片领域具有了勾人想象的因素。渐渐到那雨水洼边的孩子多起来，主意也多起来，只听有的说："别光叠这老古董的小篷船，叠几个皮划艇多好！奥运比赛，中国皮划艇夺得金牌没商量！"有的又说："做几个风帆吧，中国香港选手夺得过帆板冠军！"又听见议论："哎呀，这比例上不对了呀！""怕什么？你看见哪个，想象的时候就改变你脑子里的比例呀！"……不知不觉地，那片雨水洼已经成为小区孩子们挥洒想象力的乐园。有的男孩子干脆跑回家取来了积木，在水洼边上搭起了"海滨七星级酒店"；有的抱来了电子军舰模型，搁在雨水洼里说"中国自制的航母下水啦"；

几个小女孩拣来些树叶子和谢落的花瓣,在"海滨度假村"旁布置起"绿化带",一个小女孩没等她妈妈走近就大声宣布:"别怕我弄脏手,我回去就按画儿上那样洗!"原来那家水池边总挂着洗手如何连指缝也要洗到的连环画。更有孩子拿来些冷饮杯使用的小装饰伞,都是平日吃完了攒下来的,插到那雨水洼边上的"绿化带"旁,说是海滨浴场的"遮阳伞"……高潮呢,是一位大哥哥用废铅丝编了个"鸟巢"的模型,安放在雨水洼北面,而没多久,一位大姐姐很快用带凸出颗粒的泡沫塑料,跟纸壳子结合,完成了"水立方"模型,虽然都不是太像,更存在比例问题,但想象力能把一切融合到最恰切的美好度……孩子们后来更玩起了"奥运比赛"游戏,手持雪糕把片,一会儿拿在手里当花式剑跳跃着互刺,进进退退,一会儿索性搁到雨水洼里当赛艇,手指拨弄着挺进……更有意思的是不知怎么就产生了金银铜牌,模仿起了发奖仪式,嘿,还真符合"同一个世界,同一个梦想"的宗旨,哼哼的虽然有中国国歌,也有美国、俄罗斯国歌的曲调……

孩子们的欢声笑语使雨水洼那里充满了勃勃生气。夕阳久久没有收敛,雨水洼周边连同水中倒影构成一幅绚丽的图画。一些大人微笑着围观。有的父母、老人本来想去阻止儿孙"胡闹",到头来看到那情景听见那声音却转怒为喜,有的心中暗暗叹息:童年,生活,时光,梦想……就应该这样啊!

本来那片领域形成的雨水洼,使得车辆行驶不便,尤其是双向有车经过时,更必然轮过水溅。但那天虽有车进进出出,却哪辆车也没发躁,都小心翼翼地偏过雨水洼慢驶,望见前面有逆行而来的车,则早早靠边礼让,那天没有任何一辆车的车轮溅起过水花,更没有任何龃龉不快产生。

第二天早晨虽然清洁工把那雨水洼清理得干干净净,但下午物业就收到了业主委员会的书面通知:"雨水洼问题是否按原议案处理,待讨论。"

原 价

　　西边的晚霞把糕饼店的门面镀了金，一些人姿态闲适地立在门口，有的拿着晚报看，有的凑在一起聊天，我慢条斯理地踱过去，正想看看腕上的手表，忽见那些立在门口的人唿啦啦都涌进了店里，我就知道是十八点整了，于是也就随大流跟了进去。

　　这家糕饼店每天十八点起，所有糕饼一律八折酬宾。它离我家不算远，一天傍晚我散步时发现了它，偶然兴起走了进去，发现正在打八折，生意颇兴隆，也便自选了两个比萨饼，回家放到冰箱，第二天起床后拿出来搁到微波炉里热过，就着咖啡吃，感觉味道很可口。从那以后，我就常去那里买十八点起八折出售的糕饼，不仅比萨不错，像英式三明治、法式牛角面包、丹麦肉松糕、美式热狗什么的也都挺好，家里人第二天吃早餐时都表扬我买到了物美价廉的食物。

　　糕饼店虽然不大，里面装潢得倒很雅气。糕饼全都陈列在原木风格的货架上，顾客用玫瑰色的托盘与银色的大夹子自选，选妥后到收银小姐那里结账。带走的都会给装在有它徽号的特制纸袋里，外面还套上个有提手的塑料口袋；也可以在店里吃，在临街的大落地窗旁，辟出了一角，安放着小巧的桌椅，甚至还有两对秋千座，顾客买下的糕饼如果需要加热，他们免费服务，当然也顺便卖咖啡、牛奶、可乐、果珍等几种冷热饮。

　　"全场八者优惠啦！感谢光顾！请您拿好……"游动的服务员和收银台的小姐全都满脸微笑，声音像丹麦曲奇般甜腻香脆。

　　我挑得很慢。反正权当解闷。我想试试原来没尝过的品种，比如比利时辫子面包、德国松子蛋糕什么的。当我端着托盘去往收银台时，那些经常来享受八折优惠的熟客大都已经满载而去。这时有一个声音清晰地传进我的耳朵——"有没有原价的？"

　　这当然是一个古怪的问题。收银台里的小姐，收银台外的服务小姐，竟全都给问住了，刹那间微笑冻结，几双眼睛全盯住问问题的人，仿佛那是一个外星来客。

我和另外两三个顾客也不免端着盘子朝那问话者望去。那其实是一位很平常的女性。中等身材，不胖不瘦，穿戴得朴素大方，通体突出着浅咖啡色的调子，发型守旧但梳理考究，年龄估计四十上下。看样子她是偶然路过，顺便走了进来。她一只手里拿了个盘子，另一只手拿着夹子，她还在问："有原价的吗？"

"我们每天晚上十八点以后全场八折，一律八折……"

"都是今天制作的，还都很新鲜……"

收银小姐和服务小姐脸上的微笑融解了，连连向她说明。其中一位领班模样的，恐怕叫大姐比叫小姐更合适，看来这位大姐经验丰富，知道有的顾客会害怕上当，说是一律八折，弄不好夹到盘子里的糕饼却是仍按原价出售的"例外"，所以还特别这样跟她说："您放心，我们不会把个别品种还按原价算的，您随便夹取吧，不管哪种都毫不例外地给您打八折……"

但那女士听了这些说明以后，脸上的表情竟更透露出失望，还在喃喃地说："没有原价的了……"

一位顾客过去让收银小姐结账，瞥了那女士一眼，说："打折还不好？现在哪个商家不打折？顾客还不都是冲着打折去的！这儿的打折最有道理！"

一对年轻的情侣打算就在店里的秋千座吃东西，头靠头地商量配什么饮料，他们眼睛也不去看那女士，但冒出的对话却分明是说给她和收银员听的："前边的意大利餐厅不打折，去那儿不结啦！""咳，她不愿意打折，就按原价卖给她吧！"话音刚落，却又有另外一个小伙子插话说："前边意大利餐厅的海鲜通心粉也打折！"

这时那女士就近夹了一份鸡蛋三明治搁到盘子里，对收银小姐说："按原价吧！"

收银小姐脸上的微笑仿佛被一股风刮跑了，愣愣地看着她，然后满脸阴云，有些生气地说："我们有制度有规矩的，多收您的钱，我要担责任的！"

另外的服务小姐跟上去说："您不想买打折的就另去别家！""您以后十八点以前来买！"那位领班大姐原本已经走开，听见又起风波便又过来，一位服务小姐迎上去，朝那女士努嘴，说："她有病！"

我仔细端详那女士，不像是有病。收银员再不搭理她，招呼我："您过来，我给您算！"在我结账的时候，那女士把那三明治又放了回去。当我拿好装糕饼的袋子，转过身时，她已经把盘子和夹子都复归了原位。店里的人或在以鄙夷的眼光打量她，或在交头接耳窃议她。

我的眼光，与她的眼光直接相遇。我们都没马上闪避。她对我淡淡一笑。那淡笑里似乎有几分歉疚。"我走了好长一段路。一直没遇上想吃的东西。恰巧进到这儿……有了食欲，可是……"她为什么要对我作解释？但我从她那疲惫中透着倔强的眼神里，忽然有洞若观火的感悟。她要原价。只求原价。原价买，自然也原价卖。打折，掉价，这已经溶入俗世、嵌入在我们日常生活皮肉里的游戏规则，被她勇敢地否定，并试图随机进行一次小小的，演练式的，象征性的挑战。

我忽然来了灵感，启发她说："这里的饮料并不一律随着打折，咖啡就还是原价。"她的眼睛立刻亮了，以一个粲然的微笑向我表示感谢。

我出了糕饼店。夜幕上缀满霓虹灯的光彩。那女士没有随后出来。我透过落地玻璃窗看见，她坐到了一个空的秋千座一边的秋千上，背后的那个秋千座正坐着那对嗤笑过她的情侣。店里的领班大姐把一杯热咖啡送到她面前，她道谢。然后，她双手握住那杯热咖啡，两眼望着绝对是只有她自己才看得见的什么地方……她在思索什么？

这位已经在人生道路上跋涉过不短历程的中年妇女，我很难猜测出她的来龙，更难预计到她的去脉。但她那天给我留下的印象却墨一般浓。她拒绝打折，我在记忆里给了她一个"原价人"的符号。

远处的霓虹灯

从这家人的楼窗望出去，可以望见好大一片市区。每到夜晚，斜对着他们的那条街道两旁的路灯，构成两串平行的金黄色珠链，还有一些红的、绿的霓虹灯标志或广告，散现在灰紫的背景中。

这是个周末的夜晚，一家人团聚在起居室中，看罢电视，吃罢西瓜，忽然爆发出了一场争论。

起因是奶奶指着窗外说："那一大块色儿灯怎么还亮着！能那么浪费电么！"

大伙儿都朝奶奶指的那个方向望去。夜深了，除了路灯，连远处楼房里的窗灯都少有亮着的，那个安置在楼顶上的大幅霓虹灯广告确实扎眼，在灰紫的夜色中还弥散出一片红色的光晕。

孙女说："啊，我知道，我天天上学骑车路过那儿，那是百货商场顶上安的大广告。"

儿媳妇说："兴许人家就是要开一宵，广告为的就是宣传么！"

"黑更半夜的，给谁宣传呢！纯粹是拿着国家的电瞎耗费，不肝疼！"奶奶纫上了针。

爷爷支持老伴，大手摸着下巴颏说："可能是管这事的人忘记拉闸了。是哪个商场？该打个电话去，提醒他们一下。"

闺女说："算啦！管得清么？这类事儿多了。再说，也许人家开着它有他的道理。"

女婿是出过国的，一旁帮着解解："霓虹灯除了作广告，也有美化城市夜景的作用，人家国外满街的霓虹灯开通宵不算稀奇。我去美国中部的一个小城，发现路灯是二十四小时不关的，好像他们觉得最不必节约的就是电力——"

"中国是那么个国情么！"岳父打断他的话头，严肃地说，"我们现在工业用电还紧张呢，民用上能这么讲排场么！"

"我想，"儿子出来打圆场，"也许这广告位是国外什么公司买下来的，他们规定了开灯的时间，给他们开够时间，好为国家挣到外汇……"

没想到孙女泼一瓢凉水："什么呀！我天天打那儿过，根本就是个中国自己的广告，蒙你们变小狗！"

比她小两岁的外孙子拿来个望远镜，举到眼前边眺望边报道："哈！破广告！哪国的也不能这么着呀——"原来霓虹灯"信誉第一"的"第"字坏了，亮着的部分恰像个"不"字；孙女听说忙去抢望远镜。大人们一听各自发出自己的议论，但话音搅成一团，谁也没听清谁的。

"奶奶！爷爷！您们别着急！赶明儿我上大学学发电，让中国的城市全变成不夜城！"外孙子大声地嚷。

"我早就说要学经济管理，"孙女也不示弱，"你发电，我来管！"正说着，那深夜独一份的大霓虹灯广告突然熄灭了。全家也就散开，各自洗漱安息。

炸　耳

十年前，我刚出道，虽说心里十分得意，遇到同行间的饭局，脸上少不得挂出八分谦虚。有一回满桌都是前辈，笑语喧哗中，忽听一人高声叫道："给咱们的启蒙者献上一杯！"我忙举起酒杯随份，生怕那"启蒙者"会觉得我少年得志，对之不恭；可是我眼珠子瞥来瞥去，竟找不准那该向其郑重献酒的"启蒙者"究竟是哪位；于是把眼光盯到高声倡议者脸上，那张脸红涨得像熟透的番茄，正对着我，仿佛心甘情愿让我咬上一口……"番茄"上嵌着两只"黑纽扣"，是他那笑眯的双眼；刹那间，我明白了，敢情"启蒙者"就是我啊！满桌的人都随他起哄，来跟我碰杯，我敢说，那次敬酒干杯的事，别的在场者大约很快就都淡忘了，可是，我忘不了，他当然也不会忘。

那次耳边炸响"启蒙者"的称谓不久，大概是半年以后吧，我接到一位忠厚长者的电话，他就一项任命，提出三位候选者的名字，蔼然地征求我的意见，并且说，我不必马上回应，可以想一想再给他回个电话。可是我却立即表态，说是其中一位我以为最合适，那便是往我耳朵眼里灌入"启蒙者"谥号的老兄；我夸赞他说："热情，直率，看问题尖锐，敢为人先！"撂下电话，我也曾扪心自问，这是否有点"那个"？可是很快也就释然：举贤不避亲嘛，何况我们俩非亲非故！

当然不是我一个人举贤的效应，那位老兄很快走马上任，上任不久就有他作东的一个饭局，那位忠厚长者坐正位，我也被邀与宴，气氛十分热烈。正当第一道热菜上桌，我耳边忽然响起熟悉的一炸："给咱们共同的启蒙大师献上一杯！"我正想跟他说："别再胡闹！"可是发现他和周围各位的眼光都与我了无关系，定神细观，啊，这才恍然，他老兄这回那番茄脸上嵌着的"黑纽扣"死死地"扣住"了那位忠厚长者！我忙站起身来随份，可是只觉得脊梁上蹿过一道麻痒。

后来我曾在一次又遇到忠厚长者时，提起"番茄"敬酒的事，他笑笑说："他那个人啊，太夸张！"确实不改忠厚心肠，更具长者风度——两年后，在我们这行当又一次改组时，他竭力推荐"番茄"到更高的位置上"牺牲自己"。

月有阴晴圆缺，人有荣辱浮沉。上上下下，左左右右，手心手背，睁眼闭眼，乃是我们这个行当的家常便饭，不足为奇。头年那位忠厚长者退居二线，我也徐娘珠黄，有一回是个较大的饭局，摆三桌，我们俩位都居第二桌，坐在一处闲聊，等着开宴。竟迟迟不能举箸，因为头桌的主客，久等未至。后来主客终于到了，是那位"番茄"陪着进来的。主客见了我身边的退居二线者，趋前寒暄，"番茄"便力邀昔日的"启蒙大师"到主桌去。直到他们离开，我一直被冷落着。可这时的我已然不再为这类事惆怅，便拿起筷子，只管大快朵颐。

照例又要敬酒，又响起"番茄"脆亮的嗓音："为了我们杰出的领路人，大家干杯！"啊，"启蒙"已然不是时髦的符码，"领路人"虽也未必时髦，却更稳妥，"番茄"更成熟了，嘟噜出的腮帮子几乎一触即破，"黑纽扣"的"扣劲儿"比以往更厉害，"领路人"不消说是那位其实比他年龄还小的主客，我冷眼望去，"领路人"虽连连摇头，满脸推却甚至还夹带着几许的尴尬，但那炸耳的声响落在心里的滋味，我这个过来人可是猜得出有几分的甜蜜几分的陶醉。

此后，"番茄"一定还有更新的敬酒词迭出炸耳，不过因为我已出局，统统不得与闻了。

榛子奶奶

儿子叫他杨哥，我也跟着那么叫。杨哥五十开外了，人高马大，是个服装批发商，热爱摄影，近几年生意都让妻子打理，自己三天两头开着越野面包车，往远处去拍风光照，来我家，没别的话题，就是给我看他拍的照片，讲述拍照中的见闻。有时，儿子休息，杨哥就会拉上他去一起拍照，儿子用数码相机，杨哥坚持用装胶片的相机，"数码无艺术"，这是杨哥的口头禅，儿子也不跟他争论。

儿子告诉我，杨哥现在最大的愿望，不是生意上的发展，妻子埋怨他"哪天破了产，连相机也得拿去抵债"，他只呵呵傻笑。杨哥告诉儿子，现在生意确实难做了，但是保持一定的收益，维护他家小康的生活，由着他性子在摄影上"发烧"，这局面还是稳定的，"小康胜大富"，这也是杨哥的口头禅。

但是，杨哥常有失落感，不仅当着我儿子，在我面前，也扼腕叹息多次。杨哥热心参加许多的摄影比赛活动，通过他，我才知道原来如今有那么多的摄影比赛，大多是某地某机构为开发本地区的旅游事业，或某企业为推广自己的品牌名声，举办的相关活动里，有摄影比赛这一项。杨哥渴望得奖。儿子说，每当送出参赛作品，等待公布得奖名单的那段时间里，杨哥的眼睛就会由红变绿。但是杨哥总不能得奖。有两回得了三等奖外的"鼓励奖"，那能算得了奖吗？有回得了第二名，但那是赞助了三千元的结果，三千元不公开的赞助换回一千元奖金和一张奖状，杨哥自己也觉得可笑，"我都不好意思把那照片拿给您看！"杨哥不给我看，我也就没看，他扬言："我要得一次真的大奖，我就复制出来，装好镜框，给您挂到墙上！"我就笑："那何必！其实你们那次拍的榛子林就很棒，挑一张放大给我就行呀！"

那批照片确实很精彩。杨哥和我儿子轮流开车，去了北京版图最北端的一处山村，从带回印出的照片上看，真是世外桃源，植被竟然那么厚密斑斓，山下野花迷眼，山上高树茂密，古老的栗子树、榛子树那么粗壮雄奇，村居村路多用山石砌就，村民男壮女健，就连那些鸡埘猪圈，看上去也古朴悦目，当然，杨哥也不忘拍些具有时代特征的镜头，比如刚刚开业的"榛子林餐旅店"，接收电视信号的"银锅"，挎着双肩背书包的村童……杨哥挑出了三张最得意的，参加了一个严肃杂志举办的摄影大赛，那当然是不要参赛者交赞助费的，评委里有德高望重的摄影界老前辈和艺术界名流，儿子说"杨哥这次最少也是三等奖"，但是，结果却是名落孙山。

那天我留杨哥晚饭，他有点喝闷酒的趋向，我就尽量开他的话匣，控制他的酒量。他说要把几张制作得大小不一的榛子奶奶的照片，给送过去，儿子就有些犹豫，说那地方手机没信号，而且气温降得早，把照片寄过去也就是了，何必再往那么个路况凶险的地方跑？杨哥就跟我儿子说："你不去我去，寄去，收不到怎么办？"见我听不懂，儿子就解释，榛子奶奶是村里的老寿星，据说过百岁了，山上最粗的那株榛子树，就是她栽的。榛子奶奶直到二十几年前，才头一回离开山村，进了趟北京，在天安门前，照了张相，但是"背篓邮递员"送信翻山的时候，在山溪边滑倒，掉到溪水里转瞬跌崖的几个邮件里，有一个就是人家寄来的照片。我就跟儿子说，你应该陪杨哥把新的照片送到榛子奶奶手里。

他们送照片去，一进村就愣了。全村人正为榛子奶奶办丧事。唢呐吹出高昂的曲调，接着是鞭炮连串响。看到他们带去的照片，不仅榛子奶奶家的高兴，村民们传看完，最大的一张就挂在了"榛子林餐旅店"的堂屋里，住在那里的几个年轻游客也都赞拍出了百岁老人的独特神情。榛子奶奶的重孙子告诉他们，这是喜丧，他们就是天上掉下来的神仙！几个山村壮汉，胳膊交叉，组成了两乘轿子，让他们分别坐上去，随着送葬的队伍，往山顶上走。密密的树林，旋转的落叶，坠落的榛子、栗子、松子落到头上身上，让心窝好痒好甜……在山顶，那棵最古老的榛子树下，人们埋下了骨灰盒，竖起一块石碑。那天杨哥和我儿子成了山村的一员，每一户人家都跟他们称兄道弟，跟他们说常常回来，炕随便睡，馍随便吃，菜随便捡，酒随便喝……村民簇拥到村边，唢呐声声送别，杨哥和我儿子全笑着哭了。

他们回来给我提来一兜大榛子，给我看新拍的照片，我对杨哥说："这次拍的一定得奖。"杨哥说："还要什么别的奖？我已经得了大奖啦！"

蜘蛛脚与翅膀

跟老伴看完《梅兰芳》，从电影院出来，在人行道上缓步前行，议论着观影心得。忽然觉得身后有竹竿点地的声响，一回头，是一位戴墨镜的盲人，立即意识到，不该占住脚下的盲道，让开后，道歉："对不起，真不好意思！"盲人却并不移动，叫出我的名字来。老伴好吃惊。我倒并不以为稀奇。想必他从电视里听过我在《百家讲坛》揭秘《红楼梦》的讲座。一问，果然。于是说："感谢您听我的讲座，欢迎批评指正啊！"本是一句客气话，没想到他认真地指正起来："你讲得好听，可是，观点另说，你有的发音不对啊。'角色'不该说成'脚色'，该发'决色'的音。刘姥姥，你'姥姥'两个字全发第三声，北方人习俗里是前一字第三声，后一字第一声短读……这还都是小问题，有的可是大错啊，你说史湘云后来'再醮'，其实应该是'再醮'，那'醮'字发'叫'的音啊。奇怪的是，你明明是认得'醮'字的呀。你前面讲贾府在清虚观打醮，'醮'这个字不知道重复了多少次，你都正确地发出'叫'的音啊！寡妇'再醮'，就是她再次进行了祈福仪式，改嫁的意思啊……"

老伴先替我道谢："谢谢啦，就是应该跟淘米似的，每一粒沙子都给他挑拣出来啊！"我非常感动，在这样一个傍晚，这样一个地点，陌生人如此不吝赐教，是我多大的福气啊！

万没想到，他跟着讲出这样一番话来："这世界上，大概只有我单拨一个人，知道你为什么出这么个错儿……那一定是，五十多年前，在钱粮胡同宿舍大院里，你总听见我奶奶说'再蘸'、'再蘸'的……那是俗人错语呀，词典字典不承认的，你到电视上讲，哪能这么随俗错音呀，应该严格按照正规工具书来啊！"说到这儿，他脸微微移向我老伴，"嫂夫人，您说是不是这个理儿呀？"

我惊喜交集，双手拍向他双肩，大叫："喜子！是你呀！"

他用左拳击了我一下胸膛："苟富贵，毋相忘！你还记得我！"

我们进到附近一家餐馆，点几样家常菜，边吃边畅叙起来。

老伴问他："您怎么只听两句，就认出他来了啊？"喜子笑眯眯地说："他要没上电视，我也未必听出是他。我们半个多世纪没见过了。当然，我一直记得他那时候的话音。那时候我们都没变声呢。我呀，眼睛长在心上。成年人，只要听见过一声，那么，再出一声，不管隔了多长时间，也不管在什么地点，哪怕很嘈杂，好多声音互相覆盖、干扰，我多半都能'看见'那个出声的人，一认一个准儿啊！"

我说："我在明处，你全看见了。可你是怎么过来的？能告诉我吗？"他说："我从盲人学校毕业以后，到工艺美术工厂，先当工人，后来当技师，现在当然也退休啦。我老伴也是心上长眼的。可我们的闺女跟你们一样。不夸张地说，我差不多把咱们国家出版的盲文书全读过了。现在闺女利用电脑，还在帮我丰富见识。活到老，学到老，咱们这代人，不全有这么个心劲吗？"

我说："坦白：这些年，我真把你忘了，忘到爪哇国去了……"他说："人都有自己的命运，分离多年，遇上能想起来就不易。其实我也曾经把你忘了，后来广播里、电视有你出现，我才关注起来。如果不是今天我恰巧也来听《梅兰芳》，也没这次邂逅。闺女问过我：小孩时候，你就觉得这人能成作家吗？我就告诉她，是的，因为，他往墙上给我画过……"

回到家，我给老伴详细讲起半个多世纪以前的往事。那时候，在钱粮胡同宿舍大院,喜子奶奶常叨唠他妈是"寡妇再醮",给好些气受,其实,对他妈最不满的,是他的姐姐、妹妹都正常,他生下来却双眼失明。那时候他常坐在他家侧墙外的一张紧靠墙的破藤椅上晒太阳。有一次,我们几个淘气的男孩,就拿粉笔,以他为中心,往黑墙上画出蜘蛛脚,还嘎嘎怪笑。我开头也觉得这恶作剧很过瘾,但是,见到他脸上痛苦的表情久久不散,就有点良心发现,过了一阵,别的小朋友散去了,我就过去把那些蜘蛛脚全擦了,另画出了两只大翅膀。说来也怪,我也没告诉他我的修改,喜子却微笑了,那笑脸在艳阳下像一朵盛开的花……

老伴听了说:"做人,你要继续发扬善良。如果你还写得动,那么,画蜘蛛脚,得奔卡夫卡的水平,画翅膀,起码得有鲁迅《药》里头,坟头上花圈那个意味吧!"

止 步

秦老师鼻尖上沁出细碎的汗珠,心里有些起急,可还是把说话的声音尽量控制得不慌不忙:"大家原地坐下,休息十分钟,我去找一下曹恺。"有些孩子坐下了,有的却还站着,有的嚷:"秦老师,我跟您一块儿去找他吧!"班长凑到她面前,建议说:"发动同学们从四个方向找吧。"她摇头:"那样更不好集合,说不定找到了曹恺又丢了别人。"她又大声嘱咐了一遍所有的孩子:"一定别离开这里,还有半小时咱们就要登车回城,一个也不能少哇!"说完转身去找曹恺,斜阳的金光裹着她的身影。原地休息的四年级孩子们有的坐在那儿吃剩余的零食,有的站着说笑嬉闹,个别男孩子说着风凉话:"得,咱们该到晚报上登寻人启事啦!"几个女孩子发动周围的同学一起大声呼唤:"曹——恺——!"可是公园的那一角尽是些树丛花草,还有一座苗条的抽象派不锈钢圆雕,引不出丝毫回音。

曹恺这孩子一向稳妥。今天的游园活动里,也体现出了他的这个优点。比如公园里有个区域放养了若干孔雀，有的同学就总想拿些面包饼干甚至冰激凌去逗喂孔雀，曹恺指着公园里设置的告示劝阻他们说："这儿写着啦：请勿给放养动物喂食。"有片大草坪，不少游人在那上面坐着憩息，曹恺往里头去，有的被他阻止喂孔雀的同学就故意吆喝他："嘿！请勿践踏草坪！"他笑嘻嘻地说："这片草坪是允许游人进入的！你们怎么不看那儿的告示牌？"秦老师原来也没注意那告示牌，走近仔细一看，那上面确实写着："此草坪允许进入。请勿将垃圾遗留在草坪上。"可就是这么一个曹恺，在秦老师宣布自由活动半小时，五点准时回到那不锈钢圆雕旁集合以后，竟一直到五点一刻还没有身影！

秦老师当老师眼看就五年整了。带孩子们春游、秋游也有不下六七次的经验。以前也曾出过一两回集合时找不到个别孩子的事，那都是因为自己组织安排上有纰漏，比如嘱咐孩子们"五点钟一定回到梅花鹿塑像前头集合"，自以为万无一失，却万没想到那公园另一处也有一尊类似的梅花鹿塑像，有个孩子就跑到那儿去集合，没看见老师同学，急得直哭。秦老师越来越深切地认识到，组织孩子们进行游览参观一类活动，实在属于必须事先把每一个细节都设计周到，而且启动后又要有充分的应变能力，那样的一项系统工程。如今家长们对自己的独生子女的金贵程度，原来就有铭心印象，现在自己也有了上幼儿园的女儿，那体会就更加刻骨。她一边往前搜索曹恺，一边检讨自己当天的安排，那个不锈钢的圆雕，进公园时就问了工作人员，整个公园里肯定是独一份的呀；而在宣布自由活动（主要是给孩子们在离园前有充裕的上厕所时间）解散以前，她也特别强调了千万不要跑远了，一定要准时回来的要求；现在孩子们都有手表，她还又嘱咐了他们解散前互相对对表……那为什么曹恺竟失踪了呢？

走近公共厕所，秦老师不顾一切地喊叫："曹恺——"有点后悔没带个男生来；毫无反应；秦老师朝那边的幽径走去，只听有个声音阻止她："那边不开放。"她扭过头，见是公园负责人老何，她问："为什么？没写着游人止步呀！"老何走到一个立柱高过人头的圆形告示牌前，摸了下脑壳说："怎么干的活儿？给插反了！"原来是他手下的人员粗心，把有"游人止步"字样的那一面朝向幽径里头了；老何便忙道歉解释："这里边想开发个特殊的休闲区域，昨天才决定暂时禁游的……

唉，现在有的临时工是文盲，干出这么可笑的事情来！"秦老师便跟他反映找不见一个男生，老何说那就赶快让广播室广播；俩人正商量着，忽然那边幽径里有个尖锐的声音饱含惊喜地呼叫她："秦老师！"秦老师望过去，正是汗津津的曹恺，忙招呼他："你呀你！急死人啦！快过来呀！"曹恺斜了那告示牌一眼，满脸委屈，跑到了曹老师身边……

原来，曹恺上完厕所，看看表还有十分钟时间，就想在附近找找有没有鸡爪枫——他在《课外语文》里看到一篇文章，对那种枫树有很生动的描写——结果他走进了那条幽径，深入了一段没有找到；他往回转时，看到那新漆的告示牌上赫然写着"游人止步"，便以为是记错了来路，往另外方向去找，结果越走越迷……绕到最后，他还是找到了这个部位，恰巧看见了秦老师正和一位叔叔在说话……

带着曹恺往集合地点走，秦老师心里很乱，曹恺这孩子凡事都按社会上的告示行动，应该表扬；可是社会上有时候会出现误导的告示，别说没有处事经验的孩子会上当受骗，就是自己这样的成年人，也难免一时茫然……怎样在严格遵守社会规范和遇事灵活应变之间使道德与功利平衡不悖呢？这可是一辈子也学不尽的功课啊……

终于寄达

他收到一封信。很大，也很厚的一封信。开头他以为寄来的是杂志。打开以后，发现里面还是一封信，只不过比外面的信封略小。

他注意到，里面的那封信，封皮上地址写得不对。显然退回过发信的人，因为还有没撕尽的邮政退信签。那上面写的是他两年前的住址。

他撕开第二封信，吃惊！从那里面落出来的仍是一封未打开的信。信皮上的地址显然是胡扯。他从未住过那个地方。这封信的邮票也盖销了。显然也是退回过原处的。

这才仔细看寄信人地址。这个省这个市会有谁给自己来信呢？那信封右下的地址后缀着寄信人的名字。啊！原来是他！

想起这个人来了！

二十几年没见，也不曾想见……各自的生命轨迹早已离交会点越来越远……现在来什么信？

又发现，那信封左下角写着："地址如不对，敬请退还"。再看套着它的信封，外面的两个，也都标注着同样的"嘱咐"。搞的什么把戏？

既然地址一错再错，信也一退再退，为什么还要固执地一寄再寄？

最后倒真把他现在的地址打听出来，终于把信寄达了。

他捏着那第三个信封，揣测着：为什么给我来信？难道是……问我借钱？如今常有这种事，某些只不过同学一时、同事一阵的人，甚至于只不过有几面乃至一面之缘的人，会突然来信，来电话，甚至于找到门上来，有的曲曲折折，有的直截了当，有的有点脸红，有的脸一点不红……那最后的"主题"，便是借钱，或者叫做"集资"，有的答应给你很高的利息，有的表示合伙后有了赢利会优先给你"分红"……对这样的人，逼近眼前"短兵相接"的最难应付，热线上"交了火"的也不大好打发，可是来信者，那很好对付——撕了扔纸篓便罢！

他实在想不出，这位先生的来信还会是什么内容。他对他从无好感。难道那信瓤上写的会比借钱之类的事更无聊，更让他恶心？他都想马上撕碎了事！

但他感到手中的那封信，里头很坚挺。

寄来的是什么怪东西？莫非……

他小心翼翼地开拆。

乖乖！从那第三个信封里，掉出了另一个信封。也是盖销封！

信封上的地址更不对头。邮票上的邮戳很清楚。呀，是一年前寄出的！

这引出了他检查前几个信封上邮戳的兴趣。第三个信封上的邮戳比第四个信封上的邮戳，时间上晚了大半年。可是第二个信封上的邮戳与头一个信封上的邮戳只差一个星期！显然，那家伙终于打听出了他的正确地址后，便毫不迟疑地又一次寄出了他早在一年前便写好的"退回原址"的"废信"。其实此人对这次投寄也并不抱十分的希望，他也还是在信皮上注明了"地址如不对，敬请退还"嘛！

为什么要如此这般地一寄再寄？追逐所爱的异性，有这样的劲头，已属罕见，何况他们相互间甚至于从无过好感……

最怪的是，此公完全可以每打听到一个新地址，便重写一封信嘛！为什么不？这样地信封套信封，所欲何为？每重寄一次，都要贴超重邮资，何苦！那最后一个大信封，足足贴了十元钱邮票！

他拆开第四个信封。一边拆一边想，哈，一定还是一个信封，只不过更小一点罢了！

他竟猜中了。这把戏令他愤慨起来。

那第五个信封很薄。他不想再推敲，立刻拆，脑子里倏地飘过一个念头："到头来是个空的！"……为什么这样地恶作剧？安的什么心？是种什么寓意？！……

当那第五个信封中滑落出一张折叠的信纸时，他反倒吓了一跳，仿佛那是不该有的东西！

连忙展开信纸。慌乱中险些将信纸撕破。

先看抬头与落款。确是一封他该接到的信。来信者确是三十多年前到二十多年前同在一个单位的那个人。末尾注明的日期是头年秋天一个平常的日子。

信很短。是这样写的："我为三十年前的今天所做的事向你道歉。你不会不记得我写的那份大字报。它贴在当年我们单位食堂的西墙上，其结尾还转到了北墙。我现在决定不用'客观情况'来为自己辩解。我为主观上的恶一度那样发作而自责。我写此信并不是为了求得你的原谅。但我无论如何要设法把这封信寄达你本人。祝好！"

重聚麦当劳

还是"老座位"。他们第一回来——那是两年前，他们还在上大学，而麦当劳美式快餐店也还刚在北京开出头一家店堂——不过，那一回他们要的都是"巨无霸"汉堡包套餐，后来基本上也都如是；而这一回，他们都只要了一包炸薯条、一杯热咖啡；是的，这回没胃口。

他们都工作了。他在一家合资公司，她在一家杂志社。刚刚走向工作岗位时，他们都很兴奋。他们没时间见面，便频频地通电话。那电波里开头充满了喜悦与惊叹，他炫耀地描述他们 OFFICE 先进的桌面办公系统，还有他们总经理所坐的那辆奔驰 600；她则不断扩大着所亲自接触到的名流名单，还有他们如何一得到企业赞助，便"羊毛出在羊身上"地与企业的人一起到名菜馆吃"工作餐"……

三个月过去了，他们这才终于有机会重聚。出于习惯，还是约在麦当劳。那被他们叫做"我们的"座位——在二楼的一隅——没有被别人"侵占"，他们很是欣慰。但是落座以后，环顾四周，他们却几乎是同时感到索然。

是的，工作了，进入社会了，融进复杂而诡谲的生活了，首先发生变化的，是眼睛。眼皮儿杂了，眼眶子大了，眼珠子深了，因此，原来看惯了的东西，忽然变得不顺眼了。

"这儿……真低档……咖啡怎么能用纸杯子喝呢？"原来他可没这么挑剔。原来甚至于觉得进这麦当劳是一种高级享受哩。

"是呀，这儿怎么变得俗不可耐了？"其实，那里一点儿也没变，是她三个月里整天地听编辑部的几个半老头和半老徐娘在那里批判"鄙俗文化"，大唱"严肃高雅"，因此，连店堂里播放的里查德·克莱德曼的浪漫钢琴曲，原来极觉优美的，这时也"可疑"起来，因为，据说真正的音乐是不能用电子震荡器搞出这么一片聒噪的，这分明只能算是"杂耍"，而非艺术。

是的，他们总算懂得什么是真正的高档，什么是真正的高雅了。可是，那为什么都那么忧郁？他们大眼瞪小眼半晌，忽然几乎同时叹出一口气来，这才都勉强笑了一笑。

他带头倾诉起来。原来他给她，只在电话里报喜，现在他报上了忧。他说，他们那公司，工资确实高，一切方面拿眼一望，都确实亮亮堂堂的，人们互相之间，都极有礼貌，可是，比如说上星期，在公司餐厅里，一位文秘小姐突然晕倒在地，而且看样子是休克了，当时好几个部门的经理在场，却没有哪一位及时地走过去采取措施，还是一两位地位最低的办事员把她抬起来，又背到了医务室；他当时不在场，事后听说，简直不能相信，可是跟他很要好的同事告诉他，确实是那么一回事，他现在考问她："你猜，那些部门经理为什么都不及时站出来抢救？"她皱眉，答不出，他便告诉她："那是因为，他们都怕自己站出去，会被认为是自己跟那位女士'有关系'……你明白了吗？"她眉头抖了抖，似乎明白了一点点。他呷了一口咖啡，说："当学生时候，哪会有这种心眼儿呢？……后来，送医院里一查，果不其然，她流产了……究竟是哪位男士有责任？现在公司里谁也猜不出……可就算我们公司上上下下的经理们，谁也不是'那一位'，也犯不上为了避嫌疑，就见死不救呀！……"

她是快把咖啡喝完，才终于打开了话匣子，她说，他们一位副主编，她原是很尊重他的，听说他是什么高门槛都迈得进，采访政界、商界、文化界名流的文章，都印成两大本书了，在他手下工作，不是正好能学点子本事吗？自她进了编辑部，那位副主编也真是对她格外器重，格外亲热，有时候，编辑部别的人不在，副主编进来，跟她谈笑风生，兴奋起来，还拍拍她的肩膀、手背什么的，有一回她校稿，他似乎是很自然地把双手扶住她的肩头，帮她复验出了一个舛错，她虽然多少有点不自在，可也没往别处想；上大学时候，男女生一块儿去松山游览，大家疯疯癫癫的，甚至于晚上就和衣在一间大屋子里，各歇一边，熬了一夜，谁也没感到别扭，因为思维定式里，没那根弦儿嘛……再说，那位副主编，论年龄，能当她父亲了，能往别处想么？可是，前两天副主编说要带她一起出差，她当然一听就答应了，没想到一位老大姐把她找到一边，劝她最好别单独跟那副主编一块儿去……她让他猜，老大姐为什么"挡驾"？他把咖啡杯捏瘪了，说："那不是很明白吗？"她却叹了口气说："他们有矛盾，我知道……可我又不能不信……没想到，走进社会，随便的一个人，都这么不可测，随便的一件事，都这么不简单……"他点头。

　　一群小学生在那边聚会，一定是为哪个同学庆贺生日，闹闹嚷嚷，抢蛋糕和冰激淋吃。他们望过去，又羡慕，又伤感。麦当劳不再是他们的乐园，下回他们该到哪儿去呢？而且，最要命的是，失去了往昔的浪漫情怀，交谈的内容越来越沉重，他们还会有浓酽的相聚愿望吗？

　　整个麦当劳快餐店，弥漫着浓郁的热奶酪气味，正有许多新的汉堡包出炉。

有人点歌

　　OFFICE 里的白领丽人们，这几天一到午休时间，便一边吃盒饭、喝三合一速溶咖啡，一边议论电台的听众点歌节目，那也正是电台这个节目的惯常播出时间。她们的议论，便以正在播出的点歌节目为"背景"。

　　之所以这几天的闲聊话题集中到了这点上，是因为上星期的报纸上登了一篇报导，说是有个姑娘，忽然听见广播里有人给她点歌，那点歌人自拟的词儿里说："为了我们一起度过的美好时光，我要永远地对你说：我爱你！"可是她根本就没答应过那人的求爱，更不可能跟他"一起度过美好时光"；点播播出后，单位里便有人对她背后指点，甚至当面问她："什么时候吃你们喜糖呀？"她的父母，也责问她怎么那么随便地就跟人去"度过"，她真是跳进黄河洗不清！因为这件事，她不仅苦恼，简直精神都快崩溃了……

　　阿嫦说："我还是那个观点：有人爱你、追你，给你点歌，这有什么不好？你不爱他，歌照听嘛！"

菲菲反驳说："这叫性骚扰,在国外,告到法庭上,管叫那浑小子吃不了兜着走!"

晓丽说："报上说了,总该想出个办法来,避免这种骚扰才是嘛!"

阿嫱问："怎么个避免法?你让电台怎么判断?除非取消这种点歌节目!"

波瑞说："取消也不必,只是,以后不许点歌的人,在前头加那些个肉麻的话。"

阿嫱又马上扭头跟她争："前头加不加的,没什么要紧,歌里唱的,才是真格的啦! '我选择了你,你选择了我……'就点这一首,你没选择我,我也还是选择了你,并且满世界都以为我们互相进行了最佳的、永恒的选择……怎么着?禁止得了吗?除非这歌你定它个反动,'扫黄'把它扫了!"

波瑞不跟她争,只问晓丽:"你那天听着他给你点的那首 ROXETTE 的歌,是什么感觉?"

晓丽只是微笑。

阿嫱便去搂着晓丽的肩膀,摇晃着说:"那首歌,要真把那些个词儿翻译出来,可够性感的!要让你那古板的老爸老妈弄清楚了,没准再不让你那白马王子上门了呢!"

晓丽便推她,她不躲,对推对挠,"哗!"晓丽跟前的咖啡杯掉地下了,半杯咖啡差点泼到西服裙子上。

"女士们,雅静点,小心经理看见不高兴,炒你们的鱿鱼!"波瑞提醒着。

"哼,经理……他也小心点,指不定谁炒谁的鱿鱼呢!"菲菲仰脖喝干她的咖啡。

波瑞和晓丽对望,用眼神评议,不吱声。

阿嫱依然口直心快,亮声朗气地说:"菲菲,你放心,他要再敢有那个意思,咱们也给他到报纸上曝个光!"

不知清洁工李嫂什么时候已经拿着拖布来收拾她们弄脏的地板,一个个都坐在电脑台前的转椅上,把双腿抬得高高的。

在李嫂拖地的时候,白领丽人们短暂无话,而就在这时,菲菲和阿嫱的小收音机里,都清晰地放送出了节目主持人的报告声:"……为李淑芬女士,点播《选择》……"

阿嫦头一个笑出声来："哈！又是《选择》！这算是正当求爱，还是性骚扰呀？……"

波瑞笑问："李嫂李嫂，你是不是叫李淑芬？"

菲菲说："这样的名字，最容易重啦！"

波瑞说："是呀，这样的事儿，电台怎么处理呀？明明是有一位绅士，给李淑芬小姐点了这么一首情意绵绵的甜歌……可跟咱们李嫂重名儿了——"

阿嫦抢上去，拉着怪腔："噫！敢对咱们李嫂进行性骚扰！胆大！妄为！咱们一起去帮李嫂控告那厮！管叫他吃不了兜着走！"

几个人就都笑，唯独晓丽不笑，她望着李嫂，喝住了同事们："别笑啦！"

那三位白领丽人就都愣愣地望着她，她也不说什么，只用下巴一指、用眼神一表，三位便都朝门口望去。

李嫂站在门口，背倚门框，手扶拖把棍，用心地听那收音机里的歌，脸上焕发着明白无误的幸福之光……

毋庸求证！竟然真是……四个白领丽人，眼波互递，多少感叹，多少艳羡！……

住女生宿舍的男士

烫过脚正要上床休息，忽然倪君来电话，语气令我觉得怪异，要我马上到附近咖啡馆跟他见面。

其实三小时前我刚跟他见过面。我们共同的一位境外朋友，来京住在酒店，约了我和他，还有另两位北京人士，一起在酒店吃自助餐，畅叙别后情况及国内种种变化，当时他神采奕奕，谈笑风生，我和其他几位都贺他事业有成、家庭幸福。

怎么才过三个小时，他竟仿佛精神濒于崩溃似的？

我匆匆穿好衣服，赶往他指定的那家营业到深夜两点才会打烊的咖啡馆。街上行人车辆稀少，隔着咖啡馆的大玻璃窗，我一眼就看到了许多空座位包围着他的身影，竟是脊背佝偻的一副颓唐相。

我进入咖啡馆坐到他对面，问他："你怎么啦？"他抬起头，长叹一声说："住女生宿舍啊！"我一时摸不着头脑。

倪君五十五，我们认识有十多年了。他以前也曾把自己的苦恼向我倾诉，比如在评职称过程中所遭受到的排挤，还有他两年前，房价还没疯涨的时候，贷款买下了一套面积不算大但格局很适合他家居住的二手房以后，我刚说出恭贺乔迁之禧，他就直率地告诉我："每天早晨一睁眼，立马想起今天欠银行一百块钱，什么滋味啊！"但是，现在他高级职称拿到了，收入增多房贷压力减缓，怎么还如此状态？

他喝一杯卡布奇诺，我只要免费开水。我意识到我的任务既不是问什么更不是劝什么，就默默地啜着热水，倪君也不看着我，而是对着他眼前用小勺搅出旋涡的咖啡，倾诉起来。

他说他现在是住在女生宿舍里。第一位女生就是他的夫人。颇长时间了，他夫人不仅绝不对他亲热更反感他的主动亲热，一小时前厉声呵斥他："你别碰我！离我远点！"他说，当然，他懂，是他夫人进入更年期了，据说更年期综合征有的反应轻有的反应重，他夫人属于奇重，令他苦闷难堪。如果只有这一位女生倒还罢了。还另有两位女生呢。一位是他的岳母。本是相当慈祥的一位妇人，没想到这两年变得脾气乖戾，如果是患上老年痴呆症倒也罢了，却是痴而不呆，叫做痴疑，最离奇的是总怀疑来打扫卫生的小时工要偷她的钱财，把她自己的一个存折，用一方旧头巾卷起，再系到自己腰上，如今睡觉的时候也不解掉，前些天他夫人给他岳母洗澡，他只不过是把那暂时解下的存折拍平而已，事后岳母却长时间用疑惑的目光望着他，令他十分难过。最难对付的则是第三位女生，名副其实的女学生，他的女儿，如今上到高二；去年暑假女儿和几个同学去北戴河游玩，他和夫人趁机把女儿那间屋彻底清扫一番；不敢改变女儿屋里的格局，比如床边墙上如同门扇那么大的某歌星像，还有印着格瓦拉头像剪影挂在电脑桌上方作为装饰的 T 恤衫，都只是掸去灰尘，并没有加以改变，没想到女儿回家以后大怒，也没跟他们多吵，过几天女儿天不亮就去学校，他们两口子起床时，一眼看见他们卧室门上粘着一条大标语："与你们的后殖民主义抗争到底！"后来就发现女儿给自己的屋门加了一道他们没有钥匙的锁……是呀，一个进入更年期，一个进入老年痴疑期，一个进入青春反叛期，三个女生三窝蒺藜，难怪倪君场面上光鲜欢畅，回到女生宿舍却难以支绌，郁闷至极。本来今天晚上与老朋友欢聚，他是真高兴特舒坦，没想到回到家没进门就听见屋里吵闹声喧，原来是他夫人发现女儿不是在好好复习功课而是在电脑上浏览什么流浪汉"犀利哥"的信息，气得骂女儿"早晚是个宅女剩女啃老女"，女儿就反唇相讥："谁让你们没能耐让我进一流中学？考上大学又怎么着？考不上又怎么着？你们一群小市民！你们懂得什么叫现代花木兰吗？"而单在一屋的岳母法制节目看得多了，就哆哆嗦嗦地拄着拐棍走到客厅，气喘吁吁地说："嚷吧嚷吧，把打劫的嚷进来了，可怎么了啊？"……

　　我正想略回应几句，他手机响了，他用扬声器模式接听，是他夫人平静的声音："我刚热好银耳百合莲子羹，回来喝吧。"他问："她们呢？"回答是："都睡了。一个轻轻打鼾，一个小声说梦话。"他站起来跟我说："谢谢你来。"

　　我望着倪君钻进出租车。这个住女生宿舍的男士，他所承受的哀乐不仅属于他个人。我扭身往自己家走，深呼吸着静夜的润气。

兹彼丽女士

　　小区里有一位女士，身高不足一米五五，大学毕业以后求职，先碰了几次壁，人家也不明说，但她很快悟出，是嫌她个子矮，于是，再一次到公司应聘，面试时没等人家提问，先主动说："我知道你们会嫌我个子矮，而且你们也不是没有你们的道理——既然别的个子高的应聘者跟我别的条件差不多，那何必非录用我呢？但是，"说到这里她站起来，还转了转身，接着说："你们看出来了吗？我是自成比例的，而我的自成比例，还不仅仅体现在保持身材上。"面试她的副总经理被她的自信打动，也没再提什么问题，就定下了她。

试用期里，几件事过手，公司几层领导就都发现，此女为人处事确实自成比例——既可着脑袋做帽子、守着多大碗吃多大饭，却又能润物细无声地使芳草越铺越远——于是，转正留用，一年过去，擢升为部门负责人，矮个子领导了一片高挑靓男倩女。

在小区，此女购得的那套单元，是顶层朝向最差的一套；她开的车，是那种外行看了以为高档的中档货；她到小区花园里健身，静止时会觉得她未免"来自小人国"，一动起来，却令人忘却她的体量，大有黄莺展翅之美。小区里像她那样的白领不少，一来二去，在花园里从相对微笑有了攀谈交往，其中一位高挑身材的女郎跟她最相契，高女郎当然也跟别的业主攀谈，于是高女郎给她取的绰号渐渐不胫而走——兹彼丽女士，其实就是"自成比例"女士的紧缩音。高女郎有一次对遛狗的大妈说："哎呀，原来我嘲笑兹彼丽，说她不会买房也不会买车，现在我才体会到，她是自成比例啊！我呢，每天早上一睁眼，本来亮晃晃的太阳照进来，该开心不是？却马上想到，我今天又欠银行二百五啊！如果公司倒闭，如果我被炒了鱿鱼，可怎么得了呀！"原来，高女郎虚荣心重，非一步到位买大房还得朝向最好的，买车也绝不愿"让内行看了齿冷"，于是贷款额度都不小，成为很大负担，为保证还贷，常常在装修堂皇的大房子里泡方便面、在高档靓车里吃煎饼，而兹彼丽女士呢，房贷、车贷的利息跟现收入比，根本不成其为"潜在危机"，高女郎也曾应邀去过兹彼丽的那个单元，高女郎自己买下的窗户只朝南和东的"黄金角"单元，虽说方位极好，但每天早出晚归，其实享受"黄金角"优越性的时间并不多，她进入兹彼丽那窗户多数朝西的单元，问："你怎么忍受得了夏天的西晒啊？"兹彼丽说："其实夏天也多是很晚才到家……不是说东房冬寒夏热吗？你看我的灯光设计——"于是拉上窗帘演示：她那单元的贴壁灯，夏天能给满墙铺上冷色，冬天则是暖色，"加上有空调、有暖气，那么从实质上和心理上，我四季都很舒服的呀！最重要的是，我的选择自成比例，我在这小区居住，享受到高档的环境和物业服务，却又只付出对我而言是没有多大后顾之忧的还贷数额。"高女郎大佩服，她们成为闺中密友，私房话里，自然会涉及如何寻找"那一半"的议题。

高女郎也曾有几位相貌伟岸的男友，有的还来她那里同居，世道开通，无人侧目訾议，但高女郎如今基本上仍是一人独居，从她嘴角不自觉地有些个微微下弯看来，她的幸福指数，可能偏低。但兹彼丽女士却结婚了！她的夫君跟她一起出发去蜜月旅行，两个人的背影，令小区里一些人发出疑惑之声："这难道也是自成比例吗？"那伉俪的背影，确实男的显得太高女的实在太低啊！及至转过身来，人们更是惊讶，兹彼丽面容娇俏，而她先生呢，不能说丑陋，却实在属于难看的一类！蜜月旅行回来，有一天高女郎单独与兹彼丽相处，说："请解释——"兹彼丽笑："请看我们拍的照片。"从电脑上看那些数码相机拍的旅游照片，居然多是些风景照或花草鸟石的特写照，人像很少，互拍的人像，新娘多是侧影，新郎全是背影，唯一一张请别人拍的双人照，却是黄昏中的剪影。高女郎看完不语。兹彼丽约高女郎留下，待先生回家后一起晚餐。晚餐菜肴全由那先生烹制，色香味俱全，席间夫妻二人与高女郎交谈，唱合幽默分寸恰切。高女郎回到自己住处，一边听音乐一边沉思：把人生剪裁得自成比例，真的就意味着幸福吗？

赠　券

他和妻子在走进地铁口时得到了那几张赠券。散发赠券的是个年轻的姑娘。那姑娘恨不得把赠券塞给每一个出入地铁的人，可是有些人根本就不理她那碴儿，她手里的赠券都挨着人家袖子了，可人家还是漠然地管自走路，眼睛连个余光也不给她。妻子却不仅接过了她递上来的赠券，还装进了提包当中。在地铁站里等车的时候，看到有人把那姑娘塞到手中的赠券随手扔进垃圾桶，妻子叹息说："唉，如今的人啊……白来的东西，就扔了也不觉着可惜！人家印得挺精美的嘛……"

那赠券确实印制得颇为精致。是在某一个展览馆举行的一个名目非常堂皇的生活用品展销会。回到家，他便对妻子说："这样那样名目的展销会你去得还少吗？哪一回不是上当？何况这个展销会离咱们家那么远！"妻子说："谁说我要去啦？我有那么多工夫吗？"但是妻子并没有扔掉那些赠券，而是将它们随手压在了组合柜的西洋美女钟下面，那是她一贯存放电影票戏票之类东西的地方。

几天过去了。两人白天都上班，晚上忙着做完饭刷完碗便一起坐在沙发上看电视，电视里有个节目正在给假冒伪劣商品曝光。丈夫便对妻子说："像那种展销会，十有八九是借机推销假冒伪劣商品……最起码，是打发滞销的过季商品，你可千万不能去上那个当！"妻子附和说："可不是！轻易不能上那个当！"

可是又一个晚上，妻子不知怎地想起来给组合柜掸灰，掸到那西洋美女钟，便又取出那几张赠券来，端详起来……丈夫便知那赠券上的一些词语又在蛊惑她了，便说："别信那'全面打折'的鬼话！晚报上的文章你没看到吗？他们往往是先写个三百元的价签，然后给画个大红叉，另写上个二百一十元什么的……其实他那东西本来顶多卖到一百五！……还有'买一送一'，其实他本来要的就是两个的钱！再说，那些东西，比如大罐的速溶饮料，就算还没过期，你干吗要一次买两大罐呢？……"妻子倒也没说什么，但仍把那几张赠券压到了原处。

眼看又快到周末了。妻子吃晚饭的时候忽然说："……那个姑娘挺憨厚的模样……"丈夫问："谁？哪个姑娘？"妻子眼光忍不住朝组合柜上那西洋美女钟一瞥，丈夫立刻洞察了她的心思："那姑娘可能确实憨厚……她是靠自己的劳动挣一点劳务费，无可厚非……可那展销会，我肯定它决不是个憨厚的展销会！……"妻子没有反驳，却满脸的不高兴……

周末到了，妻子的女友来了个电话，他听见妻子在应答说："……我倒有他们的赠券……是呀，有了赠券，就不用再买那两块钱的入场券了……你说他们会不会蒙人？……对呀对呀，他蒙他的，咱们就是逛逛，权当散步，他还能强迫咱们吗？……你说得对，一个人去有什么意思！多两个人，还能互相提个醒儿……参谋参谋！……嘿，正好！我这儿有好几张呢！……行，约上'小猫'！……你给她打电话还是我给她打？……成，成……那就……"他没听完就叹着气去厨房里抽烟了……

周日妻子竟兴冲冲地拿着那几张赠券，去跟她的女友们逛那展销会去了。他一点也不反对妻子约她的朋友逛商场，可她们为什么不到正规的大商场去，却偏偏要跑到贼老远的那么个展销会去？仅仅是为了手里有那么几张赠券？……

已经是傍晚了，他用电饭锅煮上米饭，准备炒的菜也都搁齐在厨房案子上，便坐在电视机前且看体育新闻。

忽然门上钥匙孔响，单元门开了，妻子在过道里换上拖鞋走了进来，手里只有她那平日上班也提着的小包，并且见到他便说："你说得对！……跑那么远去干什么啊！……其实根本就没人买门票，门口也净是发赠券的……唉，真把我累坏了！……"他得意地说："谁让你自己找罪受呢？"妻子却又责怪地盯着他说："你这人！怎么还坐在那儿！你就一点忙也不帮！……"他只茫然了几秒钟，便恍然大悟……他一跃而起，冲到过道门边，果然，那里摞着两大包鼓鼓囊囊的来自展销会的，乐观的说法是"可有可无"，然而更可能是不得不悲观地宣布为"可无"的"便宜货"……

自助餐

闷热的夏季，晚饭后常到楼下的护城河边遛弯儿；在河边，一个偶然的机会，认识了胖师傅。

　　不是因为他长得胖，才这么叫他；他姓胖，这实在是一个很古怪的姓，我似乎还不算孤陋寡闻之人，但姓这个姓的人，活了半辈子，不仅头一回遇上，也是头一回听说。

　　护城河边，有个地铁站，站背后的荫凉里，常有些粗人围坐在地上下棋、打扑克，以老头子和半老头子居多，我遛弯时，也常遛到那儿去伸一脖子，瞧个热闹；有一回就看见一位师傅，坐在人堆里，只呆呆地看别人下棋，人家杀完，请他上阵，他不上，就有旁边人说他："您那脚淤着大血包，遛弯儿也遛不了，老跟这儿坐着，也不亮一手儿，倒是看棋能把那血化了怎的？"又有人说："得吃云南白药才成，您那公费医疗的地方，给您开吗？"他只摇头；我朝他右脚望去，那脚大概是被重物撞了，伤口已愈合，但确实淤着血包。

　　我忽然想到，头年一位云南的朋友，送了我好几盒云南白药，是正宗的茶花牌的，何不拿来给这位师傅救急？于是我返回家中，取出白药，看好说明，便又下楼来到地铁站，不想棋摊那儿已经没他踪影；我便顺护城河去碰，果然发现他正慢慢地在河边走动，于是招呼他，跟他说明原委，把那云南白药给他，又把服法说明讲给他听。我们就这么认识了。

　　胖师傅的脚，很快复原了。也未必是那云南白药的功效，他的身体，原极壮实，他说打小就没用过什么好药，有时根本不用药，也能扛过去。不过这回的脚伤，使他半拉月没能去上班，如今不上班就不开工资，所以损失惨重。这回也不是工伤，是夜里起来撒尿，因为水泥地板上有水，打了个出溜，右脚一下子猛撞到凸出的墙转角上，出的事儿。

　　这么一来二去的，我们就熟识了。我下楼遛弯儿时，遇上他，多半一块儿遛遛、侃侃，有时也坐在河边的台阶上闲聊；我因杂事繁冗，有时好几天不能下楼遛弯儿，又得闲下去时，他见了我，很是兴奋，似乎一直在期待我出现；他出来遛弯儿，总带一张旧报纸，为的是坐下时，垫在屁股下面，后来我发现他预备了两张，遇见我时，便递给我一张。

　　胖师傅是个建筑工人，具体来说，是浇铸模板的工人，那工作的内容，听他讲述，大体是先将钢板或钢筋焊扎在一起，再用水泥浇铸成型，我们如今居住的这些楼房，都离不开胖师傅以及他的伙伴们的辛勤劳作；他们这一行，基本上是露天操作，除了下暴雨，一般的风刀霜剑，都是顶着干的；算来他干了三十多年了，如今已五十有八，这种重体力劳动，对他来说，已极吃力，但他只能撑着再干两年；他说当年规定退休年龄时，没把他们这一行定为可以五十五岁退的那一档，也就是说，当年还没把干这个当成是多么重的体力劳动，但如今哪个年轻人愿意干这个呢？现在跟他一起干的，年轻的全是外省小地方来的农工，他们愿干，却没一个能看图纸——说起看图纸，胖师傅很骄傲，他常常给我讲点有关的事，我听来一头雾水，也不好打断。

我和胖师傅的共同语言，确实不多；问他们那儿有什么改革的新鲜事儿，也就是严格计件计酬，别的也说不出什么来；他对社会上的事儿，不那么上心，所以也不发什么牢骚；物价在涨，但他消费无多，也还过得不是很窘迫；他儿子是电工，儿媳是公共汽车售票员，有个小孙子；老伴在医院做临时工，打扫卫生；他们住一个两居室的旧单元，也不算很拥挤；他星期天也不休息，几十年来从来如此；也不爱看电视，唯一的文娱活动，就是晚饭后到河边遛弯儿；他也并不下棋打牌，那几天是因为伤了脚，活动不便，才在棋摊那儿一坐，让我遇上。

跟胖师傅聊天，好处是可以漫不经心，可以所答非所问，因为他长期干那个，现场又敲又焊，噪音分贝值极高，他的两耳，都近乎半聋。

由于我问了他年轻时候的事儿，他就常回忆年轻时的事，大半是关于吃的，更具体地说，是关于饥饿的回忆，一些很生动的回忆，我听来，似曾相识，因为我年轻时，不断地被组织在"忆苦思甜"的活动中，而且我在"三年困难时期"那会儿已经十七八岁，一个冰凉铁硬的窝头有多香甜，我是有过实践体验的——如今谁还乐于听这些陈芝麻烂谷子呢？我也懒得听，只不过胖师傅的回忆很精粹，而且绝无任何功利目的，又带有他个人的某些特色，所以他怎么说，我也就怎么听，从不打断他。

胖师傅过的，应是一种洁净纯朴的生活。

但不那么洁净更不那么纯朴的事物，一步步逼进到我们跟前，胖师傅亦不例外。在我们那条护城河边上，突然出现了一个夜总会，而且离胖师傅他们住的那座楼只有一箭之地；那夜总会的所在，原是一个卖普通电器的地方，经改造，面目全非，这里不去形容，大家不难想象，胖师傅和四周一些纯朴的居民一样，在夜总会刚开张的那几天里，不禁站在其大门对面，朝里面好奇地张望；那夜总会当然不以附近的居民为服务对象，据说他们是去各大饭店大宾馆拉客，还有就是开私车或打"的"来的大款们；从那落地大玻璃门望进去，只能看见一些绿幽幽的灯光，偶尔有一个半个陪酒女郎的身影，一闪而逝；夜总会门口，有身穿类似外国骠骑兵那样的男青年——该怎么称他们？"波侬"？保卫？我也说不清……

那天遛弯见到胖师傅，他头一回对我大发牢骚，原来他头天在那夜总会门外张望时，受到了那"骠骑兵"的轰赶，理由是他赤膊碍眼，"我在我家门口，谁碍谁眼了？"我当然大表同情；他说："他妈的！豁出去咱们也进去乐乐！不就六十块一张票吗？"我就劝他千万别赌那个气，据我所知，这类地方一进去，绝不是六十块可以对付得了的，六百也不一定出得来，兜里揣六千大概还差不多；他就不言语了，估计在心算，他一年的收入，归里包堆，大概比六千多一点吧。

有天我爱人随单位旅游去了，要在旅游地住一夜，我外出吃晚饭，一下楼就遇上了胖师傅，他刚下班，骑车回家，我就顺便约他一起去找个地方吃晚饭；他起初不允，后经我坚邀，也就随我；我灵机一动，提出去个高级点的地方，不要夜总会那么深浅难测，也不要太大众化，我正领了三百块稿费，无妨挥霍一下——我那潜意识里，也有让胖师傅风光一下，从心理上补偿一下"骠骑兵"之辱的用意。

我们就坐地铁去了港澳中心，那是一家四星级大饭店，里面有个自助餐厅，是它所有餐饮部中最便宜的一处；那里面富丽优雅，银制餐具闪闪发光，餐桌上有浆过的餐巾，餐盘是细瓷的，上面有特殊的徽号；桌上还有当天插入的红玫瑰，厅中还布置着若干盆栽的龟背竹和凤尾竹；那是一种不太高档的自助餐，因为没什么海鲜，但有十多种凉菜，近二十种制作精致的冷肉肠片，十几种装在大银球型保温煲里的热菜，其中有法式烩牛肉、意大利式柠檬鱼、葡萄牙式番茄鸡等等，还有五种以上的奶酪，七种以上的小面包，十种以上的甜点心，以及许多种果子羹和冰激凌，总之样样都很勾人口涎。

我们进去坐下以后，我先要了两客扎啤，然后对胖师傅说："除了饮料，其他的东西，自己随便拿，吃完可以重吃，吃多少都收一样的钱。"他便问我："一个人多少钱？"我说付人民币，一个人是一百元。他就不再吱声。

没想到那一餐我们吃得很不得劲。胖师傅不怎么去自取，还是我帮他取了给他端去的时候多。我对他说："这些大房子，哪座能缺了你们模板工的劳动？你干吗不好意思？大大方方吃呀！"他说："我有啥不好意思？我吃不下嘛！"我劝他吃一种西西里烤肉，他说："我一向不馋肉。"我又劝他吃炸乳鸽，他尝了一口说："不怎么样！"

更没想到的是，自吃过那回自助餐后，我下楼遛弯儿时，竟难得遇上胖师傅了；昨天好不容易在地铁站后的棋摊那儿遇上了他，他正坐在弈棋者旁边看棋，就和我们头一回相见时一样；我真有点惊呼热中肠，忙招呼他，约他一块儿遛弯，他也笑着招呼我，却并不站起来，而对我说："您先遛吧！我这儿看看！"

我快快地离开了那儿。

走到那夜总会附近，色彩刺目的霓虹灯一闪一闪。

1993.6.26

最佳美容师

承蒙您夸奖。说我是最佳美容师，不敢当。确实，我开的小小美容廊生意挺火。也难怪。我在剧团干了几十年的化妆师，现在人虽退休了，全挂子的本事没退。当然化妆师跟美容师还不是一个概念。化妆师有时候搞的是丑容。比如以前我就有把漂亮的女演员化妆成丑地主婆的能耐，现在你就是要我把"十佳礼仪小姐"当中的首佳丽人化妆成旧社会的坏媒婆，只要她愿意，我是轻车熟路一点也不为难，保证让她化好妆走出来连亲娘也认不出。

　　不过如今我领照开办的这个小小美容廊接的没有一例化丑的活儿，全是增美的活儿。实话说，化丑易，增美难，特别是遇上那号本身素质差却偏求美如渴的主儿。她有大把的钱，你收费再高她也不打哆嗦，只有一条：让你想方设法使她那至多算个中下的容貌化成上上。有人说我挣钱容易，其实个中酸辛有谁知，为了把一位钱多貌差的主儿拾掇得光艳照人，我得脑力劳动、体力劳动一齐上，她倒仪态万方地走出门了，我却往往瘫在椅子上，贴身子的衣服全让汗粘住，得喘上半天才有精神找支花粉田七口服液吸吸。

　　头年那回有个姑娘，一进门我就知道麻烦来了，只瞧了她三眼，我就判定是个本属囊中羞涩的主儿，一定是为了相亲之类的大事，才揣上几张大票子，咬着牙迈进了美容廊。身材、头发就都不去说了，单说她那脸庞，扁而乏味，五官没有一官是及格的，可她坐下以后，红着脸，居然从提包里掏出了一张从什么画报上剪下来的模特儿相片，哼哼唧唧地对我说："……人家说要能照这样子弄就好了……"我心里头一边暗笑一边发愁，"人家"不消说是所"对"的那个"象"了，可您这么个基础，可让我怎么着下手，才能调理得跟那相片哪怕只有三分相似呢？

　　就甭提那天的活儿怎么着让我既劳心又劳力了，而且我一点儿没赚倒亏去好些——也是我赌气要显示显示自己的手艺，给她使的净是些进口的化妆品，比如眼影膏就使的是托明星朋友从巴黎买回来的——可是当她红着脸掏空了钱包跟我说"再没有了"，我只是瘫在椅子上跟她摆手儿，她容光焕发地走出去时，我心里头也漾着酽酽的蜜意。

　　可你要恭维我是最佳美容师，不是我故意谦虚，本来我也以为我当之无愧，昨天的遭遇却让我甘拜了下风——原来自有那别说是我就是把天下所有美容师都算上，谁都不能不服的最佳美容师存在……

　　且说昨天下午我路过妇产医院门口时，正巧遇上一位丈夫，还有一位要么是小姑子要么是小姨子的角儿，把一位怀抱婴儿的产妇接回家去，就在他们登上出租汽车以前，我一眼认出来那产妇便是那天把我累得够戗的主儿，当时秋阳铺到她身上，她剪着最朴素的短发，一点儿妆也没化，但她微微低头望着怀抱中襁褓里的小娃娃的那面容、那神情、那韵味、那内涵，倏地让我心里一震，哎呀！她怎么显得那么美呀!

　　直到现在那我无法形容出的美丽的面容还定格在了我的心上。当然我还将干美容这一行，但我总算真正懂得了那让每一个人真正美起来的具有永恒性的因素，究竟是什么……

　　　　　　　　　　　　　　　　　　　　　　　　1992 年 12 月 2 日

最亲爱的

　　是的，你头一回听李春波唱《一封家书》，那头一句歌词让你觉得真逗："亲爱的爸爸妈妈……"你原来总觉得，"亲爱的"这个词儿挺那个，在你这个年龄，上中学的时候，能把这词儿挂嘴上吗？头年教师节，小组打伙儿给班主任老师买了一张最大的贺卡，在那上头写祝词的时候，也有女生说，打头写上"亲爱的王老师……"可男生们几乎全都现出难以形容的表情，有的还急了眼，抗议说："什么呀什么呀！"结果打头写上了"尊敬的王老师……"那位才从师范学院毕业没几天的女老师，接过贺卡时总算没脸红，这都是你们初中年华才有的内心微妙，对不？

　　你还从没给爸爸妈妈写过"家书"，因为你压根儿就还没离开过家。爸爸是很平常的爸爸，长相平常，职业平常，收入平常，性格嘛，除了有时候脾气上来，像团火球，也很平常；妈妈有点不平常，妈妈挺漂亮，这是真的，不是吹，可妈妈的职业也挺一般，没什么可引以自豪的。总之，你原来虽然对爸爸妈妈没啥不满意，可心里想起他们来，怎么也安不上"亲爱的……"所以你学唱《一封家书》的时候，那头一句，就总唱得怪腔怪调。

　　……没想到，那天你又惹得爸爸生气，这本是常有的事，爸爸觉得你不对，呲儿你，你顶撞几句，爸爸更严厉地呲儿你；妈妈并不怎么加入呲你的行列，可是她也不轻易出来护着你，那天也如是；也许是那天爸爸喝了两杯酒，加上他在单位里不顺，他呲儿你呲儿得比哪一回都凶，你呢，你在学校里就那么顺么？你还一脑门子官司呢！妈妈当时在厨房里刷锅，爸爸突然爆出邪火，你一句话顶过去，他大吼一声："你给我滚！"你摇摇肩膀，一跺脚，也不知光是心里想还是嚷了出来："滚就滚！"你也不记得是怎么一个过程，反正，当你清醒过来时，你已经在街头。

"流落街头"，记得语文老师提问过你，问你这个词组里那"流落"两个字怎么讲，你当时张口结舌，后来老师给解答了，你还记在了笔记本上……这回你可是真的流落街头了！夜色茫茫，还下起了霏霏细雨，街上的行人不断在减少，你没穿够衣服，你拱肩缩背地踽踽独行，后来你发现地铁站口，那里面溢出温暖的光晕，你赶快走了进去，地铁站里果然能避寒，但是你总不买票进站，于是就有一个门牙上满是烟渍的男人走到你跟前，叫你"小兄弟"，递你一支烟，还问你"要不要活儿？"你心里怦怦乱跳，你慌忙转身，跳上了往上的楼梯，你回到街头，一个报摊支着塑料棚子，守摊的老头儿还在吆喝，兜售最新的一期《法制与生活》，你听着那声音，心里余悸犹存……

你漫无目的地走动，时间仿佛停滞了，而空间显得迷茫凄清……

你不饿，可是你很渴，你掏兜，你发现自己居然有一块多钱，你想买喝的，可卖小食品和饮料的店铺都关门了，你也看不到还在营业的摊档，你手里捏着钱，咽着唾沫，心里生动地浮现出家里的热茶，还有加了冰块的冻果珍……那只外面画着唐老鸭的大瓷杯，还是几年前过生日的时候，爸爸在游乐园给自己买下的……那天爸爸的脾气该有多好！父子二人还一起坐了"过山车"，你明明跟爸爸说了，你一点都不害怕，而且你懂得离心力原理，人在"过山车"的大环圈里，头朝下时是肯定不会摔下来的，可真到了那个时候，爸爸还是紧紧地搂住你的肩，大手把你的肩膀都捏痛了！……

没碰上卖饮料的，却走拢一个卖香烟的塑料棚，每种烟的价格都用大标签标注着，你手里的钱，只够买最次的烟……你都快走过去买了，忽然，你听见一辆汽车刹车的怪声,你扭过头,只见马路的斑马线上,一个瘦长的身影正在舞臂抗议,而司机却从车窗里探出头来,嚷出粗话,后来汽车很快开走,那险些被车轧了的男人过得了马路,他东张西望,一脸的惶急,你躲在电线杆后,探出头来,你看清楚了,那正是你爸爸,他的短发上缀着细细的雨珠,在路灯下闪着怪异的光,你的心"嗡"的一声,仿佛被捶了一下……

你说不清,当你从电线杆后闪出,迎向爸爸时,你是只在心里大叫了他一声,还是爽性嚷了出来,而爸爸是分明地大声叫出了你的小名,那声音里充满了焦虑后的惊喜……

你们一起回到你们居住的那栋高层楼,电梯已经停开,楼道里的灯坏掉了许多,从楼底爬到你们居住的十五层将是一个"苦难的历程"……然而,一束飘曳的光亮,降了下来,那是你妈妈,自从爸爸下楼找你以后,她就一直苦守在面向马路的窗前,当她终于看到了你们的身影,便马上下来迎接你们,她找到了家里的手电筒,偏偏电池已无能量,于是她便举着烛台下来,为防止过道风吹灭蜡烛,她还捏上了一盒火柴……

你们一家人,就那样,在楼里邻居都不知晓的情形下,就着飘曳的烛光,一步步登上楼梯,回到了自己的家中,那是一个平平常常的家,不大的家,没有什么财富和包装的家,然而,从那一天起,你铭心刻骨地懂得了,一个属于自己的家,那无可估量的价值……

是的,从那一天起,从你灵魂深处,悸动着一股暖波,你憬悟,你这一生一世,只有这样一个爸爸,这样一个妈妈,而他们,也只有你这样一个儿子,你们都远不完美,然而你们是互为"亲爱的",是的,从今以后,你要坦然地放声说出:"亲爱的爸爸妈妈……"并且,当你再唱《一封家书》,那头一句你一定会满溢着真切的情愫吟出,你将不能容忍对这一称呼的轻亵与懵懂……

那是一定的,有一天,你将离开爸爸妈妈,独立生活,你也将写家书,那开头,也许与李春波的还有所不同,因为你更愿意写上:"最亲爱的……"

1994.5.28 母亲节后、父亲节前

佐 餐

　　一家人就数晚饭时候话多。

　　近来的话题是发财。

　　提起报摊上几份报纸都争相刊载的某女明星成了亿万富翁的消息，大家的心情都很难平静。

　　上职业高中的翠芬夹了块豆腐，搁到饭上，且不吃，挑起眉毛问："上亿？可报上没说清楚，什么货币单位呢？人民币？美元？"

　　还在上初中的志昂就夹了个肉丸子，一边嚼着一边说："还用问？当然是美元啦！"

　　刚把鸡蛋汤端上饭桌的母亲便感叹道："那么多钱，可怎么花啊！"

　　志昂拿起勺儿就舀汤，一边嚷："花还不好花？给我！我保证不出一个月，就全给花光！"又不等别人搭茬，吮干勺里的汤，仿佛那钱真是他的一样，以轻蔑的口吻说："花！你们就知道花！钱是拿来生钱的！人家用那钱办公司，买地皮，玩股票，才叫来劲呢！光个人消费，能花出多少去？又有什么意思？"

　　奶奶咽完一口豆腐，迷迷瞪瞪地问："一亿是个什么数儿？那票子得有多大？"

　　志昂撇嘴，刚想冲奶奶甩话，让父亲用眼色制止住了，父亲沉吟地说："我们厂要有一亿，债也还了，新产品也顺利上马了……"

　　翠芬依旧挑着眉毛："她哪儿来的那么多亿？就算一亿美元，凭她演几个电视剧，能得那么多吗？"

　　志昂立即反驳："人家是给台湾拍的，好几十集哩！"

　　翠芬摇头："就算好几百集吧，那制片人又有多少资产？制片人把自己的资产百分之百全给了她，怕也还顶不上一亿美元……那些个好莱坞的'奥斯卡皇后'，又有谁趁一亿美元呢？王牌歌星麦当娜也不趁一亿！"

　　父亲说："是呀是呀，一个大企业，上千的职工奋斗一年，也难挣出一亿的利润来，我说的还是一亿人民币……"

　　志昂大叫："人家报上登的！"

母亲回想起一些往事，扒口饭说："报上登的……我见多了！"

翠芬却把眉毛复归原处，舍远求近地说："楼上那个方女士，报上不见一个字儿吧——才叫真富不露相哩，一亿她没有，谁那么吹谁肚皮炸破，可我估摸她怎么也赚了几百万的人民币……"

志昂撇嘴："那她怎么还住咱们这楼？也没见她买辆奥迪、标致、夏利什么的停咱们窗户外头！"父亲忙说："她可别买！楼下又没车库，谁帮她看着？半夜让贼撬了，咱们担不起责任！"

母亲冲他斜眼："咱们担哪门子的责任？就算你会开车，他能疑到你头上来？"谈到这儿不禁感慨，"也就是咱们一点儿门路没有，人家怎么都发了哩！"

志昂紧跟上去："我们班上，个的个的家长都比咱们阔上不知道多少倍！数学老不及格的'咪三'，他穿的那件'斯特法内'羊毛衫，你们猜多少钱买的？八百八！"

奶奶直摇头："烧包儿！穿上能成仙么？"

翠芬明知那种羊毛衫的价码不到八百八只有三四百元，但不知怎么的心窝儿也痒了起来，因为反正三四百元已经够劲儿了，夸张它个一倍两倍的，算不上离谱，并且，不知为什么，像一种流行性感冒的病毒，大多数人都很难逃脱其传播，更难获得免疫力，你忍不住就加入那由猜测、臆断、狂想组合而成的发泄中："我们学校有个搞服装设计的老师，一次外活就挣合资公司八十万的酬金！"

志昂质问她："那他怎么还在你们那个破学校当老师？最不济他也可以自己开一家服装公司了！"

母亲顾不上挑剔姐弟二人角色的迅速对换，喝了勺汤，也叹口气说："是呀是呀，我们单位一年前退休的孟姐，在医院门口开了个花店，凡去医院看望病人的都跟她那儿买鲜花，听说她去年净赚了一千万，正打算在全国搞鲜花联销店哩！"

轮到父亲沉不住气了，把筷子往桌上一搁，挺起胸脯说："工厂的活人就都让尿给憋死了吗？三车间的老苟，成天地泡病号，一年多了，敢情人家是在外头倒卖钢材哩，他自己手里并没钢材，光是替别人搭桥，那回扣一拿，少说就是百八十万的……原来非法，所以都瞒着，如今上了明路，人家那也是一种劳动，听说楼都置了两座了！"

奶奶冲儿子白了一眼："你亲眼见啦？"

都吃完了，吃得挺饱，也挺香，可心里头都不平衡：天上下金雨哩，可怎么光落到别人怀里，自家这里光见影儿光听响儿，却连点味儿也闻不到呢？

临窗的餐桌

湖滨新开了个小饭馆。其实湖滨的饭馆已经够多的了，豪华的就有两家，中档的也不下四五家，偏低档的可谓不计其数，还不算那些大排档性质的。却还有人来开新的。难道人一走到湖滨，胃就会自动张大吗？

他路过那家新开张的小饭馆，不由得止步张望。门面很小，窗很大，装潢得很雅洁。从阔大的玻璃窗望进去，里面没几张餐桌，都空空的。按说已到吃晚餐的时间，竟不上座，不知那老板怎么做的市场预测。

他本来已经都要离开那里了，一瞥之中，却发现那饭馆临窗的餐桌铺着格外雅致的蜡染桌布，并且桌上还放着一个未上釉的陶瓶，瓶中不是插的花，而是普通的两根带绿叶的树枝。这颇令他吃惊。按说这样一家够不上中档的小馆子……

小饭馆里走出一个人来，三十啷当岁的小伙子，笑吟吟地招呼他："您请进……"

他这晚本也打算在外面解决问题。便进去了。那小伙子显然是经理。

他进去便挑那张临窗的餐桌，谁知他还没坐下，经理便搓着手说："啊，您，您请那边吧……随便您坐哪儿！"

经理所指的那几张宝丽板镶面的餐桌虽然也还干净，却既无桌布也无陶瓶。

他不愿过去，他说："我就要坐这儿！"

经理竟满面难色。这令他觉得不可思议。他在那临窗的桌子旁坐了下来。他看见服务小姐要走过来开票，经理却朝服务小姐摆手，服务小姐便裹足不前。这就令他极度不快了，他质问道："难道是有人预定了这张桌子？你这样的饭馆，统共才这么几张桌子，客人谁先来谁先挑地方嘛！老实说，我就是在外头看中了这张桌子，才对你这儿有兴趣的！"

经理回答说："预定是没人预定……"

他更觉离奇："那你怎么不让顾客使用？"

经理的表情怪怪的，且不答言。这时进来了一对男女，他们倒随便找了张桌子坐下，并很快便开始点菜。

他用强硬的语气说："拿菜谱来！我要点菜！不然我就改别家了！"

经理微微叹了口气，才仿佛作出多大牺牲似的，点头说："那好吧！"

经理拿过菜谱，亲自给他写菜单。菜谱上没什么特别的菜式，无非鱼香肉丝、宫保鸡丁、酸辣汤之类，价格看上去还算公道。只是不知味道如何。

等着上炒菜的时候，一边喝着冰镇过的啤酒，一边吃着水煮花生米，一边跟坐在对面的经理对起话来。他又问："你这张临窗的餐桌，究竟是怎么一回事？神神秘秘的……"经理说："您猜吧……"他有一搭没一搭地猜了起来。猜来猜去，经理都摇头。后来他就猜道："……是为了纪念谁吧？您的亲人？……跟这湖有关系的什么人？……"经理像是在点下巴，他酒过一杯，话更多起来，炒菜来了，他又用炒菜下酒，经理让服务小姐再上一瓶啤酒，一盘煮花生米，说是送给他的，他便要经理也喝一杯，经理便与他对喝……

这晚他回到家里，老婆出差上海，他给朋友打电话，其实朋友就住在同一居民区，聊来聊去，聊到吃晚饭时的收获，他告诉朋友，那家小饭馆的老板，倒是个雅人，挺"文化"的,他那临窗的餐桌，竟是为纪念一位过世的著名诗人而设的！那诗人与这片湖水的关系，是写进了文学史的啊！……他建议："你倒无妨试试这家新开张的……菜也经济实惠！"

那朋友很快便去吃了一餐。没几天，一传十，十传虽不到一百，却也给那家小饭馆引来了不算少的客人。凡听到这个传言而去的，总是要坐那张临窗的餐桌。而那经理也总是先要客人尽量坐其他座位。有的客人也便去坐了别的餐桌。有的便不干，执意要坐那临窗的一张。有一回一个闻讯而去的客人进去时，别的餐桌爆满，只有临窗那一桌空着，经理却仍不乐意让他坐，那客人便气呼呼地嚷了起来："怎么？你以为我是那吗也不懂的傻老憨么？我读过他的诗，还写过关于他的论文呢！……什么了不起的！我付你额外的座位费就是了！"经理这才让他坐了。

后来，那张临窗的座位便需预定，坐上了，又要加百分之十五的特殊"服务费"。再后来便传说那经理是那诗人的小儿子。到半年以后，那张临窗的餐桌上便多摆了一样东西——是一个雅致的原木镜框，里面是那诗人的遗照。这张像是头一回进去便要坐那张餐桌的先生捐献的。当然，那相片是他用诗人的诗集前面的照片复制出来的。就这样，湖滨的这家小饭馆成了湖滨的一个小小的名胜。有一些大学中文系的师生，一些专业与业余的诗人，甚至还有一些会说中国话的洋人，挺老远地跑到这个饭馆来小聚。饭馆菜单上绝大多数菜式都提了价。那张临窗的热门桌子的服务费竟提升到了百分之二十。不到半年，这家小饭馆的赢利速度已经大大超出了湖滨其他饭馆，纷纷传说它即将扩大，并重新以那诗人的名字命名……

那头一个猜出饭馆临窗餐桌之谜的先生，很是得意。他每次去了，经理要优待他，他总不受，并且他也不一定非要坐那张临窗的桌子。但他坐在别的座位上，看见有些懂行的人在那张特殊的餐桌旁边喝边聊，心里别提有多快活。

有一晚他在那饭馆外边碰见了他中学时的老师，两人站住聊了起来，他便提起那饭馆那临窗的餐桌那诗人和那诗人的儿子也就是那老板……

老师听了很是吃惊："什么什么？你说他？他也是我的学生，只不过比你低十多届罢咧！他老子是邮局的勤杂工，如今也还没退休嘛……"

他想说："您一定搞错了！"可说不出来。因为这老师连他这届的同学的种种情况都还记忆不忿，怎会记忿了这位老板的情况……

……他忍不住冲进那饭馆，那张临窗的餐桌恰好还没有客，那经理跟过来，他抓起桌上那张诗人的照片，捂到胸前，愤愤地指责说："你！你欺世盗名！你搞的什么名堂啊？！"

……经理扶他坐下……当着围过来的人，那经理反问他："您细想想，什么时候跟我嘴里说出来过，这张桌子，是为那个缘由摆设的？我什么时候自己宣布过，我爸是诗人？就是这张照片，也不是我摆上的呀……非要追根究底，那不都是您给广告出来的吗？"

他冷静下来，发愣。

桂 嫂

她管我叫大哥，我管她叫桂嫂。那是因为，福桂比我小三岁，她随福桂叫我，自然得管我叫大哥；可是她本人却又比我大三岁，你说我好意思管她叫弟妹么？

俗话说：女大三，抱金砖；桂嫂比丈夫大六岁，是双倍的三，你说福桂该抱多少金砖？

可是改革开放以前，福桂虽然娶了桂嫂，还是受穷；主要是因为他们家人口太多，福桂的父母去世得早，留下了七个子女，福桂是老大，那时候他在一家工厂烧锅炉，工资能有多少？再说住房紧张，两间小屋子，男的一屋，女的一屋，搭的通铺还不够睡，福桂块头大，更占地方，他就一直睡在地下，因为一条胳膊总当枕头枕，长期遭了地上的湿气，所以今天他那胳膊虽然看去很粗壮，却平伸难直，也不能回够到脖子根，虽说算不上残疾，究竟跟我们正常人有些个区别。当然，那时候虽然穷，粗粮还是大体够吃的，他也没让几个弟妹失学，衣服上补丁多点，倒也干净利索，并且后来他还能给两个大弟弟一个大妹妹置备出被褥卷、木板箱，把他们送去插队；后来有个弟弟被允许留城当了建筑工人，只剩下两个小妹妹上学，这时才结了婚。

改革开放以后，福桂干上了个体，开了个修理自行车的小门市，因为服务态度好，手艺精，又照章纳税，所以连年被评为先进。桂嫂呢，结婚以后继续在街道工厂上班。后来不上了，为什么不上了？并不是因为福桂挣了些钱，富裕了，她就想养尊处优了。

我是因为去修理自行车，跟福桂认识，并逐渐熟悉起来的。我认识他的时候，他插队的弟妹们都回城自立了，留城的弟妹也都各自有了窝，他和桂嫂只生了一个女儿，也大了，在一家大饭店当上了服务员，所以他和桂嫂挣的钱，完全用不着再去负担别人，而且弟妹们和女儿，还时常地给他们钱，他们实在不要，便给他们带来许多吃的用的。福桂不仅修自行车，还修三轮车，虽然累一点，收入估计也高不到哪儿去，但他和桂嫂节俭惯了，所以丰衣足食，并且可以从容地满足自己的嗜好，比如福桂爱鸟，他那屋里屋外便挂满了鸟笼；他养的并不是那种必须提着鸟笼子晃来晃去遛来遛去的百灵之类，而主要是各色美丽的文鸟与鹦鹉；桂嫂则酷爱看电视，因此他们早在几年前就购置了世面上屏幕最大最贵的电视机。跟我熟了以后，我去他们那儿，他们总是要拿出许多的水果招待我，记得有一回拿出来的是猕猴桃，最近一次则是芒果，说是弟妹们送来的，他们吃不出好处来，给我吃算是物得其主。

头一回见到桂嫂，说实话，我拿不准她跟福桂是什么关系，曾猜是不是福桂的姐姐。而且桂嫂右眼上总蒙着块纱布，头回去有，二回去还有，什么时候去都有那么块纱布，心想她患的什么眼疾，怎么老也不好？混熟了，知道他们是夫妻，这才开口问，原来桂嫂是八年前在车间里出了工伤事故，一只眼珠毁了，手上还掉了两根半指头，所以她不再上班。不过厂里还发她一份基本工资，如需住院治疗，也还能享受"大病统筹"的待遇。我便说为什么不安个假眼？现在科技很发达，有那几可乱真的办法，你们又不是没那个条件；桂嫂便揭开纱布让我看，不看不知道，一看吓一跳，还不仅是吓一跳，从实招来吧——一刹那间我竟产生出了一种恐怖与反胃的感觉；原来安假眼的前提是你必须还保留着一个成型的眼眶，而桂嫂在那次事故中不仅丧失了眼珠，连眼眶也撕烂变形；他们告诉我，也曾去医院整型，医生想了许多办法，例如从桂嫂身上取下合适的肉皮，移置到她右眼眶，企图定向培育成可以进一步美容的活肌，然而都失败了，现在弄得倒比原来的情况更狰狞。桂嫂重新挡上纱布后,我才理解,目前这是于她最恰宜的一种藏拙方式。等桂嫂离开以后,福桂凑拢我,以一种压低然而坚定的声音对我强调说:"她原来漂亮着啦!"

他们夫妻俩的生活似乎形成了一个公式:福桂修车,桂嫂做饭;关板以后,福桂伺弄欣赏他的鸟,桂嫂用那一只没残的左眼盯着大屏幕看《武则天》之类的电视连续剧;逢到周日,停业,他们便一起去逛公园,偶尔也下下馆子,虽然他们有到更高级的场所消费的能力,可是他们只下那种顶多不到十张餐桌的小饭馆;他们从不唱卡拉 OK,福桂顶多喝上一听啤酒,他从不抽烟,桂嫂却要抽上一支薄荷型女烟——有时在家看电视时也这样。他们至今没有出过北京地域,听我说起出差外地乃至外国的种种见闻,兴趣有限,不曾现出艳羡的表情。我到他们那儿,主要的话题还是北京城里普通市民所关心及感兴趣的种种,例如物价,治安,肃贪,赈灾,城区改造,商品展销,怪案奇事,花鸟虫鱼……

我们居住的地区,难得地保留着一道明朝挖出的护城河,两岸绿柳成荫,并且广植灌木,草坪铺得也很好,有时我傍晚到河边散步,会遇上福桂和桂嫂,福桂拿个小铲子小罐子,到护城河边挖蛹逮虫,给他养的那些个鸟儿备餐,桂嫂呢,她一手提个麻袋,一手拿根长棍,她是要干吗呢?头一回遇上时,我很纳闷了一会儿,后来我看见她用那长棍,不时地把一些人乱扔在河岸的废弃物,诸如塑料袋、盒,纸制软包装,易拉罐,冷饮包纸……什么的,粘起来,再投进那麻袋中;那长棍怎么会有那样的法力?后来知道,是福桂在棍端装了一根粗硬而又尖锐的铁针。我曾招呼她:"桂嫂,嗬,了不起,学雷锋,做好事啦!"她用那只好眼望着我,平平淡淡地说:"这本是清洁队该做的事,他们也没少收拾,可他们前脚走了,就有人后手随扔……我一是心疼这护城河,再,我虽说是一只眼,七根半手指头,我能做的,捎带脚就做了不是?……"她这话,嵌在了我心上。

能跟这两口子交往,我很自豪。我的心灵需要滋养,他们便是一道甘泉。

1996.9.9 绿叶居

最后一问

在某场合见到某批评家，他对我颇关切，一连问了我许多的问题，其中第一个问题是可想而知的："又在写什么呢？"我如实告知，他听了遂有下列若干接踵而来的问题："你怎么不写点能转载的呢？""为什么不写点能广播的呢？""为什么不写点能改编成影视的呢？""你为什么不跟制片人、导演什么的合作，写影视剧本呢？""你怎么总闷在家里，很少出来（指参加各种社会活动）呢？""怎么最近很少有人提起你呢？"……

他提出这些问题，都是出于十二万分的好意，我领情。

当年，他对我那些轰动一时的作品，有过多篇热情洋溢的评论，还曾跟我说，他要追踪研究我的创作，令我受宠若惊。当然，他的批评应普泽天下，怎能让我这样一个不像样的角色专享。他嗣后宣告，要抱定了作家 A 来研究，写大部头的专著。作家 A 在那些年里确有"文章班首"的气象。这位批评家是完成了那大部头专著，还是差一点完成了那部鸿篇巨制，我记不真了。但他后来绝口不再提作家 A，据说是，A 一度有些个"敏感"（其实属于流言臆测）。于是在某杂志上看到他两篇《读 B 札记》，似有连续写出积累成书之势；B 是位德高望重且绝不"敏感"的老作家。但再过些时，却再不见他有关于 B 的文章，有回见到他，我提起 B，不等我问起他那札记，他先说起国际上权威人士对中国作家的评价，引用着若干资料，令我听来无比新鲜，据他说，B 在国际上没什么影响。那次见过不久，就看到他关于什么是真正有价值的中国文学的宏文，里面盛赞 C，举为不可颠覆之例；我想起来，C 的某几个作品，正是他那次告诉我的，国际上权威人士所"承认"的，少数"真正有价值"的"文本"。再后来我很少读他的文章，见面机会也不多。只是偶尔在书摊上，看到他为显然是书商操作的，某种意在畅销的，似文学非文学的，急就的新书，写了序；又看到他参与主编的，选题很波俏的，封面颇刺激的什么丛书，也在热卖；倒始终未见到他有关于 C 的专著面世。不过，前数月，忽然有朋友给我寄来一纸剪报，是他在报上发表的一篇文章，大意是批评不少当代作家耐不得寂寞，主张作家应当完全不去考虑什么畅销不畅销，流行不流行，轰动不轰动，叫好不叫好……他奉劝作家"沉到生活的深处"，甘于"一箪食，一瓢饮"的清贫生活，并举出曹雪芹为例，说倘若曹雪芹不是"举家食粥酒长赊"地呕心沥血，怎能写出传世名著《红楼梦》？在那篇酣畅淋漓地鞭策当代作家的大文中，他提到了我的名字，作为一个例子，说我沉寂颇久之后，本以为我会有成功的反映现实生活巨大变迁的作品问世，没想到却去写什么《秦可卿之死》，可见我是实在没得可写，又耐不住寂寞，整个儿掉到俗世的陷阱里去了！其言辞十分地痛切。从他文中我感觉到，他不仅对我几年来创作情况并不了解，对其他所提及的某几位跟我接触较多的作家，也并不了解，首先他就并没大体上弄清楚我们这几年里究竟都出版了哪些新著，比如我，《秦可卿之死》只是我旁及性的"业余创作"，我并不是没有发表反映现实社会变化的作品，长篇就有《风过耳》《四牌楼》《栖凤楼》好几部，中篇如《小墩子》等部数更多，还有若干短篇小说，当然可能都不属"成功之作"，但说我"实在没得可写"才去写《秦可卿之死》，毋乃武断乎？而且我那《秦可卿之死》他显然也并没有哪怕用"对角线阅读法"浏览一通，他是"远远一望"，便号脉开方。不过，说实在的，读了朋友寄来的他那文章的剪报，我还是很受触动。就耐得寂寞而言，我虽有耐得的一面，却也有耐不得的一面，若把清贫也当做寂寞的一个内容，我就只是一个劣等生的水平，写作含有"稻粱谋"因素，对稿费版税，总愿意人家多给一点，拖欠得久的，还写信去催要；因为目前还是三代同堂的状态，所以总想住房再宽敞些，等等。再说我虽写了这么多年，出了不少的书，也确实难称成功。难得他在最新的批评文章里提到了我，为自勉，我把那份剪报一直夹在了札记本里。

没想到前两天遇上了他，而在俗世的日常语境里，他蔼然地问到我的，竟是那样一连串的问题。他还跟我交流文化圈里的诸种信息。如某学者在某国际财团在中国的某个分支机构兼职，成天乘飞机飞来飞去，且有了私家轿车（我吃了一惊，因为该学者似有一张"法兰克福脸"，跟跨国财团若做不到不共戴天，至少也应大大地疏离）；又如某作家写一集电视剧能拿一万乃至两万稿酬，而那一集的剧本"不过一个晚上的活儿";再如前两天跟谁谁,还有谁谁(我心里说,爱谁谁)去什么高级钓鱼俱乐部钓鱼去了,谁谁谁特惨,谁谁谁特狂什么的;又是谁谁上党校了,回来要提成什么什么了;谁谁又有好多的匿名信告;在国外的谁谁的什么作品直接用外语写的,上市后曾一度登了排行榜……

我望着这位批评家,开头,直发愣,后来我的心弦忽然松弛下来,我憬悟,自己不应该把"文如其人"的标准颠倒成"人如其文"来横加乱用;再说,谁是圣贤?自己既然不是,也是不了,怎么就非得要人家去充任?他写那些批评文章,恐怕一是他爱好写作,二是他希望自己所写能持续地发表出来,不要像有的人那样竟然(哪怕是一度)中断,三是他写的时候进入了一种很高的道义、道德境界,写完了,回归于我们大家共浴的人文环境,说点子俗事俗话,有什么奇怪的呢?不过,我在释然之后,还望着他时,却又不知怎的,竟悲从中来——不仅为他,也为我自己,乃至还有另外一些人……

蒙他厚爱,提起我们前后"出道"的若干往事;我后来的境遇,他大体是清楚的,问及我的一些具体的生存状态,我想到那篇夹在我札记本里的剪报,他那谆谆鞭策我耐得寂寞受得清贫的文章,遂不无自豪地向他汇报,告诉他我现在完全不知何谓销报何谓发放福利物品,全靠稿费补助生活也倒怡然自得什么的……我等着他鼓励,谁知他对我的关爱达到我想象不到的程度,他那最后一问清晰地传进了我的耳蜗:"……你混这么多年了,怎么还没找着个给你有单全埋的主儿?"

我站起来,让他觉得是去洗手间,实际上,是落荒而逃,或者简直可以说是抱头鼠窜。

1999.8.10 绿叶居

你的儿子呢？

在街心花园，几位晨练中相熟的老人，常常如此发问。

老秦两口子，儿子儿媳妇孙女全家都在美国，说起当年因为调皮常被请到学校里见班主任的往事，老两口就故意互相埋怨，大家便从那笑语里分享到他们养儿终有成的自豪与快乐。至于打四年前儿子儿媳妇把他们请去探亲半年回来后，那边电话渐稀孙女英语倒比中国话流利等等，他们自然不向人们提起，自己也尽量不搁在心里当块石头子儿。

肖大姐听到这一问，则会拍着巴掌把她那儿子最新的趣事形容一番，说到半截，人家还没甚明白，她却先笑弯了腰。其实肖大姐是个老处女，直到如今也还未婚，但她老来有福，住上了宽敞漂亮的新单元，而且五年前养了一只蝴蝶犬，那确实就是她的心肝宝贝儿子，最新的趣事就是她用一种新牌子的宠物洗浴液给儿子洗澡时，那浴液派生出许多肥皂泡，她儿子蝶蝶就一个劲儿伸爪子去抓肥皂泡，弄得溅了当妈的一脸一身的泡沫水儿……肖大姐模仿蝶蝶抓肥皂泡的姿势，活泼而生动，哪里像年过七十的老太婆！

人都称呼为胡总的，奔八十去了，他离开总编辑的岗位十几年了，调理出的有成就的文化人少说有一打，儿子目前也是个名人，既是名编，也兼评论家，而且也写报告文学，晨练的伙伴们常告诉他又看到他儿子在报纸或电视上露面，表情语气都充溢着羡慕赞叹，也常问他儿子又飞哪儿去啦，又出了什么大作，让他证实他儿子确实是某种国家级大奖的评委……胡总应答时不消说很愉快，有时也会替儿子谦虚一番，说咳那算个啥呀还不是瞎忙活罢咧……但胡总心里，有个隐痛，知道他心事的都会回避，那天一位新参加进晨练队伍的不知道，问了他一句："孙子多大啦？"他装没听见，那人竟又问："是孙女呀？"亏得旁边的老秦忙拿话岔开，才免去胡总尴尬的一答；他和老伴盼了好多年，眼下儿子儿媳妇爽性把话挑明了，一不是生育有困难，二也不是让事业绊住了，是自愿、主动，而且坦然、愉快地选择了"丁克家庭"的"美好模式"。胡总如今常这样去想：正像文章有不同风格一样，儿子他们如此编排人生，也算是别具一格吧！

高大姐很喜欢熟人们对她发这么一问，而且，每到春天，她还会主动问人家："要不要从我这儿过继一个呀？"这是怎么回事？原来，她中年丧偶后没有再婚，也没有生下过儿女，她说的儿子，是十几年前出差到四川竹乡，从那里带回的一窝竹子，本以为很难在城里养活，何况她又养在二楼阳台上，谁知头两年在不经意间，那盆栽竹子竟蓬勃生长，形成葱润的一丛鲜绿，且把口径一尺来长的瓦盆都胀裂了。后来，特别是离休以后，她就把那竹子当做儿子般疼爱呵护起来，年年换盆、拌土、垫肥自不消说，平日勤浇水、常修剪、慎补肥，又不断分盆，使她那阳台上整个儿成了个小竹林，不但她自己乐在其中，也成了亲朋邻居们观赏的一景，而由她那里"过继"出去的盆竹，也陆续都成了那些人家骄人的绿诗。

这群人里，阿姚只有女儿，但她是招赘了女婿，一起住在个复式的大单元里的，所以人们这样问她，也就是把女儿儿子一块儿全问了，阿姚却总是答不清，两口子究竟做的怎样的生意，为什么一会儿高兴得在家里搞"派对"，一会儿又关在楼上卧室里吵得楼下的吊灯都摇晃，她难与人言，多半只含混地答曰"好好好"……但有一天她的回答大有突破，那天她说她要"跳槽"了，也就是今后不再参加这个剑术加扇舞的晨练组，而要去那边公园山亭里去参加一个京剧票友组的活动了，说着说着，她忽然说出这样的话来："咳，跟我最亲的儿子是谁啊？就是唱那么一口啊！"后来她果然越唱越快乐，还在电视上清唱了《锁麟囊》选段。

你的儿子呢？面对这一问，所有上了年纪的人都能有自己的回答，若要避免酸涩苦辣的答案，让心里漾出蜜波，全看能不能超越现实，培育出一个以自持、乐观、宽容、施爱为中轴的心灵空间。

家有成竹

住同楼的不来往。唯一"短兵相接"的机会就是收房费。收房费的那点工夫里好奇心猛蹿芽儿，几分钟里就长成藤蔓，伸出眼睛珠儿四下里攀。

头一样攀的是组合柜。居然没有，那可够寒酸的。有，几秒钟里就定了性：罗马尼亚式的？南斯拉夫式的？夏威夷式的？马德里式的？美国柚木贴面的？香港宝丽板的？中国宫廷豪华型的？

紧接着攀的是家用电器。彩电多少吋？嗬，平面直角型，21吋！单制式还是多制式？怎么没配录像机？哪，在那儿呢，索尼的？松下的？原来不过是杂牌儿……音响呢？什么样的唱盘？带激光吗？……怎么还是14吋的小彩电？单卡录音机，咱们这儿管这牌子叫夏普，人家香港叫声宝，怕都使了十来年了……冰箱几开门的？哟喝，敢情都置上冰柜了……洗衣机是全自动的吗？下排水还是上排水？……

嘴里报的是水钱、电钱、房钱……心里叨念的是上头那么一串。没什么恶意，不过是好奇，走出这家揿那家门铃的间隙里，心里头飘飘悠悠地有几分嫉妒，几分鄙夷，几分惭愧，几分自豪，几分惶惑，几分混乱，都是仅仅几分，好比风中残叶、空中游丝，敛完钱兴许就能复归为一片晴阳。

这家门开了。没有组合柜，没有大彩电，单门小冰箱、单缸洗衣机，一眼看去就知是"完全国货"……可让瞳孔里伸出的那根藤蔓震了，蔓尖儿不知该怎么粘附，颤悠悠直打旋儿。为个什么呢？水泥地露着，没铺眩眼的地毯、板革；墙面雪白，没贴雅致的墙纸……一句话，你想得到的这儿或者没有或者仅仅达到一般水平，可这儿有你想也想不到的——靠着的墙角，好大的一盆竹子，快长到天花板那么高了，竹竿成丛，竹叶青翠，竹影婆娑，满室生绿！

"啊，这是我到南方蹲点搞科研时，从山上挖来的野竹子，已经换了三次盆，分了四次根……好吗？我们也没想到它这么容易活，活得这么来劲儿……这是我们家的一宝啊！"

瞧那眉梢眼角，如果对着自家的 25 吋大彩电显摆，也不会发散出那么多的自豪和快乐吧？

一般不打听，这回忍不住："您是干哪行的？"

"我么，嘿嘿，我这行跟每家每户都有关系，我是搞硅酸盐的……"

出得门来，直发愣。满眼留着绿，满心汪着绿，不知为什么在心里头打着分，好像电视里那些个举着牌牌的裁判，无形的牌牌上竟写着个最高分——串了这么多家，属这家最"阔"！

可心里头又直犯嘀咕：硅酸盐？能当佐料吗？怎么会跟每家每户有关系呢？

空房（待续小说）

他掏出钥匙，熟练地打开了门锁，推开门，刚往里一走，他惊悚地愣住了。

空房里的那个人似乎是闻声回转了身，也满脸惊悚望着他。

他们面面相觑了那么几秒钟。

但他们也都很快地镇静下来。

他想：他在这儿，也不奇怪。

他想：他来这儿，也不奇怪。

这是居民区里的一幢红砖楼。

他们在顶层的中单元里。这单元很小。不知当时为什么要把那单元盖得那么小。大间只有十四平方米，小间只有六平方米，没有过厅。厨房、厕所也小得可怜。如今再盖单元楼，不那么盖了。但当年就那么盖过。这种房子盖起来容易，拆起来难。只好耐心地年复一年地使用下去。

最早，大约在八年前，它是供落实干部政策用的。那时是新房。一位在监狱里关了七年的老干部，同他的老伴，还有一个女儿，刚落实到这个单元里的时候，他们觉得这简直就是宫殿。但两年以后他们就无法容忍这单元的小、高、陋。住够两年半，他们再一次落实政策，搬到后盖起的一种高层楼中，四房一厅，两个卫生间，他们毫无眷念地告别了这个小单元，住进了那据他们说是"还马马虎虎"的新单元中。

第二轮住户，便是上面掏钥匙开门那位的一家。他家四口人（他，他妻子，他女儿和儿子）原来只住一间十三平方米的平房，五年半以前，落实知识分子政策，他们搬进了这个单元。搬进去以前他们重新喷了一次白浆，当他同妻子在喷刷得如同雪洞般的空房中，一边走来走去，一边议论着如何布置时，他们处在一种"知足常乐"的怡愉心境之中。但住到去年他们便已无法忍耐。去年年底他不再是一般业务干部，他升了官儿，于是，前些天他搬走了，搬进了一幢新盖起的预制件灰楼中，不再是最高层，是三房一厅的格局，其余优点也还很多。他本不必再回这单元来，然而，今天他却来了。他知道新分到这个单元的那位，很不满意于这种安排，正提出要求得到更大些更好些的单元，所以，他原以为今天这个时候悄悄地进入这个单元，不至于有人发现。他没想到那并不愿意成为这单元新房主的人，此刻却俨然站在这单元里，以新房主的身份，用诧异的目光盯着他这个闯入者。

新房主的心境，的确不同于前届房主刚分到此房的那般。他年龄虽比第二届房主小六岁，大学毕业、参加工作也相应晚六年，并且工资级别也相应低两级，但他在他那个专业领域中的成绩，目前已远远超过了前房主，可是因为他没有任何行政职务，并且无论是论资还是排辈，他也都只能居前房主之后。所以尽管他的住房困难是几次见诸公开报导和"内参"的，现在特意破格对他照顾，也只能是给他这样一个单元。他闹过情绪，扬言过不领钥匙，跑去越级申诉过，要求给他另分一套哪怕只稍大一点的有过厅的两居室单元，但至今无效。他毕竟是一个典型的中国知识分子，终于软弱下来，今天到底还是去领了门钥匙，并且进入了这个空荡荡的单元，很不情愿却又情不自禁地盘算起来：搬来后如何安排？他将带领下列一群人入住：他的妻子，他的岳母，他的两个儿子，现在他们住着一间十五平方米的屋子，是那种筒子楼里的原来供办公用的屋子，搬进这单元以后，他们夫妇与岳母、儿子的床铺之间，不必拉布帘了，许多害羞之事，可以各自心安地隐蔽在墙后办理，做饭、入厕也方便多了。但那小间为何只有六平方米？当年的设计者是怎么想的？这楼虽然是"文革"后起来的，设计图纸却是"文革"末期敲定的，为何把单元设计得这么小？据说为的是"限制资产阶级法权"，此事如今难以考稽、追究、只能是面对现实，冷静地考虑如何分配这虽比原居大，却又并不大得让人痛快的空间；看来，儿子们所用的上下铺铁床，迁来后还得继续使用，而姥姥与他们仍旧只好同处于一个屋顶之下；在何处吃饭呢？只好利用那构不成门厅的狭小过道，要不，就还得用他们夫妇的那间屋，卧室、书房、饭厅仍旧得三位一体……唉！

他虽然觉得他在这空房里出现并不奇怪，但他还是满心的不高兴。他约了个人来这里相会。为什么约到这里来？显然，为的是避开一切人。他跟那人说好，他下午五点钟准时到这空房里来，等着。来人敲门时要先连敲三下，停停，再敲两下，停停，再敲五下。他要求来人最迟五点半钟到，因为五点半钟一过，就会有许多下班的人回这楼来，届时上楼会遇上仍住在楼里的旧邻居们，不方便。他们将在空房里毫无干扰地谈谈。没有任何家具，他们或者站着谈，或者席地而坐，或者倚着暖气、窗台、墙壁，只是不要到阳台上去……他们会谈得投机吗？会谈得愉快吗？他此刻还没有把握。

另一位虽然觉得他突然进入到这空房不足深怪，他原是住在这里的嘛，但心里很快便浮出了不快，这不快并且逐秒逐分地增长着。他不是已迁入新居了么？他应把家中所有的开这旧居门的钥匙，全数交还给房管部门，可是，显然，他留了一手，他起码就还保留了一把。他留着这把钥匙，是抱着怎样的目的？他这时候忽然开门而入，是想干什么？看他那眼神，倒好像是我不该在这屋里，岂有此理！现在这空房是谁的家？"请看今日此单元，竟是谁家之天下"？！

"你怎么——？！"

"啊，我——我回来看看……"

"你有钥匙？"

"啊，还有一把——是昨天才偶然发现的，我们本来一人一把门钥匙，后来，我女儿那把弄丢了，就再去配了一把……谁知道一搬家，一折腾，昨天整理书橱时，这原来丢掉的一把又自动冒出来了……"

"你们家手里还有几把这样的钥匙？"

"再没有了！这把我也是打算交给你……"

"你怎么知道我在这儿？"

"呃，不知道，我怎么知道？我是……恰好路过这儿，不知不觉地，就走上来了……毕竟在这里住了好几年了，有感情了嘛……"

"这单元设计得太蹩脚了！怎么可以设计得这么小呢？这给刚结婚的小青年用还差不多，可是却给了我……"

"是呀，是呀，我们家住进来以后，也是哭不得笑不得；哭吧，人家是给咱们落实政策，从一间平房变成一个独立的楼房单元了，又有'双气'（暖气、煤气），能再抱怨吗？笑吧，越住越觉得憋气，心里头怎么也痛快不了……"

"现在轮着我哭笑不得了……"

"忍两年吧，两年后会再给你调整的，像我一样……"

"我一住进来，恐怕就不仅仅是两年三年了；你要不升官儿，你不也还得在这儿忍下去吗？"

"你也当个官儿嘛。你也快了，快了……"

"我可不是当个官的材料……我一辈子不当官儿，我就弄我的业务，搞我的课题！"

"你弄吧，弄吧……说实在的，我羡慕你羡慕得不得了，我这顶乌纱帽儿，就是不给我惹祸，也毁了我的专业前程，我这辈子注定是碌碌无为啰！"

"可是就分我这么个单元，我的研究，我的课题，不还是没个好的环境来保障吗？你知道搞我这一行，动不动得摆摊儿，得不受干扰，可我的资料今后还是得跟酱油瓶醋瓶油瓶碰在一块儿，我的耳边今后还是少不了聒噪，我的研究条件究竟改善了多少呢？"

"你别着急嘛，过两三年，一定会进一步改善的……"

"可是我自己知道，我这口生物钟的黄金阶段，恰好就是这两三年……"

他们谈不下去了。

他伸腕看看表，五点二十五分。

他伸腕看看表，五点二十八分。

他们当中有一个的表快了。

他望着他，心想：怎么还不走？

他望着他，心想：怎么还不走？

他想：他该把门钥匙给我呀。

他想：这门钥匙我暂时还不能给他。可我该怎么向他解释呢？

他觉得他很奇怪。他觉得他有些可厌。

他就要开口问他讨那把应当属于他家的门钥匙了。

他当机立断，决定把钥匙交出去，然后赶快走出这空房，到楼梯上去迎那应约而来的人……

可是，这时有人敲响了门。

（欢迎续写）

1985 年 10 月

因为缺个杈

潘老那年七十七。自从退休后，十七年来他一如既往地为他的愿望而奔走。什么愿望？家里的旧物里，有把太师椅，原来也没在意，退休前偶然被一位古玩专家看见，说是难得的明朝紫檀真品，就想高价买下，潘老不卖，古玩专家发现那把太师椅一侧缺了个杈儿，觉得不完美，也就没再强求。自那以后，原来被打粗用的太师椅就成了潘老的心肝宝贝，他把它搬到卧室里，放在躺在床上眼睛也能望清楚的地方。退休后的生活因此变得有了主心骨，他每天的日程竟比上班时还紧张，排得满满当当的，先是去听关于古玩收藏的讲座，后来是泡书店：专找关于讲古家具收藏的图书，有的买回家，有的觉得实在太贵或内容重复，就在书店立读；后来就风雨无阻地去逛文物商店、旧货市场，把观赏明式家具作为活动的重点；这期间，认识了不少有关的人士，特别是跟他志同道合的古玩发烧友。岁数从六十起一年年地增长，潘老却仿佛越活越年轻，脸色日益红润，退休前开始凸出的将军肚很快平复为他自称的列兵肚，身板越挺越直，步履保持轻快，人家称他潘老，他就笑呵呵地说还是叫老潘吧。

潘老对明式家具着了迷，但没有迷到荒唐的地步。他只谨慎地收购了一些小件的东西，花费上跟老伴、子女没有产生矛盾。他说他唯一的心愿，就是要踏破铁鞋，寻觅到一个恰好能配全那把祖传太师椅的权儿。为此他后来更常去的是那些废旧日用品收购站，那里常会遇到一些旧家具的散件。他的一位古玩发烧友就在那类地方给自己的一个鸡翅木炕屏配上了缺腿儿，这大大鼓舞了他的寻觅兴致，他还一度把自己的搜索范围扩大到北京远郊。家里人都说，自从老爷子的生活有了寻找缺权的主心骨，脾气也变好了，只要家里人不对他的爱好表示异议，他的脸色绝对大晴，如果家里哪个人能善言善语地问他关于明式家具的事儿，又能耐着性子听他滔滔不绝地讲述，那他会高兴得就跟喝酒喝到微醺时一样，脸上满溢艳阳。

那年他七十七，寿诞一个来月前，他居然就寻到了那么一根权儿，很便宜地买下来，回家往那把太师椅的缺失处一对榫儿，嘿，难道是物归原主？竟分毫不差！他乐得不停地咧开嘴笑，老伴儿孙也都为他高兴，连续一个来月，家里天天是过节的气氛，到了寿诞那天，儿孙原主张到外头餐馆包个单间，老伴知道他的心思，抢在他前头摇头，说家里如今也宽敞了，就在家里摆宴，让老爷子就坐到那把宝贝太师椅上，受儿孙们轮流跪拜！果真就那么办了七十七大寿。那把太师椅再不让任何人坐，摆到卧房一角，孙女儿给下面铺了块高级小地毯，外孙子给屋顶上装了几个射灯，老爷子晚上睡到床上，也可以欣赏射灯光圈下面的那把价值连城的太师椅。

从此潘老心满意足。他可以一连好多天不下楼，就在家里来回来去地欣赏那
把再不残缺的太师椅。老伴劝他还是下楼活动活动，他说："我功德圆满，该消停
消停啦！"原来的古玩发烧友打电话约他见面，他婉辞；有的听说他那把太师椅
不缺杈了，要来参观，他也设法推脱。偶尔下楼买个东西，他走起路来慢慢悠悠；
不愿往远处走，更别提往远郊去了；俩仨月过去，他肚子开始往将军型发展；在
家里常常坐在沙发上打盹，老伴劝他看看那些关于古玩的书，他拿起这本觉得了
无新意，拿起那本更觉得陈词滥调；一贯对儿孙蔼然可亲的他，那天只因为儿子
把紫檀木说成了檀香木，忽然发起火来，儿子顶了句嘴，说那不都是好东西吗？
他竟暴跳如雷，跺着脚嚷："你懂个屁！檀香木是灌木，紫檀木是乔木！檀香木也
就能制点扇子什么的小玩意儿……不许你污蔑我的紫檀！……"老伴见他脸也成
了紫檀色，忙扶他坐下；女儿忙拿电子血压计给他检测，一出结果围着的人全吓
了一跳，赶紧送医院，住下全面检查。

医生给老爷子检查的结论是，没大问题，但一定要加强活动，包括用脑。老
爷子回家那天却出了件泼天大怪事——有窃贼撬开了二楼窗户的铁栅，钻进屋里
偷了些东西，别的损失倒不算大，最惨痛的损失是竟把太师椅上的那根配上去的
杈子给拆走了！看来那贼懂得那紫檀木的价值，那根杈儿能劈成十来颗图章料，
卖出大价钱啊！邻居熟人们知道这事儿后，有的就禁不住问："这不是索潘老爷子
的命嘛！他还不气死了呀！"

潘老是气得够戗，但没就那么气死。配合派出所、居委会，作了许多调查；
张罗安装新的防护栅……虽然窃贼难抓，潘老却觉得再去淘澄一根椅子杈也未必
就难于登天。从此他又恢复了原来的活力：几乎每天外出，会古玩同好，到各种
场所搜索能与他那把太师椅匹配的椅子杈；有关的图书也增加了很多，读起来兴
味更浓……七十九那年做八十大寿，他坐在太师椅上受拜，已经上大学的外孙
子跪拜完，开玩笑似的问："姥爷，那椅子杈要是我偷的，您是不是平时再疼我，
现在也得把我捶扁了？"他乐不可支地拂着留得长长的白髯说："要真是你偷的
就好了！我也不用再去找恩人了！孩子们哪，懂得什么是残缺美吗？这把太师
椅跟那个维纳斯雕像一样，就这么着也美得很哎！"又说，"当然啦，我还得找

那配得上的椅子杈！不过我再也不着急啦，真的，找的工夫里，那乐子比真找着的时候大！"

潘老又找了三年，前些时因心肌梗塞去世，享年八十三岁。遗体告别那天，已经办好去国外读硕士学位的外孙子把一根紫檀木椅子杈拿给姥姥和其他亲属们看，坦白说："是我偷的，还布置了个现场，造了假象。为的是姥爷多活几年。目的果然达到了。你们说，是把这椅子杈随他火化，还是安到那把太师椅上去？"

猜猜看，一家子最后做出了怎样的决定？

依 偎

小秦比我整小两轮，因为一度喜好文学，所以一度跟我算得上忘年之交，近十几年他对文学越来越疏远，跟我的关系也就越来越冷淡，但我们毕竟藕断丝连，有时候他会忽然来个电话，显然是用"全球通"打来的，又显然因为使用频繁，电池总是处在能量即将耗尽的状态，吱吱呀呀没说上几句话，还没等我问清他是漫游在哪里，便戛然中断。我也会偶尔想起他来，自言自语道："小秦现在是不是又在飞机上打盹呢？"

前些天小秦竟飘然而至，我惊而不喜，问："哪阵风把你吹到我这儿来了？"他闷闷地说："哎，哪阵风我都觉得没劲了，所以就又来你这儿了。"我问起他这些年的状况，他说无非就是飞来飞去，谈生意，吃海鲜，桑拿，按摩……腻味死了。他说忽然来找我，是想让我给他侃侃文学，如今又出了些什么新锐人物？新潮作品？我说："去你的吧！我是你的清客么？没那个陪聊的义务！"想了想又说，"你的车停在我们楼下吧？还是那辆'大宇'么？正好，我早想去看看那个海洋世界，七七八八杂事缠身，总逮不着个空子，现在你来了，反正我也干不了别的了，好吧，你拉我去，陪我看！"他说："呀，看那个干吗？那是哄小孩的！要不，我带你去桑拿、按摩，完了到夜总会喝'人头马'……"我说："少废话，海洋世界你去不去？你不去，我自己打'的'去。"他仿佛要跟我上断头台似的，站起来，一跺脚，一仰脖："走！"

到了工人体育馆南门的富国海洋世界，那天下午那段时间里，居然仅有我们两位看客。我们在那号称亚洲第一长度的人造海底隧道中，站在自动滑轨上，观览那人造海洋中，众多的真鱼。这海底世界设计得很好，从许多角度望进去，景深都相当阔远，里面布置的珊瑚礁、沉船骸骨恰到好处；只见扇面大的鲷鱼结队游弋，磨盘大的鳐鱼从头顶掠过，颟顸的巨鳗趴伏在礁洞里……而具有环绕立体声效果的设备，把海浪声、鸥鸣声和淡淡的乐音，轻柔地传送到我们耳中，我是很快便陶醉了，身心大畅，飘飘欲仙，几乎忘记了小秦的存在。忽然，耳边传来小秦"呀，呀"的惊叹声，我扭头一看，他正目不转睛地盯着……我顺他眼光朝那"海底"寻觅，啊，是里面的一条大鲨鱼，使得他的面容目光，多少恢复了一些昔日的"文学味儿"。我问："怎么，鲨鱼利齿，让你联想到弱肉强食了么？"他说："你这人！这时候别噎我好不好？"又指着那里头说，"看呀，看呀，大鲨鱼身旁，有几条小鲨鱼？"我仔细看，那条大鲨鱼，雍容地漫游着，它的腹下、身旁、背上，一共依偎着七条小鲨鱼，仿佛与它粘连在了一起，由它慈爱地携带着，一起享受着生之乐趣……

我们竟一连在那自动环绕滑轨上，观览了整三圈，才退出到休息厅喝冷饮。小秦一再地感叹："依偎，依偎在一起……哎，哎，又想写诗了……"我说："那算得多么奇特的景象呢？到北京动物园去，你会到处看见依偎的镜头，尤其是哺乳类动物，老小之间，配偶之间，甚至同性之间，互相依偎，实在是最普通不过的生命现象……"他只是沉思，不理我，我就又说："你的生活里难道就那么缺乏依偎么？你那宅子，虽说未必能称豪宅，但装修得跟五星级宾馆不相上下，你那金屋所藏之娇，难道不跟你依偎么？再说，你那桑拿、按摩、卡拉OK，还有夜总会里的声光色电里，呷着'人头马'XO什么的，你以为我不知道，你们都是什么光景么？哪回不跟'妈咪'逗贫嘴，不找'小姐'瞎腻咕？别说依偎，就是搂抱，乃至更进一步的肌肤接触……什么事你们做不出来？……"小秦抬起原本下垂的眼睑，把双眼对着了我，我立刻闭住了嘴，心中暗暗吃惊——那双露出的瞳仁里，显露出久违了的，一度令我们得以建立忘年之交的，梦幻般的，充溢着渴求的，纯真的光芒。

小秦只把冰茶当做了醇酒，仿佛微醺般地向我倾吐起来。他说，表面上，他似乎已是电视广告里所鼓吹的，那种标准的"成功人士"，一般俗众所追求的东西，他都拥有了。可是，今天在那大小鲨鱼依偎的情景前，他仿佛遭到雷轰电击——他发现，他现在实际上是自己无所依偎，也无有依偎自己之物……他说，不错，他经常能享受到"皮肤滥淫"，但每次总是"事情"一完，立刻索然寡味，那完全不是一种生命互相信任、互相保护、互相滋润的相依相偎……他捶着桌子，痛苦而沮丧地说："最要命的是，我都不知道，该从哪儿，用什么法子，才能找到那我可以依偎他，或他可以依偎我，我们互相依偎着，从中并不一定会获得什么现实功利，可是，却真能享受到爱情、友情、亲情……那样的对象了！"他问我，"你说，我该怎么办？"

这算什么难题！我听了，不假思索地回答他说："好办好办——回到文学，对，你回头是岸，岸就是文学！"这显然不是他所企盼的回答，他望着我发呆。我就进一步跟他说，我所说的文学，是那些年里我们一起议论过多次的，在多元格局里，我们所选定的那种文学，那不是拒绝物质丰裕、诅咒成功人士、禁绝俗世俗念的文学，却又是澄澈心灵、同情穷弱、向往高尚慷慨的文学，那不也就是，以超越时代、地域、民族、文字的篱藩，体现出人类依偎亲和之美的，一种富有久远生命力的文学吗？不管你现在有多忙，抽出一些个时间，如同今天到这海洋世界一般，重返我们钟爱的文学元中，徜徉，吟哦，你就不仅能在精神上，而且在实际的人际交往中，获得一份依偎的甜蜜！……

我以为我挺了不起，说动了那在苦海中迷惘的小秦，以为我真恢复了与他的忘年交，似乎从此他就又会经常来跟我讨论"我们的文学"了……谁知在"大宇"奔向我家时，开车的小秦却当头给了我一棒："哈，现在回想那大鲨鱼和小鲨鱼，我觉得其实那也可能并不是依偎，而是'傍'(bang)……现在凡想发达的人，不都在'傍'吗？'小姐''傍''大款'，'大款''傍'赃官,赃官他也有一'傍'……
就是所谓的'文学家'，不也有'傍'企业家,'傍'书商,'傍'传媒的吗？……
大家齐努力,找个'大个儿''傍'啊！……"他偏头朝我龇牙笑,我一望他的瞳仁,
呀,又十足地"成功人士"味儿了！

　　小秦把我丢在了家门口。我且把他丢往"爪哇国"。从此再不来往也罢。只是,
忘不了那海洋世界里,大小鲨鱼依偎回游的景象。寂寞中,哪天再去瞻拜？

咸饺子

　　小阿姨芳芳进来的时候,满脸泛着红光,女主人心里想：这孩子血气真旺！

　　芳芳一边淘洗买来的韭菜,一边说："昨天下了班,我一进电梯,小敏就跟
我说……"

　　女主人在一边检查芳芳买来的肉馅,似乎肥了一点。她没听清芳芳在说些什么,
只是嘱咐说："一会儿再洗出棵白菜来,拌馅的时候把韭菜跟白菜混在一块儿……"

　　芳芳每天来这家做一顿晚饭,她根据女主人头天的咐咐,备好需要的原料带
来,然后便在厨房中投入工作。芳芳的烹调手艺日渐长进。女主人每天多少总要
跟她在厨房里一起操弄一阵。做好饭,芳芳跟主人全家一起围桌进餐。她们处得
挺不错。吃完饭,洗涮完,芳芳才回自己的住处去。她租了间小小的平房,一个
月的房租要五十元呢。不过芳芳很勤劳,除了固定在这家做晚饭,她还另揽了许
多的零活儿,比如上午给人家打扫卫生,下午四点以前给人家去洗衣服什么的,
这样加起来一算,她每月的收入也便相当可观。

　　"……真没想到……我原来以为小敏不跟我好了呢……可是她就跟我说：嘿,
你晚上没事儿了？……"

芳芳真盼女主人能听她讲下去，可是女主人只是在那儿看瓦盆里的面发得怎么样，一点也没在意……

芳芳这天早上去给一家擦玻璃窗，下午去给一家洗被，她干活的时候，那两家的主人基本上都不在跟前，干完，人家把工钱给她，她便走人了，双方简直说不上几句话。

可芳芳跟这家的关系不一般，尤其跟女主人，常常说不少的话。芳芳觉得这天她要诉的话语很重要，她真希望女主人能仔细听听。

"您猜怎么着？小敏举起一张票，问我：'你想不想看？'我说：'当然想啦！你真给我？'"

"这回的皮儿你要擀薄一点……"女主人心不在焉，她去到阳台上，从挂在一侧的蒜辫子上掰蒜去了。

芳芳直到拌馅的时候，还是没法让女主人听她的倾诉。女主人后来干脆到卧室里休息去。女主人身体弱，要不她请阿姨干什么？

芳芳咬着嘴唇，拌馅。她的脸涨得绯红，仿佛就要爆炸的气球。

她来这个楼干活，每次都要乘电梯。得到二十层呢。可是开电梯的小敏，她的同龄人，起头遇上她一个人进电梯，就不怎么乐意为她开那么一趟。有一回她说："人家有的楼，根本不要开电梯的，谁进电梯，谁自己开……"小敏扁嘴说："那是什么样的楼？这楼住的全是局级干部，懂吗？"她俩关系从此有些个紧张。可是，昨天，小敏却给了她一张票，那是楼里一家搞艺术的给小敏的，小敏自己当班，不能去，原是想给姐姐的，谁知姐姐也不能去，所以小敏见了芳芳，便把那票给了芳芳。小敏其实有耍弄芳芳的意思。那是张音乐会的票，七点一刻开，芳芳进电梯的时候已经过了八点，坐公共汽车赶到剧场，怎么也得八点半开外了……

芳芳开始包饺子。她回忆着头晚的情景。她因为不认路，找到剧场门口已然是九点了！把门的差点不让她进去，可是她毕竟还是进去了！

女主人小憩后，来帮芳芳包饺子。芳芳见女主人过来，兴奋得不得了，她结结巴巴地说："昨天我听唱歌了！最后三个歌！真好看呀！"女主人只当芳芳说的是从她家电视屏幕上看的，没在意，包了几个饺子，便去打开音响，放送自己爱听的乐曲。芳芳还试图说说昨晚的感受，女主人却双耳只闻音响中的乐音……这样一直包完所有的皮儿馅儿。

煮饺子的时候，芳芳心里很不好受。昨晚她是生平头一回走进那样的剧场，坐在那样的软座椅上，眼睛和耳朵，不，还有整颗心，突然强烈地接收到那样美好的讯息！不错，她曾在电视上看到过许多演出的场面，然而她万没想到，真正的演出现场，会是那么样地让人陶醉！她进去得太晚，只听了最后三首歌，便散场。然而，她激动得在秋风中一路步行回到她那仅容一张小床的小屋躺下以后，闭上眼睛，心上还光艳艳地闪动着舞台上那神奇的美景，脆生生地回响着剧场里那美妙的歌声……她失眠了许久。

她只是想找个人说说，她昨晚享受到了多么美妙的事物。她原以为女主人是能听取她的倾诉的……

头锅饺子熟了。她心里闷得发胀，仿佛有什么东西就要开裂破碎。

女主人尝了一个饺子，惊呼："哎呀，芳芳你是怎么搞的？这饺子咸死人！你放了几勺子盐啊！"

芳芳一惊，跟着，便淌下了两行泪水。

"咦，你怎么……"女主人望着芳芳，大惑不解，你做错了事，说你两句，这算得了什么呀？怎么这样娇气？

芳芳的心，也仿佛咸饺，极不是滋味。

小圆拢子

我家暖气管漏水。给物业打电话，很快秦师傅就来给修理。修理起来挺麻烦。我给他倒好热茶，就去继续忙自己的事。需要把一篇材料打印出来，可是，打到一半，墨盒没墨了。我就去跟秦师傅说，要出去一趟，去给墨盒充墨，小区外头超市里就有这个业务，很方便，我顶多半拉钟头就回来。秦师傅听明白后，先问我，能不能等他修理好以后，我再去给墨盒充墨？我就说等不及。他就说："您家现在就您一个人，您走了，我待在这里不合适，要不，咱们一起出去，您锁上门，我在您家单元门外等您回来。"我笑说："秦师傅，您在物业这么久了，我家麻烦您也不止一回了，我信得过您。"说着，我就拿着墨盒出了家门，秦师傅还是跟着我出来了，还让我把门锁好，我就说："你这人怎么这么矫情？"也没把门合上，就往楼下走。没想到先听到哐当一声响，紧接着是秦师傅追着往我耳朵里灌过来的话音："我把您家的防盗门撞上了啊！"我也没回头，没给他个回应，只在心里说："人与人之间，建立起真正信任的关系，怎么那么难啊！"

灌完墨盒回来，只见秦师傅倚在我家单元门外的楼梯栏杆上，两手指头交错，搬动骨节咔啦咔啦响。我用钥匙把打开防盗门，责备他说："你撞门之前，也不问我带没带钥匙，要是我没带，你现在还得帮我去联系开锁公司，那手续有多麻烦！"他淡淡一笑，随我进了屋。我去安装好墨盒，继续打印材料。

我把自己的事忙完了，秦师傅的活儿还没收尾，我就走过去给他换热茶，跟他说话。我帮他解释说："是了，是了，电视里的法制节目，天天讲些刑事案件，你是让我提高警惕，虽然你是好人，可是照我这么松心，指不定那天就会碰上个坏蛋，吃个大亏。"

秦师傅干完了活，坐下来喝茶，跟我聊天。他说，想给我讲个他小时候经历的事情。那太好了，我迫切希望听取。他就说，那还是他上小学三年级的时候，班主任是个女的，那时候挺年轻，住在学校宿舍里，有一套理发的工具，义务给班上的学生理发，当然，不是所有的同学都去找她理发，但是，像他那样家里经济上不富裕的孩子，每隔一段时间，就会去求她给理发。后来，村里大多数人家都脱贫了，同学们也逐渐习惯花钱理发了，只有他和另外少数几个学生，上到五年级了，那女老师也不再是自己那个班的班主任了，还去让她给理发。有一天，他又去麻烦她理发，那天，老师最后用一个小圆拢子——南方人叫梳子，北方叫拢子——给他梳顺头发，那时候他们那个村子刚刚开化，那样半透明的、红得跟红萝卜红樱桃西红柿都不一样的、怪怪的圆圆的立体塑料拢子，让他大开眼界，以至老师给他梳过一遍以后，他求老师再给他梳一遍，老师就再梳，他就快活得咯咯地笑个不停。

第二天发生了一件事。那老师找到他问，是不是拿了那个小圆拢子？老师的表情，现在想起来，很柔和，似乎即使是他偷拿了，只要承认，还回去，也就算了。他说没拿。老师也就没有再盘问。过了许多天，他的头发又长又乱。他妈妈问他：你们老师，不给你理发了吗？他唔了一声。妈妈就说，也是，现在咱们理得起发了；就给了他钱，让他去理发馆理发。他拿了钱，并没去理发馆。于是有一天，那女老师在操场边上叫住他——那时候那老师已经并不教他所在的那一班的课了——问他：你怎么不找我理发了呀？他嘴上说：不用了，我妈说我该花钱去理发了；心里却在嘀咕：我还能去吗？赶明儿您理发推子没了，也来问我吗？……

听到这里，我说好啦好啦，帮你往下讲吧，又过了些时候，那女老师自己把那小圆拢子找着啦，后来她遇见你，就主动跟你报告了这个喜剧的结局，对吧？

秦师傅说，不对。他告诉我，那女老师，后来结婚，搬出学校去住了。等他上初一的时候，那个女老师，已经跟她的丈夫到外省去了。他后来听说，那个小圆拢了，是那女老师的丈夫，当年追求她的时候，送给她的一件礼物。后来大家的生活都多少有一些个提高，塑料立体拢子，算得上什么稀罕玩意儿呢？就是他家，后来也拆了旧房子，盖起两层的小楼来。村里现在多数人家都住上了那样的小楼。拆旧房子的时候，也必然要淘汰一批旧家具。说到这里，秦师傅问我，能不能抽支烟？我说可以。他吸了几口烟后，告诉我，就在他家淘汰旧家具的时候——那时候他已经即将初中毕业，他惊讶地发现，在他家一只破旧的木板箱里，出现了那个小圆拢子，红得奇怪的，半透明的，塑料立体拢子……

惊心动魄。这是我当时的感受。

秦师傅告别许久了，我还默坐在那里沉思：诚信，人性，防范，契约……

半拉西瓜

搬把小竹椅，坐在书房外，迎着温煦的秋阳，正惬意，村友小甘过来招呼我，关切地建议："您也活动活动！"我告诉他自己正在活动中，他不解，我就请他坐在一旁小马扎上，给他解释起来：活动分两种，一种是肢体的活动，一种是精神的活动，两者都不可偏废。如今还没退休的人，可以说是每天都在劳动，劳动是最有价值的活动，我们一般都将劳动分为体力劳动和脑力劳动，但在这个意义上的劳动，基本上都是些技能的操练，脑力劳动者在专业性工作里，往往也只是知识和技术层面的发挥。换句话说，就是从深刻的意义上分，劳动或者说活动分两种，一种是谋生的，一种是养灵的，我现在退休了，待遇不错，不必再为谋生而劳动，却每天都不能休止养灵的活动。

小甘笑，说您这篇话儿跟绕口令似的！别的我也没听明白，不过我觉着您这么着勤用脑子，预防老年痴呆症的效果肯定好！

我也笑，确实我把一个原本朴素的真理表达得太花哨了。我跟小甘聊起那天在电视上看到的一个纪实节目，讲的是北京安贞医院的大夫们，把一位从临床医学标准上可以界定为死亡的患者，经过三个小时的持续努力，奇迹般地抢救了回来。那位四十五岁的北京市民突发心肌梗死，在救治过程里又添上肺部的问题，心、肺两衰，以至在心电监测器上出现一条直线，给他注射了溶解血管栓塞的药物以后，几位男女大夫就接力般地轮流给他进行物理性按压，试图让他的心脏恢复自泵能力，半小时、四十分钟、一小时、两小时……全然看不到希望，而且，在那种情况下，即使有所恢复，也很可能造成植物人的结果。事后采访大夫的记者问他们：为什么在已经大大超过法定死亡标准的情况下，你们还要那么固执地尝试将患者从死神中抢回来？几位大夫回答的措辞不同，但意思是一样的，就是他们想到患者还那么年轻，是家庭的顶梁柱，从珍惜一个生命的角度，以及关爱一个家庭的角度，只要还有哪怕是游丝般的希望，他们就绝对不能放弃。显然，有一种崇高的、超越医学业绩与其他世俗功利的力量，在支撑和鼓励这些大夫，最后，奇迹果然来临，那位死亡三个小时的男子心脏恢复了搏动，经搭桥手术后，第二天睁开了眼睛，恢复了知觉。

我跟小甘说，这些大夫真太可爱了，从荧屏上的画面可以看到，他们这样的外科大夫，干的是体力、脑力全方位的重劳动，他们既掌握、使用高科技，也全力使用古老的按压法，他们之所以能创造奇迹，患者本身肌体的顽强生命力固然是基础，而他们在工作以外的时间里，肯定会有的精神活动或者说养灵习惯，应该说起到了非常关键的作用。

小甘说是呀，他们平时闲了没事，一定也会像您这样，看着以为什么也没干，实际是在进行精神操练呢！我说所谓精神操练，其实就是作为动词的那个思想。珍惜生命、关爱他人，这是我们都值得反复思来想去，并不断加以稳固、提升的命题。

那位在生死间徘徊逾三小时的男子的亲属，特别是他妻子，在整个抢救期间也表现出超俗的精神境界，配合大夫的每一医疗措施，不把自己的痛苦甚至绝望朝大夫和医院方面发泄，也不把自己的期盼甚至幻想施加于大夫让他们感到压力沉重，当她得知采纳注射溶栓剂后有可能造成植物人后果时，她冷静地在使用单上签了字，表示如果丈夫成了植物人，她不怨天，不尤人，愿侍候他一辈子。这说明她是一个不仅有感情也有思想的女性。

从死亡中逃逸出来的那位男子，当他恢复意识以后，第一句话是对妻子说："买个西瓜，半拉也行。"人们问他心脏停搏后的那三个小时里，有没有什么记忆？他说一片空白。但他恢复的意识，却精确地衔接到发病之前，作为支撑一个不富裕家庭的男子汉，他思想里时刻不忘节俭，即使在非常情况下想吃西瓜，他也还是提出不必奢侈，"半拉也行"。可见这位男子平时除了谋生性劳作，也还有很自觉的养灵操练，这也就是我们常说的修养。

我和小甘坐在大柳树旁，一时无话。金风送爽，为我们默默的精神操练轻吟着鼓励的诗句。

村口问路人

我站在村口，为的只是看看雪花飘落田野的景象。

其实田野已经不成其为真正的田野。城市的发展仿佛炽热的岩浆迅猛地朝外流淌，楔入田野的商品楼盘、物流公司仓库把我渴望见到的地平线完全遮蔽住了。但这村外毕竟还有大片的农田，有仍由村民耕种的玉米地，有被南方农民承包的藕田，还有据说是香港一家公司经营的细菜种植区，尽管秋后这些农田就都暂时闲置，旱田由农机平整过，藕田只显露出些与水面平齐的黑枯荷叶，但那种开阔的气派，以及氤氲出的淡淡泥香，都还能令我胸臆大畅。

雪是夜里开始飘落的，润物细无声，而且轻柔地积存下来，到中午已经完全覆盖了整个村落和田野，我午后散步到村口，在那排仿佛由巨大的铅笔画出的大杨树下，痴痴地望着微有起伏的、盖着无缝隙雪被的开阔田野。那些仍在飘落的雪花，使田野产生出一种微妙的颤动感。

我不知道这个村子还能保留多久，我眼前的这些残田还能耕种几时，我只知道这个村和这片田已经处在新修造的五环路与六环路之间，开发商那章鱼般的触手已经多次舔到了这边，而根据城市规划，这里即使限制商品楼盘的膨胀，也多半被设定为非农田的花园式共享空间，会有大型游乐场，汽车旅店，快餐荟萃……我的企盼，却是这里仍能保持村味，能夏天永有青纱帐和荷叶香，而且那淡淡的粪肥味儿，仍总能随风飘进我那设在村里的，命名为"温榆斋"的书房。

村外大杨树护卫的是一条柏油大道，雪后过车不多，偶有过往的车辆，都开得小心翼翼。有辆红色的出租车开了过来，在离我很近的地方停了下来，车里出来一位年轻妇女，她的穿着显得单薄，只有一条又粗又长的，仿佛花蟒蛇般的毛围脖，跟这雪天还相谐；她快步朝我走过来，急促地问我；她有明显的广东口音，我一时听不清，她问了三遍，我才能回答她："对，就是这个村。"

我没想到这个女郎真的来了。我原来以为那只是水李子的夸张之词。我不禁对那女郎说："您是花非花吧？您真找到这儿来啦？"那女郎耸起眉毛歪歪嘴角，瞪着我,大声说:"水李子?你的真面目……哇噻!"我忙摆手:"别误会!快别误会!我不是!水李子确实是个年轻男子!"我就给她指路:从哪个地方拐进村,再怎么左拐右拐,就可以找到水李子家,我故意在最后添上这么一句:"他这会儿可能给人修电去啦,他媳妇多半在家!"但那女郎似乎只要是我并非水李子,就很开心了,她回到出租车里,把我的指点告诉司机,那车很快就开进村里去了。

雪花飘到我唇上,用舌头舐进嘴里,我觉得滋味奇特。望着村外的雪野,我比以往任何时候都更深切地意识到:社会生活演变得实在太快,太出乎意想,我如果不想让自己的精神随身体而衰老,我就必须提升自己对现实的认知程度。

就连这个村子,也被网络这家伙——它一半是天使,一半是魔鬼——闯入了。那天我请村里电工小纪来给我修书房的插板,他一边干活一边跟我聊天,说他现在迷上了电脑,几乎天天要上网找网友聊天,他网上化名很多,最常用的一个是水李子,他家院里有棵水李树,每年初夏结出一树紫红的大水李子,那是市场上买不到的,个个像男孩子拳头那么大,用门牙在皮上嗑个口,用舌头对准破口嗫吧,那果浆就全灌进你嗓子眼了,又甜又爽!说得我都忍不住怪罪他,怎么我来这村几年,互相也脸熟,他怎么就没请我尝上几个?他笑说今年上网更有瘾,夏天那满树的水李子顾不得摘,熟透的水李子噼啪掉到地上,隔窗听见了也没觉得可惜,还是只顾网上聊天。聊天对象当然也常换,但有几个渐渐成了密友,其中一位广东的女士,开头也不知是否真女士,更不知岁数多大,网名叫花非花的,越聊越投机,最近,那花非花就说要来找他,抛开网络面对面!

网络使我们的社会增添了新的人际关系,所谓网友也者,已经具有了非常丰富的内涵,"破网而出"的现象也越来越多。对于我这样的人来说,对此首先有极浓酽的戒备心理。我就忍不住问小纪:你媳妇能容忍你吗?就算勉强能容忍你跟电脑交流,一旦那花非花真的出现在你家,她还能容忍吗?你闺女也上小学了,也懂些事了,家里冒出那么个南方阿姨来,你怎么跟她解释呢?小纪说反正他已经把地址什么的都告诉花非花了,他觉得应该出不了什么事儿,媳妇么,他前些时已经教会了她上网,而且也开始教闺女用电脑,媳妇现在倒不迷进入聊天室聊天,而是迷上了电脑绘画,前些天画的小狗打伞可逗啦,他跟花非花聊天时,就用那幅画儿作桌面，还传过去给花非花看，明说是媳妇画的，花非花评价不低呢！

小纪大概是尽量把媳妇因为他上网交友跟他闹矛盾的一面隐瞒起来，而只向我描述对他容忍的那一面，但我想起这事，还是替他担忧。谁知现在花非花真的来了。在纷扬的雪花中，他家院里，是否已经正演出着我无法判断是喜是悲、是正是闹的活剧？

我在村口大杨树下，望着雪野，思绪旋动。最近传媒上集中进行了对青少年网瘾进行矫治的宣传，还特别介绍了一位大学教授的事迹，他用心理疏导的方式，把许多网瘾极深的少年从困境里引领了出来，也相应地使那些少年的家长从绝望的阴影里回复到光明的希望中。我当然是支持矫治少年沉溺于网瘾的心理病患的，也赞成网吧不向未成年人开放。但成年人的网上活动，其复杂状况几近恒河沙数，利用网络犯罪，因网恋而误入虚妄，因网上交友不慎而失足……这类例子几乎每天都可以从传媒上看到，但是，毕竟也还有更多的正面效应在每日每时地发生着，正如有的网上犯罪和因网沉沦的情况令我们既瞠目结舌又思之难免一样，有的网上交往生发出的趣事善事好事美事，也会令我们觉得真是意料之外、情理之中。在这因网络而变得更有趣也更诡谲的世界上，我们驾驭自己的人性时，能否更自如地抑恶扬善？

我正痴想，忽然又有人来问路，是个骑自行车的人，一看就是农民，而且是从比我们这个村子离城更远的村子过来的。他跟我打听王起家怎么走，我就判断他是找王起来商洽买王起那驾大车的。果然，他朝我指出的方向骑去了。王起是村里最后的一个车把势。1984年生产队解体，队里把他赶了十多年的那驾车作价转给他个人，所谓一驾，指的是两只牲口——一头青骡一匹枣红马——和一辆胶皮轱辘大车；1994年前，他还能用这驾车做些农活跑些农业运输挣钱；1995年以后就渐渐没什么农活干了，主要用来帮人运砖瓦木料什么的盖房子，2000年以后连盖房一类的活计也少了，而且这一带的马路上不要说牲口拉的车几近绝迹，连手扶拖拉机也稀少起来，五十出头的王起本身也似乎有点像古董了，他在两年前到物流公司当了个管子工，因为对那骡马感情难舍，一直还养着，最近才下决心要出脱掉，前些天他告诉过我，如今只有更远的村里，还有人用这样的大车运输，一个亲戚已经给他牵了线，说那边有个人有兴趣，显然，今天向我问路的，就是那远村来客。

我温榆斋所在的村子，马上就会消失掉最后一驾大车了。而电脑这东西，网络这玩意儿，却已经在那一片片的砖瓦村舍中蔓延开来。

我对村外的雪野作最后的凝视，然后转身慢慢朝村内走去。雪花飞舞，心旌摇曳。回到温榆斋，我会打开电脑，说不定我会找出李仁堂主演的那部 30 年前曾风靡一时的电影《青松岭》的光盘，搁到电脑里去重温；王起对这部电影至今印象深刻，他却不知道二十几年前李仁堂又曾主演过根据我的中篇小说改编的，旨趣与《青松岭》大异甚至相悖的影片《如意》，我也一直没跟他提起过。李仁堂已经仙去，可是我和王起，还有水李子，当然也还有花非花，以及更多的人，还要在我们的人生道路上，经历更多的变化，其中包括急速的转型，会一次又一次地告别"最后的大车"，又一次再一次地遭遇网络之类的新事物，我们在这哀乐人生里，该如何像这雪天一样，以纯洁滋润缺憾，以安谧消融浮躁？

寸 移

那个老人是从哪一年开始，定时出现在楼下人行道上的？当然不止一年了，但是，究竟几年了，说不清。开始，是坐在轮椅上，别人推着他；不，或者根本没有过轮椅；记忆里比较可靠的画面，是他驾着双拐，有个小保姆一旁扶着他，很慢很慢地，耐心得可怕地，往前面挪动；往往是，我到很远的一个什么名利场去，活动了很久，回来时，夕阳如红葡萄酒般，把人行道一边篱墙上的常春藤都浸醉了，他和那保姆还在那里，大约统共只挪动了一两米，他额头上满是黏汗，嘴唇哆嗦着，嘴角还泄出些口涎，也未必是小保姆偷懒，不及时给他揩抹干净，显然，侍候他这样一个病人，实在也太淘神了！又不知过了几时，小保姆消失了，他一个人，架着双拐，依然很慢很慢地，在那段人行道上，艰难地挪动着……

这当然是了无新意的事情：一个双腿差不多全然瘫痪了的人，他想通过每日不间断的锻炼，恢复行走的功能。不能说是风雨无阻，雨雪天，他不出来，可是，记得有一天，西北风刮得很劲，他背对西北，仍出来挪动，虽然穿得很厚，戴着能遮耳的厚帽子，并且脖子上围着质量很好的羊毛围巾，可是风把他那紧围着的围巾吹滑落了，带穗子的两端下吊在胸前；他一点办法也没有，冷风无情地灌进了他的脖子，他木然地立在那里，大概是在考虑，还要不要继续往前挪动；显然，最后他还是决心继续他的锻炼，他的双臂又极坚定却又格外艰难地把力量施加到双拐上。那一刻我恰巧从楼里出来，一瞥中看清了这一幕。我走过去，默默地给他把滑落的围巾重新围紧，他的嘴唇蠕动着，大概是在道谢，我却头也不回地走了。各人有各人的生活，特别是，有自己的事业。我奔自己的事业去了。这是一个凡从事一种事业，都万万不能不竭力提高速度的时代。

我知道有很多人在为克服自身的困境而奋斗，尤其是，许多的病人，重病人，甚至是患了所谓不治之症的人，他们以顽强的毅力，来求得生命的延续。楼下那个老人，不过是这并不令人格外惊奇的奋斗大军中的一员。

好几年了，这个老人，总在我眼前出现，想避开也避开不了。多少次，看见他那简直可以说是狼狈地，极其极其缓慢地往前，蜗牛般地挪动的形象，我总有一种冲动，就是过去告诉他，这对他来说，其实未必有多大的意义。看他那年纪，该有七十多岁了，他完全可以依赖轮椅来来去去，把这种近于无望的，恢复独立行走的锻炼时间，用来读书写作、练字绘画，那样或许还能创造出新的人生价值。当然我一直并没有这样去做。我没必要楔入他人的生活，正如我不希望他人随意来干预我的生活一样。

记得有一天，我外出回来，心气不顺，忽然他又落入了我的眼帘，不知怎么，那一刻我觉得他特别地碍眼。他似乎始终并没有什么进步，几个小时里，还是仅仅挪动了一两米。我嫌厌地瞪了他一眼，以一个富有特别意味的 C 形轨迹，绕过他那秋叶般颤动着的身躯，嘴角噙上冷笑，到那常春藤篱墙后面的小花园，找了个最僻静的角落坐定，恶意地揣测起他来。他是个离休干部？老知识分子？曾有保姆服侍他，可见经济条件不会差，可是却似乎从未见到过有老伴或儿女模样的人在他身边；是个鳏夫？无儿无女？说实在的，他活着有何意趣？他这样汲汲孳孳地，几乎是一天不停地，带着分明是虚妄的希望，哆哆嗦嗦地往前磨蹭，究竟能创造出什么生命价值？

但也就在那一天，失眠后，清夜扪心，我为傍晚时在小花园里所暗中宣泄的那些个针对他的念头，而惭愧，而忏悔。我悟到，我们现在所置身的这个尘世中，浮躁的情绪极具传染性，无论是走当官的路，走发财的路，想成名，想成家，想得奖，想有车子房子……总而言之，本来利欲熏心已属可鄙，却还恨不得一蹴而就。我们崇尚的是直奔价值，是快步如飞，是无须踏破铁鞋，却能得来全不费工夫。我们津津乐道地传播"昨怜破袄寒，今嫌紫蟒长"、"一个点子挣百万"、"成功人士，尽情拥有"一类的当代童话，我们也总是尽量把自己和世界上最前沿、最新锐、最时髦的东西联系在一起，我们惧怕平凡，躲避常态，尤其鄙夷芸芸众生和攘攘人世；我们有时标榜"大隐隐于市"，其实却在名利场上锱铢必较，座次必争……我在这种以"我们"引领，而将自身无形中淡化了的思路中，居然渐渐平静下来，结果后半夜睡得很塌实。

但那天以后我还是不大看得惯那老人冥顽不化的身影。我得承认，他终于有了进步，不知是哪一天，我忽然发现他不是使用双拐，而是只挂着一根拐杖了。但他挪动的速度仍极缓慢，充其量只能说是在寸移。确实，他颤颤悠悠，双腿有些弯曲，穿着运动鞋的脚板挪动时只能摩擦着地面，艰苦地往前略蹭进一寸，甚或还不足一寸；一只脚磨蹭完，另一只脚再狠命地跟进。去年夏天，某一个下午，我一出楼又看到他，戴着一顶长檐的、挺时髦的运动帽，身上晃荡着一件色彩鲜丽的 T 恤，照例不管我们这些快步如飞的人们又有些什么斩获什么损失，又经历了些什么升腾什么失落，管自沉浸在他个人的那个世界里，双腿有些个弯曲地，在那段有常春藤篱墙的人行道上寸移着，我注意到，他一向几乎没有表情的脸上——大概不是他不想有表情，而是他很难运动颜面上的表情肌——浮出了一个难得的，虽然是浅而又浅的，却又分分明明不会令人误会的，微笑。我在一瞥之中并且发现，他手中虽然还有拐杖，可是他却把拐杖握在右手中，使其悬了空；他是在不再凭借外力支撑的情况下，寸移着。我愣了一瞬，仅仅一瞬，便快步从他身边走过。我想感动，我的心却感动不起来。这回我不能再用"我们"说事了，我痛苦地自问：我为什么失却了在平凡的、常态的、含义单纯的事物面前心弦颤动的反应力？我的价值观和情感系统究竟出了什么问题？

去年深秋，有一回我注意到，他的寸移，仍需无时不刻地用拐杖支撑。虽说有"水滴石穿、绳锯木断"的格言，但他历经数年，却并不能创造出某种医学上的奇迹。我自己正处在哀乐中年，不可能总去注意他这样一个存在，有颇长一段时间，我对他又置若罔闻起来。

是昨天，一直处在暖冬状况的北京，终于大风降温，天色擦黑，我从外面回来，因为我们楼下的人行道上没有了别的行人，所以他的身影又很突出地落入了我的眼帘。我发现，他又架上了双拐，原来他不仅没有进步，反而大大地退步了。再一细看，他脖子上的围巾，原来想必是围得好好的，此刻又让西北风给刮得两端徒然地垂落在他身前，而他居然还企图挣扎着寸移！我走过去，帮他把围巾重新围牢，他的嘴唇没有蠕动，显然，他已无法以蠕动来表达谢意。我这许多年来头一回开口跟他讲话。我说："您是不是住那边那个楼？我送您回去！您不要再这么样了……"我试图挽扶着他，引他转过身子，这时，发生了我未曾预料到的事，他那残烛般的身躯，忽然迸发出一股强力，用他的右胳臂肘，将我往旁边一推，我退步，愣在那里，而他，不改其初衷，拼命地，全身颤动着，要恢复他那寸移的能力……

一股热波涌过我的心尖。我意识到，我灵魂中某种退化的因素，起码是往前寸移了……

1999.1.9 绿叶居

大束百合

看芭蕾舞剧《天鹅湖》,用望远镜细观台上,不是紧盯着王子和白天鹅,而是逐个地扫描那些配舞的天鹅,除了"三大天鹅"、"四小天鹅"外,还有若干毫不能令观众特别瞩目的"众天鹅",而在她们当中,当舞姿"凝固"时,也还有排在前列与隐在后面的区别,于是从望远镜中注意到,在最后面,一位天鹅双腿优雅地分立,头颈微偏,双手兰花般交错于翘起的裙裾上,身影与其他天鹅同样地美丽,在耐心地作为暗景中的"绿叶",以衬托主角王子与白天鹅在追光中的"红花"怒绽。随着舞曲的流动,众天鹅也开始缓缓变换姿势,于是我从望远镜中,清晰地看到了那只排列在最后的天鹅的细部,她的眉目,精心化妆后依然掩饰不了徐娘真龄,转动时,显露出锐瘦的锁骨,以及背后同样"锋利"的肩胛;可是,她虽隐于最后,却也满脸凄恻,浑身是戏……乐音陡变,众天鹅如风中白莲般翕合旋舞,转瞬我已不能再找到那位资深的舞娘……

我的思绪,飘出了《天鹅湖》所设定的故事,只把那乐音,权当做我内心喟叹的回响。我一时所关怀的,不是什么王子与白天鹅的悲欢离合;我在猜想,那位资深舞娘,她有着怎样的个人命运?当年她献身芭蕾这一"残酷的艺术",不惜脚趾流血、苦练虚脱,一定怀着充当舞台追光下的白天鹅的美梦,她曾圆过这个梦吗?也许,若干年前,她确曾是众星所捧的那个月,可是,时光无情,后生可畏,她渐渐地,先是让出白天鹅这一主角,再让出"三大天鹅"之一的位置,又让出了第三幕中的西班牙舞等短暂"抢眼"的位置,在演出的说明书上,从"挂头牌",到名字列于后面,到隐入于"本院演员"的模糊概念中……也许,更残酷的是,她竟从未跳过主角,终其一生,也只是充当"绿叶",并且总在"亮相"时,隐于最后一列,身姿不让主角地,把兰花手交错于翘起的裙裾上……每当那个时刻,她都能化入剧情之中,而不"走神"于自身命运的吟唱么?

给整台演出所献的花篮,固然可以算是也含有她的一份,但那整把的鲜花,是只献给主角的……我心中有个冲动,演出结束后,单给她,这资深的舞娘,献上一大束丰满的百合花……我把望远镜递给旁座的朋友，请他注意那位宛转于舞台暗区的资深舞娘，他先是莫名惊诧："看她做甚？"及至看清了，咂舌道："天哪，这老天鹅，还舍不得退出舞台，跳个什么劲儿呲！"我接过他递回的望远镜，觉得透心地凉……不是朋友错了，不能怪他刻薄，甚至于，他那真实的直觉与非功利的直率，恰恰道破了人生、人性、人际的某些的底蕴……可是我想哭，不独为那资深舞娘，也为了天下许许多多诸如此类的人生，当然，也包括我自己……

出了剧场，花亭还在营业，我买下一大束昂贵的百合花，紧紧地拥在自己胸前……

拐弯的手势

离开 Y 君寓所，已是深夜，街上下着雨，寂静的街道像拙劣的舞台布景，给人一种可疑的感觉。他打着伞，在街边等出租车，出租车却久未出现，仿佛同台演出者误了场一样，令他愠怒而焦虑，却又无从发作。于是决定步行回家。在这样的雨夜里，踽踽独行于空空荡荡的街区，倒也别有意趣——他只能作此雅想。路灯在并不平整的马路上所积下的水洼中映出诡奇的光影。偶尔有白天不许进城的大卡车驶过，车篷汗淋淋的，车轮下嗤嗤地掀起薄绸般的水浆，仿佛是某种夜游的怪兽，他完全想象不出它是有一位驾驶员在内中操纵。那么，他想，大卡车瞥见了我，这在伞下移动的物体，它能想象出，是什么在驾驶着使之前进吗？

在雨夜中趱行，他的思绪是有点怪怪的。

他们几个，自认为是文化人的，夸张点说是朋友，其实谁跟谁也就无非那么回事儿，有些个共同话题罢了，实是求是地讲，算是一个社会圈群里的同类吧，也并不经常，但偶尔便在 Y 君独居的寓所小聚一下，很形而下地喝酒，极形而上地神侃。

今天他们吵成一团。掺杂意气，颇伤感情。大体而言，话题涉及俗世的鄙陋堕落，以及达于洁净崇高理想的途径。思路互岔，依据不同，观点轩轾，加以用语混乱，结果是煮成一锅谁也嫌厌的焦粥。因为循着学理的框架无从令别人膺服，仗着酒劲，竟互相揭起了"拐弯之短"来。

"你现在一副对跨国资本深恶痛绝的样子，言必及赛义德的'后殖民主义'，说到引进美国的那本'破小说'《廊桥遗梦》更是咬牙切齿……可是你到西方访问，提供你那份钱的基金会，难道不是与跨国资本有着千丝万缕联系吗？而且十年前你近乎癫狂地拥抱西方文化，那阿瑟·黑利的系列畅销小说，你不但每出一种译本必津津乐读，还在报端著文称，中国应该有'自己的阿瑟·黑利'！……你这样一百八十度地大转弯儿，何以为情？"

"你指称俗世堕落，钻进了钱眼儿，高唱纯洁崇高，可是你那本批俗世、倡崇高的小册子，不正是通过'二渠道'的书商，从出版社买下书号，用危言耸听的包装与宣传，上书摊，求畅销，其商业功利性，比你小册子所抨击的某些'不洁'行为，更其露骨吗？你这种作为，不是比'拐弯儿'更令人齿冷吗？"

"老兄呢，老婆在那边拿着绿卡，自己等着签证，却愤愤然国人在王府井麦当劳快餐店里的'一副崇美馋相'……你那愤世嫉俗的情绪，怎么就不拐到自家身上去？"

"回过头来说你，口口声声要别人按'绝对命令'说话行事，驱逐别人去义无反顾地说真话、当烈士，自己却为了落实正处级待遇，拼命地活动着……按你那'绝对命令'，应当是'耻食周粟'的，你的言论行为，岂不也是拐到别人那儿是刀，拐到自己那儿却是挠痒痒的'老头乐'！"

……

正是在这种不堪的语境里，他终于还是酒盖不住脸，率先一气跑了出来。

雨很好。寂静的街道很好。没有出租车更好。尤其是没有那么多形而上的聒噪，简直妙极了！他踩着积水，走着，心弦松弛下来。

渐渐接近他的家了。安安静静地前行，竟可以更容易地接近目的地，这是个浅近的感受，却令他如同嗅到了很鲜嫩的叶芽的气息。

前面就是他住的那条胡同了。他看见，有一个骑自行车的人，身上套着雨披，从他身边不紧不慢地骑了过去。开头他也没有特别注意这个平凡的身影。后来，他也不是特别注意那个远去的背影，只是在近乎偶然的观望中，发现那个骑自行车的人，在拐进也是他所住的那条胡同前，伸出了他的右臂，很明确地打出了一个拐弯的手势。

那个骑自行车的人消失在胡同中。他却停住脚步，仿佛被什么东西，把心弦重重地拨了一下。他不禁自己把心弦绷紧，又自己将它重重地拨了一下。

……那个骑自行车的人，很可能是住在同一条胡同中的邻居，那位邻居，在这个街道上并无别的车辆，而且胡同口左右也绝无行人，当然更不会有交通警察的情况下，当他拐弯时，也许是出于多年来所养成的习惯，坚持打出了一个示意拐弯的手势。

他们那条胡同里，只有一座居民楼，正是他和一些文化人的住所，他们写出文章，末尾常署什么什么斋，或什么什么居，仿佛都是伯夷叔齐的洁净茅庐，其实严格而言，那是按公务员养起来的一群专门人员的宿舍，住在里面的人士，是需要首先听命于"非绝对"的命令的，起码按逻辑应是这样。他和绝大多数楼中人士都很喜欢这个闹中取静的住所。但他和许多楼中人士一样，始终不能喜欢同一胡同里大杂院的小市民们。站在他那个什么什么居的阳台上，朝远处望还好，天际轮廓线不管怎么说总还有点现代化的勃勃生气，可是俯首往低处一望，灰色的瓦顶，陈旧的房屋，狭窄的院落，凌乱的什物，其间更有若许想必是既不能欣赏米罗的绘画，甚至根本没听说过《尤里西斯》，每天单是骑个旧自行车或挤公共交通工具跑老远去上班，为挣个全额工资，更为领取一份奖金，孳孳汲汲地奔忙于俗世的芸芸众生们，那是些什么样的俗物啊！从他们所居的院落，常传来敲破锣般的"卡拉OK"之声，曲目多是商业大潮里溅冒出的"泡沫歌曲"，或者便是发着霉味的京胡伴奏下的《乌盆记》一类的咿呀之声……可以看到的，还有他们晾晒在院中绳索上的牛仔装和有英文字母的"文化衫"，乃至于纱绸"文胸"与透明丝袜；可以想见的，是他们屋里的电视机打开后多半停留在播"戏说"的频道，如果订报纸，必是登满垃圾专栏的晚报，买回家的杂志，则多半是花花绿绿的软性刊物……更不消说，他们在屋顶下议论得最多的，是如何发财、发大财……唉唉，堕落！堕落！在如此污浊的环境中，唯有我们，一群智者，葆有清醒与高尚的心灵啊！……

那个深夜里骑着自行车、在寂静的雨幕中行进的人，不是自己同楼的邻居，想是住平房杂院的一个下夜班的工人，应是污浊俗世中的一员，本无价值可考，然而，他却在往胡同里去时，非常认真地，打了一个拐弯的手势。这手势不知为什么这样地烫灼了他的心。

他站住，在伞下，呆呆地凝望着那个骑车的俗人打拐弯手势的地方。那地方已是只有雨丝的无人空间，但他却不由得一次次地幻化出那个人与那个手势。

那个手势，标志着一种现代文明。

那是一个自觉的手势。

体现出一种自尊，更体现出一种对哪怕是看不见的他人的默默尊重。

体现出一种行为的连续性、合理性、规范性。

是一种功利理性。

不矫情，不刻板，不敷衍了草，也不拖泥带水。

并且非常自然。已经融汇在了他的日常行为定式之中。

是的，那一定是个俗世中的标准俗人，在二十多年前的批斗会上，此人不但远非张志新般地我以我血反极左，而且一定跟着举拳头喊"打倒"，乃至于还在班组会上念了不止一篇从报上抄来加以小小改造的批判稿；在十多年前，此人却又依然出现在同一个空间的会场上，听取厂长宣布他们厂与西方某国合资的决定，那决定恰属于此人几年前在班组会上所念的批判稿里宣称"我们坚决不答应"的那个范畴，但此人此时心中所担心的却是：千万不要在合资后的"优化组合"中被排除掉……于是迤迤逦逦到了今天，在这个雨夜里，此人下班骑车回家，背负着以往的人生，为无可逭逃的人文环境的变异所裹挟，继续着其生命行为……可是，在骑进所住的那条胡同时，打出了一个拐弯的手势。

他站在那里，望着胡同口，呆呆地，久久。

　　Y君，他，还有此刻大概还在Y君居所里的那些人，以及他们引为同道或视作对手的那些人，所谓文化人，智者，社会的良知，人类灵魂的工程师，高雅者，清洁的人，理想的构筑者与坚持者，德高望重者，勇于创新者，高举崇高旗帜的圣战者，大写的人，缔造历史的人，进入永恒的人，他们此刻无情地批判着不洁的俗世与不洁的俗人，可是，他们当中，究竟有几位，真正透视了俗世，理解了俗人，并且究竟有几位真是做到了从不拐弯儿，并且真是做到了对他人和自己都用同一苛刻的标准，而不是使用着拐弯儿的双重标准？特别是，他们在拐弯儿时，有几个能心平气和地，坦率地，与人为善地，自己拐而并不强求别人也拐，并且还顾及自己的拐弯儿不至于妨碍了他人继续直行，一句话，有几个真正超越了自我崇拜自我膨胀自我扩张而形成了一种比如说拐弯儿先打手势的言行习惯？

　　他望着那胡同口，仿佛那个骑自行车的人，还在拐弯，打着那样的一个手势。他心中有一种超越沧桑的，开始仅是淡淡的，却逐渐地甜蜜起来的感动。是的，那个鄙俗的生命，经历过阶级斗争的弦越绷越紧的岁月，又经历着商品经济越来越生猛鲜活的岁月，不曾为反抗阶级斗争的扩大化而作斗士成烈士，亦不曾挺身而出为抵抗人欲横流拜金主义而举大旗发高论，只是凡庸地随潮顺生，可是，却能在这雨夜里，在无人监督的情况下，自觉地执行骑车人拐弯时以手势示意的人类社会的行为通则，这是超越意识形态的人类共创并共享的一种文明，此人进入了这种文明，这分明昭示着，有一种比他和Y君以及他们一群，以及他们那一群所自以为不可或缺的言论文章呼吁争论更伟峻的力量，在推进着这攘攘俗世与芸芸俗众的进步与演化……

　　雨丝在伞面上编织着蕴藉的旋律。他平和地进入了一种从未体验过的惭愧。

　　忽然耳边响起了大约一小时前Y君嘶哑然而响亮的声音："……够了！别吵了！什么这个那个的！……我看，我们这场争论，既不是什么'圣战'，也不是什么学理之争！……说穿了，整个儿是为了争夺话语空间！跟俗世俗人争分商品经济大潮中的利益蛋糕，每人都想把自己操刀切的那一牙，切得尽可能大一点儿，完完全全属于同一种行径！"

当时，Y君的话音刚落，便立即响起了轰然的驳诘之声。是的，这是愤激之言，调侃之言，片面之论，夸张之论，但是，此刻，雨中默望着胡同口的他，却宁愿吞下这枚苦涩烫喉的果子，因为，是的，我们有什么资格审判俗世俗人，而竟忘记了，即使我们有那个资格，我们为什么不首先苛酷地审判我们自己，特别是我，即本人？

是的，也许，从Y君到他，他们那一个社会群体，真正的价值，真正可为之事，实际上也是人类给予他们的职业分工，首先，便是无情而苛酷地解剖自己，审判自己，并将之公开。

这就首先应坦率地承认，工业化社会以后，特别是后工业化社会以后，个体生命几无采取古典的，如陶渊明那样的隐居的生存方式的可能，整个社会都世俗化了，你首先不可能不是一个俗世中的居民，并被组合在种种俗世的人际之中，因之，你欲脱俗，只能是心灵上的，而这就必须首先直面自己所置身的俗世，审视自己在俗念中挣扎的心灵，解析它，破译它，批判它的错失，嘲笑它的狡滑，鞭笞它的阴恶，拯救它的堕落，从而使自己具备下一步去批判俗世他人的资格。倘尚不具备此种资格，并且根本没有意识到应获取此种资格，却在那里拉开架势煞有介事地批判起俗世攻诘起他人来，便是愚蠢，乃至疯狂！

雨下大了。他从思维的快意扩张，忽又转为了沉重的烦厌。我真是个怪东西！他想，思维这样地拐来拐去，便是我个体生命的存在方式么？这是不是一种悲怆的宿命？

他举着伞，朝空旷的胡同口走去。

在转进胡同口时，是出于下意识，还是上意识？他伸出不拿伞的右手臂，打出了一个拐弯的手势。

荷包蛋

在田野里画水彩写生，画完时夕阳斜铺过来，各种植物的综合气息氤氲入鼻，身心大畅。携着画具，慢慢往我书房所在的村子移步。忽然觉得口渴，带来的一瓶茶早已喝完，四周全是绿野，一时也买不到饮料。忽见百米外大片藕田一侧，有间小砖房，坡顶上的烟囱逸出白烟，便朝那里拐去。小屋里是位五十来岁的藕农，问他讨水喝，他笑道："别说水，饭也有得你吃哩！"我边喝他递来的热茶，边跟他聊天。他从南方来，承包了这北京顺义区的百亩湿地，他说原没想到北方也有这样适合种藕的地块，他不仅种藕，还种茭白，夏末秋初挖取出来，城里批发商用大卡车一趟趟运走，经济效益很好。我把画夹子里的画拿给他看，他说："荷花荷叶，其实都没有藕好看！"说着顺手举起一根带嫩芽的五节肥藕让我欣赏。我去时他已在灶上烧好饭准备吃，大钵的白米饭上盖浇清炒藕丁茭白，闻着好馋！他问我要不要吃一碗，我说买一碗吧，他说卖是不卖的，信得过你就吃，我说想吃，他就给我舀了一碗，又到锅上去煎荷包蛋，我说饭吃不了那许多，这菜已经很香，何必再煎蛋？他说藕和茭白吃腻了，只有荷包蛋百吃不厌，你不来我也还是要煎的。他把煎好的蛋往我那碗盖浇好菜的饭上一搁，真像一只荷包，热腾腾，滋滋响，被蛋白裹住的蛋黄微微跳动着，仿佛是他把自己那一颗好客的心，揣在荷包里，奉献给我了。

鸡蛋是全球性食物，到处都有人煎蛋吃，但是，荷包蛋这个称谓，似乎只是我们中国才有。在出国访问时，吃过典型的西式早餐，一份煎蛋端上来，蛋白铺得很开，蛋黄跟没受过火似的裸露着，完全产生不了荷包的联想，吃起来感到半生不熟。中国各地饮食上差异很大，但荷包蛋似乎东西南北，都确实从形象上往荷包上靠，记得小时候看母亲煎蛋，总要用锅铲把边上已经凝固的蛋白，轻轻往当中卷铺过来，把蛋黄裹上；后来自己成家立业，煎蛋时也这样处理。荷包蛋似乎是最稳定的家常食品，又似乎在饭馆菜单上永难出现。记得我头一回离家住校读书，临行前母亲往我的榨菜肉丝面上，又搁了一个热乎乎的荷包蛋，咬开那蛋白形成的"荷包"，里面的蛋黄刚好脱生，不过嫩更不老硬，那味道真是妙极了！还记得我头一回出国访问归来，妻子也是煎荷包蛋给我吃，她最后的定型不是母亲那种"菱形荷包"，而是"半月形荷包"，传统民俗文化中荷包款式的多样性，也潜移默化地渗透进了普通中国人煎荷包蛋的定型方式里，吃着那香喷喷的荷包蛋，回国回家的感觉，浓酽到眼睛发热的程度。有一回在外地饭馆，我非要点他们菜单上没有的荷包蛋，人家服务态度很好，给我端上来了，但一看吓了一跳，油汪汪的，不像荷包倒像个拳头，也不能怪人家，荷包蛋原是家里小锅小灶的产物，它满溢着太平岁月里小康生活中的温馨亲情，那是所谓仕宦情、商海情、江湖情以至如今颇时髦的网络情、露水情都绝对不可与之相比的。

藕农兄弟跟我说，他儿子去年考上了本省的大学，前些时暑假里还来这里帮他罱泥，他也是常煎荷包蛋给儿子吃，儿子说这荷包蛋真香死人了，他呵呵笑："到底大学生，也不忌讳什么，香么该香得人更活泼，怎么嘴里死呀死的哩！"我就说："等你儿子成了博士，当上 CEO，在这边买栋别墅，把你老伴也从家乡接来，你们住小楼，坐小车到处玩，那可就苦尽甘来啦！"他挑起眉头："苦？改革开放以前苦过，哪舍得用油煎蛋！现在我真是一点不觉得苦！家里盖的楼没有这边的楼神气，上下也有六七间，足够了！老婆守在家里，种果树，我冬天回去，春尽过来，我在这边种这些东西好快活！做自己喜欢做的事，过自己喜欢过的日子，煎自己喜欢的荷包蛋吃，我觉得成了活神仙呢！儿子已经扶他上了路，以后他就是成了你说的那样，或者更加地大富大贵起来，我也不想去沾他的光，他能知道我心里喜欢什么才叫真孝顺！"

从藕农兄弟那小屋道谢出来，消化着那美味的荷包蛋盖浇饭，漫步在田野里，晚风爱抚着我整个身心，引出我缕缕不绝的感悟。莫道藕农不起眼，人微言深耐寻味。小康胜大富，难得是恰然。西边绿野尽头晚霞裹护着落日，恰似一份足够天下百姓共享的荷包蛋，试问熙熙攘攘人世中，有几多能心怀对平凡的敬畏，对纯情的依恋？

花 车

秦师傅开出租车，不是开那种满街转悠着找活儿的出租车，他开的是要事先预订的车，车型很好，是美国卡迪拉克牌，加长的，车壳有一部分用真正樱桃木镶嵌，车里还带小冰箱、小电视，只不过，这车不算很新，这样也好，租用它的费用按小时算不是贵得让人听而生畏，一般的老百姓偶尔也租得起——当然啦，租它，是用于特殊的事情，百分之九十五的租用者，是新婚夫妇。

我管秦师傅的这辆车，叫做花车。它出动时，一般总会披红绸、缀鲜花，是的，它那车头、车顶，还有车里面所点缀的花，不是假花，而是真花，以艳红的玫瑰为主，也会搭配别的花卉，色香俱全、喜气喷溢。秦师傅开花车时总是西服革履，胡子剃得光光的，扎着条纹鲜明的领带，特别是他那一脸真诚的微笑，简直是把暖心的花，栽进你心里去了。

秦师傅已经四十八岁，儿子上大学了，他总是说："我最适合开这花车，夫妻和美，四老康健，儿子有出息，坐我车，包你幸福快乐！"客户一传十、十传百，打电话到公司订车的，有的竟这么说："不是秦师傅开，你们把那卡迪拉克送给我们，也不稀罕！"

我问秦师傅："开花车，有些什么故事？给我讲讲！"他说："'故事'这两个字你以后再别跟我耳边提——把这两个字反过来，是什么？我们司机最忌讳！"又说，"其实，开了两年多了，坐花车的新人我瞅着都差不多，小伙子都帅，新娘子都美，接亲送亲的都乐乐呵呵，合不拢嘴……没什么稀奇的情节。依我说，这就好，干什么非得有什么……"他笑了，把"故事"两个字，吞进了肚子里。

前天，我又看见秦师傅开的卡迪拉克在街上驶过。那车上虽然装饰的有喜字，但还是缀饰的鲜花最抢眼，我还是坚持不把它称作喜车而唤作花车。一对男女恋爱、结婚，他们会在那个晚上，度过他们人生中的初夜，享受健康性爱的极乐，并且，在某一天，一方的精子会同另一方的卵子融合，大约十个月后，他们又会初尝为父为母之乐……这些人生当中的最普通最正常的情况，难道不是最美的诗，最甜的歌,最值得我们珍惜坚守的吗?是啊,最好不要因为有"故事"而派生出"事故",愿花常好,月常圆,岁月里纵然会有风雨泥泞、起伏跌宕、波诡云谲、悲欢离合,但乘坐过秦师傅花车的伴侣,最好能终于白头偕老,把"故事"和"事故"从岁月的筛眼里筛落下去,把相敬如宾、矢志不渝、相濡以沫、同甘共苦的平凡与正常,永留在人生的轨迹里。

秦师傅不讲故事,却跟我说起过他开车时的心情:"有一回,那新娘子走过来,我猛地一惊——怎么那么像我那口子,当然,我说的是当年的她,而且,加上想象——如果二十三年前就时兴这种婚纱,她穿上肯定就是那个模样……嘿,那天我开车时候真有点心猿意马,我不停地想,要是我跟我那口子,还跟二十三年前那么年轻,握着手,坐在那后座上,该多好啊!"我心里想,这不就是故事吗?啊,确实,一有故事,也就真得提防出事故呀!我笑对他说:"你们两口子要坐在后座上,谁给你们开车呀?"他望着我,严肃地说:"应该是你呀!"我?二十三年前?我跟我那口子是三十年前结婚的,哪见过这样的花车?……一时不禁百感交集。

橘红色背心

今夏出现了"北热南冷"的异常气象。北京七月初持续了十多日的高温,是半个多世纪来罕有的情况。商店里空调器一时抢手,此前安装了空调的家庭似乎大可自诩颇有远见卓识,然而因装有空调的人家纷纷急迫制冷,却又令电路不胜负担,时不时造成跳闸断电,我们楼便如此,正当一家人蜷缩在有空调的房间中暂避热浪,忽然空调上的指示灯熄灭,于是不仅丧失了凉风,心中的焦虑骤然堆积:冰箱里的储物会不会变质?停电时间再久,我们高层便连带断水,饮水问题倒还不难应付，卫生间恭桶无法冲水，可怎么忍耐？

据说在严寒中人脑因温度过低，会产生幻视幻听，而在酷热中人脑因温度过高，意识里却不再有任何声色幻影，只呈现一派混浊迷茫。那天我们楼又一次断电，在头脑一派烫雾中我冲下了楼。楼外的护城河边有阵阵强风，然而是热风，仿佛天空是一个巨大的炉膛，并炉中仍有添薪加炭的趋势。鼻中袭入河水的腥臭，这倒使我的头脑恢复了一些理智，我才发现自己居然光着膀子跑了出来；我的家庭教养所形成的心理定式，是在家中可以如此，却不能以这般模样摇摆于长街之上，所以不免双手交搓双臂，生出些个羞涩。

但在护城河边的马路旁一边徜徉一边观望，发现大炉膛下的小生命，如我者其实多多。一位也住在河沿边高楼中的学者，我们素常在"场面"上遇到时，他总是西服笔挺、领带灿然，此刻却只穿着汗背心、短裤衩，坐在自备的折叠凳上，在河边垂柳下仰着脖子喘气。我一瞥后，赶忙将眼光移开，朝向别处，于是看到了更多的"人体艺术"，只是能唤起审美愉悦感者甚少。

我要逃避热浪，而热浪从八面逼来，实在是无可遁逃。爽性立定。于是忽然发现，前面有刺目的橘红色，好大一块，在朝我移动。于溽热中见到橘红色，大概与在严寒中见到铁青色一样，心中陡增不耐。

定睛细看，原来，是一位环卫工人，肩背盒状铁簸箕，手持长把扫帚，顺着马路边，清扫过来了。他身上不仅穿着长袖工作服，并且，一丝不苟地套着橘红色大背心，那是为提醒汽车驾驶员礼让，而专为他们配置的。

越来越近了。扫到离我不远处，他从肩上取下簸箕，从容不迫地将扫到一处的垃圾，归拢到那能旋转九十度的簸箕中。他戴着一顶简陋的圆布帽，帽檐下，额上缀满鼓胀的汗珠，帽边呈现着体盐的不规则渍印……有些汗珠从他的下巴坠到他的脖领里去了……

这不是一个机器人。橘红色背心和工作服所裹住的是如我们一般的血肉之躯，这躯体对严寒与酷热的基本感受应与我们等同，然而，为什么我这样一个热衷于写些个关于终极思考的人，却必须在空调机所营造出的适宜环境呵护中，方能继续我的劳作，而他，这橘红色背心所裹住的生命，那驱使他在酷暑中一如既往地挥寻撮秒的意识，倘若均非终极性哲思，那么，他的种种琐屑俗念，该是我能鄙夷、轻亵的吗？

其实，我早该注意到他，他天天在这河沿清扫，只是以往来来去去的人流七彩斑斓，将他淹没，现在酷暑中"水落石出"，他在我眼里是一朵刺目的橘红色大花。

他扫到我脚边，我未躲避，他抬起头来，我对他微笑，他愣了一下，报我一个微笑，那汗渍的笑容很短暂，然后他绕过我，继续清扫，橘红色的大背心晃动着……

我依然感到炎热。不过我开始感谢这半个世纪才君临北京一次的酷热了，因为，我发现了橘红色背心所裹住的，是一个我应接近与探究的厚实生命。他既天天在这河沿劳作，我该能找到一个机会，与他相识、交谈，并成为朋友。对世道人心的终极叩问，这橘红色背心里面，该给我丰沛的启迪。

脐 环

午夜电话铃响，电话来自劲松。

劲松是进入改革开放时期，北京的首批居民楼区之一，我在那里居住过九年。电话那边的声音，我一听就知道是小 H，他怎么这时候忽然来电，而且语气急吼吼的。更奇怪的是，接着还传来他媳妇小 S 的声音，竟然是在啜泣。大半夜的，两口子打架，要我给评理？我听了好几分钟才大体上弄明白，他们两口子并没打架，是他们的宝贝儿子新龙出了问题……

新龙究竟出了什么问题呀？午夜仍未归家？跟人打架被拘留了？得了急病？遭了车祸？……

小 H 和小 S 都出生在 1960 年，正赶上食物匮乏的"三年困难时期"，先天发育不足，长相上都显得有些个没舒展开来，但 1988 年他们生下的新龙，一落生就是白胖的大小子。新龙落生不足周岁，我家就搬离了劲松，但每年春节小 H 和小 S 来电话拜年，总要报告新龙苗壮成长的消息：会走路了，会唱歌了，上小学了，上初中了……我最近一次见到新龙，是在街上，小 H 小 S 和新龙从必胜客吃完披萨饼出来，脸上全漾着满足的笑容，新龙竟已经是一米七几的个头，无论五官还是身躯、四肢，该舒展的地方全都舒展开来，新龙主动叫我刘爷爷，我感叹："快考大学了吧？一般这么大的小伙子，不一定乐意跟爹妈上街了……你们家真幸福呀！"

在转型期的社会里，各种震荡波似乎对小 H 和小 S 他们并没有带来过多的困惑与烦恼。他们都是最安分守己的人。职业稳定，静候加薪；当年分配到住房尽管面积很小，但以很优惠的价格买下归己，精心布置，三口人居住也自得其乐；两口子全有医保，真有大病时可享受统筹待遇，心里塌实。就业、住房、医疗方面无虞，唯一需要操心的是新龙的教育和前途。新龙学习一直是中上状态，高中没能到最牛的学校就读，但所进入的这所区重点中学，升学率也不算低，他们两口子也没有再高的奢望，只要能考上个好专业，毕业后找到个过得去的工作，逐步去发展，也就心满意足。新龙的表现呢，也一直还让他们放心。

但是，这个夜晚使小 H 和小 S 完全失去了平衡。新龙究竟怎么了？他们越急，越让我听不明白。新龙那时候在他那间小屋里呼呼大睡。小 S 还保持着以往的习惯，起夜后去新龙床前探一头，以便把薅开的被子掩回去，结果，她发现——起先看不清，后来把小 H 喊起来，打开灯，一起辨认——呀！新龙的肚脐眼上，分明戴着一个金属的脐环！那孩子翻个身，继续他的酣睡，两口子如被雷击，跑到小厅里，面面相觑，互相埋怨，又给我拨电话，寻求外援。

我第一步只能劝他们冷静。既然孩子在别的方面并没有什么失常的表现，那就先不忙在他醒来后责问他。无妨两口子先合计好了，再很自然地跟孩子谈心。先要知心才能净心。小 S 冷静不下来，说应该马上翻检新龙书包，又说天亮就去学校反映，一定有个小团伙，把新龙带坏到了这种程度……

男孩子戴耳环、塞鼻珠已经令我和小 H 小 S 辈难以接受，何况戴脐环，又何况是戴在新龙肚脐眼上！七万一平方米的豪宅，上千万的豪车，夜总会，鲍翅席，陪酒女郎，私家侦探……这些转型期社会的光怪陆离，毕竟离我辈很远，但新龙的脐环，是转型社会的诡谲面楔进朴实家庭的尖锥，小H小S两口的午夜电话，又把那一分痛楚传递到了我的心间。我们别无选择，只能冷静应对。

故事没有结束。谁能授予我们睿智的解决之道？

沙发与轮椅

白领阿吉飘然而至，问哪阵风把他吹过来的，告诉我是受刺激了，问他是不是又遇到了人际摩擦，摇头说不是不是，及至坐下来喝了几口热茶，才喘口气，说这回是受了两样东西的刺激：沙发与轮椅。

这真让我惊奇。阿吉给我一一道来。原来他这个双休日孝心大发，开车去了两种地方，一是家具店，一是养老院，结果事情都没办成，倒深深地受到刺激。阿吉父母跟我算得有世交之谊，虽走动不多，电话还是常有的。我讶怪阿吉不去找父母倾诉，却跑到我跟前来喟叹。听他说完，才明白究竟是怎么回事儿。

阿吉的头一个想法，是给父母换套沙发。他父母居处的那套旧沙发确实应该换一下了，样式古板还在其次，坐着已经让人不舒服，他年终奖金颇丰，开车去了几处卖家具的地方，打算用一半的奖金，给父母订套新沙发，事先不说，为的是怕父母保守，以"还好好的能用"为由拒绝淘汰旧的，而且也知道二老的脾气跟我一样，如果子女非要那么办，就自己付款，不要子女花钱。他说在一处家具城相中了一套布艺沙发，包括茶几的四件套大约三千元就能拿下来，是暖色的，颇雅致，但究竟二老是否喜欢，还需试探后方能确定。他出了那家具城，去停车场取车的半路，忽然看见马路那边有家进口家具专卖店，兴之所至，就从过街天桥溜达过去，跑进去随便看看。那里头陈列的样品不多，有种布艺沙发，也是四件套，颜色是一种日常很少遇到的中间过渡色，他随便问了下售价，刺激就从那售货小姐轻柔的回应中产生："啊，这一款是刚从意大利运到的名牌，售价是十八万六千元。"

阿吉说他不能把这种沙发的售价告诉父母，告诉给我也希望我别跟他一样受到刺激。我笑了。我说我倒没觉得受刺激。我只是再一次意识到，我们这个社会那些先富起来的人士，其日常消费已经高到了怎样的档次。阿吉说他在那家进口名牌专卖店里，看到一对跟他大概是同龄的夫妻，就正在订购一套价值二十八万元的卧室五件套，听上去他们所关心的并不是价格，而是那样的款式是否运到中国后，在意大利那边已经过气？阿吉年薪已达八万元，在那样的"大巫"面前，却只是抱惭而退的"小巫"。阿吉提出他的困惑：人究竟应该坐到什么价位的沙发上才觉得幸福？

我们讨论起来。我的想法是：贫穷是不幸无福。我绝不唱"过得越穷越苦越幸福"的"高调"。人在日常生活中应该坐卧舒适，沙发作为一种人类共享的物质文明，提供了舒适，构成了个人生活幸福感中的一个虽然琐屑却很重要的因素，人有沙发方面的追求是正当的。但我主张人们尽量把自己的幸福观保持在一种享受"小康"的段位上。"小康胜贫穷"自不待言，"小康胜大富"很多人就不大理解，需要多从这个角度来检测、营造自己的幸福观。"寒冬噎酸齑"固然很惨，"寒冬噎金粉"——有些先富者确实很喜欢在冬日的鲍翅汤里添金粉甚至金屑——其实也很惨，因为那样的"享受"所导致的是健康的损害与性善的迷失。我建议我们的传媒，加大对以"小康"为内容的消费观、幸福观、人生观的宣揄。其实世界上不少的亿万富翁尽管有豪宅名车，但大多数情况下还是选择了小康的生活方式，穿中档便装，吃快餐食品，骑自行车，到乡村度假，他们看重的不是自己个人消费的价位档次，而是自己参与创造的事业的发展，以及在大富以后如何满足自己蓄意已久的行善之心。

阿吉说到他所受到的另一刺激，是他在出了那家进口家具专卖店后，去了一家养老院。他的四位祖辈，现在只有姥姥还在，跟他父母住在一起。考虑到父母也都年过花甲，尽管请了保姆，但父母特别是母亲在照顾姥姥这件事情上已经实在有些力不从心，已经独自另过的他也不可能照顾姥姥，于是他萌生了先到各个养老院去考察一番，再动员父母将姥姥送往条件好的养老院去的念头。我知道他父母对将老人送往养老院的建议，必会产生严重的心理障碍。但社会发展到这一步，家庭养老方式已经很难继续支撑下去，我就已经跟儿子表示，等我再老十几年，我会主动到养老院去颐养天年。

阿吉在养老院受到什么刺激？他说那养老院是从互联网上查到的，确实很不错，庭院宽敞豁亮，房舍整齐洁净，设施齐全，服务到位，收费也合理，接待人员带他在自理区和半自理区转悠，他连连赞好，后来人家问他拟送来的老人是否完全不能自理，他说姥姥再过些时候恐怕也就属于那个状态了，人家就带他到后院，那里是完全不能自理的老人居住区。阿吉说，刚一走进那后院，他就仿佛被雷击了一下。阳光灿烂，照耀着长廊里一大排老人，都坐在轮椅上，那一大排轮椅啊，一辆接一辆，蔚为奇观。他稍微瞥视了一下，触目惊心啊，全是些或痴呆或歪斜着身子的老人。他急速转身逃出了那个后院，嗓子干噎，心里发堵。

我明白，阿吉是被极端形象化的"生老病死"这沉重的意蕴所刺激。古人早有"纵有千年铁门槛，终需一个土馒头"的感叹。将"铁门槛""土馒头"这两个符码现代化，无论是换成"豪门宅""骨灰匣"还是别的什么，都足令人顿悟。我们屁股底下坐的沙发只要觉得舒服，那么它究竟是几十万一套还是两三千元以下一套，于我们的生命究竟有什么特别的意义？我和阿吉在讨论中达成了共识：珍惜身体与心灵的健康，把生活享受定位在"小康"，而把对时光的敬畏定位在"只要力所能及，别因善小而不为"。

五花肉

　　一位年轻的女士来我家做客，偶然看见厨房阳台上挂着一块腊肉，先是惊叫了一声，然后便拍着巴掌大笑起来："啊呀！你吃肥肉……"她是个嫉肥如仇的人，本来并不能算胖，却要每周三次去健康俱乐部花不菲的费用瘦身，这也使得她视吃肥肉为俗，她本是把我引为雅友的，忽然发现了那块腊肉，故有那样的反应。

　　说实在的，那块腊肉并不能以肥肉呼之，那是一块五花肉，是我的朋友老罗不远几千里，巴巴地从家乡带来送给我的。那猪是他自养自宰的，卖掉了大半只的肉，剩下的都腌制成了腊肉，他给我带来的那块，是精选出来的，最外层的那一圈肥花确实厚了一点，不过，老罗对肉的审美观与那位女客的审美观大相径庭，他正是觉得那一层肥花白亮得喜人，才特意提来送我。

　　那块五花腊肉限于自家条件的限制，腌制得不是很成功，不像北京商场里售卖的那么地道，我们一家虽然都十分感激老罗的真情厚谊，却也很长时间都没有去尝它，主要是不知道究竟该怎么烹饪，就那么一直挂在阳台上任其风干。

　　年轻女士和我笑谈间，忽然瞥见楼下小花园里有个人在拣拾白色污染物，便随口建议道："咱们城里人谁吃这个？你不如拿下去送给楼下那个拣脏的老头儿！"我朝楼下一看，只觉得仿佛有个宝贵的东西，被人轻率地弄脏了，再也不笑，闷闷地对那位女士说："那正是老罗，这块五花肉就是他送给我的。"女士吐了一下舌头，满脸的歉意。

　　附近的居民，也大都称老罗为"拣脏的老头"，其实，他并非是个拾些破烂拿去卖钱的人，而是绿化队负责我们小区清洁的合同工；而且他与我同龄，逢到节庆日，也舍得花五毛钱坐到露天理发椅上修理一番门面，穿上他最好的衣服，那时他会显得红光满面，挺拔精壮，看去比我还年轻，哪儿能算老头？

　　我和老罗从搭话到来往到成为好友，那过程大约有半年。我头一回去他们绿化队集体宿舍，正看见他买回来一块肥膘，切碎了在伙房的大锅里炼大油。他们时兴自己做饭自己吃，伙房的场地、工具轮流使用。开头我疑惑，十好几个人，怎么轮得过来？去了几次，发现他们的饭食真是非常地简单，主食往往是大家先用各自的容器装好米或干粮，在同一口大锅里焖饭、熥干粮；副食呢，讲究时合熬一些处理贱卖的菜，像老罗，为了把每月三百元的工资尽量节省下来汇回家里，往往就是一碗米饭，舀一勺搁好花椒盐巴的大油，就着一碗粗茶，呼噜呼噜地吃进去，我目睹时心里既有些不忍，却又很羡慕——因为他总是吃得很香；而我们，有时面对着满桌的鸡鸭鱼肉，却还总是提不起胃口。

我和老罗为什么投缘？我想我们确实有心灵上的契合点——我们都信奉以诚实的劳动去谋取自身生活的改善。我当然比老罗富裕得多，有时在邮局遇上，他把浸着汗水的钱往家里汇，我拿着汇款单兑稿费，我们就聊起各自的梦想，他想把家里的平房改建成两层小楼，我想攒足了钱买下套商品房专用于写作。我告诉他干我这行有个好处，就是稿费里超过国家法定数额那部分应纳的税金，汇稿费的机构一定都会帮我代缴，拿到的都是心安理得的干净钱。他问我超过多少才需纳个人所得税，我说是一次八百元，他笑了，摸着后脑勺说他怕永远难有那个财运。

但有一天老罗汗津津地来找我，我以为他遭到了什么不测，听他细说，原来他在清理绿地卫生时，拾到了一个公文包，马上拿去交给了派出所；那公文包是被盗后，被盗贼掏走了现金，扔在那儿的，失主虽然丢了现金，却因老罗及时上交，得以重获里面的文件、信用卡、护照和机票，感激得不得了，一定要奖励老罗一千元人民币，老罗执意不要，失主执意要给，最后民警也笑劝老罗收下，老罗这才收下了。但在回宿舍的路上，老罗忽然想起超过八百元的部分要交税的规定，心里不安起来，他来找我，是诉说自己不知到哪儿如何交税的惶恐。我感动地握住老罗粗壮的上臂，一时竟说不出话来。

老罗经跟我商量，自己收下了八百元，那二百元分给了宿舍里的伙伴，他说他们也该得到奖励，因为那绿地是他们共同的工作场所。这样他省得去交税，良心上也安稳，而伙伴们也皆大欢喜。

就是那以后过完春节回来，老罗带来一块五花肉，他从车站径直到我家，送给了我。他并没给自己带一块来，慢慢地用来佐餐。我不能把这块五花肉还给他，更不能转送他人，我应该和家人一起，从中享受人间的一份可贵真情。谁有烹饪这种五花腊肉的绝佳方案？请快快告诉我！

雪地风波

节气还是小雪，却大雪纷飞，漫天白蝶乱舞，该有多少梁山伯和祝英台的精灵在翩跹吟唱啊。北京人高兴坏了。这些年，北京往往一冬无雪，人们盼雪之心，常被无情的干燥窒噎得无奈。今年这场雪却不仅来得早，而且来得猛，来得酣畅淋漓，来得如醉如痴，倏忽间把北京所有的不洁不雅之处掩饰无余，而又把所有堂皇美丽之处装点得魅力倍增。迎着瑞雪，北京人争先恐后地涌出家门，或扶老携幼，或情侣双双，或独自徜徉，不仅公园里如庙会般热闹，就是住宅间的绿地一带，也笑语喧哗、人气鲜旺，仿佛过节，赛似喜庆。

雪还在恣肆飘舞，人们且不忙扫雪清路，这边在堆雪人，那边在打雪仗，更有小孩子，往积得厚厚的雪毯上张臂扑去，扑出一个活泼泼的人形，家长，以及认识不认识的围观者，都望着敞怀大笑……到处是举着照相机的拍摄者，无论你留神还是不留神，都可能闯进人家的镜头……

我走出楼门，边走边看，边走边听，也不光用眼用耳，更用鼻子亲吻那清爽润泽的雪气，用鞋底感受那新鲜积雪被踩踏的轻柔绵软，甚至还伸出舌头，让大片的雪花落上去，享受它那特殊的味道……

不知不觉间，我走到了护城河边的小公园里，穿过热闹区，迤逦来自较僻静的一隅。那里有些人在忙着拍片子，一时也搞不清是拍电影还是拍电视。是啊，这场大雪，给剧本里规定了雪戏的影视编导们，提供了多大的帮助啊！不仅雪中戏可以真实生动，更能省去多少布景费用啊！记得头年我曾应一位导演邀请，到他们拍摄现场助兴，因为久等大雪不至，只好用大量的食盐模拟积雪，再用鼓风机吹动大量的"米菠萝"（一种化工产品）来营造大雪纷飞的效果，光那一场戏，为置景就投入了两三万元。

我走过去看热闹。只见有人围聚一处争议。也许是摄制组的人士在讨论拍摄方案？这时雪已经停了，一位男士，看样子应是导演，很急迫地宣布："开拍！开拍！"然而一位女士却拦上去，很强硬地说："我就不让你们拍！"于是紧跟着有几个摄制组的人去与那女士周旋，可是，那女士看来也有支持者，围上去与拍片子的人论理⋯⋯这是怎么一回事啊？

原来，摄制组在那边雪地里布了一个场景，是扫开了一块地面，在其上用一根木棍支起了一个大竹箩，竹箩一边着地，另一边形成一个陷阱——竹箩下面撒着不少谷粒、面包屑什么的；不消说，那支着竹箩的木棍上拴得有长长的绳子⋯⋯而雪松下的几个小演员，他们要演的，便是捕雀的一场戏。虽然这边人们争论着，可是那边的竹箩下，居然还是有若干麻雀飞落进去，兴致勃勃地啄食竹箩下的诱饵⋯⋯

摄制组的人士对那些自发的反对者，特别是那位带头的女士，一再耐心地解释，他们不会真把那些扣在竹箩下的鸟雀们捉住不放的，一俟戏拍竣，他们肯定放生⋯⋯可是那位女士却跟他们说，即便那样，这样的镜头将来一放映，也会对少年儿童形成一种诱导，给他们提供一种模仿的样板，会派生出副作用；现在的文艺工作者，应有以一切手段提升人们，尤其是少年儿童们，爱护野生动物、保护生态环境的社会责任感，而不应去做相反的事⋯⋯

这场雪地风波，最后怎样收的场？我不知道。我有意赶快从那里走开了。我怕在那里留下去，卷进到风波之中——我会处于两难境地；那位女士及几位支持者是否胶柱鼓瑟？那摄制组所拍的片子里真就不能放弃这场捕鸟的戏？我究竟该站在哪一边呢？或者，扮演一个折中的脚色？又怎么折中呢？⋯⋯

我继续在雪中漫步。心中格外欣悦。雪使这世界更美，而人呢，即使是争论中的人们，也可以使这雪更美啊！

一根牙签

朋友在远郊买了商品房，是两层相通的复式结构，光楼下那个大厅就有三十平方米，真叫气派。因为我们是贫贱之交，多年来维系着至好的关系，又因为有一桩具体的事，他急着和我谋面，所以在他装修完刚搬进去的第二天，就邀我去他新居，热情招待，言谈极欢，更因那里实在离城颇远，而他为买房已几乎用去多年积蓄，暂未购车，无法送我返城，便开启二层的客房，使我有幸成为他那新宅里的头一位留宿客。

朋友的夫人、孩子都还在城里旧宅留守，那晚由他亲自在装备得极其完善的厨房里烹出了丰盛的菜肴，我们坐在餐厅的长条樱桃木餐桌两边，在可以推上拉下、古典风格瓷罩的餐桌灯泻下的柔和光区里，以音响里传出的吉他浪漫曲佐酒就餐。他心头的幸福感，甚至洋溢在了嘴角的翕动中。

餐后我们坐在沙发上聊天时，他在言谈中不时吧唧嘴，仿佛反复地用舌头在牙床上扫动；后来又站起来，先到厨房，后到别处，像是要急于找什么东西；再后他干脆问我带没带的有牙签，我告从未有随身带牙签的习惯，他很失望，叹息说："你刚才说，我这新居武装到了牙齿，唉，你看，什么都想到了，偏偏没买牙签来！"

入夜，我在客房床上倚着高枕，看从他书架上借来的一本列夫·托尔斯泰的《家庭的幸福》，竟不能静下心，进入托翁的那些描述。后来我把书抛到一边，双手枕到脑后，胡思乱想起来。我想，什么是家庭和个人的幸福？什么是生活的乐趣和意义？四十年前，我与这位朋友"总角之交"时，我们从未把个人幸福和这样的生活方式联系起来过；三十年前，那就简直要把这样的房子和这样的起居视为罪恶了……我们生存状态与观念思维的变化，是近二十年才开始发生，而且仿佛加速的列车，越来越迅疾啊……

忽然有人敲门，我本能地道"请进"，朋友推门而进，我笑说："这是你的家啊！"他说："这个空间你在合法单独使用，当然必须尊重你的意志！"我问他有什么事，他说晚餐吃那虫草酱鸭，有块小小的鸭骨嵌在了臼齿缝里，很难过，急需一根牙签……我说这算多大的事！没有牙签，找根随便什么细棍儿，火柴也行，从炕笤帚上撅下根秫秸苗也行……再说，等到明天再去买牙签来解决问题好了，怎么就不能忍耐一时呢？想当年，你哪儿有这么娇贵？他却大言不惭地说："这关乎到我此时此刻的幸福感！"我忍不住，便跟他争了起来。

我很激动，朋友倒颇冷静。他说，他找遍了这所新宅各处，没有火柴，更没有秫秸苗，没有能替代牙签的东西，而他，既然过上了这样的生活，就不想忍耐，他先给二十四小时值班的物业管理人员打了电话求援，对方一时爱莫能助；这小区虽有些邻居，但绝不能为此事去骚扰人家；给城里家人打电话，可能那话筒又让宠物猫碰脱了，爱人孩子都睡了，无法接听——他说如果电话打通，他会动员家人打辆"的士"给他送盒牙签来……我越听越觉得荒唐，他却郑重其事宣告，社会已经发展到了这一步：你为社会提供了聪明才智和诚实劳动，奉公守法，就有理由过高品质的生活，而社会的组织管理者，也就应该以此带动各个生产与服务的行业，来保证人们能方便而舒适地消费，享受幸福生活。他说他刚才给出租汽车公司打电话，要租车到 24 小时营业的便利店去买牙签，可是却没人接电话……

他怎么会变成这样？我一时气得无言以对。

朋友还继续对我说，别看不起他那"此时此刻的幸福"的追求。固然，我们今天所付出的才能和劳作，总体而言，有为明天的社会进步与后代的幸福铺垫积累的意义，但"今天就要享受应有的幸福"，应是更切近的人生动力。他这房子，除了首付款项，办理了二十年的银行按揭，属于提前消费，其合理的心理依据，以及合理的社会伦理道德前提，即根植于这样的幸福观。他希望在黄夜里很方便地得到一根牙签，竟不能实现，说明我们的社会生活还没有组织到发展到十分合理的状态……什么时候这样的烦恼可以简便地迎刃而解，什么时候我们的市场经济也就可以说是成熟了。

见我板着脸咬着唇沉默不语，他说："你大概在想，真叫吃饱了撑的！现在还有好些没解决温饱问题的同胞呢，有下岗职工，有住房还很拥挤的市民……

这样想，就好比有人强调普及电脑和因特网的必要性时，你愤懑地告诉他，现在还有很多穷乡僻壤的小学里，连块玻璃黑板，甚至连套像样的木棵桌椅都还没有呢！……告诉你吧，那样想，越想越心窄，无助于解决问题！不要把有关联而并不相互对立的事物，赌气般地对立起来……一根牙签和一个人此时此刻的幸福感，这起码可以作为一个虽形而下却又形而上的学术问题，一起来探讨一番吧！"我说："现在我没那个学术兴趣，我要睡觉了！"他便道了声晚安，退了出去。

这事过去好多天了。现在回想起来，我心平气和。记下此事，供大家探讨。

人生一瞬

1

婚宴上，新郎一直心神不定，因为新娘的那位远房红歌星表姐直到上场的时候竟还没有光临……

2

整部电影放映过程中，他都在揣想自己那辆"斯普瑞克"牌自行车究竟锁好了没有。

3

到局长家探病时，他坐在沙发上，嘴里本能地问候着，心里却一直在估算局长家所铺敷的化纤地毯究竟多少钱一米。

4

哀乐鸣响着，他随着与死者家属握手致哀的队伍缓缓前行，激动地想，终于有机会同死者那美丽的儿媳紧紧地握手了！

5

撂下了电话，他上弯的嘴角迅速下撇，并且骂出一句粗话，但又迅即将食指竖在自己唇边。

6

在母校门前，他认出昔日同座的女生脊背微驼牵着孙女儿缓缓前行，泪水涌上了他的眼眶。

7

他的剪报册上，又粘上了一角关于会议的报导，他用红笔将报导末尾开列的一串名单中自己的名字划出来，并郑重地附上编号：八十六。

8

邻居家正往屋里搬为女儿买来的钢琴，他把倚门而望的女儿叫回屋，心里酸酸的，然而没有钢琴的女儿跳起来用双臂搂住了他的脖子，无言中他感受到从女儿双臂传递过无尽的爱……

9

他第三回走到阳台朝下望，心里嘲笑着那些在马路一侧围观良久的人群，但第四回他没在阳台上站多久便本能地朝楼下而去，因为他想知道那小小的场面究竟有什么值得长久围观的。

10

病了，住进医院，盼那个人来看他，来了许多人，许多安慰话，许多罐头与水果，但那个人没来，始终没来，他想说出希望那个人来，也许说出来后真能够来，也许说出来后也不会来，他就没说出希望，却一直希望着。那个人没有来。于是，他死了。

11

她在发廊里把头发染成金黄色，在街上走了一圈，惊讶地发现，在周围人们眼中，她更加不像一个外国人了！

12

他好后悔，不该千方百计混进后台，在她的化妆室中凑拢她的身旁，求她在用她玉照作封面的杂志上签名，因为他这才知道，他的偶像脖子上有好大一片白癜风……

13

他从不把自己曾在国家级球队当球员的事向单位的人们讲述。因为他在那三年里始终是板凳队员，所有比赛中的上场时间加在一起只有十八分钟，他只在一个人静处时，把一生中的那十八分钟一秒秒地反复品味。

14

邮筒前，一只手捏着一封航空信，投进一半，又抽了出来，抖动着又投进去一半，又突然退了出来，捏信的手下垂了，与信封接触的拇指和食指紧紧地相抵，颤抖，蓦地，手又抬起，信被火速塞进了邮筒入口，食指似乎惶乱中要抠进那入口将信封再掏出来，而拇指终于将露出的边缘狠劲往里一推，邮筒则始终默无表情地挺直身板屹立在街角。

15

是的，我跟你说的那位电影明星住同一层楼，但我们除了共用同一个垃圾倾倒口外没有别的关系。

16

当局长从讲稿第四页一下子翻到第六页，并毫不在意地继续往下念时，他真想冲过去提醒，但会场上没有任何人露出惊奇或疑惑的表情，甚至打开笔记本作笔记的人也不动声色，于是他为自己在起草第五页时付出的心血而叹息！

17

一列火车开过去时伴随着一声惨叫，若干人为这惨叫忙碌了一阵，若干时候以后再没有人记得这声惨叫。

18

风把小学校里孩子们课间嬉戏的喧闹声送进窗隙，正淘米的她用湿漉漉的手指掠掠白发，忆起粉笔屑飘飞的那股香味了。

19

不忍心扫去那花瓶的碎片，插第一束花时，他附在她耳边说的那句话，难道也会碎吗？

20

从合影中剪下那人的影像后，愣了半晌，才发现撕碎的竟是自己那一半！

21

在离家很远的大街上，风把一粒沙子吹进了眼睛，用手揉不行，用手帕揩也不行，一筹莫展的当口，才体会到家中亲人撮起嘴唇吹出的一口气有多么金贵！

22

对面阳台上的朱锦牡丹又绽圆了花朵，他在自己的阳台上久久凝望着，惊叹地想，永未遇见过你的主人，你简直是单单为我而开！

23

谁也不会知道，那白发男子进了食品店为什么眼光总避开摆放咖啡伴侣的货架，因为每一种咖啡几乎都有它们的咖啡伴侣相随，而他……

24

来电话了，终于来了，是他，果然是他，他请她原谅，一秒，两秒，三秒，四秒，她心里一万个原谅，嘴里却一万斤沉重。她终于什么也没说，挂上了电话，从此他们再没见过面，再没通过电话，却再也卸不去彼此的悬想。

25

躺在卧铺上，出差的她总想着家里橱柜上的盘子里的那两个桃子，桃尖已经发黑，果肉已开始变质，而丈夫和儿子很可能会抓起来就吃，于是乎拉肚子，于是乎痢疾，于是乎他们找不到家里的痢特灵，于是乎他们发高烧，于是乎……她为自己临行前的这一重大疏忽焦虑而至于阵阵发抖。

26

我去他家收房费，他未及拿钱，却滔滔不绝地告诉我，市政府副秘书长老江刚给他来过电话，新光公司总经理星期六请他去明珠海鲜酒家赴宴，他小舅子快从澳大利亚飞过来了，长城饭店的意大利"比查"不如香格里拉饭店的地道……可这一切跟我和房费有什么关系呢？

27

在这静夜里，他感谢风把附近哪家夫妻反目的声息，从窗隙频频送达枕畔，使他对人生有更真切细微的把握。

28

到家以后，他才发现包花生米的那一角旧报纸上，正好有三十多年前他发表的第一首诗，他望着那一角发黄的旧报纸，心波汪漾。

29

对面院子门口贴红喜字了，噼噼叭叭放鞭炮了，停满好多小轿车小面包车了，飘过来油腻腻的气味了，不知不觉一天过去了，好多天过去了，推出婴儿车来了，向收废品的卖酒瓶子了，这一次比上一次卖得多了，吵骂声溢出窗外了，有一天好好的暖水瓶掼到院门外了，有人进进出出地去劝了，有人探头探脑地围过去望了，孩子哭得越来越响了，又过去一些日子了，女的抱着孩子走了，院门口似乎静悄悄了，不知不觉又有些日子了，院门口又贴红喜字了，噼噼叭叭又放鞭炮了，又停了很多辆公家的小轿车小面包车了，又飘过来油腻腻的气味了，不知不觉一天又过去了，还有很多日子也过去了，又有很多日子过来了……

30

当闪电亮过，等待雷声来临的那段时间，他惊恐万分地想起自己作过的亏心事，然而当雷声隆隆滚过时，他心安理得了。因为他忽然意识到光速比声速要快许多许多。

31

赴公款宴请的半路上，他的小汽车抛锚在路边，司机下车排除故障去了，他隔窗望见了当年大学的同学，那位老兄正站在快餐车旁，躬身歪头吃着炸羊肉串，他不禁怜悯地想："五十出头了，还没混到高档宴会的桌子边，唉……"而吃羊肉串的那位，也瞥见了车内的那位，他边津津有味地吃着，边怜悯地想："仁兄啊，你一天到晚赴公费宴会，恐怕早就不懂得平头百姓街头品尝小吃的乐趣了，唉……"

32

板壁那边传来新婚之夜声息，使她难堪，也使她欣慰：总算把一间房子分成两份，她心甘情愿在那小小的一份中安身；当年儿子只占据她子宫十个月，如今她仿佛缩回了生命的子宫中，愿永远将宽阔和方便奉献给年轻的生命；她在那小小的空间中蜷缩着，在令她难堪的窸窣声中默然地流出甜蜜的泪……

33

窗外磨盘碾动般的西北风，使她从梦中醒来，本能地走到女儿床前，为她盖好掀开的被子、掖紧边角，这才恍然大悟：那逝去的双亲所给予她的最深挚的爱，常是在她灵魂沉睡时降临，她浑然不觉，而他们绝不索报……窗外呼叫不停的风啊，你怎懂得？

34

他在电话里对我说，他绝不是那种人，一见我离休回家无职无权便对我置之不理。他问到我的身体，表示了极度的关怀，又说了许多泛泛的话，但似乎总有句什么要紧的话想说却不能直截了当地说出来。我不得不提醒他我们的时间是一样的宝贵，于是他终于说出那句话，那是一个朴素的问题，就是我一旦用车，还能不能保证坐上小王开的那辆新尼桑？

35

从十楼的阳台望去，远处楼顶的那霓虹灯广告显得神秘而瑰丽，多少个夜晚，当他到阳台上远眺夜景时，都不禁浮出许多的联想，亲切而甜美……他终于购得一架高倍望远镜，这晚他激动地举镜去亲近那远处的霓虹灯，他感到有东西破碎在了心中——望远镜清晰地告知他，那是一种痔疮栓的广告。

36

久无来信的女儿终于从大洋彼岸寄来了让人放心的短简，出差千里外的丈夫刚来过了长途，桌子上是今天下班路上买到的又大又黄的便宜鸭梨，隔壁床上传来孙儿退烧后平缓的鼻息，而窗外是一轮浑圆的月亮，恰恰在这时，全身重量落进沙发的她，突然感到心里格外空虚……原来，牵挂、担忧和不圆满，才是激活心灵的宝物！

37

父母都不在家的时候，他终于侦察明白，爸爸总是一个人悄悄在灯下翻看的，是一本墨迹消褪、粘着若干发黄的旧照片的厚皮簿，而妈妈总是一个人偷偷在屋角望着发愣的，是夹在一本旧辞典里的压得扁扁干干的玫瑰花……一颗心从狂跳恢复平静后，他感到自己的童年到此结束。

38

聚会中，在我那布置得富丽堂皇的客厅中，我们这些当年的"兵团战士"，不知是哪位挑的头，突然唱出一句现在不仅绝对没有人再唱按内容也不该再唱的歌子，一下子，我们全体本能地跟上去放开喉咙齐唱起来，震得屋子轰轰响，一口气唱完以后，我们面面相觑……我们当中无人再信奉那歌里所唱，然而，我们被歌斧所伤的灵魂永带着那样的伤疤，这就决定了我们与弟妹一辈的总体差异……

39

谢谢，我不进去了；说实在的，您这防盗门让我心里好别扭，不，不是我产生了自己是窃贼的错觉，恰恰相反，我心里不由得在想，是谁把无辜的人关在这铁栅栏里，仿佛他们是被囚的窃贼？

40

又弹起《致爱丽丝》，又回想起他的钢琴启蒙老师，那位胖胖的中年妇女几乎大他三十岁，后来她得白血病死去了，人们以为他得知她的死讯后的痛哭只不过是对启蒙之恩的感念，谁晓得他是曾经偷偷地爱上了她，这秘密只有《致爱丽丝》的旋律知晓，永远永远，直到他死去并把这个秘密带进火葬场。

41

从报上看到，又有一本新的英语教材出版，心里怦怦猛跳，生怕不能及时买到，以插入家中书架上那一整排英语入门书行列中——但他至今总不能流畅地背诵出26 个英文字母。

42

"文革"中，他诬陷张三时，却又暗中希望张三成为烈士，将来自己好写一篇被频频转载的悼念文章……

这天有人向他提及"文革"中张三受迫害的事，他撇撇嘴，告诉那人他最看不起张三了——因为张三居然在"文革"中忍辱含垢，苟活至今！

43

第一个宴会上，他喝饮料吃风味小菜并散发自己的名片，匆匆赶到第二个宴会上品尝烤乳猪和烹大虾等主菜并凑到主桌上向头面人物敬酒，在第三个宴会开始上点心和水果时他恰好就座，频频致歉的同时下死眼把座中最美丽的女士盯住，并暗暗考虑散席再约她一同散步得以成功的最佳方案。

44

又一次经过那家商店她发现那件她试穿过许多次的外套仍然挂在那里，心中不禁又一次冲动，忍不住又一次试穿，穿衣镜告诉她，那衣服真仿佛专为她而缝制，但她又一次想到别人都看不乖它，可见它不怎么样，于是宁愿再一次遭到售货员白眼，她仍没有买它。

45

姐姐，外边有个人要见你，说不明白你为什么要在报上登那么个征婚广告……你问他从哪儿得到这个地址的，其实他根本不打听这个地址；你说只让姑妈代收信件和照片，不要人家访问，他说事情坏就坏在总不敢开口说话上……其实你经常在电梯里跟他紧挨在一起嘛，他就是跟咱们住同楼的洪哥……请他进来吗？

46

他坐在凌乱不堪的居室中，一边喝着酒一边看电视上重播那部由他主演并引来如潮好评的电视剧，望着那荧屏上的大特写，他脑子里一片烟雾，不禁惊讶地自问：难道那张脸是我的吗？

47

满脸皱纹的她，一边织着毛线衣一边不停地倾诉，天哪，那全是她内心中的隐秘，从五十年前的初恋到对当年给她刷过大字报的某同事的不可消亡的厌恨……听者默默无言，那是一只趴伏在她腿前的板凳狗。

48

回到宾馆，取房间钥匙的时候，接待处的小姐告诉他，在他外出用餐的短短一小时里，已经有三十多个人闻风而至，来这里要拜会他，并且留下了他们的名片……他大吃一惊。并以为坐在前厅里的那些人都是憋着要见他的，正慌乱中，接待处小姐又告诉他，她发现那些人全弄错了他的身份，把他当作了从境外来的富商……经她说明，那些人都走了……他将那些名片一律收藏。

49

每回走进百货公司，他总忍不住要对着门里的大镜子照上几秒钟，用手指顺顺头发、抻抻衣领，没有人注意他，他却先在转身时感到羞愧……今天走进百货公司，不知不觉中他又在那镜子前驻足，一瞥之中，他发现另外一位与他同样已入中年、同样其貌不扬的男子恰在他一侧对镜拂发自顾……他第一回在转身时感到坦然。

50

晚饭后，她同她在楼下绿地中喁喁窃议，交换着关于七楼那家闹离婚的种种最新信息，夕阳斜铺到她们身上，她们在一种暖烘烘的生理快感中又获得一种麻酥酥的心理满足……

51

交响乐队刚开始演奏第四乐章，他便从座位上站起来，高提着一对汽水瓶笨拙地挤过同排七八位观众的膝盖，往外移动……他是害怕去晚了小卖部就不办理退回押金的手续。

52

几把将那来信撕得粉碎……几分钟后，却又跪在地板上惶急地将那些碎片加以拼合……拼合未完成，又狂乱地将碎片抓起紧揉抛开……难道就这样划下一个青春中的句号？

53

关掉吸尘器，且站在地毯上喘息，蓦地回想起当年那小小的一间屋的家，用半湿的拖把几下便可以把水泥地面擦抹得清清爽爽……环顾这套宽阔的居室，原来它是为地毯、墙纸、百叶窗、组合柜、转角沙发、玻璃茶几、长餐桌、大书案……而存在的，眼光所及，全有该作而作不完的事；叹息中意识到，昔日是小屋子的主人，如今是大居室的奴隶！

54

地震了，惊醒过来的他头一个念头就是痛悔没有到保险公司投保，但再清醒些时发现并不是地震而是楼外在过重型载重卡车，于是至今他仍未去投保。

55

楼上那家人搬走两个多月了，就是每逢周总约一些人来跳舞，并把舞步声和音响声传到楼下使他不胜其烦的那家人。他曾对之厌恨已极，但近些时他每逢周末心里总空落落的，寂静使他难以忍受，于是这个周末他决定上楼向新邻居建议举办舞会。

56

她们三个不相干的人同在一个站牌下等车，甲像慈蔼的祖母，乙像干练的母亲，丙像聪颖的女儿，她们相互都有这样的感觉，车来后她们上了车，分挤在乘客中，甲、乙为各自女儿的不肖暗暗叹息，丙则幻想自己换了奶奶和妈妈，然而一小时后她们都复位于各自的家庭，把路上的事淡忘。

57

从肯德基炸鸡店与相好的同学们吃完生日套餐，哼着歌子回到家中，劈头遇上刚来家里做事的安徽保姆；妈妈笑着告诉她，保姆小陶今年也是十八岁——两个姑娘对望着，都有些吃惊，都有些不适应，心中都漾起些说不清道不明的细琐波纹……相互点头分开后，小陶洗菜的节奏放慢了，而她坐到书桌前整理一大叠生日贺卡时，总不能收拢散开了的兴致……

58

苍茫夜色中，那个在桥上来回徘徊的纤弱姑娘终于不再徘徊，她伏在桥栏上，望着护城河那晃动着灯影的流水……他没像往常那样，沿护城河跑完一个来回便返回楼里，久久地原地甩臂、跳跃，密切注视着那仿佛一片落叶般的娇小身影……姑娘仰天望月，再俯首望水，他觉得有泪光一闪，心头一紧……正当他想过去时，忽然姑娘扑进一位匆匆走上桥头的青年怀中……他边往家跑边在心里微笑。

59

他和她是邻居，在菜市场里相遇，望着提着重重菜篮的他，她心里想：我的男人要是这样的该多好啊……他呢，望着臂挽露出鱼尾和青菜的篮子的她，却暗自庆幸：瞧她那不减肥不做头发不用化妆品不讲究色彩搭配乱穿衣的模样，亏得我的太太不是她。

60

护照、签证、机票总算都弄妥了，心里痒痒的，不知为什么除了至亲好友以外，也总想让久未联系的老同学、旧邻居们都知道一下，就这样给阿芳拨了个电话；挂上这个电话后却又委屈，又气恼，又心寒，又心酸，因为万没想到阿芳的第一句回话是——哎呀，你东借当西求人地忙了一年多……你怎么不去美国呢？

61

聚会中，A递过通讯录小本请他留下地址，他的习惯是总要装作无意，在提笔前检阅一下通讯录小本上已留的姓名，发现并无什么要人、闻人、熟人的名字，他便在空白处匆匆草签了自己的姓名，并留下了单位的地址；B 递过小记事本请他留下地址，一瞥中他发现已有不少要人、闻人、熟人的笔迹，便先用心地写下了自己的姓名，再耐心地分列出单位、家庭两处地址以及两处的电话号码。

62

爸爸，你不要惊讶——听到王伯伯去世的消息，我哭得这样地伤心……是的，我好多年再没见过他，可我永远忘不了十年前那天，你带我去王伯伯家做客，当时我还是个淘气的小学生，我把他家刚启用的一套景德镇茶具里的一只茶杯碰到地上摔碎了——当时你恰好去了卫生间，所以你一直不知道；现在我要告诉你，王伯伯当时朝王伯母使个眼色说——别跟他爸爸讲……

63

我们又一次同开电梯的小张开玩笑，哄然地说她新烫了头发以后，更像昨晚电视里又亮相的那位歌星了，我们都没想到一向对这个玩笑置之一笑的小张这回却突然严肃地说——她唱歌只算是个二流，我可是个一流电梯工，是她长得像我啊！

64

年轻的父亲扶正眼镜，小心翼翼地填写着每一个栏目；女儿倚在他身边，不时尖声地提醒他老师是如何布置叮嘱的；头发有点蓬乱，腰系围裙、手上沾着面粉的母亲从丈夫另一侧肩后伸颈细望，生怕他那写后即涂改的毛病发作——一份小学生学籍登记表君临了这个只有一间小屋子的家庭。

65

面对镜子，久久地把目光集注到脸颊上的那颗粉刺上，心里浮着"千万不要压挤粉刺"的警告，医生说过，杂志上和报纸副刊上总登这一类的破文章，就连台历上记不得哪页的背后也印着这个教条……可是想到一小时后的约会，考虑来考虑去，从轻抚重摩，到边缘试探——终于还是下决心用双手的食指狠狠地挤了它，而在头一阵痛楚中，也便立即后悔……

66

爸爸妈妈倚在沙发上耐心地看一部乏味的电视连续剧，哥哥嫂嫂不知为什么又在他们屋里拌起嘴来，邻居家传来用冲击钻往墙上钻眼的声响……刚从学校开完毕业联欢会的她，坐在用书柜和衣柜隔出的那属于自己的小小空间里，才越过十八岁的年轻灵魂，为万千思绪的冲撞而颤栗，真想放声大哭一场……

67

散会时，那位妇女在门口拦住了他，他站住，微躬着身子，眯着眼倾听她的诉求，绕过他们走出去的与会者都对那情景留下了印象；求诉者最后递给他一份书面材料，他接过那装材料的信封，郑重地放进公文包……他坐进了小轿车，他闭目养神，他下车前向司机道别，他坐电梯升到自己住的那一层，他从公文包里取出那只信封，用力地撕作几段，扔进了垃圾通道……他搓着手指，他想进屋后头一件事便是洗手。

68

春光烂熳，公共汽车站，一对青年男女旁若无人地紧紧偎靠着，男青年吻女青年的面颊，女青年甜笑着眯上双眼……花白头发的他望着这对恋人，又愤慨又羡慕，又鄙夷又嫉妒，又厌恶又忍不住紧盯，又腹诽又禁不住暗叹……风把柳絮吹到他脸上，他用手拂去柳絮，心中一阵酸楚——自己那一代人曾背负着那么多的沉沉耻感。从未这样享受过人生……而青春已一去不返，如何补偿！

69

路过那个服装摊档，她不禁轻轻歪动嘴角；昔日邻居家的阿牛，如今已然"练摊"两年，肯定发了大财，可阿牛这种职业，啧啧啧……她自豪地想到自己那在大学中苦练"托福"的女儿；她的目光与阿牛忽然相接，阿牛热情地招呼她，她走拢摊前……当她拿着阿牛白送她的一套"婆婆衫"离去时，心中仍在鄙夷：这种职业，唉唉……

70

在过街天桥上，他止步扶栏眺望一贯熟悉的街道，那重叠延伸的楼影和流光溢彩的霓虹灯，以及满街满道的车辆行人，突然变得陌生，使他铭心刻骨地体验到"红尘滚滚"这四个字的全部内涵——心中陡然弥漫着一种深深的孤独感，那是在人稀声息的风景地和静夜独处一室时都不曾有过的。

71

最钟爱的二女婿来到病床前，献给他一大束粉红色的康乃馨……他自豪地把二女婿介绍给同室病友：硕士，工程师，合资机构白领，像不像还没播完的那电视连续剧里的男主角……同室病友出去散步了，他才觉得女儿没有一起来多少有点蹊跷，而二女婿的表情也显露出更多的古怪……不待他问，二女婿凑拢他，极为认真地吐出一句话来——您是否该写个遗嘱，把财产分一分了？

72

揭开透明的盒盖，那蛋糕匣中在残存的一牙更清晰的显现出来；存放三天了，那奶油花纹上已经现出了浅绿的霉斑……她将那盛着一牙发霉的蛋糕与许多根燃得变形的小蜡烛的圆盒捧往垃圾站……当她回到家中时，她对镜良久……掠掠鬓边白发，她挺直脊背，坐到藤椅上，继续编织那件毛衣——给没来吃蛋糕的人。

73

百货公司里一下子乱了，顾客们都不自觉地朝滚梯那里拥去，连售货员们的头也差不多全如葵花仰日般转向那边……原来是新近走红的一位影视男丑星出现在了滚梯上；仍在柜台前站立着挑选变色镜的他朝那厢一瞥后，不禁黯然心酸！我几年来窝在演员剧团无导演约请无角色可上，都是因为我有一个俊俏得无人要看的外表啊！

74

揿着许久没揿过的那个电话号码，心里急速预测着对方可能会有的反应，揿完后那边传来"喂"的一声，竟把事先设计好的多种应对方案尽数扫荡，忙结结巴巴地申明没有事只是过节问个好问个好……搁下电话后心仍在狂跳，想分析一下刚才听到的声息究竟是否意味着传言中的升迁与对自己的宽宥，却怎样也无法集中思绪……

75

展览会上，孤零零面对着一幅无论如何也看不懂的只有团团色斑和一堆曲线的画幅久久发愣，却不知不觉引来了背后越来越多以至挤靠到两膊的红男绿女，他仍看不懂那画，耳边却传来若干"啧啧"赞叹声……

76

因为默默地爱他爱得发狠，所以故意要在有一天他送自己回家走抵楼下时，佯作冷淡地告诉他自己根本没想到要跟他建立起超出同事间的关系……从此他不再送自己回家不再凑拢聊天不再递过冰淇淋，只偶尔从远处现出一个微笑，而自己仍默默地爱他爱得发狠……多年后痛苦地自问：初恋的花蕾，为什么竟由自己残酷地吹落？

77

车厢里有人在交谈中高声冒出了"巴黎"两个音节,一位中年妇女微闭双眼,心头浮现出高耸的艾菲尔铁塔;一位二十岁的姑娘下意识地摸摸头发,她后悔没去那家莉莉她们一直向她推荐的"小巴黎发廊";一位黑瘦的男子想到了故乡个大肉粗汁多的巴梨;一位正兜售小报的报贩心里嘀咕:要是卖一张报还像以往那样只挣八厘,谁还干这个……而一位老大爷却默默地想,不,不是笆篱,是篱芭、女人和狗,挺不错的电视剧……

78

他很惊异,为什么这些天妻子总那样冷感,并一再说必须把双人床挪换一个位置……他哪里知道,妻子前几天去隔壁邻居家收房租水电费时,发现那家夫妇的床铺同他们的床铺安放在同一块顶多不过十几厘米厚的预制板两侧,他们双方实际上是在很近很近的距离同时……她心里横梗着这心理障碍,但又没有勇气马上向他说出……这些住在预制板镶嵌的盒子里的人们啊!

79

他的第一本诗集出版了,散发着油墨清香的样书堆放在案头,他在一张纸上开列着拟寄赠的名单,除了至亲、老师、荐引人而外,他头一个想到的,竟是心中最难释恨的那位昔日的意中人——她那对他不屑一顾的神情,她那当众嘲讽他妄想和无才的刺人话语,她那拒他于千里之外的做派,蓦地都活现于心中,令他一把抓起一本诗集,用签字笔重重地在扉页上写下了请她"指正"的字样……

80

十六岁的儿子有一天满脸通红地对他说:爸,我是骗你们的——我其实一回梦也没作过,总听你们说梦呀梦的,电影电视上也净表现人做梦,所以我就撒谎,说也梦见了什么……父亲一把搂过他，抚摸着他的肩膀，一时不知该怎么说，只在心里想：儿子啊，愿你单纯而墨黑的睡眠长久地延续，那是健康的表现；然而梦斧终得劈开混沌，愿你把头一个梦讲给我听……

81

走过坐在街口拉胡琴的那个盲人面前时，没有往他身边的搪瓷茶缸里扔钱；一步步背对盲人走远了，起初有点不自在，后来就想，扔钱的未必高尚，还不是因为迷信想积德……没扔钱的也不止我一个人……我岂在乎一毛两毛的小票子，他是盲流，有碍市容观瞻，更何况也许是假装失明，听说如今有"乞讨万元户"，这说不定便是其中之一……那盲人和琴声使他久久地不痛快……

82

楼里新搬进来的这位影、视、剧三栖明星真令人扫兴——他没有私人小轿车，并不能给我们楼前空地增加光彩；

来接他的汽车也少有小轿车净是小"面包"；

他骑的那辆自行车虽说是新的可根本不是斯普瑞克、普加奇一类的"潮车"；

他并不哼着歌蹦着舞步上下楼；

他浑身上下的名牌货竟然比我还少……

瞧，他跟他老婆走过来了，告诉你吧，丢"份儿"透了——那老婆还是当初的那个老婆……唉！

83

三十年前就看过您演的片子，那纯情少女的印象我总不能忘记……您现在多大岁数……来，我帮您挂这外套……不，您不老，不老，您说"一大把岁数了"，真的，可"一大把"是多少呢……咦，您怎么挪到那边去……啊！

84

据说宴请后将招待观看一部香港恐怖片，但已然杯盘狼藉的大圆餐桌上，又搁下了一盘油腻腻的热菜，在哄然的拼酒声中，他恐怖地意识到，这顿饭至少还要延续一个小时以上！

85

每晚在餐桌旁饮着二两白酒时，他总满脸溅朱地声讨着巷口那个发了财的家伙，甚至频频警告自己的孩子不得同那家伙的孩子玩耍，但第二天蹬着自行车上班的时候，倘若恰好在巷口遇上那家伙在发动摩托车，他一定跳下车去亲热地招呼，心里揣想着如何才能搭上钩沾点光……

86

把一摞旧书提到楼下去卖给收废纸的乡下人，绳子忽然松开，书本散落一楼梯。正懊悔烦躁中，忽然瞥见一本发黄的再没有人要读的书那抖开的扉页上，赫然显现着头一个恋人留下的题赠字迹，蹲下，捧起那本书，一时间心摇意动，眼眶发痒……

87

儿子打来越洋电话，告知已通过关于高分子研究的博士论文，并已参加过同学们凑钱举办的庆祝"派对"……谈着谈着，儿子声音忽然不大对头，疑惑，惊诧，忙问怎么回事，儿子在那边说：爸爸，我心里忽然非常非常难过，因为今天我猛地意识到，我是一个中国人，却一点儿也不能体会到中国那琴棋书画之美……父亲放下电话，点燃一支烟，坐了许久，忽然有一种欣慰之情从心头渗出……

88

话剧正演到高潮的一幕，舞台上是一个激动人心的群众场面，他不由得目计了一下舞台上演员的人数，随即又转动脖颈目计了一下空空的池座中观众的数目，再望向舞台时，那明明是一个喜剧中最逗人发噱的场面，他却悲从中来，双眼禁不住让酸辛的泪水糊住……

89

因为表哥来上海，所以就有邻居指着他的背影说他已与表哥在上海炒股发了大财，就有邻居在电梯里笑问他何时买私人小轿车，就有邻居敲门进来讨教关于股票、股市和炒股的知识与玄机，就有邻居出他家后撇嘴摇头说他和他表哥真能装傻充愣真能保密真叫滑头，就有邻居为他和他的表哥究竟赚到了四位数还是五位数展开争鸣，就有邻居在子女提起他和他表哥时皱眉摇头还忍不住申斥训诫，而他表哥虽来自上海却确实尚未成为股民……

90

父亲斜倚在真皮沙发上，红着一张醉脸，用牙签剔着牙，甩着嗓门讲着诸如"我发财容易吗，供你容易吗"之类的话；儿子倚在他对面的沙发上，微眯着眼，专心倾听着——他手里握着超薄性的"沃克曼"，双耳里塞着微型立体声耳机……

91

凝望着书桌一角玻璃鱼缸里摇鳍摆尾张嘴觅食的金鱼——那里面原养着一对，后来因为鱼缸太小而鱼的需氧量增大，如今只剩一条，他忽然觉得，鱼在缸中，犹如他在屋中，而他在屋中犹如楼在街区中，楼在街区中犹如街区在城市中，街区在城市中犹如城市在国土中，城市在国土中犹如国土在地球中，国土在地球中犹如地球在宇宙中……有一种紧迫感，想马上为其"增氧"，哪怕只先作一桩小小的实事！

92

飞场的雪花中，街角那卖晚报的老头仍用戴大棉手套的手撑着把大伞，缩着脖子轮流跺着双脚，身上背着已然瘪下的帆布报袋，痴痴地凝望着一个方向，几年里那位天天来买报的同龄人从未如此迟到过……在街灯照亮的雪幕中，他望眼欲穿，却全然没有猜到，刚才马路当中那呼啸疾驶而过的急救车中，便躺着那位已不能再来买报并照例同他聊上几句的同龄老头……

93

母亲彻底失眠了，父亲也没睡安稳，两口子的卧室里弥漫着心弦欲断碎梦惊魂的气氛……而他们的宝贝女儿其实就在他们的楼窗下，在那目光穿不透的浓密树冠的阴影里，紧紧地依偎在恋人强健的怀抱中，久久地亲吻着如飞升在天花烂漫的晴空……

94

被儿子儿媳女儿女婿孙子外孙女围住，满桌美酒佳肴还有鲜花蛋糕，满头银丝的老两口满脸的皱纹都高兴得舞动不止，老头子不禁说，今天我要跟你们妈妈奶奶姥姥说句话，这句话这么多年我是实实在在地做到了却一直没说过，这话像我们这把年纪的夫妻子之间从没说过的在中国怕不算少数，你们说我跟你们妈妈奶奶姥姥算是到了"金婚"，我也没有再多的金子给她，以往我是尽其所有都给她了，今天再贴个标签吧，你们都听着——我爱你！

注：《人生一瞬》前30篇载《特区时报》1991年1月25日，后64篇连载于《新民晚报》1991年10月24日至1992年12月28日。

捕捉一瞬

千把字内的小说，大陆叫"微型小说"，台湾称"极短篇"。从去年起，我开始写些"一句话小说"，最长的不过二百来字，最短的也就几十字。是严格意义上的一句话：从语法上，从标点符号上，尽量以一个句子（当然可能结构较为复杂）完成全篇；同时又是严格意义上的小说：有人物、有情节，甚或有心理刻画、有氛围营造……与短小的散文诗、随感录等绝不混同。读者读极短篇，或许是因为在分秒必争的快节奏生活中无暇到长文字中去徜徉流连，而对于我倒并非是灵感只剩短促的一闪或只能"偷闲"写一点尽可能简约的文字。我仍在写长东西。但我时常感到在自己和他人的生存中，有一些闪烁的亮点，会突然烛照或灼痛灵魂，激发出我一种特异的灵感跃动，使我有盎然的兴致来尝试这种"一句话小说"的创作，我将它们统称为"一生一瞬"。创作这"一瞬"绝不比创作一部长作品容易，甚或更难。因为要在"一瞬"中照亮人事的微妙、透视人情的底蕴、探测人性的堂奥，那是无处藏拙，而务须精粹的——其中最重要的技巧我以为便是"留白"（即以既有文字勾引出丰满的想象空间），取"尽在不言中"之妙。捕捉"一瞬"，写成"极短"，实在是一种诱使内心与外在相激荡趋于精微超锐的"灵操"，我在其中得大快乐。我认为"极短"不等于极浅，不等于极淡，在漫长而短促、痛苦而欣悦的人生中，该有多少味醇而意深的一瞬可由我们捕捉！

刘心武文学活动大事记

1942 年

6月4日生于四川省成都市育婴堂街。

后在重庆度过童年。

父母兄姊均热爱文学艺术，深受家庭熏陶。

1950 年

随父母迁居北京，从此定居北京。

在隆福寺小学上小学，在北京 21 中上初中。

1958 年

在北京 65 中上高中。

给若干报刊投稿，屡被退稿。

8月，在《读书》杂志发表《谈〈第四十一〉》一文，是投稿第一次成功。

1959 年

在《北京晚报》"五色土"副刊陆续发表一些儿童诗、小小说。

为中央人民广播电台少儿部《小喇叭》（对学龄前儿童广播）编写若干节目；其中快板剧《咕咚》经编辑加工、录制后大受欢迎；"文革"中录音带被销毁；1991 年重新录制播出。

1961 年

毕业于北京师范专科学校，分配到北京 13 中任教。

至"文革"前，在《北京晚报》《中国青年报》《人民日报》《光明日报》《大公报》

《北京日报》《体育报》《儿童时代》《大众电影》等报刊上发表了约 70 篇小小说、散文、杂文、评论等文章。

1966—1976 年

"文革"中,因 1964 年曾发表过一篇关于京剧的文章,以"反江青"罪名被冲击。

1974 年后再试写作,曾写一关于"教育革命"的长篇小说,由出版社联系获准脱产修改,但终未达到当时出版要求。

1976 年

写出一个大院里孩子们同坏蛋斗争的中篇小说《睁大你的眼睛》并得以出版(北京人民出版社)。

又按照当时政治要求写出一些短篇小说、散文,有的到次年才收入多人合集中出版。

调到北京人民出版社(后恢复"文革"前社名:北京出版社)文艺编辑室当编辑。

1977 年

11 月,在《人民文学》杂志发表短篇小说《班主任》,产生重大影响——被认为是"伤痕文学"的开山作,也是"新时期文学"的发端;从此成名。

从《班主任》后,写作冲破懵懂,沿着认定的方向跋涉,穿越风云,锲而不舍。

1978 年

参加《十月》杂志(开始以丛书名义出版)创刊工作,在创刊号上发表短篇小说《爱情的位置》,经转载和广播,影响巨大。

在《中国青年》杂志上发表短篇小说《醒来吧,弟弟》,反应亦极强烈。

《班主任》《爱情的位置》《醒来吧,弟弟》均被改编为广播剧,由中央人民广播电台多次广播,《醒来吧,弟弟》被搬上话剧舞台;此年发表的短篇小说《穿米黄色大衣的青年》亦由电台播出。

1979 年

在首届全国优秀短篇小说评奖中《班主任》获第一名。颁奖会上,从茅盾先生手中接过奖状。

参加中国作家协会第三次全国代表大会,被选为中国作家协会理事。

成为中华全国青年联合会常务委员,至1993年卸任。

9月,参加中国作家代表团访问罗马尼亚,此系"文革"后第一个作家出访团。

在《人民文学》杂志发表短篇小说《我爱每一片绿叶》,写作技巧有长足进步。

1980 年

调至北京市文联当专业作家。

《我爱每一片绿叶》获1979年全国优秀短篇小说奖。

《看不见的朋友》获1954—1979年第二届全国少年儿童文学创作奖。

在《十月》杂志发表中篇小说《如意》,其弘扬人道主义的追求引起争议。

出版《刘心武短篇小说选》(北京出版社)。

1981 年

在《十月》杂志发表中篇小说《立体交叉桥》,引出更大争议,一些评论家认为"调子低沉"是步入了写作上的歧途,另有评论家则认为此作标志着刘心武的小说创作在反映现实、探索人性及艺术工力上均达到了新的水平。

5月,应日本文艺春秋社邀请访问日本。

1982 年

应导演黄健中之请,改编《如意》;北京电影制片厂拍成彩色艺术片《如意》。

1983 年

11月,参加中国电影代表团赴法国,在南特"三大洲电影节"上,《如意》在开幕式上放映,获好评;后陆续在法国、西德电视台播出。

1984 年

冬,应邀访问西德,参加"中德大学生会见活动",并在波恩大学、波鸿大学与威尔兹堡大学介绍中国当代文学。

年底,参加中国作家协会第四次全国代表大会,再次当选为理事。

在《当代》文学双月刊第 5、6 期连载长篇小说《钟鼓楼》。

1985 年

出版长篇小说《钟鼓楼》(人民文学出版社),并获第二届茅盾文学奖。

因《钟鼓楼》获北京市政府嘉奖。

7 月,在《人民文学》杂志发表纪实小说《5·19 长镜头》,反响强烈。

11 月,又在《人民文学》杂志发表纪实小说《公共汽车咏叹调》,引起轰动。

1986 年

年初,应当代文艺出版社邀请访问香港。

6 月,调中国作家协会人民文学杂志社,任常务副主编。

在《收获》杂志设《私人照相簿》专栏,进行图文交融的文本尝试。

散文集《垂柳集》出版,冰心为之作序。

1987 年

1 月,被任命为《人民文学》杂志主编。

2 月,《人民文学》杂志 1、2 期合刊发表马建写的小说《亮出你的舌苔或空空荡荡》违反民族政策,承担责任,停职检查。

9 月,复职。

冬,应邀赴美国访问。参观美洲华侨日报;在哥伦比亚大学、三一学院、哈佛大学、麻省理工学院、康奈尔大学、芝加哥大学、旧金山大学、斯坦福大学、伯克利加州大学、洛杉矶加州大学、圣迭戈加州大学等处演讲,介绍中国当代文学,并参观耶鲁大学;参加爱荷华大学"作家写作中心"的纪念活动;游览华盛顿等地。

1988 年

3 月,应香港《大公报》邀请,赴香港参加五十周年报庆活动;在《大公报》安排的大型报告会上作关于改革开放与文学创作的报告。

5 月,应法国文化部邀请,参加中国作家代表团访问法国,除在巴黎活动外,还访问了西部港口城市圣·拉扎尔。

《私人照相簿》在香港出版（南粤出版社）。

《我可不怕十三岁》获 1980—1985 年全国优秀儿童文学奖。

以上数年中，若干小说、散文还分别获得过《当代》《十月》《小说月报》《小说选刊》《中篇小说选刊》《儿童文学》《北方文学》等杂志，《人民日报》《文汇报》等报纸副刊的奖；拍成电视剧播出的有《没工夫叹息》《熄灭》（电视剧名《火苗》）《今夏流行明黄色》《到远处去发信》《非重点》《公共汽车咏叹调》和八集连续剧《钟鼓楼》；若干作品被英国、美国、西德、苏联、日本、瑞士、瑞典、法国、意大利等国翻译为英、德、俄、日、法、意、瑞典等文字出版；自 1987 年起被世界上有威望的英国欧罗巴出版社《世界名人录》收入词条。

1989 年

春，应香港中文大学翻译中心邀请，与妻子吕晓歌赴香港访问。

1990 年

3 月，以任届期满，免去《人民文学》杂志主编职务。

香港中文大学翻译中心编译的英文小说集《黑墙与其他故事》出版。

秋，以"鱼山"笔名在《钟山》杂志发表中篇小说《曹叔》。

1991 年

出版小说集《一窗灯火》。

除小说外，开始发表大量散文、随笔。

1992 年

长篇小说《风过耳》在内地（中国青年出版社）、香港（勤＋缘出版社）分别出版，反响颇为强烈。

长篇小说《四牌楼》完稿，交上海文艺出版社出版。

《献给命运的紫罗兰——刘心武谈生存智慧》由上海人民出版社出版，受到读者欢迎。

在《收获》杂志发表中篇小说《小墩子》，后由中国电视剧制作中心改编拍摄为电视连续剧。

至该年，在海内外出版的个人专著按不同版本计已达 43 种。

在《红楼梦学刊》1992 年第二辑上发表论文《秦可卿出身未必寒微》，在"红学"界和读者中均引起注意；另有若干《红楼梦》人物论和《红楼边角》专栏文章发表。

冬，应瑞典学院邀请（斯堪的纳维亚航空公司赞助）赴北欧访问；在挪威奥斯陆大学、瑞典斯德哥尔摩大学和隆德大学、丹麦哥本哈根大学和奥胡斯大学的东亚系汉学专业以《九十年代初的中国小说》为题作学术报告；12 月 7 日，参加诺贝尔文学奖有关活动，听 1992 年得主德里克·沃尔科特发表受奖演说。

1993 年

华艺出版社出版《刘心武文集》（1-8 卷）。

出版长篇小说《四牌楼》。

1994 年

1 月，应台湾《中国时报》邀请赴台参加"两岸三地文学研讨会"。

《四牌楼》获上海优秀长篇小说大奖，到沪领奖。

1995 年

出版随笔集《人生非梦总难醒》（上海人民出版社）。

出版小说集《仙人承露盘》（华艺出版社）。

1996 年

出版长篇小说《栖凤楼》（人民文学出版社）。至此，由《钟鼓楼》《四牌楼》《栖凤楼》构成的"三楼"长篇小说系列竣工。

应《南洋商报》邀请赴马来西亚访问并顺访新加坡。

1997 年

应日本文化交流基金会邀请，与妻子吕晓歌访问日本。其长篇小说《钟鼓楼》、儿童文学作品《我是你的朋友》、短篇小说《王府井万花筒》等此前已相继译为日文在日本出版。

1998 年

建筑评论集《我眼中的建筑与环境》由中国建筑工业出版社出版，在建筑界产生影响。

应美国科罗拉多大学邀请，赴美参加金庸作品国际研讨会，在会上提交关于《鹿鼎记》的论文《失父：一种生存困境》。

1999 年

出版纪实性长篇小说《树与林同在》（山东画报出版社）。

出版《红楼三钗之谜》（华艺出版社）。

赴新加坡出席国际环境文学研讨会。

2000 年

应邀访问法国，并应英中协会和伦敦大学邀请，从巴黎赴伦敦讲《红楼梦》。

至此年底在海内外出版的个人专著（不含文集）按不同版本计达 101 种。

2001 年

出版包含建筑评论的随笔集《在忧郁中升华》（文汇出版社）。

在北京电视台录制播出《刘心武谈建筑》系列节目。

2002 年

出版小说集《京漂女》（中国文联出版社），自绘插图。

应澳大利亚雪梨华文写作协会邀请赴澳大利亚访问。

2003 年

以马来西亚《星洲日报》世界华人文学"花踪奖"评委身份赴吉隆坡参加相关活动。

台湾联经出版社出版小说集《人面鱼》。此前台湾已出版过刘心武多种作品，如皇冠出版社出版了《钟鼓楼》，幼狮文化事业公司出版了《四牌楼》《为他人默默许愿》（散文集）。

2004 年

赴法参加巴黎书展活动。书展上展出了译为法文的著作有小说《树与林同在》《护城河边的灰姑娘》《尘与汗》《人面鱼》《如意》与歌剧剧本《老舍之死》。

建筑评论集《材质之美》由中国建材工业出版社出版。

小说集《站冰》出版（人民文学出版社），自绘封面插图。

2005 年

出版集历年研红成果的《红楼望月》（书海出版社）。

应 CCTV-10（中央电视台科学教育频道）《百家讲坛》邀请，录制播出《刘心武揭秘〈红楼梦〉》系列节目 23 集，反响强烈，引出争议。

《刘心武揭秘〈红楼梦〉》第一、二部相继出版（东方出版社），畅销。

2006 年

应美国华美协会邀请，赴纽约在哥伦比亚大学讲《红楼梦》。

应邀参加香港书展。

出版《刘心武揭秘古本〈红楼梦〉》（人民出版社）。

2007 年

继续应邀到 CCTV-10《百家讲坛》录制节目，并出版《刘心武揭秘〈红楼梦〉》第三部、第四部（东方出版社）。

访问俄罗斯。

2008 年

出版随笔集《健康携梦人》（中国海关出版社）。

自 1986 年出版《垂柳集》，至此所出版的散文随笔集已逾 30 种。

2009 年

在《上海文学》杂志开《十二幅画》专栏，每期发表一篇写人物命运的大散文，并配发自己的画作。

4 月，妻子吕晓歌病逝，著长文《那边多美呀！》悼念。

2010 年

再应 CCTV-10《百家讲坛》邀请,录制播出《〈红楼梦〉的真故事》系列节目。至此在《百家讲坛》录制播出关于《红楼梦》的个人系列讲座累计达 61 集。

出版《〈红楼梦〉的真故事》(凤凰联动·江苏人民出版社),在争议声中畅销。

4 月,应台湾新地文学社邀请赴台参加"21 世纪世界华文文学高峰会议"。

出版《命中相遇——刘心武话里有画》(上海文艺出版社)。

加快《刘心武续〈红楼梦〉》的写作,次年完成推出。

至本年底,在海内外出版的个人专著,文集不算在内,重印亦不算,按不同版本计达 182 种(按不同书名计则为 141 种)。

年底,筹备编辑《刘心武文存》。

刘心武著作书目

只包括在中国大陆、台湾、香港和海外出版的书（同一著作每种版本单列）；不包括散发于报刊尚未出书的篇目，亦不包括多人合集中的篇目。第一个数字表示不同版本的排序；[ ]中的数字表示剔除同一书名的版本后的排序；注意：文集8卷不参加排序。

1976 年

1.[1]《睁大你的眼睛》[儿童文学·中篇小说]

北京人民出版社 1976 年 1 月第一版

1978 年

2.[2]《母校留念》[儿童文学·小说集]

中国少年儿童出版社 1978 年 7 月第一版

1979 年

3.[3]《小猴吃瓜果》[低幼读物·画册]

少年儿童出版社 1979 年 4 月第一版

1980 年 6 月第二次印刷

4.[4]《班主任》[短篇小说集]

中国青年出版社 1979 年 6 月第一版

1980 年

5.[5]《我是你的朋友》[儿童文学·中篇小说]

北京出版社 1980 年 7 月第一版

6.[6]《绿叶与黄金》[中短篇小说集]

广东人民出版社 1980 年 8 月第一版

7.[7]《刘心武短篇小说集》

北京出版社 1980 年 9 月第一版

1981 年

8.《这里有黄金》[中短篇小说集]

广东人民出版社 1981 年 4 月第二次印刷

有平装、软精装两种

9.[8]《大眼猫》[中短篇小说集]

浙江人民出版社 1981 年 8 月第一版

1982 年

10.[9]《如意》[中篇小说集]

北京出版社 1982 年 5 月第一版

1983 年

11.[10]《中国现代作家选（Ⅲ）刘心武＜我爱每一片绿叶＞＜深谷小溪默默流＞》

[日本] 东方书店 1983 年第一版

12.[11]《同文学青年对话》

文化艺术出版社 1983 年 10 月第一版

1984 年

13.[12]《到远处去发信》[中短篇小说集]

四川人民出版社 1984 年 4 月第一版

有平装、软精装两种

14.[13]《如意》[电影文学剧本]（与戴宗安联合署名）

中国电影出版社 1984 年 6 月第一版

1985 年

15.[14]《嘉陵江流进血管》[中篇小说集]

陕西人民出版社 1985 年 2 月第一版

16.[15]《日程紧迫》[中短篇小说集]

群众出版社 1985 年 5 月第一版

17.[16]《我可不怕十三岁》[儿童文学集]

新世纪出版社 1985 年 8 月第一版

18.[17]《钟鼓楼》[长篇小说]

人民文学出版社 1985 年 11 月第一版

有平装、软精装两种

1986 年 5 月第二次印刷

1986 年

19.[18]《公共汽车咏叹调》[纪实小说]

湖南文艺出版社 1986 年 1 月第一版

20.[19]《都会咏叹调》[小说集]

作家出版社 1986 年 3 月第一版

21.[20]《垂柳集》[散文集]

陕西人民出版社 1986 年 4 月第一版

22.[21]《立体交叉桥》[中短篇小说集]

人民文学出版社 1986 年 6 月第一版

有平装、软精装两种

23.[22]《巴黎郁金香》[访法散文集]

群众出版社 1986 年 11 月第一版

24.[23]《木变石戒指》[中短篇小说集]

青海人民出版社 1986 年 12 月第一版

1987 年

25. *Little Monkey Triesto Eat Fruit* [科学童话·英文]

海豚出版社 1987 年第一版

有平装、精装两种

26.[24]《斜坡文谈》[文学理论]

上海文艺出版社 1987 年 4 月第一版

27.[25]《王府井万花筒》[中篇小说集]

湖南文艺出版社 1987 年 9 月第一版

有平装、精装两种

28.[26]《5·19 长镜头》[小说自选集]

四川文艺出版社 1987 年 11 月第一版

29.げくけきの友たちだ [《我是你的朋友》日译本]

[日本] 福武书店 1987 年 12 月第一版

1989 年 3 月第二版

1991 年 2 月第三版

1988 年

30.[27]《她有一头披肩发》[中短篇小说集]

台湾林白出版社 1988 年 4 月第一版

31.《钟鼓楼》[长篇小说]

香港天地图书有限公司 1988 年第一版

1993 年第二版

32.[28]《私人照相簿》[纪实文学]

香港南粤出版社 1988 年 11 月第一版

33.[29]《刘心武代表作》

黄河文艺出版社 1988 年 12 月第一版

1989 年

34.《小猴吃瓜果》[科学童话]

开明出版社、海豚出版社 1989 年 3 月第一版

35.《钟鼓楼》[长篇小说]

台湾皇冠出版社 1989 年 4 月第一版

36.[30]《一片绿叶对你说》[文艺随笔集]

　　　　　　　　　　河北教育出版社 1989 年 12 月第一版

1990 年

37.[31]*BLACK WALLS AND OTHER STORIES*[小说集·英译本]

　　　　　　　　　　香港中文大学翻译中心出版社 1990 年第一版

38.[32]《王府井万花镜》[小说集·日译本]

　　　　　　　　　　[日本] 德间书店 1990 年 9 月第一版

1991 年

39.《母校留念》[小说]

　　　　　　　　　　[日本] 骏河台出版社 1991 年 4 月第一版

40.[33]《一窗灯火》[中短篇小说集]

　　　　　　　　　　华艺出版社 1991 年 10 月第一版

　　　　　　　　　　1993 年第二次印刷

1992 年

41.[34]《列奥纳多·达·芬奇》[传记]

　　　　　　　　　　江苏教育出版社 1992 年 5 月第一版

42.[35]《有家可归》[散文随笔集]

　　　　　　　　　　广东旅游出版社 1992 年 5 月第一版

43.[36]《风过耳》[长篇小说]

　　　　　　　　　　中国青年出版社 1992 年 6 月第一版

　　　　　　　　　　1992 年 12 月第二次印刷

　　　　　　　　　　1993 年 3 月第三次印刷

　　　　　　　　　　1995 年 8 月第五次印刷

　　　　　　　　　　1996 年 3 月第六次印刷

44.《风过耳》[长篇小说]

　　　　　　　　　　香港勤＋缘出版社 1992 年 6 月第一版

45.[37]《献给命运的紫罗兰——刘心武谈生存智慧》

上海人民出版社 1992 年 6 月第一版

1992 年 11 月第二次印刷

1995 年第三次印刷

1996 年 12 月第五次印刷

46.《刘心武代表作》

河南人民出版社 1992 年 6 月第二次印刷·精装本

47.[38]《蓝夜叉》[中篇小说集]

香港勤＋缘出版社 1992 年 9 月第一版

1993 年

48.《北京下町物语》[长篇小说·《钟鼓楼》日译本]

[日本] 东京恒文社 1993 年 2 月第一版

1994 年第二版

49.[39]《为你自己高兴》[随笔集]

内蒙古人民出版社 1993 年 3 月第一版

50.[40]《杀星》[小说集]

香港勤＋缘出版社 1993 年 6 月第一版

51.《我是你的朋友》[儿童文学·中篇小说·增订本]

希望出版社 1993 年 6 月第一版

52.[41]《四牌楼》[长篇小说]

上海文艺出版社 1993 年 6 月第一版

1994 年 4 月第二次印刷

1996 年 11 月第三次印刷

53.[42]《我是怎样的一个瓶子》[随笔集]

成都出版社 1993 年 9 月第一版

54.[43]《沉默交流》[随笔集]

中国华侨出版社 1993 年 11 月第一版

55.[44]《富心有术》[随笔集]

群众出版社 1993 年 12 月第一版

1995 年第二次印刷

56.[45]《中国当代名人随笔·刘心武卷》

陕西人民出版社 1993 年 12 月第一版

☆《刘心武文集》[1—8 卷]

华艺出版社 1993 年 12 月第一版

☆《刘心武文集·＜钟鼓楼＞＜风过耳＞》（简装本）

☆《刘心武文集·＜四牌楼＞＜无尽的长廊＞》（简装本）

华艺出版社 1997 年 5 月第一版

1994 年

57.[46]《仰望苍天》[随笔集]

知识出版社 1994 年 1 月第一版

1995 年第二次印刷

东方出版中心 1996 年 7 月第三次印刷

58.[47]《男扮女妆与女扮男妆》[随笔集]

中原农民出版社 1994 年 2 月第一版

59.[48]《相对一笑》[小小说集]

中共中央党校出版社 1994 年 2 月第一版

60.[49]《秦可卿之死》[专著]

华艺出版社 1994 年 5 月第一版

61.《四牌楼》[长篇小说]

台湾幼狮文化事业公司 1994 年 8 月第一版

62.[50]《为他人默默许愿》[散文集]

台湾幼狮文化事业公司 1994 年 10 月第一版

63.[51]《中国小说名家新作丛书·刘心武卷》

> 海峡文艺出版社 1994 年 11 月第一版

64.[52]《红楼梦（缩写本）》

> 接力出版社 1994 年 12 月第一版
>
> 1995 年第二次印刷
>
> 1997 年 9 月第三次印刷

1995 年

65.[53]《人生非梦总难醒》[名人日记·随笔集]

> 上海人民出版社 1995 年 1 月第一版
>
> 1995 年 3 月第二次印刷

66.[54]《仙人承露盘》[中短篇小说集]

> 华艺出版社 1995 年 3 月第一版

67.[55]《女性与城市》[杂文集]

> 中国城市出版社 1995 年 6 月第一版

68.《我是你的朋友》[增订版·"小学生成才书架"系列之一]

> 希望出版社 1995 年 10 月第一版

69.《在胡同里转悠》[随笔集]

> 陕西人民出版社 1995 年 11 月第二次印刷

70.[56]《刘心武海外游记》

> 华文出版社 1995 年 12 月第一版

1996 年

71.[57]《刘心武小说精选》

> 太白文艺出版社 1996 年 2 月第一版

72.[58]《开发心大陆》[随笔集]

> 吉林人民出版社 1996 年 3 月第一版
>
> 1997 年 3 月第二次印刷

73.[59]《你哼的什么歌》[散文集]

　　　　　　　　　　　湖南文艺出版社 1996 年 6 月第一版

74.[60]《刘心武张颐武对话录——"后世纪"的文化了望》

　　　　　　　　　　　漓江出版社 1996 年 7 月第一版

75.[61]《边缘有光》[随笔集]

　　　　　　　　　　　汉语大辞典出版社 1996 年 8 月第一版

76.[62]《刘心武怪诞小说自选集》

　　　　　　　　　　　漓江出版社 1996 年 8 月第一版

　　　　　　　　　　　　　有平装、精装两种

77.[63]《我是刘心武》

　　　　　　　　　　　团结出版社 1996 年 9 月第一版

78.[64]《刘心武》[中国当代作家选集丛书]

　　　　　　　　　　　人民文学出版社 1996 年 10 月第一版

79.[65]《刘心武杂文自选集》

　　　　　　　　　　　百花文艺出版社 1996 年 11 月第一版

80.《秦可卿之死》[修订本]

　　　　　　　　　　　华艺出版社 1996 年 11 月第二版

81.[66]《栖凤楼》[长篇小说]

　　　　　　　　　　　人民文学出版社 1996 年 12 月第一版

　　　　　　　　　　　　1998 年 3 月第二次印刷

1997 年

82.[67]《封神演义 (缩写本)》

　　　　　　　　　　　接力出版社 1997 年 1 月第一版

　　　　　　　　　　　　1997 年 9 月第二次印刷

83.[68]《胡同串子》[中短篇小说集]

　　　　　　　　　　　北京燕山出版社 1997 年 8 月第一版

84.《私人照相簿》

上海远东出版社 1997 年 9 月第一版

1998 年 2 月第二次印刷

2000 年换封面版权页称 2000 年 6 月第二次印刷

85.[69]《中国儿童文学名家作品精选丛书·刘心武作品精选》

河北少年儿童出版社 1997 年 8 月第一版

86.[70]《把嘴张圆》[随笔集]

上海远东出版社 1997 年 12 月第一版

1998 年

87.[71]《我眼中的建筑与环境》[建筑评论随笔集]

中国建筑工业出版 1998 年 5 月第一版

1999 年 5 月第二次印刷

2000 年 6 月第三次印刷

2001 年 6 月第四次印刷

88.《钟鼓楼》[茅盾文学奖获奖书系]

人民文学出版社 1998 年 3 月第一次印刷

1998 年 7 月第二次印刷

1998 年 8 月第三次印刷

1999 年 3 月第四次印刷

2000 年 1 月第五次印刷

2001 年 1 月第六次印刷

2001 年 8 月第七次印刷

2002 年 8 月第八次印刷

2003 年 1 月第九次印刷

1999 年

89.[72]《树与林同在》[非虚构长篇小说]

山东画报出版社 1999 年 3 月第一版

2006 年 7 月第二次印刷

90.[73]《八十六颗星星》(*The Eighty-Six Stars*)[儿童文学小说·汉英对照]

希望出版社 1999 年 6 月第一版

91.[74]《红楼三钗之谜》[刘心武红学探佚精品]

华艺出版社 1999 年 9 月第一版

92.[75]《蓝玫瑰》[中短篇小说集]

中国华侨出版社 1999 年 10 月第一版

93.[76]《过隧道的心情》[随笔集]

华东师范大学出版社 1999 年 12 月第一版

2000 年

94.[77]《一切都还来得及》[随笔集]

中国青年出版社 2000 年 1 月第一版

95.[78]《善的教育》[儿童文学]

辽宁少年儿童出版社 2000 年 2 月第一版

96.[79] Le Talisman (version bilingue)[《如意》中、法文对照版]

Librarie You Feng 2000 年 4 月第一版

97.[80]《作家刘心武〈班主任〉手迹》

线装书局 2000 年 5 月第一版

98.[81]《楼前白玉兰》[小小说集]

中国广播电视出版社 2000 年 7 月第一版

99.[82]《刘心武侃北京》

上海文艺出版社 2000 年 10 月第一版

100.[83]《我爱吃苦瓜》[茅盾文学奖获奖作家散文精品]

广州出版社 2000 年 10 月第一版

2002 年 10 月第二次印刷

101.[84]《了解高行健》

香港开益出版社 2000 年 12 月第一版

2001 年

102.[85]《亲近苍莽》

中国旅游出版社 2001 年 1 月第一版

103.[86]《在忧郁中升华》

文汇出版社 2001 年 2 月第一版

《刘心武谈建筑——在忧郁中升华》2007 年 8 月第二次印刷

104.[87]《人在风中》

作家出版社 2001 年 8 月第一版

105.《风过耳》

时代文艺出版社 2001 年 10 月第一版

有平装、精装两种

2002 年

106.[88]《京漂女》(自绘插图)

中国文联出版社 2002 年 1 月第一版

107.[89]《深夜月当花》

中国工人出版社 2002 年 1 月第一版

108.[90]《春梦随云散》

人民文学出版社 2002 年 4 月第一版

109.[91]《藤萝花饼》

台湾二鱼文化事业有限公司 2002 年 4 月第一版

110.[92]《刘心武自述》

　　　　　　　　　大象出版社 2002 年 10 月第一版

2003 年

111.[93] L'arbre et la foret [《树与林同在》法译本]

　　　　　　　　　BLEU DE CHINE 2003 年 1 月第一版

112.[94]《人面鱼》

　　　　　　　　　台湾联经出版事业股份有限公司 2003 年 2 月初版

113.[94] La Cendrillon Du Canal [《护城河边的灰姑娘》法译本]

　　　　　　　　　BLEU DE CHINE 2003 年 4 月第一版

114.[95]《画梁春尽落香尘》["红学" 专著]

　　　　　　　　　中国广播电视出版社 2003 年 6 月第一版

　　　　　　　　　2003 年 9 月第二次印刷

　　　　　　　　　2004 年 1 月第三次印刷

　　　　　　　　　2005 年 6 月第四次印刷

115.[96]《眼角眉梢》

　　　　　　　　　新华出版社 2003 年 8 月第一版

116.[97]《钟鼓楼》[初中生语文新课标必读]

　　　　　　　　　人民日报出版社 2003 年 9 月第一版

117.[98]《天梯之声》

　　　　　　　　　中国青年出版社 2003 年 10 月第一版

2004 年

118.[99] Poussiere et sueur [《尘与汗》法译本]

　　　　　　　　　BLEU DE CHINE 2004 年 1 月第一版

119.[100] La mort de Lao SHe [《老舍之死》歌剧剧本法译本]

　　　　　　　　　BLEU DE CHINE 2004 年 3 月第一版

120.[101] Poisson a face humaine [《人面鱼》法译本]

> BLEU DE CHINE 2004 年 3 月第一版

121.《如意》[电影伴读中国文学文库·附电影光盘]

> 中国青年出版社 2004 年 1 月第一版

122.[102]《泼妇鸡丁》

> 台湾二鱼文化事业有限公司 2004 年 4 月第一版

123.[103]《在柳树臂弯里——刘心武随笔》

> 光明日报出版社 2004 年 5 月第一版

124.[104]《材质之美——刘心武城市文化酷评》

> 中国建材工业出版社 2004 年 5 月第一版

125.[105]《站冰——刘心武小说新作集》(自绘插图)

> 人民文学出版社 2004 年 6 月第一版

126.《四牌楼》

> 上海文艺出版社 2004 年 8 月第二版

127.[106]《大家文丛：刘心武》

> 古吴轩出版社 2004 年 8 月第一版

2005 年

128.《钟鼓楼》(中国文库·文学类)

> 人民文学出版社 2005 年 1 月第一版第一次印刷(平装)
>
> 2005 年 1 月第一版第一次印刷(精装)

129.《钟鼓楼》(茅盾文学奖获奖作品全集之一)

> 人民文学出版社 1985 年 11 月第一版、2005 年 1 月第一次印刷
>
> 2005 年 5 月第二次印刷
>
> 2005 年 7 月第三次印刷
>
> 2006 年 3 月第四次印刷

2008 年 4 月第七次印刷

2009 年 8 月第八次印刷

2010 年 1 月第九次印刷

2011 年 7 月第 15 次印刷

2011 年 9 月第 16 次印刷

2011 年 11 月第 17 次印刷

130.[107]《心灵体操》

时代文艺出版社 2005 年 1 月第一版

131.[108]《刘心武作文示范》

少年儿童出版社 2005 年 1 月第一版

132.[109] La Demone bleue（《蓝夜叉》法译本）

BLEU DE CHINE 2005 年第一版

133.[110]《红楼望月》

书海出版社 2005 年 4 月第一版

2005 年 6 月第二次印刷

2005 年 7 月第三次印刷

2005 年 8 月第四次印刷

2005 年 9 月第五次印刷

2005 年 9 月第六次印刷

134.[111]《刘心武揭秘〈红楼梦〉》

东方出版社 2005 年 8 月第一版

至 2005 年 19 月共十三次印刷

2005 年 11 月第二版

至 2005 年 12 月已第十八次印刷

至 2007 年 7 月已第二十八次印刷

2007 年 12 月第三十次印刷

2008 年 4 月第三十二次印刷

135.《红楼解梦——画梁春尽落香尘》

中国广播电视出版社 2005 年 9 月第二版第五次印刷

136.《楼前白玉兰——刘心武最新小小说集》

中国广播电视出版社 2005 年 9 月第二版第二次印刷

137.[112]《刘心武揭秘〈红楼梦〉》[第二部]

东方出版社 2005 年 12 月第一版

至 2007 年 7 月已第十五次印刷

2007 年 12 月第十七次印刷

2008 年 4 月第十九次印刷

138.[113]《刘心武解读人世情》

时代文艺出版社 2005 年 12 月第一版

139.[114]《刘心武感悟平常心》

时代文艺出版社 2005 年 12 月第一版

2006 年

140.[115]《刘心武自选集》

云南人民出版社 2006 年 1 月第一版

141.[116]《刘心武点评〈红楼梦〉》

团结出版社 2006 年 1 月第一版

142,《刘心武精品集·第一卷·钟鼓楼》

东方出版社 2006 年 1 月第一版

143.《刘心武精品集·第二卷·四牌楼》

东方出版社 2006 年 1 月第一版

144.《刘心武精品集·第三卷·栖凤楼》

东方出版社 2006 年 1 月第一版

145.《刘心武精品集·第四卷·献给命运的紫罗兰》

东方出版社 2006 年 1 月第一版

146.[117]《戴敦邦绘刘心武评〈金瓶梅〉人物谱》

作家出版社 2006 年 4 月第一版

147.[118]《红楼拾珠》

云南人民出版社 2006 年 5 月第一版

148.[119]《藤萝花饼》

云南人民出版社 2006 年 5 月第一版

149.《刘心武揭秘〈红楼梦〉》[第一部]

台湾好读出版有限公司 2006 年 6 月初版

150.《刘心武揭秘〈红楼梦〉》[第二部]

台湾好读出版有限公司 2006 年 6 月初版

151.《我是刘心武》

天津人民出版社 2006 年 8 月第一版

152.[120]《刘心武揭秘古本〈红楼梦〉》

人民出版社 2006 年 12 月第一版

同月第二次印刷

2007 年

153.[121]《四棵树》

二十一世纪出版社 2007 年第一版

154.[122]《用心去游》

上海三联书店 2006 年 12 月第一版

2007 年 1 月第一次印刷

155.[123] Des de poulet facon megere [《泼妇鸡丁》法译本]

BLEU DE CHINE2007 年 4 月第一版

156.《一切都还来得及》

中国青年出版社 2005 年 5 月第一版

157.[124]《刘心武揭秘〈红楼梦〉》[第三部·黛玉之谜及古本之秘]

> 东方出版社 2007 年 7 月第一版
>
> 至 2007 年 8 月已第四次印刷
>
> 2007 年 12 月第六次印刷
>
> 2008 年 3 月第七次印刷

158.[125]《刘心武说世道人心》

> 中国青年出版社 2007 年 7 月第一版

159.[126]《刘心武说寻美感悟》

> 中国青年出版社 2007 年 7 月第一版

160.[127]《刘心武说草根情怀》

> 中国青年出版社 2007 年 7 月第一版

161.[128]《长吻蜂》

> 上海人民出版社 2007 年 8 月第一版

162.《私人照相簿》

> 华龄出版社 2007 年 10 月第一版

163.《善的教育》

> 华龄出版社 2007 年 10 月第一版

164.[129]《刘心武揭秘〈红楼梦〉》[第四部·宝钗湘云之谜暨红楼心语]

> 东方出版社 2007 年 11 月第一版
>
> 2008 年 3 月第三次印刷

2008 年

165.[130]《健康携梦人》

> 中国海关出版社 2008 年 4 月第一版

166.[131]《刘心武小说》

> 吉林文史出版社 2008 年 5 月第一版

167.[132]《刘心武散文》

> 吉林文史出版社 2008 年 5 月第一版

2009 年

168.《钟鼓楼》(共和国作家文库)

> 作家出版社 2009 年 4 月第一版

169.《四牌楼》(共和国作家文库)

> 作家出版社 2009 年 4 月第一版

170.[133]《人在胡同第几槐》

> 中国文联出版社 2009 年 6 月第一版

171.《钟鼓楼》(新中国 60 年长篇小说典藏)

> 人民文学出版社 2009 年 7 月第一版

172.[134]《刘心武短篇小说》

> 现代教育出版社 2009 年 8 月第一版

173.[135]《刘心武中篇小说》

> 现代教育出版社 2009 年 8 月第一版

174.[136]《刘心武散文随笔》

> 现代教育出版社 2009 年 8 月第一版

175.《刘心武揭秘〈红楼梦〉》上卷 (共和国作家文库)

> 作家出版社 2009 年 8 月第一版

176.《刘心武揭秘〈红楼梦〉》下卷 (共和国作家文库)

> 作家出版社 2009 年 8 月第一版

2010 年

177.[137]《人情似纸》

> 江苏文艺出版社 2010 年 1 月第一版

178.[138]《红楼梦八十回后真故事》

> 江苏人民出版社 2010 年 3 月第一版

179.[139]《刘心武小说精选集》

[台湾] 新地文化艺术有限公司 2010 年 4 月第一版

180.《红楼望月》

江苏人民出版社 2010 年 6 月第一版

2010 年 9 月第二次印刷

181.[140]《命中相遇——刘心武话里有画》

上海文艺出版社 2010 年 7 月第一版

182.[141]《红楼眼神》

重庆出版社 2010 年 9 月第一版

2011 年

183.[142]《刘心武续红楼梦》

江苏人民出版社 2011 年 3 月第一版

江苏人民出版社 2011 年 4 月第 4 次印刷

184.[143]《红楼梦》(曹雪芹著刘心武续)

江苏人民出版社 2011 年 3 月第一版

185.《刘心武续红楼梦》[繁体字竖排本]

香港明报出版社有限公司 2011 年 3 月初版

186.《刘心武揭秘〈红楼梦〉》精华本（一）

江苏人民出版社 2011 年 4 月第一版

187.《刘心武揭秘〈红楼梦〉》精华本（二）

江苏人民出版社 2011 年 4 月第一版

188.《刘心武揭秘〈红楼梦〉》精华本（三）

江苏人民出版社 2011 年 4 月第一版

189.《刘心武揭秘〈红楼梦〉》精华本（四）

江苏人民出版社 2011 年 4 月第一版

190.《刘心武续红楼梦》[繁体字竖排本]

　　　　　　台湾城邦文化事业股份有限公司商周出版 2011 年 4 月第一版

191.《〈红楼梦〉的真故事》

　　　　　　台湾人类智库数位科技股份有限公司 2011 年 6 月第一版

192.[144]《听刘心武说房子的事儿》

　　　　　　中国商业出版社 2011 年 8 月第一版

193.[145]《刘心武心灵随感》

　　　　　　时代文艺出版社 2011 年 11 月第一版

2012 年

194.[146]《刘心武种四棵树》

　　　　　　漓江出版社 2012 年 1 月第一版

195.[147]《风雪夜归正逢时——我是刘心武》

　　　　　　漓江出版社 2012 年 1 月第一版

196.《献给命运的紫罗兰》

　　　　　　漓江出版社 2012 年 1 月第一版

197.[148]《人生有信》

　　　　　　江苏人民出版社 2012 年 3 月第一版

198.Poussière et sueur [《尘与汗》法译本 folio 袖珍版]

　　　　　　Gallimard 2012 年 8 月出版

199.La Cendrillon du canal [《护城河边的灰姑娘》法译本 folio 袖珍版]

　　　　　　Gallimard 2012 年 8 月出版